L'AMOUR EN HÉRITAGE

Judith Krantz, femme écrivain américain, mariée et mère de deux enfants, Nicholas et Tony, est née à New York où elle a été élevée. Diplômée de l'Université de Wellsley, ex-rédactrice de mode, elle a poursuivi sa carrière de journaliste comme conseil de la rédaction de Cosmopolitan *à New York. Depuis 1983, Judith Krantz et son mari vivent à Paris.*
En 1978, elle a publié son premier roman : Scrupules *qui est devenu tout de suite le numéro un sur la liste officielle des best-sellers américains. Huit millions d'exemplaires ont été vendus aux Etats-Unis et il a été traduit en dix-huit langues. Les deux romans suivants :* Princess Daisy *en 1980 et* Mistral's daughter *en 1982 ont été également numéro un sur la liste officielle des best-sellers américains.*
Il a été vendu quatre-vingts millions d'exemplaires de ces trois titres dans le monde entier.
Mistral's daughter *(L'Amour en héritage) fait l'objet d'une grande série télévisée de huit heures sur Antenne 2.*

Paris 1925. La bohème. Montparnasse. Magali Lunel, jeune beauté rousse de dix-sept ans veut devenir modèle. Son chemin va croiser celui de Julien Mercuès, peintre encore méconnu mais chez qui l'on pressent le génie. Pour Magali, un amour tumultueux mais sans lendemain. Elle rencontre alors un autre homme et donne naissance à une fille, Teddy. Le destin va faire se rencontrer Teddy et Mercuès et ce sera la passion, une passion dévorante. Teddy donne naissance elle aussi à une fille : Fauve... Une triple histoire d'amour qui fait le grand écart sur plus d'un demi-siècle d'histoire entre Paris, New York, le Lubéron, Rome, les Années Folles, la crise de 29, l'Occupation, le monde d'aujourd'hui, celui des peintres, des marchands de tableaux, de la mode, de la presse.
Trois femmes, la mère, la fille et la petite-fille tour à tour fascinées par le même homme, un peintre génial qui brûle tout ce qu'il touche.

JUDITH KRANTZ

L'amour en héritage

TRADUIT DE L'AMÉRICAIN
PAR FRANÇOISE MAYNERIS

STOCK

Titre original :

MISTRAL'S DAUGHTER
(Crown Publishers, Inc. New York)

1

SON imperméable rouge flottant autour d'elle, Fauve traversa le hall à la hâte et parvint à s'engouffrer dans l'ascenseur une seconde avant la fermeture des portes. Haletante, elle essaya de rouler son grand parapluie rayé afin qu'il ne s'égoutte pas sur les gens pressés contre elle, mais la foule était si dense qu'elle dut y renoncer.

Si elle était arrivée une heure plus tôt, elle aurait pu avoir l'ascenseur pour elle toute seule, mais impossible de trouver un taxi à Manhattan par ce pluvieux matin de septembre 1975. Elle avait attendu l'autobus une éternité dans Madison Avenue, puis remonté en courant la 77e Rue. Trempée, mal à l'aise, elle jeta un coup d'œil sur les gens qui l'entouraient. Certains descendraient-ils avant le dixième étage? Non, inutile de l'espérer. Le vieil ascenseur grinçant s'élevait lentement dans l'immeuble de bureaux de Carnegie Hall. Il y régnait une tension, une angoisse presque palpables. Hormis le liftier, il n'y avait là que des jeunes femmes sombres et silencieuses. Chacune avait grandi avec la certitude qu'elle était la plus belle fille de son collège, de sa ville natale, de son Etat.

Ce matin, elles approchaient enfin du but dont elles avaient rêvé pendant des années. Elles avaient rendez-vous à l'agence Lunel, la plus célèbre et la plus prestigieuse des agences de mannequins.

« Casey m'a demandé si je vous avais vue, dit le liftier à Fauve. Elle vous attend là-haut.

– Merci, Harry. » Elle rentra la tête dans les épaules. Vingt paires d'yeux braqués sur elle la regardaient sans aménité. Elles l'évaluaient, comparaient son profil avec le leur, l'épluchaient de la tête aux pieds à la recherche du moindre défaut. Toutes avaient remarqué sa haute taille et le roux extravagant de ses merveilleux cheveux.

« Vous êtes mannequin, n'est-ce pas? finit par demander la voisine immédiate de Fauve d'un ton envieux.

– Non, mais je travaille ici. »

Fauve perçut un léger soulagement autour d'elle et redevint comme invisible. Dès que les portes s'ouvrirent, elle se précipita hors de l'ascenseur et entra dans l'agence sans se retourner.

Elle savait exactement ce qui attendait ces jeunes femmes : elles prendraient place dans la queue qui avait commencé à se former une demi-heure plus tôt. C'est ainsi que Maggy Lunel, la grand-mère de Fauve qui avait fondé l'agence quarante ans plus tôt, recrutait ses mannequins. Parmi les milliers de candidates qui défilaient tous les ans à l'agence, on n'en gardait qu'une trentaine.

En arrivant à son bureau, Fauve se demanda si l'une de ces filles avait ses chances. Il y avait peu d'élues. Il fallait être dotée de cette qualité indispensable qu'à l'agence on appelait le « knack ». Elles ignoraient toutes que leur beauté n'était pas suffisante pour réussir.

Perchée sur un tabouret, Casey d'Augustino, l'assistante de Fauve, feuilletait *Vogue*. Elle la regarda, surprise. Petite, les cheveux bouclés, elle était plus âgée que Fauve bien qu'elle n'eût que vingt-cinq ans.

« Qu'est-ce qui t'arrive? On a l'impression que tu es poursuivie par la police montée, dit-elle, amusée par l'expression de Fauve.

– Pas par la police montée mais par un groupe de femelles... Je me suis retrouvée coincée dans l'ascenseur avec une meute de candidates gonflées à bloc.

– Ça t'apprendra à arriver en retard.

– Cela ne m'arrive pas souvent », répliqua Fauve avec vivacité, en enlevant son imperméable. Elle se laissa tomber avec un soupir de soulagement dans son fauteuil, ôta ses bottes et posa ses pieds sur son bureau. Les couleurs de ses vêtements défiaient toujours le mauvais temps : elle portait aujourd'hui un pull-over à col roulé orange et un pantalon en tweed violet.

« Rarement, admit Casey, mais tu n'as pas besoin de te défendre. Tu es arrivée à temps pour t'occuper de l'urgence de la semaine.

– Quelle urgence? » demanda Fauve, regardant le couloir à travers la porte vitrée. Elle ne vit rien d'anormal. Il y avait comme d'habitude une douzaine de bookers installés devant leur téléphone. Et, tant que ceux-ci fonctionnaient, il ne pouvait y avoir de réelle urgence à l'agence.

« De nouveaux problèmes avec Jane, annonça Casey, soudain sérieuse.

– *Encore!* » Fauve, qui avait commencé à griffonner sur son calepin, posa brusquement son crayon. « Après l'avertissement que je lui ai donné la semaine dernière! *Encore* des problèmes?

– Elle était confirmée hier pour *Bazaar*. C'était Arthur Brown qui devait faire les photos. Bunny, son assistant, a appelé l'agence dès l'ouverture, absolument livide...

– Tu as vu ça au téléphone? » railla Fauve, peu soucieuse d'avoir sa journée gâchée par la dernière de Jane, le mannequin vedette de Lunel.

« Dans un état de rage indescriptible, poursuivit Casey. Jane est arrivée hier avec deux heures de retard, mais Bunny s'y attendait car elle lui fait toujours le coup. Donc, ce n'est pas ça le problème. Ses cheveux étaient dégoûtants, il a fallu les lui laver. Après quoi elle s'est mise à insulter le maquilleur mais il lui a pardonné parce qu'il a l'habitude. Ensuite, elle s'est sentie trop nerveuse pour travailler. Elle était à jeun et elle avait faim. Il a fallu la nourrir. Elle s'est fait monter au moins trois sortes de yaourts avant d'être satisfaite. Puis elle a appelé son astrologue. La communication a duré une demi-heure. Bon, tout ça, Bunny s'en serait accommodé. Il connaît la chanson. Mais ce qui l'a foutu hors de lui, c'est que, finalement, ils n'ont pas pu prendre la photo pour *Bazaar*. A la dernière minute, Jane a refusé qu'on lui coupe les cheveux. »

Hors d'elle, Fauve se leva d'un bond.

« Jane savait qu'il s'agissait de photos de coiffure. Tout ce qu'on lui demandait, c'était de se laisser raccourcir les cheveux de cinq centimètres. Bon dieu, cinq malheureux centimètres! Mais ils font toute la différence. Ce sera la coiffure de la saison prochaine. Je lui ai expliqué tout ça le mois dernier, quand elle a accepté le booking.

– Ah! mais c'est que, vois-tu, notre Jane a changé d'avis. Son astrologue lui a bien précisé de ne prendre aucune décision avant que le soleil n'entre dans Neptune.

– Cette fois-ci, j'en ai marre! Je vais la virer, et aujourd'hui même.

– Oh! Fauve... gémit Casey, songeant aux nombreux bookings de Jane ces trois prochains mois.

– Non, j'en ai vraiment marre! De quoi avons-nous l'air là-dedans? Sans compter que c'est un exemple déplorable pour les autres filles.

– Si tu mets fin à son contrat, elle se fera récupérer par Ford ou Wilhelmina demain. Les gens sont prêts à supporter tous ses caprices. Il n'y a qu'une Jane.

– Tu te trompes, Casey. Tôt ou tard, il y aura une autre Jane, rétorqua Fauve tranquillement mais il n'y a qu'une agence comme la nôtre.

– Oui, c'est vrai... tu devrais tout de même en toucher un mot à Maggy.

– Maggy n'est jamais là le vendredi. »

Lorsque sa grand-mère partait pour ses longs week-ends, c'est Fauve qui avait la responsabilité de l'affaire.

« Elle a décidé qu'il faisait trop mauvais pour aller à la campagne. Elle est dans son bureau.

– Ah! bon? Eh bien, je vais régler cela avec elle, dit Fauve, songeuse. D'autres urgences?

– Oui, une autre, mais qui n'est pas de ton ressort. C'est Pete qui s'en occupe », dit Casey, faisant allusion au réparateur de téléphones qui passait le plus clair de son temps dans la maison car, entre les innombrables lignes extérieures et intérieures, il y en avait toujours une qui ne fonctionnait pas. « Le téléphone d'une des bookeuses déconne. Elle reçoit des appels téléphoniques destinés à un psy et lui les nôtres. Elle répond à tout le monde de pleurer un bon coup, de prendre une douche froide, deux aspirines et de prier.

– Ça ne peut pas leur faire de mal », répondit Fauve en se dirigeant vers le grand bureau d'angle

9

où Maggy Lunel avait régné longtemps sur le monde de la mode et des mannequins.

Certaines grandes beautés vieillissent gracieusement. D'autres, à force d'acharnement, se figent à un certain âge. D'autres encore perdent toute séduction de façon si soudaine qu'il faut faire un effort d'imagination pour se rappeler leur visage d'antan. Le temps semblait n'avoir guère de prise sur Maggy Lunel. Pour peu qu'on ne la regardât pas de trop près, elle restait cette jeune fille de dix-sept ans, le plus charmant modèle de Montparnasse. Elle était devenue la créature la plus sophistiquée de New York, celle dont toutes les femmes copiaient le port de tête. On avait du mal à se faire à l'idée qu'elle approchait de la soixantaine.

« Magali! Ce n'est vraiment pas de chance ce temps... Darcy n'était pas trop déçu? »

Fauve embrassa sa grand-mère. Seule, Fauve avait le droit d'appeler Maggy par son vrai prénom.

« Il râlait un peu mais il a goupillé un déjeuner avec Herb Mayes au 21, ce qui lui a rendu sa bonne humeur. Hier soir, à la radio, ils ont annoncé que des lignes à haute tension avaient été endommagées et qu'il y aurait des pannes d'électricité. Alors j'ai renoncé à partir. J'ai tendance à perdre ma gaieté naturelle quand il faut que je me propulse dans la maison une bougie à la main et que je me fasse griller un hot dog dans la cheminée.

– Je te croyais plus romantique que cela... Encore une illusion qui disparaît. Quoi qu'il en soit, je suis contente que tu sois là. J'ai décidé de virer Jane, dit Fauve, regardant Maggy avec un mélange d'interrogation et de détermination.

– Je me demandais combien de temps tu allais tenir. Loulou et moi avions parié sur ce sujet. »

Fauve ouvrit la bouche, surprise. Loulou, le chef booker, le vieux copain de Maggy, n'avait jamais manifesté autre chose qu'une totale résignation devant les caprices de Jane.

« Qui a gagné? demanda-t-elle.

– Loulou, bien sûr. En cinq ans, je n'ai jamais pu gagner un pari contre lui. Mais peut-être... un jour... »

Maggy sourit et haussa les épaules. Fauve, pensat-elle, était particulièrement belle dans cette lumière crépusculaire avec ses vêtements aux couleurs violentes et ses chaussettes vertes. N'importe lequel des *Fauves*, l'école de peinture d'où la jeune fille tirait son nom, aurait été séduit par cette vision. Pendant des années, Maggy n'avait pas eu son pareil pour repérer la beauté et elle était soulagée que Fauve n'eût pas opté pour la carrière de cover-girl. Elle aurait pu devenir la meilleure de toutes et même surclasser Jane, mais Maggy trouvait qu'elle valait mieux que cela.

« Quelle heure est-il? demanda soudain Fauve. J'ai laissé ma montre à la maison. Voilà ce qui arrive quand on s'habille précipitamment. Et je ne veux manquer en aucun cas le nouveau spot publicitaire d'Angel sur le fromage de régime.

– Il est presque dix heures et demie.

– Parfait. C'est maintenant. » Fauve s'approcha de la télévision. « Si tu es occupée, je peux regarder l'émission dans mon bureau.

– Non, reste ici, chérie. Je voudrais la voir aussi et je n'ai pas grand-chose à faire aujourd'hui. Il paraît qu'Angel interviewe des chefs d'entreprise... Tu avais raison, elle se débrouille très bien. »

Fauve brancha la télévision et s'assit en face de

Maggy. Et pendant quelques secondes étonnantes, les deux femmes regardèrent Angel les convaincre que le fromage écrémé pouvait être un plat de gourmet, le choix du connaisseur.

Lorsque ce spot publicitaire fut terminé, elles se serrèrent la main pour se congratuler mutuellement, riant ensemble d'un rire clair et franc, ce même rire qui faisait se retourner les passants dans la rue et leur donnait envie de l'entendre encore.

« Angel est épatante là-dedans. A mon avis, ce spot va faire une belle carrière, dit Maggy.

– Elle doit déjà se demander si, avec son cachet, elle va s'acheter un appartement ou un troupeau de bêtes à cornes. A mon avis, elle se contentera d'une Jaguar. »

Comme Fauve s'apprêtait à aller éteindre le poste, les mots « Flash d'information » apparurent sur l'écran. Elle attendit un instant. La speakerine parlait rapidement.

« Julien Mercuès, considéré comme le plus grand peintre français contemporain, est mort d'une pneumonie dans sa maison du midi de la France. L'artiste était âgé de soixante-quinze ans. Sa fille, Mme Nadine Dalmas, était près de lui au moment de sa mort. Nous vous donnerons de plus amples détails dans le journal de midi. »

Ni Fauve ni Maggy ne bougèrent. Le choc les vissa à leurs chaises. Enfin, Maggy se leva et alla éteindre. Fauve était immobile, le regard perdu. Maggy s'agenouilla près d'elle, passa son bras autour de ses épaules et attira la tête rousse contre sa poitrine.

« Mon Dieu, mon Dieu, apprendre ça par la télévision, murmura-t-elle, berçant Fauve dans ses bras.

– Je ne ressens rien. Absolument rien. Je devrais

ressentir quelque chose, non? dit Fauve d'une voix presque inaudible.

— C'est le choc... Moi non plus je ne ressens rien, mais je sais que ça ne va pas tarder. »

Pendant un moment, elles demeurèrent silencieuses, écoutant sans vraiment l'entendre la sirène d'une voiture de police qui remontait la rue. Julien Mercuès était mort et le temps s'était arrêté pour ces deux femmes qui l'avaient aimé.

Une photographie encadrée était posée sur le bureau de Maggy. Comme pour l'associer à leur détresse, toutes deux regardèrent au même moment le portrait de Teddy, le plus grand mannequin de tous les temps, la fille de Maggy, la maîtresse de Julien Mercuès et la mère de Fauve.

Enfin, Maggy se releva. Son sens pratique reprit le dessus.

« Fauve, l'enterrement... il faut que tu y ailles. Viens, je vais revenir à l'appartement avec toi. Je t'aiderai à faire tes bagages. Casey s'occupera de ton billet d'avion. »

Fauve alla à la fenêtre et regarda la pluie.

« Non, dit-elle à Maggy sans se retourner.

— Comment " non "? Je ne comprends pas.

— Non, Magali, je ne peux pas y aller.

— Fauve, tu as reçu un choc. Ton père est mort. Je sais que tu ne lui as pas adressé la parole depuis six ans mais tu dois tout de même aller à son enterrement.

— Non, Magali, non. Je n'irai pas. Je ne *peux* pas. »

2

Paris, amoureux de lui-même, était en fête. C'était un lundi de mai 1925 et les marronniers croulaient sous les fleurs.

Ce matin-là, dans son atelier, Chanel créait son premier petit tailleur noir. Colette relisait une dernière fois son manuscrit scandaleux, *La Fin de Chéri*. Le jeune Hemingway et James Joyce, à demi aveugle, avaient bu ensemble jusqu'à l'aube tandis que Mistinguett, à sa première du Casino de Paris, venait de prouver une fois de plus qu'elle excellait dans l'art de descendre un escalier. Les frères Cartier avaient acheté le collier le plus extraordinaire du monde, trois rangs de perles roses parfaites qu'on avait mis deux siècles à rassembler – et beaucoup de gens se demandaient à qui ils allaient le vendre.

Maggy Lunel, immobile au coin d'une rue de Montparnasse, au carrefour Vavin, se fichait bien des colliers de perles. Elle dévorait son second petit déjeuner, un cornet de frites qu'elle avait acheté quatre centimes à un marchand ambulant. Elle était à Paris depuis à peine vingt-quatre heures et, à dix-sept ans, elle trouvait que s'enfuir de Tours, sa ville natale, pour venir à la rencontre de son destin lui ouvrait sérieusement l'appétit.

Rue de la Grande-Chaumière, les passants se retournaient sur elle. Elle restait plantée là comme si le trottoir lui appartenait, grande, mince, oublieuse d'elle-même et apparemment inconsciente de la contradiction entre son visage et ses vêtements. Elle avait la silhouette à la fois dégingandée et athlétique à la mode cette année-là. Elle portait une jupe plissée bleu marine qui couvrait ses genoux et une blouse ample en crêpe blanc resserrée aux hanches. Mais à une époque où aucune femme, quelle que fût sa condition, ne sortait dans la rue sans chapeau, elle était nu-tête. Elle possédait une beauté saine et naturelle – elle ne se maquillait jamais – qui ne deviendrait à la mode qu'un quart de siècle plus tard.

Les femmes se faisaient toutes couper les cheveux et épiler les sourcils mais elle avait gardé sa longue chevelure d'un roux chaud et ses sourcils épais à peine plus foncés que ses cheveux. L'iris de ses yeux très grands, très écartés du nez, avait la couleur vert-jaune du Pernod non dilué.

Maggy s'essuya les mains à son mouchoir et regarda autour d'elle. Passionnée par le spectacle de la rue, elle ne remarqua pas qu'elle était devenue l'objet de l'attention d'un groupe de personnes curieusement disparate qui se rassemblait autour d'elle. Il y avait là quelques jeunes filles habillées de vêtements bon marché aux couleurs criardes, des vieilles femmes en tablier et en pantoufles; des grands-pères, la cigarette aux lèvres, et des petits enfants qui tiraient sur les jupes de leur mère. Des garçons et des filles qui auraient dû, à coup sûr, être à l'école. Ils attendaient tous avec un air de patience résignée qui, par contraste, donnait à Maggy l'air d'une pouliche nerveuse piaffant pour prendre le départ d'une course.

Ils se turent et dévisagèrent Maggy en se poussant du coude.

« Vous attendez quelqu'un? » demanda une femme plantureuse d'environ trente-cinq ans.

Surprise, Maggy leva les yeux, jeta un coup d'œil autour d'elle et sourit.

« Je l'espère bien, madame. Je suis au bon endroit, non?

– Ça dépend.

– La foire aux modèles? N'est-ce pas ici qu'on est censé attendre quand on veut poser?

– C'est le coin, répondit un garçon de douze ans en regardant Maggy avec intérêt. Moi, je suis du métier. J'étais même pas né quand on m'a peint pour la première fois. Mais ma mère, elle, était sur le point d'accoucher.

– Tais-toi, imbécile, grogna la mère en le poussant derrière elle. Vous n'êtes pas un modèle », dit-elle, regardant Maggy d'un air accusateur.

La foire aux modèles était une institution qui avait vu le jour à Montmartre quelque soixante-quinze ans auparavant. Les postulants se rassemblaient alors autour de la fontaine de la place Pigalle. Lorsque les artistes avaient émigré à Montparnasse, les modèles avaient suivi et, tous les lundis matin, ils attendaient du travail, debout sur le trottoir.

Des familles entières vivaient de ce commerce depuis plusieurs générations et l'apparition de Maggy parmi elles était accueillie avec les réticences que manifeste tout groupe de professionnels pour un amateur.

« Si quelqu'un paie pour me peindre, est-ce que ça ne fera pas de moi un modèle? rétorqua Maggy.

– Vous croyez que c'est aussi simple que ça? C'est un sale boulot et très dur, ma petite dame.

– Je le sais », répondit Maggy d'un air décidé. Elle enfonça ses mains dans ses poches et se redressa.

Les modèles qui s'étaient rapprochés pour entendre la conversation des deux femmes et bloquaient le trottoir se retournèrent soudain pour suivre des yeux une jolie fille vêtue d'une robe ajustée, une cloche vert jade enfoncée sur ses cheveux bruns. Elle se pavanait, un admirateur à chaque bras. Elle aperçut Maggy, lui lança un regard aigu et haussa les épaules. « Ainsi, voici le genre de numéro qui nous arrive de province, maintenant, dit-elle à voix haute. Visiblement, celle-ci n'a jamais vu de ciseaux de sa vie, ni probablement entendu parler d'eau et de savon. Elle sent sa ferme à plein nez. » Indifférente aux ricanements sournois provoqués par ses commentaires, elle s'éloigna avec un rire méprisant.

« Qui est... cette personne? demanda Maggy, indignée.

– Comment, vous ne connaissez pas Kiki de Montparnasse? Ah! çà, on peut dire que vous débarquez, vous! s'écria la femme, ravie de souligner l'ignorance de Maggy. Voilà un modèle! La reine des modèles. Elle nous surpasse tous. »

Maggy s'apprêtait à répliquer lorsqu'elle sentit une main sur son bras. Elle se retourna vivement. « Tiens, tiens, pas inintéressant! » Deux hommes la dévisageaient. Celui qui venait de prononcer cette phrase était plus petit qu'elle. Il portait une veste de dandy et un pantalon impeccablement repassé. Une épingle maintenait sa cravate et son canotier penchait légèrement à gauche.

L'autre semblait aussi monumental que le tronc d'arbre contre lequel il s'appuyait. Ses yeux bleu pâle, son regard calme déconcertaient. Avec son mètre quatre-vingt-dix et son air à la fois sauvage et noble, il surprenait dans cette foule typiquement citadine, et ressemblait à un alpiniste découvrant le monde du haut d'un pic. Une tête magnifique, posée sur un cou épais et fort, avec un grand front, un nez accusé et des lèvres pleines. Ses cheveux roux foncé et bouclés étaient hirsutes. En dépit de sa veste en velours côtelé et de sa chemise bleue entrouverte, il semblait surgir d'un autre siècle.

« Qu'en penses-tu, Mercuès? » lui demanda son compagnon. Il prit le menton de Maggy et lui fit lentement tourner la tête. « Intéressante, non? Les yeux sont d'une couleur curieuse... Sa bouche aussi a quelque chose d'étrange... Une touche de cannibalisme, tu ne trouves pas? Van Dongen n'en ferait pas grand-chose. » Il toucha les cheveux de Maggy comme s'il s'était agi d'une étoffe à vendre et roula une mèche entre l'index et le pouce. « Hmmm... au moins ils sont propres et elle ne les a pas fait couper. »

Choquée, Maggy était aussi raide qu'une statue. Aucun homme ne l'avait jamais traitée avec une pareille désinvolture. Mue par un réflexe de défense, elle concentra son attention sur un objet neutre, en l'occurrence une botte de poireaux que l'homme de haute taille tenait sous son bras comme un livre. Tandis que le plus petit tirait ses cheveux en arrière pour étudier son profil, elle fit un pas en avant, tendit la main et saisit l'un des poireaux par ses racines grises et velues. D'un coup de dents, elle le cassa en deux morceaux bien nets. Les longues feuilles vertes tombèrent sur le trottoir. L'homme à la veste de dandy, Vadim Legrand, connu de tout le monde sous le nom de Vava, laissa retomber sa main et la regarda mâcher son poireau.

18

« Vous auriez pu demander la permission, dit Julien Mercuès.

– Quand on regarde les animaux au zoo, il faut également les nourrir », répondit Maggy, remuant vigoureusement les mâchoires.

Mercuès ne sourit pas.

« Mercuès, dit Vava d'un air décidé, je vais l'emmener à la Grande Chaumière pour voir ce qu'elle donne. »

Il fit signe à Maggy de le suivre.

« Pourquoi? Vous m'avez déjà regardée sur toutes les coutures. Que voulez-vous de plus? demanda-t-elle.

– Il veut voir vos seins, dit le jeune garçon d'un air important.

– Là-dedans? Maintenant? » questionna-t-elle, stupéfaite.

La mère du garçon eut un rire malveillant.

« Bougez vos fesses, ma fille. Vous allez vous déshabiller dans la première classe vide qu'on vous trouvera, comme nous toutes. Pensez-vous posséder quelque chose de spécial qu'ils n'aient jamais vu? Oh! ces débutantes! Qu'est-ce qu'elles s'imaginent?

– Alors, vous venez ou pas? Décidez-vous, insista Vava. Je n'ai pas vraiment besoin d'un modèle aujourd'hui.

– Oui, bien sûr », s'entendit-elle répondre.

Elle le suivit rapidement pour dissimuler aux autres cette rougeur qui lui montait si vite aux joues et qui était le tourment de sa vie.

« Attends une seconde, Vava, cria Mercuès, les rejoignant en deux enjambées. Je veux cette fille.

– Je l'ai vue le premier!

– Et alors, que veux-tu que cela me fasse?

– Tu m'as déjà fait le coup au moins douze fois!

– Ce n'est pas pour t'ennuyer. Mais tu me connais... Quand je veux quelque chose...

– Ah! bravo! Ce n'est pas une excuse, figure-toi! Prends-la. Prends-la! Il faut que je travaille au portrait de Mme Blanche, de toute façon. Comme personne n'achète ta peinture, tu as tout le temps de satisfaire ta curiosité. Dis-moi, tu peux t'offrir un modèle maintenant?

– Non, mais je n'ai pas les moyens de passer mon temps à faire des portraits flatteurs de femmes riches », dit Mercuès indifférent à la fureur contenue de Vava. « Venez », dit-il à Maggy.

Il sortit un canif de sa poche, coupa les racines d'un poireau et le lui tendit. Puis il descendit le boulevard du Montparnasse sans se retourner, Maggy enfonça le poireau comme un mouchoir dans la poche du gamin qui lui avait parlé et se précipita derrière Mercuès.

Julien Mercuès était d'une humeur de dogue. Il prit le raccourci qui menait à son atelier, boulevard Arago. Depuis des années, depuis le jour où il était sorti de l'école des Beaux-Arts, Mercuès menait un combat incessant pour peindre non avec sa tête mais avec sa propre sensibilité. Cependant, il était presque impossible de briser le carcan du classicisme qui dominait toute la peinture française. Il en était prisonnier et rêvait malgré tout d'étaler sa peinture sur sa toile sans se soucier de ce que lui dictait son cerveau conditionné.

Il traversa les jardins de l'hôpital Cochin à grandes enjambées sans se préoccuper de la fille qui devait courir pour le suivre. A vrai dire, en repensant à cette exposition que Vava et lui avaient vue le matin même, il l'avait tout à fait oubliée.

Même cet animal de Matisse est bloqué sur l'échiquier, songea-t-il. Il ne peint pas. Il utilise le contraste entre deux couleurs pour en suggérer une troisième qui n'apparaît jamais. Il ferait mieux de se dire mathématicien, ou décorateur, plutôt que peintre. Quant à cet acrobate de Picasso et à son ami Braque... – Dieu! que Braque était gris, ennuyeux, répétitif! Les deux étaient à mettre dans le même panier, d'ailleurs.

Il était si furieux qu'il dépassa le numéro 65 et continua quelques mètres avant de s'en apercevoir. Il jura, se retourna brusquement et, Maggy sur ses talons, se dirigea vers un passage couvert.

La cité des artistes du boulevard Arago, construire en 1878, ressemblait à un village de Normandie. Une rue pavée menait à quelques rangées de maisons à moitié en bois, avec de vastes ateliers sous le toit. Une allée de graviers bordait un jardin rempli de pommiers, de roses trémières et de géraniums. Chacune des maisonnettes avait également son propre bout de jardin clos par une haie de buis.

Mercuès monta trois marches et ouvrit la porte. Il entra dans la cuisine et chercha un endroit où poser ses poireaux tandis que Maggy, intimidée, restait sur le seuil.

Mercuès finit par jeter les poireaux sur le sol d'un geste rageur et, faisant signe à Maggy de le suivre, il se dirigea vers l'atelier. Elle regarda autour d'elle avec étonnement. Les toiles s'entassaient partout, des toiles pleines de couleurs comme elle n'en avait jamais vu, comme elle ignorait qu'il en existât. Il y avait là des arcs-en-ciel, des nuages, des étoiles et des fleurs géantes. Il y avait des enfants, des cirques et des soleils. Des soldats et des femmes nues, des drapeaux, des chevaux bondissant et un jockey sur le sol.

« Voilà la chambre, dit Mercuès, faisant un geste du bras. Allez vous préparer. Vous y trouverez un kimono. »

Maggy se retrouva dans une petite pièce peu meublée. Derrière la porte, accroché à une patère, pendait le kimono que Mercuès destinait à ses modèles.

Maggy ôta sa jupe et sa blouse, les plia soigneusement sur le lit. Elle s'immobilisa soudain, la bouche sèche. Les peintres peignent de la peau, se dit-elle en pleine panique, songeant à ses cours de dessin du lycée pour se rassurer. Rubens a peint des montagnes de peau blanche avec des touches de rouge. Rembrandt a peint de la peau bronze doré. Boucher a peint de la peau rose et blanche. La peau est la substance qui a été la plus peinte dans toute l'histoire de l'art. Les doigts tremblants, elle enleva ses jolis bas de soie. Les peintres sont comme des médecins, se dit-elle. Un corps est seulement un corps – un objet et non une personne.

Souvent dans sa vie, Maggy s'était retrouvée dans des situations dont, seule, la confiance innée qu'elle nourrissait à son égard l'avait sortie. En prenant la décision de s'enfuir à Paris pour tenter sa chance comme modèle, elle savait ce qui l'attendait. Elle y avait réfléchi et conclu que poser nue n'était après tout pas si terrible et qu'elle s'y habituerait.

Et maintenant, elle tremblait d'appréhension. Elle avait compté sans son inexpérience de la vie. Aucun homme ne l'avait jamais vue nue, pas même un médecin car elle n'avait jamais été malade.

Elle essaya de siffloter un air de java qu'elle avait entendu la veille au soir et, avec une expression résolue, fit glisser les bretelles de sa combinaison blanche sur ses épaules. Elle se débarrassa de ce sous-vêtement qu'elle ne possédait que depuis quelques jours, son premier sous-vêtement d'adulte. Dessous, elle ne portait, ô horreur, qu'une culotte aussi légère que l'exigeait la mode. Rien au monde, aucune puissance sur terre, n'aurait pu la décider à l'enlever.

« Mais, bon Dieu, qu'est-ce que vous fabriquez? cria Mercuès de l'atelier.

– J'arrive », répondit-elle faiblement.

L'impatience de sa voix lui fit promptement enfiler le kimono sur sa culotte. Elle noua étroitement la ceinture. Le parquet était si froid sous ses pieds qu'elle remit ses chaussures. Troublée, elle batailla avec les boutons, abandonna et sortit de la chambre, ses brides de chaussures voltigeant à chaque pas. Elle s'arrêta à un mètre de Mercuès, debout devant son chevalet, et attendit ses instructions. Toute la lumière de la pièce semblait s'être concentrée sur ses cheveux roux et sur le kimono japonais rouge.

« Mettez-vous près de la fenêtre, une main appuyée sur le dossier de la chaise. »

Elle obéit et se tint très tranquille.

« Seigneur, ôtez-moi ce kimono », grogna Mercuès.

Maggy se mordit la lèvre, dénoua le kimono et le laissa tomber sur le sol.

Elle avait de larges épaules et de petits seins, hauts et bien séparés, avec des mamelons proéminents. Sa taille était fine et sa peau si lisse et si blanche qu'elle paraissait absorber la lumière et la restituer.

Instinctivement, Mercuès réagit à sa beauté. Il avait l'habitude de la nudité facilement offerte des modèles aussi à l'aise dans leur peau nue que dans une vieille robe. Et, pour lui, peindre un corps était une affaire sérieuse et difficile. Mais Maggy, avec son air résolu de Jeanne d'Arc au bûcher, lui parut furieusement érotique. Comprenant qu'elle l'avait excité, il devint hargneux.

« Mais, bon Dieu, où vous croyez-vous? Aux Folies-Bergère? Depuis quand les modèles posent-ils en culotte et en chaussures? »

Il regardait fixement Maggy. Elle se débarrassa de ses chaussures et commença à déboutonner sa culotte à la taille. Une larme d'humiliation et de rage coula sur sa joue.

« Mais qu'est-ce que vous fabriquez? Un strip-tease, maintenant? Où vous croyez-vous? Au bordel? Vous vous imaginez que je vous ai engagée pour cela? cria Mercuès. Ça suffit. Ne vous donnez pas cette peine.

— Cela ne fait rien, murmura-t-elle, la tête baissée, luttant avec ses boutons.

— Dehors! ordonna Mercuès. Je ne peux pas peindre un modèle rouge de honte. Vous êtes absurde, ridicule! Vous n'auriez jamais dû venir. Vous m'avez fait perdre mon temps! Dehors! »

Il gesticulait avec colère, comme s'il eût voulu chasser un chat marchant sur de la peinture fraîche. Elle ramassa le kimono et se précipita dans la chambre.

Idiote, triple idiote, se dit Maggy en se ruant, enfin habillée, hors de l'atelier de Mercuès. Elle n'avait pas osé le regarder avant de partir, mais l'eût-elle fait, elle aurait vu un homme immobile, les yeux encore pleins de la vision de son corps à demi nu.

3

TREMBLANTE et furieuse contre elle-même, Maggy se précipita vers les jardins du Luxembourg et se laissa tomber sur une chaise, indifférente aux cris des enfants qui jouaient autour d'elle. En moins d'une demi-heure, le rêve qui l'habitait depuis quatre ans s'était brisé lamentablement. Honteuse, elle croisa frileusement les bras et baissa la tête.

Trottant vers elle, un petit garçon posa sa balle sur ses genoux. Elle leva les yeux et lui sourit. Elle fit rouler la balle le long de l'allée. Il la rapporta comme un petit chien et elle se retrouva bientôt entourée d'enfants ravis que cette grande personne condescendît à jouer avec eux.

Pendant une heure, Maggy se réfugia dans un monde de jeux simples qui lui rappelait son enfance, l'époque où elle était un garçon manqué avec de longs cheveux volant autour de son visage comme des ailes d'oiseau. C'était la seule fille de l'école qui pouvait lancer une pierre aussi loin que les garçons, rattraper n'importe quel ballon, grimper aux arbres.

Vers l'heure du déjeuner, le jardin se vida et Maggy partit. La faim la ramena vers le carrefour Vavin mais tous les restaurants devant lesquels elle passait étaient pleins.

Elle acheta un œillet rouge à un marchand ambulant et l'épingla à sa blouse. Elle se sentit soudain de bien meilleure humeur et entra, la tête haute, au Sélect, espérant trouver de la place à l'intérieur du café. Elle repéra une petite table libre tout au bout de la salle, près de la terrasse.

Par souci d'économie, elle ne commanda qu'un sandwich au fromage et une limonade. Elle observait les gens bruyants et bizarrement accoutrés. Autour d'elle, le bruit des conversations montait comme une rivière en crue. Le café était de plus en plus enfumé. Les consommateurs avaient de curieux accents. A cette époque, de nombreux artistes étrangers vivaient à Montparnasse. On y rencontrait Picasso, Chagall, Soutine, Zadkine, Kisling, Chirico, Brancusi, Mondrian, Diego Rivera et Foujita. Les artistes français étaient en minorité. Les Américains, les Allemands, les Scandinaves et les Russes avaient envahi le quartier.

Protégée par son anonymat, se sentant invisible parce qu'elle ne connaissait personne, Maggy ne remarqua pas les regards intéressés qu'elle suscitait. Ici, au moins, c'était la vraie vie de Montparnasse, celle dont Constantin Moreau, leur professeur de dessin, ne cessait de leur rebattre les oreilles en classe. Artiste raté, il parlait constamment à ses élèves de la vie culturelle de Montparnasse, leur racontant des soirées auxquelles il n'avait probablement jamais assisté et des querelles auxquelles il n'avait pas été mêlé. Mais Moreau avait fécondé l'imagination de Maggy qui rêvait de cette vie de bohème. La bouche ouverte, elle contemplait la clientèle excentrique du Sélect. C'est l'image que je me fais du paradis, songea-t-elle.

« Alors, ma petite, vous êtes la nouvelle, n'est-ce pas? Permettez-moi de vous offrir un verre. »

Sidérée, Maggy se retourna. Elle n'avait même pas remarqué la femme assise à la table voisine qui contemplait tranquillement le roux lumineux de ses cheveux et la stupéfiante nudité de son visage.

« Eh bien, vous l'êtes, oui ou non? demanda la femme.

– Oh! ça. Pour être nouvelle je suis nouvelle », répondit Maggy en se tournant vers l'inconnue.

Elle doit avoir une bonne quarantaine, songea-t-elle. Elle était encore fraîche et jolie, bien qu'un peu trop rondelette comme ces filles voluptueuses peintes par Fragonard qui engraissaient en prenant de l'âge.

« Je suis Paula Deslandes, déclara la femme d'un air important. Et vous, comment vous appelez-vous?

– Maggy Lunel.

– Maggy Lunel », répéta-t-elle lentement, comme si elle dégustait son nom. Ses yeux de myope, d'un brun chaud, observaient Maggy.

« Pas mal... On a un certain charme, un certain brio... Cela pourrait peut-être marcher. Et puis on a les deux syllabes essentielles et, comme je ne connais aucune autre Maggy travaillant actuellement dans le quartier – et je sais tout ce qui s'y passe –, j'approuve pour le moment en tout cas.

– Quelle chance pour moi! Et sinon que se serait-il passé?

– Tiens, tiens! On a de la repartie! »

Le sourire de Paula s'accentua.

« Vous n'avez pas l'air d'avoir froid aux yeux pour une provinciale.

– Une provinciale! explosa Maggy. Ah! non. Ça suffit! C'est la deuxième fois aujourd'hui qu'on me traite de provinciale. »

Bien que le seul Parisien qu'elle eût connu fut

Moreau, elle sentait que le fait d'être provincial était un sujet d'amusement constant pour ceux qui ont la chance d'être nés à Paris.

« Mais ça se voit comme le nez au milieu du visage, mon pigeon, dit Paula sans s'excuser. C'est sans importance. Quatre-vingt-dix pour cent des gens du quartier sont des provinciaux. Moi je suis une exception. »

Elle était très fière d'elle, cette enfant de Montparnasse, cette fleur de pavé, comme elle disait avec un soupir romantique. C'était la fille d'un marchand de cadres et elle avait grandi à quelques mètres du carrefour Vavin. Tout ce que Paula savait ou avait jamais voulu savoir de la nature se trouvait derrière les grilles des jardins du Luxembourg.

Tous les lundis, quand son restaurant, La Pomme d'or, était fermé, Paula s'offrait une balade dans Montparnasse et écoutait les nombreux potins dont elle avait été privée pendant sa semaine de travail. Les autres jours, elle accueillait les artistes et les collectionneurs qui assuraient la prospérité et la renommée de son établissement. Paula Deslandes était une conteuse née. Elle réunissait patiemment les bribes d'information qu'elle recueillait jusqu'à en faire une anecdote cohérente.

« Alors, Maggy Lunel, ça ne s'est pas très bien passé avec Mercuès, ce matin, hein?

– Comment pouvez-vous savoir ça? s'écria Maggy, confondue. C'est la première fois que vous me voyez!

– Les histoires se répandent vite dans le quartier, répondit Paula d'un air suffisant.

– Mais... qui vous l'a dit?

– Vava. Il est passé chez Mercuès juste après que ce salaud vous eut foutue dehors, ma pauvre petite. Et, bien entendu, Vava n'a pu résister au plaisir de

28

répandre cette histoire. C'est son côté vieille bonne femme, comme je dis toujours. Aucune importance, ajouta-t-elle vivement, remarquant la rougeur qui avait envahi les joues de Maggy. Il ne faut pas prendre cela trop au sérieux. Les débuts dans ce métier ne sont jamais faciles, vous savez. »

Maggy avait cessé de l'écouter. Deux femmes et trois hommes venaient de s'installer à une table au centre de la salle. Elle reconnut Kiki de Montparnasse qui donna un coup de coude à sa compagne en désignant Maggy d'un geste du menton.

« Encore celle-là! Il ne me manquait plus que ça, murmura Maggy.

– Pourquoi dites-vous cela? Qu'est-ce que Kiki a à voir avec vous?

– Elle m'a insultée ce matin dans la rue.

– Tiens, tiens... Vraiment? murmura Paula, songeuse.

– Ce n'est pas drôle, répliqua Maggy d'un ton sec, agacée par le ton méditatif de Paula.

– Non, ce n'est pas drôle, mais c'est intéressant. Cette garce est beaucoup trop condescendante pour prendre la peine d'insulter quiconque. Ainsi, elle vous a déjà repérée... Eh bien, il faut reconnaître qu'elle a un œil.

– Vous la connaissez?

– Oui, bien sûr. Sortons d'ici. Ça sent mauvais, soudain... je vous invite à déjeuner... un vrai repas. Venez – la nuit dernière, j'ai gagné trois cents francs au poker. Je les ai pris à Zborowski et Dieu sait que ce marchand a les moyens de se faire plumer! Cessez de vous préoccuper de cette petite teigne. Ignorez-la. Nous allons manger un chachlik, chez Dominique.

– Un chachlik? Qu'est-ce que c'est que ça? De

toute façon je meurs de faim. Je meurs constamment de faim. »

Maggy se leva rapidement, impatiente de quitter le Sélect. Paula la regarda déplier son mètre soixante-dix en plissant les yeux.

« Seigneur, il va vous falloir un menu complet pour vous rassasier! Peu importe, venez. Il y a toujours un monde fou là-bas, mais ils nous trouveront bien une table. » Elle entraîna Maggy hors du café sans jeter un seul coup d'œil vers la table de Kiki.

Rue Bréa, Paula ouvrit une porte qui semblait donner sur une charcuterie. Toutes sortes de hors-d'œuvre russes s'étalaient à la devanture. Elles pénétrèrent dans une petite pièce au plafond bas, aux murs rouges, avec un comptoir en marbre.

Elles se perchèrent sur les tabourets et Paula commanda.

« Racontez-moi votre vie, dit-elle ensuite en se penchant vers Maggy. Mais attention, si vous me cachez quelque chose, je m'en apercevrai. »

Maggy hésita, ne sachant par où commencer. Personne, en dix-sept ans, ne lui avait jamais demandé cela. A Tours où elle avait toujours vécu, chacun savait ce qu'il y avait à savoir d'elle. Allait-elle déguiser la vérité? Mais quelque chose dans le regard limpide et compréhensif de Paula la poussa à la franchise. Maggy avait autant besoin de se confier à quelqu'un que de manger. Elle prit sa respiration pour en finir au plus vite.

« Ce qui m'a le plus marqué dans mon existence, c'est que mon père est mort de la variole une semaine avant d'épouser ma mère. S'il avait vécu, je n'aurais été qu'une enfant prématurée au lieu d'être une enfant naturelle.

30

– Evidemment – mais ces choses-là arrivent dans les meilleures familles.

– Pas dans les familles juives respectables. Je suis le seul bâtard de toute la communauté juive de Tours et on s'est toujours chargé de me le rappeler.

– Mais alors, pourquoi votre mère n'est-elle pas partie? Elle aurait pu vivre ailleurs, prétendre qu'elle était veuve comme tant d'autres femmes.

– Elle est morte à ma naissance. Tante Esther lui en a toujours voulu d'avoir ainsi échappé à ses responsabilités et d'avoir été incapable d'assumer sa conduite scandaleuse.

– Charmant! Ce sont vraiment des sentiments sympathiques! C'est cette agréable tante qui vous a élevée?

– Non, j'ai vécu chez ma grand-mère jusqu'à sa mort, il y a quatre mois. C'était une femme adorable. Elle s'est toujours moquée de tante Esther qui continuait à affirmer que, tôt ou tard, je paierais ma naissance honteuse. C'est ma grand-mère qui m'a appelé Magali. C'était le prénom féminin qu'on préférait dans sa famille. Mais tout le monde m'appelle Maggy. Les Lunel, qui habitaient la Provence, sont venus s'installer à Tours après la Révolution. En provençal, Magali signifie Marguerite...

– Ainsi, vous êtes originaire du Sud?

– Oui et du côté de mon père aussi. Il s'appelait David Astruc. Astruc signifie " né sous une bonne étoile " en provençal. Mais, le pauvre, on ne peut pas dire qu'il ait été gâté à cet égard. Ma grand-mère me racontait toujours des histoires sur ma famille pour me remonter le moral quand les autres enfants me traitaient de bâtarde. Elle prétendait que, même si mes parents avaient commis une faute, ils venaient tous deux d'une vieille famille juive installée en France depuis des siècles – bien avant les croisades – et que je devais en être fière.

– Et qu'est-il arrivé après sa mort? demanda Paula, amusée par ce sens touchant de la grandeur perdue.

– Ah! Voici pourquoi je suis ici, pourquoi il fallait que je quitte Tours et pourquoi je n'y remettrai jamais les pieds. Ma tante avait hâte de se débarrasser de moi. L'enterrement était à peine terminé que la chasse aux maris commençait. Pas à Tours, bien entendu. Là, je serai toujours considérée comme une bâtarde, mais dans d'autres villes. Elle a fini par me trouver une famille à Lille dont le fils était si laid qu'il ne parvenait jamais à plaire à une fille. Et ils ont arrangé le mariage. »

D'un geste violent, Maggy rejeta ses cheveux en arrière. « Un mariage arrangé, aujourd'hui... à notre époque! Eh oui! Ça existe encore! Dès que j'ai été mise au courant, j'ai décidé de m'enfuir. »

Elle s'interrompit quelques instants pour manger son agneau mariné. Elle se souvenait du jour où sa rébellion avait cessé d'être velléitaire. Elle disposait de quelques économies – cinq cents francs environ – cadeau de sa grand-mère. Elle en avait dépensé trois cents dans les grands magasins de la rue de Bordeaux. Elle avait acheté une valise bon marché, quelques jupes et des chemisiers. Sa seule extravagance fut l'acquisition de trois paires de bas de soie : mais comment affronter Paris en bas de coton?

« Ainsi, dit Paula, en gros vous êtes vierge, juive, belle et orpheline. »

Maggy se mit à rire. Dans la pénombre du restaurant, ses dents parfaites et ses yeux verts brillèrent.

« Si on veut... Personne ne m'a jamais dit que j'étais belle. Ni vierge, d'ailleurs.

– Vous l'êtes, non?

– Bien sûr que je le suis », répondit Maggy, effarée.

Elle avait passé toute sa jeunesse à courir avec les garçons, mais c'était toujours pour grimper aux arbres ou faire les cent coups.

« Il vaut mieux ça, déclara Paula, tout au moins pour le moment. Toute votre vie est devant vous, et c'est la meilleure façon de conquérir Paris. »

Paula avait connu des générations de filles de Montparnasse. Elle en avait vu partir en Bugatti avec des millionnaires et ne jamais revenir et elle en avait vu mourir en une semaine d'une syphilis foudroyante. Certaines épousaient des artistes et devenaient de bonnes ménagères, d'autres se transformaient en harpies. Mais jamais elle n'aurait cru rencontrer un jour une fille à l'avenir aussi prometteur que Maggy Lunel.

« Eh bien, voilà, je vous ai tout dit, sauf que j'ai fait ici le pire début qu'on puisse imaginer. »

Rien, ni son estomac enfin plein ni l'attention flatteuse avec laquelle l'écoutait Paula, n'aurait pu lui faire oublier cette désastreuse séance avec Mercuès.

« Ecoutez-moi, petite fille, oubliez Mercuès et sa mauvaise éducation. Vava prétend que c'est un génie, mais, alors, pourquoi ne vend-il pas sa peinture? Un génie pas foutu de s'offrir un repas chez moi? »

C'était visiblement à cette aune que Paula mesurait le talent des gens.

« Cette fille, Kiki de Montparnasse, elle mange chez vous? demanda Maggy, curieuse.

– Jamais elle n'oserait franchir ma porte! Elle ne

s'appelle pas Kiki de Montparnasse, bien sûr, mais Alice Prin. Quelle prétention! Quand on pense qu'elle n'est même pas née à Paris! s'exclama Paula avec une moue dégoûtée.

– On m'a dit qu'elle était la reine des modèles.

– C'est faux. Les gens n'y connaissent rien. Moi, j'ai été la reine des modèles. Et il n'y a pas si longtemps. Mais Alice Prin, jamais! Elle en est loin. »

Paula pinça les lèvres. Il lui était difficile d'expliquer à l'innocente Maggy que celle qui se faisait appeler Kiki lui avait volé non pas un, mais plusieurs de ses amants et qu'elle s'en était vantée dans tout Montparnasse.

« Pourquoi a-t-elle été si odieuse avec moi qui ne lui ai jamais rien fait? demanda Maggy.

– Elle est si contente d'elle qu'il faut qu'elle tourne en dérision toutes les femmes qu'elle rencontre. Mais son petit groupe d'admirateurs n'a aucun poids. Ecoutez-moi, Maggy, vous ne ressemblez à personne au monde. Vous êtes *née* pour être peinte.

– Née? »

Maggy s'interrompit. Les mots de Paula étaient dits avec une telle autorité qu'elle en resta sans voix.

« Oui, née. Comme l'oiseau est né pour chanter, l'abeille pour butiner et le poulet pour être bouffé. Mais cette idée de vous commettre à la foire aux modèles, il n'en est pas question, vous comprenez? Je vous présenterai à des peintres qui peuvent payer plus de quinze francs pour une pose de trois heures. Ce sont tous mes copains. A propos, Mercuès vous a-t-il payée? Non, bien sûr que non, ça ne me surprend pas. Mais à partir de maintenant, vous allez travailler au tarif maximal. Bien sûr, il faut que vous appreniez une ou deux choses, mais rien dont je ne puisse me charger. Et il est indispensable, bien entendu, que vous consentiez à quitter votre culotte. Mais vous verrez, on s'y fait très bien. Vous savez, les peintres ont l'habitude. Quoi que nous en pensions, ils ont beaucoup plus besoin de nous que nous d'eux.

— Ah! bon? fit Maggy, surprise.

— Bien sûr. Un peintre sans modèle n'est rien. Je me propose de vous lancer. Mais attention, ce n'est pas uniquement par bonté. Je veux que vous écrasiez cette punaise, cette odieuse Alice Prin qui a l'arrogance de croire qu'elle m'a remplacée parce que ma jeunesse s'est envolée et que j'ai pris un ou deux kilos. Un jour, elle aussi dira adieu à sa jeunesse, et vous aussi, mon pigeon de dix-sept ans. Alors, qu'en pensez-vous, Maggy? »

Avant qu'elle ait eu le temps de répondre, Paula leva une main pour la mettre en garde.

« Etes-vous sûre d'être à la hauteur? Parce que je ne veux pas perdre mon temps. C'est un travail fastidieux. Vous aurez toujours froid ou chaud et c'est beaucoup plus difficile de garder la pose qu'on ne le croit généralement. Certains jours, vous aurez envie de pleurer de fatigue, mais il ne faudra pas le montrer à votre client. Lorsque la demi-heure sera passée et seulement alors, vous pourrez bouger. Dix minutes plus tard, vous reprendrez la pose. Alors... ferons-nous regretter ses insultes à Alice Prin? Contre-attaquerons-nous? »

— Oh! oui... oui, s'il vous plaît. »

Dans son ardeur, Maggy expédia son verre de thé sur le sol. Soudain, son rêve d'enfant était de nouveau là, à portée de sa main. Elle avait l'impression qu'il lui suffirait d'ouvrir les bras pour étreindre Paris.

4

« Ecoutez-moi, Maggy Lunel, dit Paula d'un air sévère, représentez-vous votre corps comme un
panier d'œufs. Des œufs de couleurs et de formes
différentes. Vos seins sont des œufs d'autruche,
votre pubis est un œuf de mouette et vos mamelons
des œufs de moineaux. Un œuf nu est la chose la
plus naturelle au monde. »

Sur le moment, Maggy n'eut pas l'air convaincue
mais rapidement, plus tôt qu'elle ne l'eût pensé, elle
posa nue avec une relative indifférence. Bientôt, les
amis de Paula qui faisaient volontiers appel à elle se
battirent pour l'avoir. Lorsqu'elle sentait qu'une
rougeur allait la trahir, Maggy s'arrangeait pour
dissimuler son visage avec ses cheveux, juste le
temps de penser à l'œuf. En quelques semaines, elle
fut tout à fait à l'aise et en vint à considérer son
corps comme un simple objet.

Pascin la représenta avec des roses sur la cuisse,
dans une attitude sensuelle et gracieuse. Chagall la
peignit en mariée volant dans un ciel mauve.
Picasso fit de nombreux portraits d'elle dans son
style néo-classique et elle devint l'odalisque préférée de Matisse. « Vous êtes mon client favori,
Popotte, lui dit-elle. Pas à cause de vos beaux yeux

mais de votre tapis d'Orient. Ici au moins je peux m'asseoir. Ça me repose. »

Le lendemain du jour où elle avait fait la connaissance de Paula, Maggy quitta son hôtel et emménagea dans une chambre avec cheminée, lavabo et bidet, au dernier étage de l'immeuble voisin de La Pomme d'or, le restaurant de Paula. Elle payait quatre-vingt-cinq francs par mois. Pour tout mobilier, il y avait un grand lit en cuivre. Maggy acheta un couvre-lit. Paula lui donna un fauteuil capitonné et elle fit l'acquisition d'une table et d'une armoire anciennes chez un brocanteur. Quand elle eut tout installé, elle constata qu'elle ne pouvait plus rien mettre dans la pièce sauf un miroir au-dessus du lavabo. Lorsque Maggy regardait par la fenêtre, elle voyait les vieux toits et les cheminées de Montparnasse se détacher sur le ciel changeant de Paris. Ce spectacle la remplissait de bonheur.

L'immeuble dans lequel elle habitait abritait la plus rare des créatures, une concierge heureuse et d'un bon naturel. Assise toute la journée dans sa loge sombre devant sa machine Singer, Mme Poulard cousait pour les gens du quartier. C'était une petite couturière. Sans enfant, elle avait adopté toutes les filles pour lesquelles elle travaillait. Maggy et elle feuilletaient ensemble *Le Jardin des modes* à la recherche de modèles à copier car les deux jupes et les deux chemisiers que Maggy avait achetés à Tours ne convenaient pas à sa nouvelle vie.

En octobre 1925, Maggy devint l'égale et la seule rivale de Kiki. Et, bien que celle-ci fût toujours « de » Montparnasse, Paula exultait, prétendant que

Maggy n'avait aucun besoin de cette particule fantaisiste. Son seul prénom suffisait.

Un œillet rouge à la boutonnière, Maggy, l'unique, la précieuse Maggy, sautait d'un taxi dans l'autre, trop pressée pour aller à pied à ses rendez-vous. Elle dansait le tango et le shimmy des nuits entières au Jockey ou à La Jungle. Elle fréquentait également le Bal nègre, mais se sentait aussi étrangère parmi ces danseurs nés à la Martinique et à la Guadeloupe que Scott Fitzgerald ou Cocteau qu'elle apercevait parfois.

Elle fut invitée à des matchs de boxe au Cirque d'Hiver et s'y rendit, flanquée de plusieurs admirateurs qui la protégeaient de la foule surexcitée. Elle alla également voir des courses d'obstacles à Auteuil. Quand son cheval faisait un parcours sans faute, elle dépensait tout l'argent de ses gains en champagne pour ses copains. Elle pariait toujours et perdait rarement car ses « tuyaux », donnés en échange d'un sourire ou d'un baiser sur la joue, étaient excellents.

Lorsque Maggy arrivait à La Rotonde ou à La Coupole, on lui trouvait instantanément une table, qu'elle fût seule ou avec des amis. Elle se sentait maintenant tout à fait chez elle à Montparnasse. Cet automne-là, elle donna une réception dans sa chambre pour fêter son dix-huitième anniversaire. Elle couvrit le bidet d'œillets rouges, disposa de nombreuses bouteilles de vin sur la table et invita une trentaine de personnes. Tous vinrent, et certains amenèrent des amis. On but et on chanta dans l'escalier jusqu'à ce que la police intervienne.

De temps en temps, elle passait une soirée seule chez elle. Etendue sur son lit, elle contemplait le ciel en pensant à sa vie et aux gens qui l'entouraient.

Ces quelques heures de solitude lui étaient indispensables. Elles formaient un contrepoids à la vie agitée qu'elle menait et aux nombreuses soirées où, échappant enfin à l'immobilité de la pose, elle dansait jusqu'à l'épuisement.

Comme Paula ne manquait jamais de le souligner, la vie joyeuse de Montparnasse avait également son côté sombre : la drogue et l'alcool. Mais Maggy était protégée par son innocence et par les dix-sept années heureuses et équilibrées qu'elle avait passées chez sa grand-mère.

Elle dansait souvent pieds nus, pas seulement pour être plus à l'aise, mais parce qu'elle était plus grande que beaucoup de ses partenaires. Elle continuait à refuser de se faire couper les cheveux. Ce n'était pas une simple lubie. Les peintres pour lesquels elle posait préféraient les cheveux longs et la payaient même un peu plus cher pour qu'elle ne les fasse pas couper. Les artistes aiment toutes les manifestations d'exubérance chez la femme et ces cheveux courts et plats leur déplaisaient souverainement. Mais, comme la plupart de ses amies, Maggy avait adopté la coupe de vêtement qu'imposait la mode : chemisiers resserrés aux hanches, seins aplatis. Marie Laurencin protestait vigoureusement : la femme n'était pas une planche. Mais Chanel, Patou et Molyneux exigeaient qu'elle le devienne et, avec ses moyens limités, Maggy suivait la mode.

« Pourquoi vous donner de grands airs ? lança-t-elle un jour joyeusement à Picasso tout en jetant un coup d'œil à son corps déformé sur la toile. Cette idée n'appartient pas qu'à vous. Nous aussi, nous pouvons réinventer l'anatomie, chouchou. Avez-vous remarqué ma nouvelle robe ? Et n'oubliez pas que ces seins et ces cuisses nous appartiennent en propre. Pas touche! »

Maggy réservait ses sarcasmes, sa générosité et son impudence à ses clients, « mes popotes », comme elle les appelait. Elle traitait Paula très différemment, éprouvant une solide affection pour elle. Quant à Paula, elle considérait les triomphes de Maggy comme les siens. De temps en temps, lorsque les deux femmes dînaient ensemble dans la cuisine de La Pomme d'or, Paula songeait que Maggy n'avait pas encore trouvé d'homme. Elle a bien le temps, se disait-elle.

Tandis que Maggy faisait la conquête de Montparnasse, Julien Mercuès affrontait de graves problèmes financiers. Pendant des années, il avait économisé le modeste héritage que lui avait légué sa mère, morte trois ans plus tôt. Aujourd'hui, il n'en restait plus grand-chose. Cependant, il était difficile d'économiser quand, comme lui, on faisait une telle consommation de peinture et de toiles.

Il en achetait en si grande quantité qu'il avait demandé à Lucien Lefebvre, le marchand de la rue Bréa, de lui faire un prix. Il existait des boutiques moins chères, bien sûr, mais Lefebvre était le seul à savoir broyer les couleurs et les mélanger à cette huile de pavot qui répandait une exquise odeur de miel dans l'atelier. Les autres marchands utilisaient de l'huile de lin et n'obtenaient pas la même richesse de ton. Mais, malgré le petit rabais que lui consentait Lefebvre, il commençait à avoir une sérieuse ardoise chez lui. Que faire alors? Se limiter? C'était bien la dernière chose à laquelle il eût songé.

Mercuès savait se restreindre, ménager ses ressources, manger frugalement. Au café, il se contentait d'un petit ballon de rouge. Son loyer et sa nourriture ne lui coûtaient presque rien. Les femmes non plus, songea-t-il en s'apprêtant à quitter son atelier pour le bal costumé des surréalistes auquel l'avait convié une jeune et riche Américaine, Kate Browning.

Mercuès s'étira et faillit se cogner la tête au plafond de sa chambre. Il décida qu'il était inutile de se raser et de se coiffer. Sa seule concession au costume dont on l'avait prié de s'affubler ce soir était un chapeau à large rebord, noir et démodé, qu'il avait trouvé dans une boutique de fripes. Il n'avait pas l'intention d'en faire davantage. Les surréalistes lui déplaisaient. Leur définition de la beauté – la rencontre hasardeuse d'une machine à coudre et d'un parapluie sur une table de dissection – était pour lui une abomination.

Cependant, il était décidé à se rendre à ce bal. Kate Browning lui achèterait peut-être bientôt un autre tableau, et Dieu sait qu'il saurait quoi faire de cet argent. Bien qu'elle fût du genre astiqué, blonde et typiquement américaine, elle était loin de lui déplaire. Au cours de ces deux derniers mois, il lui avait vendu deux petites toiles, ce qui la parait d'un charme certain à ses yeux.

Quoi qu'il en fût, il n'était pas question de faire des économies sur le matériel. En sortant de chez lui, Mercuès froissa entre ses doigts la note de Lefebvre-Foinet et la jeta dans le jardin voisin. Aucun artiste, même parmi les plus sérieux et les plus occupés, n'aurait raté une soirée surréaliste. Pas même Julien Mercuès.

Chaque semaine, un groupe différent parrainait un nouveau bal. En cette deuxième semaine d'avril 1926, les Russes avaient déjà donné leur Bal Banal et les homosexuels leur Bal des Lopes au Magic City. Lorsque les surréalistes organisèrent leur Bal Sans Raison d'Etre destiné à ne rien et à tout fêter, chacun fut d'accord pour décider qu'il ne fallait surtout pas manquer cela.

« Surréaliste ou pas, avait déclaré Paula une semaine auparavant, je porterai ce qui me va bien, comme d'habitude.

— Tout de même pas ton costume Pompadour? Encore celui-là? Je suis fatiguée de tes costumes et tu devrais l'être aussi, répondit Maggy.

— La seule justification d'un bal costumé, rétorqua Paula, sereine, c'est de montrer les parties de son corps qu'on vous empêche de révéler dans la vie quotidienne. Je reconnais que je ne fais pas preuve de beaucoup d'imagination – je laisse cela à celles qui n'ont pas la chance d'avoir mes épaules et mes seins. Mais pour te satisfaire, je vais me déguiser en du Barry, ça changera. Qu'en penses-tu?

— Pompadour, du Barry... quelle différence? Tu vas mettre de nouveau tes jupes en taffetas rose, ton corsage étroit en satin bleu, ton fichu et tes poignets en dentelle, ta perruque et ton grain de beauté – tu me fais honte, tiens!

— Ah! Je suis incomprise, soupira Paula. Tu sais ce que je vais mettre à la place du fichu en dentelle? Un python empaillé fixé à mon épaule droite. Il passera sous mes seins nus pour venir s'attacher à mon épaule gauche. J'aurai la langue de la bestiole quasiment dans l'oreille.

— Les seins nus?

— Mais naturellement, je viens de te le dire.

— Félicitations. Je suis fière de toi.

– C'est un bien petit effort. Je n'ai plus qu'à emprunter le python et je serai prête. Et toi?

– Moi, je vais me déguiser en coupe de fruits.

– Quelle horreur! Tu vas mettre des citrons dans tes cheveux et une robe en forme de pomme? Maggy, c'est indigne de toi!

– Attends, tu verras, dit Maggy en remuant son café.

– Avec qui y vas-tu? Avec Alain?

– Alain et trois de ses amis – quatre hommes pour être précise.

– Protégée comme toujours par le nombre, n'est-ce pas? »

Paula avait raison. Comme souvent lorsqu'elle était gênée, Maggy souffla sur un cheveu imaginaire. On la taquinait beaucoup sur cette habitude.

A cette époque, Montparnasse était un zoo plein d'animaux en rut. Dans cette atmosphère de complète liberté, Maggy n'était à l'aise que comme spectatrice. Bien qu'elle songeât souvent à prendre un amant, elle était encore vierge à dix-huit ans.

Maggy cachait à tout le monde cette chasteté si peu à la mode. Seule, Paula ne se laissait pas abuser par ses airs affranchis et par l'impertinence avec laquelle elle traitait les hommes. Tout le monde pensait qu'elle avait un amant. Le fait qu'elle repoussât ses soupirants dès que leurs intentions se précisaient lui donnait simplement la réputation d'une maîtresse fidèle et secrète.

Alain et ses amis passèrent l'après-midi et la soirée à créer le costume en trompe l'œil de Maggy. Sur son sein droit, ils peignirent plusieurs grappes de raisin vert pâle, sur le gauche un melon de Cavaillon. Ses épaules et ses bras étaient couverts de bananes, certaines mûres, d'autres encore vertes. Un ananas prenait naissance sous ses seins et ses feuilles pointues se perdaient dans les poils de son pubis. Sur chacune de ses hanches s'étalait une tranche de citrouille et de grandes feuilles de rhubarbe dissimulaient ses cuisses. Une vigne courait le long de ses jambes et une pomme occupait le creux de ses aisselles.

Son visage n'était pas peint, hormis deux abeilles sur son front, et une guirlande de fleurs maintenait ses cheveux en arrière. Avec un bout de chiffon vert, elle improvisa un cache-sexe, en dépit des protestations des artistes qui prétendaient que c'était contraire à l'esprit de cette soirée.

Ils bricolèrent une coupe de fruits en bois, ovale, de deux mètres de long, recouverte de peinture argentée, pour porter Maggy. Ils avaient décidé de faire une entrée remarquée, Maggy sur leurs épaules. Eux-mêmes s'étaient transformés en hommes-sandwiches. André avaient peint sur son panonceau un grand brie, Pierre un camembert, Henri une tranche de roquefort et Alain la moitié d'un chèvre. Tous ces énormes fromages étaient représentés de façon si réaliste qu'ils semblaient comestibles. Les quatre artistes appartenaient à l'école des peintres réalistes et leur ensemble de fruits et de fromages était destiné à protester contre les surréalistes et leurs exagérations.

« Hé! cria soudain Alain, dépêchons-nous. Si nous arrivons en retard, ils seront tous ivres morts et personne ne fera attention à nous. Allons-y! Tous aux barricades! »

Cinq cents personnes étaient déjà rassemblées au Bullier quand Maggy arriva. Dans la foule, elle

44

reconnut Darius Milhaud, Satie et Massine. La comtesse de Noailles était là, ainsi que Paul Poiret et Schiaparelli, bientôt rejoints par Picasso vêtu d'un costume de picador. Gromaire s'était déguisé en jésuite espagnol. Sur sa soutane, il avait cousu du linge de femme garni de rubans rouges. Brancusi, vêtu d'un costume de prince oriental, portait un tapis persan sur les épaules. Suivi de sa troupe habituelle de bohémiens, de musiciens de jazz et de jolies filles, Pascin était comme toujours en noir.

Lorsque Maggy apparut en haut du grand escalier, on entendit des exclamations et des bravos étonnés. Elle fit son entrée assise dans la coupe en argent portée par ses quatre compagnons. Un à un les musiciens saluèrent avec leurs instruments la périlleuse descente de Maggy. Chaque fois qu'elle passait devant un groupe, les gens s'arrêtaient de danser pour se presser autour des réalistes et les complimenter. Maggy avait été peinte si habilement qu'ils avaient du mal à croire que, mis à part ce bout de chiffon vert, elle était nue.

« Seigneur, qu'est-ce que c'est que ça ? » demanda Kate Browning à Mercuès. Tous deux étaient assis à l'une des tables qui bordaient la piste de danse.

« Un manifeste réaliste », répondit-il en haussant les épaules.

Il avait repéré Maggy dès qu'elle était entrée. Personne d'autre, à Montparnasse, ne possédait cette chevelure flamboyante, d'une couleur inoubliable. Mais il avait du mal à reconnaître dans cette créature à demi nue et riant aux éclats la petite dinde embarrassée qui était venue poser chez lui.

Il avait entendu parler d'elle par des dizaines de personnes. Parfois, il l'apercevait dans la rue, se hâtant entre deux rendez-vous, mais il ne lui avait jamais adressé la parole. S'il avait été de bonne foi, il aurait reconnu qu'il l'évitait parce qu'il avait honte de la façon dont il l'avait traitée. Eprouver un remords à l'égard de cette petite sotte? Non, la vie était trop courte et il avait trop de travail.

« Julien, savez-vous danser? demanda Kate Browning avec sa tranquille autorité.

– Danser? Bien sûr, je sais danser. Mais très mal, je vous préviens.

– Vous ne *voulez* pas danser?

– Dans cette cohue?

– Allez, venez, j'en ai envie, insista-t-elle.

– Qu'est-ce qu'ils jouent? demanda-t-il.

– *Mountain Greenery*, un air à la mode. Vous n'allez tout de même pas passer la soirée assis? »

Il se leva avec réticence. Pendant quelques minutes, au son d'un ragtime car la musique avait changé entre-temps, ils se trémoussèrent maladroitement au bord de la piste. Soudain, ils furent poussés par les danseurs qui cherchaient à apercevoir Maggy portée par ses quatre compagnons.

Sur son perchoir, elle était aux anges. Tous la regardaient avec une admiration évidente. Elle éprouvait un sentiment de libération intense à être ainsi nue et couverte de peinture, offerte et protégée tout à la fois. Elle avait l'impression de flotter au-dessus de la salle de bal. Les mains se tendaient vers elle, essayaient de la toucher mais les quatre porteurs élevaient alors la coupe d'argent et elle restait hors d'atteinte.

Soudain, dans la foule, une voix cria : « A bas les réalistes! »

« A bas les surréalistes », répondirent une douzaine d'autres voix.

Les gens qui, jusque-là, avaient fait preuve de placidité en dépit du peu d'espace dont ils disposaient pour danser et de la chaleur ambiante, se jetèrent immédiatement dans la bagarre. C'est ce qu'ils attendaient depuis le début de la soirée. Consciente du danger, Kate Browning s'échappa des bras de Mercuès et contourna la foule, laissant à son compagnon le soin de la suivre.

En hurlant des slogans, les danseurs entourèrent Maggy et ses amis. Soudain affolée, Maggy comprit qu'elle risquait de basculer et d'être piétinée par la foule. Elle regarda autour d'elle : les hommes se battaient, les femmes esquivaient les coups et poussaient des cris perçants. Le bal tournait à l'émeute.

Maggy sauta de son perchoir. Elle atterrit dans les bras de Mercuès, le seul être qui semblait avoir encore la tête froide.

Il la reçut comme un ballon de football, poussa un « oh! » de surprise mais demeura aussi inébranlable qu'un rocher dans la tempête. Maggy ne semblait plus avoir peur et observait même le spectacle avec intérêt.

Elle mit ses bras autour du cou de Mercuès et laissa tomber sa tête sur son épaule. D'un geste machinal, il la serra contre lui.

Enfin, il s'ébranla, se frayant un chemin à travers la foule jusqu'à une porte de secours qui donnait sur la rue. Il pressait Maggy contre lui comme s'il venait de la sauver d'un naufrage.

« Où allons-nous? demanda-t-elle lorsqu'ils furent enfin dehors.

– Tout près d'ici.

– J'espère que l'endroit n'est pas trop collet monté.

– Non, rassurez-vous. »

Mercuès traversa l'avenue, tourna dans la rue suivante et entra dans une grande maison à la façade marocaine. Derrière un comptoir, deux femmes attendaient les clients.

« Bonsoir, monsieur. Pour un ou pour deux? demanda-t-elle, ne manifestant aucun étonnement devant cette femme nue et bariolée portée par un homme.

– Un, s'il vous plaît. Il faut attendre?

– Non, vous avez de la chance ce soir. Il y en a un de disponible. Suivez-moi. »

Elle les conduisit le long d'un couloir, ouvrit une porte, s'effaça pour laisser passer le couple et la referma.

Au milieu de la pièce trônait une immense baignoire remplie d'eau chaude. A côté, sur une chaise, étaient posés une serviette, un gant de toilette et un savon. Sans lâcher Maggy, Mercuès se pencha d'un mouvement rapide pour vérifier la température de l'eau. Puis, satisfait, il l'y plongea, mouillant ses avant-bras jusqu'aux coudes.

« Assassin! lança Maggy.

– Ce n'est pas que je n'admire pas votre costume, mais je le préfère sur vous que sur ma chemise, dit-il, frottant vigoureusement le savon sur le gant de toilette.

– Donnez-moi cela.

– Jamais de la vie. C'est un travail d'homme. »

Il ôta sa veste humide, roula les manches de sa chemise et s'agenouilla sur le sol. Maggy fit une vague tentative pour se relever mais la baignoire était si profonde qu'elle y renonça. Mercuès se mit en devoir de la savonner. En quelques secondes, l'eau devint opaque et grise.

Elle fut soudain prise d'un fou rire irrépressible. Elle le regardait frotter ses épaules et ses jambes. Mais, quand il approcha de ses seins, elle repoussa si vivement sa main qu'il laissa échapper le gant de toilette et que son chapeau tomba à l'eau. Elle le ramassa et lui jeta le contenu savonneux à la figure. Il jura, à moitié aveuglé, et tâtonna à la recherche de la serviette. Riant aux éclats à la vue de Mercuès à genoux et trempé, elle fit disparaître ce qui restait de peinture sur son corps.

Enfin, Maggy jeta le gant de toilette sur le plancher et s'assit dans l'eau sale qui lui arrivait aux épaules. Souriant d'un air effronté, elle enfonça le chapeau de Mercuès sur sa tête.

« Bon travail, le félicita-t-elle. Quels sont vos projets pour le reste de la soirée?

– Je n'y ai pas encore réfléchi, répondit-il, toujours agenouillé.

– Je commence à avoir froid et j'ai faim. Et, quand j'ai froid et faim, je deviens méchante. Etes-vous prêt à prendre ce risque?

– Attendez-moi », dit-il en se levant brusquement.

Prenant sa veste et la serviette mouillée, il sortit de la pièce.

« Salaud! » cria Maggy.

Elle regarda d'un air dégoûté le dépôt noirâtre qui commençait à se former sur la baignoire et essaya de rajouter de l'eau mais le robinet était bloqué. Haussant les épaules, Maggy se leva et passa ses mains sur son corps ruissselant. Elle sortit avec précaution de la baignoire, se secoua vigoureusement et tordit ses cheveux pour en exprimer l'eau. Par chanche, la nuit était tiède et, avec la vapeur du bain, il faisait chaud dans la pièce.

Sur ces entrefaites, Mercuès réapparut. Maggy mit précipitamment le chapeau devant son sexe.

« Vous auriez pu frapper!

– Pardon, dit-il en lui tendant deux serviettes sèches. Essuyez-vous... Allez-y, je ne regarderai pas.

Ensuite, vous n'aurez qu'à enfiler ma veste. J'ai fait appeler un taxi.

— J'espère que nous allons dîner dans un endroit agréable.

— Très agréable.

— Bravo. Je vois que vous ne vous conduisez pas toujours de façon déplorable. »

Maggy luttait avec sa veste. Les manches lui cachaient les mains. D'un geste maladroit, elle croisa les bras pour la maintenir fermée.

« Voilà, je suis prête... Pas terrible, il faut bien le dire. Mais vous non plus vous ne ressemblez pas à grand-chose avec votre chemise trempée.

— Nous avons tous deux l'air... propre. C'est l'essentiel », dit Mercuès en l'entraînant vers la sortie.

Pieds nus, Maggy le suivit. Un taxi les attendait au coin de la rue.

« 65, boulevard Arago », dit Mercuès au chauffeur qui les regardait avec stupéfaction.

Toujours pieds nus, mais vêtue du kimono rouge qu'elle avait retrouvé avec amusement pendu derrière la porte, Maggy entra dans la grande pièce faiblement éclairée et chercha un endroit où s'asseoir.

L'atelier était aussi encombré que la chambre était nue. Mercuès avait l'habitude de faire la tournée des brocanteurs du voisinage et entassait chez lui toutes sortes d'objets hétéroclites. C'est ainsi qu'il avait rapporté une vieille casserole trouée de Quimper, une figure de proue rongée par les vers, les restes d'une superbe collection de soldats de plomb et un fauteuil victorien recouvert de satin violet et bordé d'un galon mité.

Maggy se dirigea ves le fauteuil victorien qui lui, àu moins, avait une fonction bien définie et s'assit avec un soupir d'aise. Elle n'aurait jamais pensé se retrouver ici un jour et une lueur d'excitation brillait dans son regard.

« Vous faites chauffer la soupe? cria-t-elle à Mercuès qui s'affairait dans la cuisine.

— Ma parole, vous vous croyez au restaurant? Vous aurez droit à du saucisson, du fromage et un coup de rouge, et estimez-vous heureuse que mon garde-manger ne soit pas vide.

— On ne peut pas dire que vous soyez un hôte parfait!

— Je n'ai guère l'occasion de l'être », répondit-il, regardant avec un certain agacement le saucisson qui paraissait centenaire.

Il disposa sur un plateau deux assiettes dépareillées, une bouteille de vin, deux verres dont un ébréché, et emporta le tout dans l'atelier. Il s'arrêta net à la vue de Maggy assise sur le fauteuil violet, ses cheveux orange foncé étalés sur le kimono rouge. Le feu semblait soudain éclairer la pièce.

« Ne vous asseyez pas là-dedans.

— Pourquoi?

— Parce que ce fauteuil menace de s'effondrer.

— Que suggérez-vous alors? Le plancher?

— Il y a une petite table dans le jardin. Je pensais que nous dînerions là.

— Mais avez-vous également de petites chaises dans votre jardin? demanda-t-elle d'une voix moqueuse.

— Oui, bien que cela semble difficile à croire.

— Ah! bon. Dans ce cas... comment résister à l'attrait d'un pareil luxe? »

Maggy suivit Mercuès dehors. Une table en bois blanc était installée sous un lilas dont les fleurs blanches et parfumées luisaient faiblement dans l'obscurité. Deux chaises en bois recouvertes d'une galette de toile se faisaient face, les pieds enfoncés dans l'herbe haute. Mercuès alluma une bougie dans un bougeoir en cuivre torsadé tandis que Maggy, penchée en avant, inspectait le saucisson. .

« Allez-y, servez-vous, lui proposa-t-il.

– Il n'est pas... comment dirais-je... de la première fraîcheur.

– Ah! bon. Dans ce cas, n'y touchons pas », dit-il. Il posa le plat sur l'herbe. « Je crois que le fromage est moins vieux. Mais si vous avez réellement faim, je peux faire un saut à la charcuterie à côté. Elle est ouverte très tard.

– Non, non. Je plaisantais... Mais vous avez dîné, vous?

– Oui, avec une jeune et riche Américaine qui possède une collection de tableaux. C'est elle qui m'a entraînée à cette soirée de timbres.

– Dans ce cas, elle aurait quelque raison de se plaindre », déclara Maggy. Elle leva son verre et incita Mercuès à en faire autant. « Buvons à cette dame qui a commencé la soirée avec M. Mercuès. Qui sait avec qui elle la finira? Je lui souhaite bonne chance.

– Bonne chance », répéta Mercuès, faisant tinter son verre contre le sien.

Le vin aidant, le souvenir de Kate Browning disparut complètement de son esprit. Plus rien n'existait en dehors de ce petit coin de jardin obscur et odorant et de la voix moqueuse et sensuelle de Maggy.

Il se sentit rajeunir. Maggy était un choc merveilleux auquel il n'était pas préparé. Il ne l'attendait pas. Que faisait-elle ce soir?

Elle éclairait la nuit. Lorsqu'elle bougeait, sa peau

luisait sous la lune et la flamme de la bougie se reflétait dans ses yeux verts.

Presque avec réticence, comme s'il obéissait à un ordre, il se laissa glisser dans l'herbe et prit un pied de Maggy entre ses mains.

« Pauvres pieds, murmura-t-il en le frottant doucement, ils sont tout froids. »

Elle ne répondit pas. Le contact de ses grandes mains un peu rêches la faisait trembler. Ses lèvres effleuraient maintenant la plante de son pied. A peine... C'était plus une interrogation qu'une caresse. Elle retint sa respiration, n'osant pas faire un geste, envoûtée par les sensations qu'il faisait naître en elle. C'était comme le langage inconnu qu'elle aurait entendu pour la première fois et dont elle comprenait le sens. Elle sentit ses dents mordiller son talon, gémit et essaya de retirer son pied, mais il resserra son étreinte. Ses lèvres remontèrent le long d'une jambe, puis de l'autre, pour se poser enfin sur le creux douillet du genou.

« Arrêtez, je vous en prie », dit-elle, haletante.

Il se redressa, haute silhouette dans la nuit, et la souleva dans ses bras.

« Arrêter? Vous le voulez vraiment? » demanda-t-il en fronçant les sourcils.

Il l'embrassa rapidement sur les lèvres et rejeta la tête en arrière pour voir son visage.

« Non, vous n'avez pas envie que je m'arrête... pas vraiment », murmura-t-il, reprenant ses lèvres sensuelles et innocentes qui ressemblaient à une fleur dans son pâle visage.

Le trouble de Maggy, sa frayeur disparurent sous ses baisers. Elle caressa sa nuque, attira sa tête bouclée contre la sienne. Elle tenta de se dégager, glissa à terre et se pressa longuement contre lui. Mercuès écarta le kimono en soie. Il avait une envie folle de caresser ce corps, de sentir sa peau, de prendre ses seins, d'en faire durcir le bout avec sa langue. « Pas ici, murmura-t-elle. A l'intérieur. » Déboutonnant sa chemise tout en marchant, il la suivit jusqu'à la chambre, jusqu'à ce grand lit qu'éclairait la lune. En un instant, il fut nu.

« Laisse-moi te regarder », chuchota-t-elle d'un ton où perçait une telle curiosité qu'il s'immobilisa, surpris. Elle s'approcha de lui, parcourut d'un doigt léger ses épaules, sa poitrine, ses hanches minces, effleura les muscles de ses bras. Lorsqu'elle eut bien tout reconnu, lorsque ce corps lui fut devenu moins étranger, elle dénoua le kimono et le laissa tomber sur le sol. Puis elle s'étendit sur le lit, immobile.

Enfin, songea Maggy, enfin. Non contente de se soumettre à ses caresses, elle les encouragea. Elle prit ses seins dans ses mains, les lui offrit, puis, d'un mouvement rapide et sensuel, elle se jeta contre sa poitrine et suça ses tétons comme il venait de le faire pour elle jusqu'au moment où il gémit, incapable de supporter plus longtemps l'excitation qu'elle avait fait naître en lui. « Ah! Ainsi, on peut jouer à deux à ce petit jeu-là », murmura-t-elle tandis qu'il lui écartait les jambes et effleurait de ses lèvres tièdes sa chair humide. Un silence profond les enveloppa. Immobile, le souffle court, Maggy attendait.

Mercuès la pénétra et rencontra soudain une résistance. Incrédule, il insista, mais sans plus de résultat. « Que se passe-t-il? » murmura-t-il, regardant le triangle sombre où ils se rejoignaient. Il essaya de nouveau, mais sans succès. Rassemblant tout son courage, Maggy se pressa contre lui. Elle voulait se donner à lui. Chaque muscle de ses longues jambes était tendu. Elle eut soudain très mal mais ne s'en soucia pas. Il était enfin en elle, ils demeurèrent quelques instants immobiles, haletants comme deux gladiateurs qui prennent le temps de se saluer avant de reprendre le combat.

« Je ne savais pas, murmura-t-il, si surpris qu'il ne trouvait rien d'autre à dire.

– Je ne t'ai pas prévenu. Cela aurait changé quelque chose ?

– Non, non. » Ils étaient maintenant enlacés sur le côté. De sa main libre, il effleura la toison bouclée, caressa longuement la chair tendre malgré ses protestations jusqu'à ce qu'elle crie. Alors, et seulement alors, il s'occupa de son propre plaisir, mais en s'efforçant de ne pas lui faire mal, avec une douceur inhabituelle qui ne fit qu'exacerber son désir. Son orgasme fut si violent qu'il demeura un long moment sur elle, haletant, incapable de bouger.

5

La première fois que Julien fit le portrait de Maggy, la première fois que, trempant son pinceau dans le vermillon, il parvint à rendre cette ombre entre ses seins, une sorte de stupeur s'empara de lui. Il *vit*, il vit comme il n'avait jamais vu auparavant, tandis que le pinceau dévorait la toile, comme mû par un mouvement autonome. Il transpirait tellement qu'il dut ôter sa chemise. Dans sa folle impatience à poursuivre sa vision, il finit par jeter ses pinceaux et pressa ses tubes de couleur directement sur la toile.

Il peignait enfin sans inhibition, sans calcul, avec une liberté si grande qu'il avait l'impression que les quatre murs de son atelier venaient de disparaître d'un coup de baguette magique.

Fascinée, étendue sur une montagne de coussins verts, Maggy le regardait, n'osant bouger bien qu'elle posât depuis plus d'une heure. Il quitta soudain son chevalet et, rayonnant, se jeta sur les coussins à côté d'elle.

Il essuya ses mains tachées de peinture sur son ventre et la couvrit de vert et de rouge Titien, puis, déboutonnant sa braguette, il plongea en elle avec violence sans même enlever son pantalon, la clouant au sol avec son grand corps en sueur.

Mercuès peignit Maggy pendant plusieurs semaines. Elle savait que quelque chose de très important venait de lui arriver mais, lorsqu'elle lui demandait des explications, il était incapable de lui en fournir. N'étant pas d'ordre intellectuel, cette expérience échappait aux mots. En outre, Mercuès éprouvait une sorte de crainte superstitieuse à l'idée d'en parler.

Ce printemps-là fut merveilleux pour Maggy. Au fond d'elle-même, elle se rendait compte qu'elle vivait son âge d'or. Comme toutes les femmes, elle savait d'instinct qu'un moment aussi parfait ne peut durer très longtemps et elle évitait de penser à l'avenir. Chaque jour, rond et plein comme une pomme, se suffisait à lui-même.

Mercuès aussi était heureux, mais, étant peintre avant d'être homme, il devait moins son bonheur à Maggy qu'à son travail.

Après cette fameuse nuit où il était devenu son amant, il n'était jamais venu à l'esprit de Julien Mercuès que Maggy pût ne pas lui consacrer tout son temps. Il la fit poser tous les jours et pendant des heures jusqu'au moment où, les muscles noués, épuisée, elle le suppliait de s'arrêter. Avec un égoïsme qui frisait l'inconscience, il était persuadé qu'elle était ravie d'avoir laissé son ancienne vie derrière elle, d'avoir quitté sa chambrette pour vivre avec lui, d'avoir délaissé ses amis et abandonné toute liberté. Lorsqu'il posait enfin ses pinceaux, il trouvait naturel qu'elle fût là pour apaiser la tension nerveuse due à la création, pour assouvir son désir violent.

Maggy ne protestait jamais et lui offrait son temps et son corps avec la même générosité.

Heure après heure, elle subissait avec joie la concentration de son regard, sachant qu'il ne pensait pas à elle, ne la voyait même pas en tant que Maggy. Son amour ne demandait rien d'autre que la satisfaction de le voir travailler. Le besoin de créer était si puissant en lui, le dévorait tant qu'il devenait comme un saint à ses yeux. Les deux mois pendant lesquels Mercuès peignit sa série de toiles connues sous le nom de *La Rouquine* furent une période étrange d'isolement et de frénésie, un moment extraordinaire pour eux deux, comme s'ils avaient participé ensemble à une exaltante aventure. Ces œuvres devinrent un événement dans l'histoire de l'art, mais ils n'en reparlèrent jamais.

A la fin du mois de mai 1926, Mercuès se sentit assez sûr de lui pour s'attaquer à d'autres sujets. Lorsqu'il eut terminé le septième portrait de Maggy, tout intérêt pour le nu le quitta. Il se tourna vers les natures mortes, vers son jardin négligé, plein de fleurs et de mauvaises herbes, vers son atelier encombré d'objets hétéroclites. A côté d'un vase rempli de tulipes multicolores, il posa un melon coupé en deux. Tous ces objets se proposaient à son inspiration toute fraîche, comme s'il les voyait pour la première fois. Ils vivaient, exactement comme Maggy vivait. La lumière tombait sur eux et ils la respiraient. Le monde était neuf.

La disparition de Maggy dans l'antre de Mercuès avait provoqué des commérages sans fin. Lorsqu'il la délivra enfin, sa réapparition suscita tout autant de curiosité.

« Et, bien entendu, tu as fait cela au nom de l'amour? demanda Paula.

– Paula! s'exclama Maggy, choquée, tu ne t'imagines tout de même pas que j'allais lui demander de l'argent?

– Mon Dieu, que les femmes sont bêtes!

– Mais tu ne comprends pas la situation, répondit

58

Maggy avec douceur, trop heureuse pour se mettre en colère.

– Au contraire, je la comprends très bien... et je la désapprouve. Bien sûr, ce serait folie furieuse que de s'attendre à autre chose de ta part, mais j'espérais que tu avais appris à te conduire en vraie professionnelle.

– Ecoute, vieille cynique, Julien m'a donné mon portrait favori, le plus grand et le meilleur de tous, le premier qu'il ait fait de moi.

– Merveilleux! Des mois de travail contre un tableau probablement invendable. Oh! Maggy, jamais je n'aurais pensé que tu deviendrais la bonne d'un peintre, lança Paula, trop furieuse pour dissimuler ses sentiments. Et maintenant qu'il te laisse enfin retravailler, je suppose que tu l'entretiens?

– Tu es injuste, protesta Maggy. Julien travaille comme un nègre et il n'a pas le sou... Bien sûr que je paie un tas de choses, c'est normal, tout au moins jusqu'à ce qu'il commence à vendre.

– Dis-moi un peu, que fait Mercuès pour toi à part te peindre et t'autoriser à partager son lit?

– Oh! je t'en prie, fit Maggy, scandalisée que Paula pût méconnaître à ce point la nature des liens qui l'attachaient à Mercuès.

– Oh! je t'en prie, s'écrie l'oie blanche, railla Paula. Et qui fait la cuisine, le ménage, qui porte le linge à la blanchisserie. A moins que tu ne laves toi-même ses chaussettes? Et qui s'assure qu'il reste assez de vin, va chercher les croissants le matin, moud le café et retape ce lit qui a déjà beaucoup servi? M. Mercuès fait-il tout cela en échange de l'argent que tu lui donnes?

– Tu es ridicule, Paula. Il n'a pas le temps. D'ailleurs, je ne l'ai pas non plus. En général, je fais un saut à la charcuterie et nous pique-niquons...

– Arrête, tu me rends malade », dit Paula.

C'était pire que ce à quoi elle s'attendait. Toutes les femmes qu'elle avait connues – et elles étaient nombreuses – qui vivaient avec des peintres, avaient mal fini. Qu'ils soient bons ou mauvais, les peintres étaient tous des égoïstes et les gens qui gravitaient autour d'eux ne jouaient qu'un rôle secondaire dans leur vie. Lorsque le destin d'une femme était en jeu, Paula n'éprouvait plus aucune sympathie pour eux. Parfois, il fallait être juste, parfois un peintre épousait son modèle et restait même marié toute sa vie avec elle, comme ce bon vieux Monet qui peignait des jardins et des nénuphars parce que sa femme l'avait menacé de le quitter s'il ramenait un modèle à la maison.

Paula ne se faisait aucune illusion sur Mercuès. Sa beauté sauvage et insolente l'irritait. Aux yeux de Paula, la beauté aurait dû être réservée aux femmes qui en avaient bien besoin pour se faire une place au soleil. Même elle, Paula Deslandes, qui pourtant n'aimait pas Mercuès, s'était surprise à suivre du regard sa haute silhouette dans la rue, se demandant comment on devait se sentir dans ses bras, protégée par ce grand corps musclé. Elle s'était même dit que, si elle était plus jeune, elle apprivoiserait ce coureur impénitent qui avait eu d'innombrables aventures. Non, cet homme ne serait le mari d'aucune femme. Pourquoi Maggy ne s'était-elle pas trouvé un amant moins égoïste ?

« Peu importe, dit Paula, sortant de sa rêverie. J'ai perdu cinquante francs au poker menteur là nuit dernière et je me méfie de tout le monde, y compris de moi-même. Oublie ce que je t'ai dit.

– C'est déjà fait », répondit Maggy avec sincérité.

En aurait-elle su un peu plus sur Julien que Paula aurait compris beaucoup de choses, ce qui ne l'aurait pas empêchée de se faire du souci pour Maggy.

Mercuès, fils unique, était né et avait grandi à Versailles. Son père, ingénieur des ponts et chaussées, était souvent absent. Il travaillait surtout aux colonies et sa mère, qui ne songeait qu'à ses travaux d'aiguille, semblait fort bien s'accommoder de cette vie. Elle brodait de splendides habits sacerdotaux avec une passion dont tout sentiment religieux était exclu, bien qu'elle eût probalement été plus heureuse dans les ordres. Sans sa broderie entre les mains, elle devenait nerveuse, plaintive et même irritable.

Mme Mercuès s'était fort bien occupée du bébé mais, dès qu'il atteignit l'âge de la maternelle, elle s'en désintéressa avec la meilleure des consciences. Le petit garçon jouissait d'une excellente santé et la bonne était là pour le laver, le nourrir et l'emmener à l'école.

Si loin que remontaient ses souvenirs, Julien avait toujours considéré que ce qu'il apprenait en classe n'avait guère d'intérêt. Comme tous les enfants, il était naturellement artiste et possédait un certain nombre de symboles pour représenter les êtres humains, les maisons, les arbres et le soleil.

Lorsqu'il eut dix ans, Julien apprit à assembler tous ces éléments pour en faire un dessin cohérent. Bientôt, il ne vécut plus que pour son cahier à dessin et ses crayons de couleur. C'était un enfant secret : le dessin était devenu sa forme d'expression préférée. La grammaire, le calcul et la lecture l'ennuyaient. Seuls, les volumes et les couleurs l'intéressaient.

Lorsque ses professeurs se plaignaient auprès de sa mère, celle-ci convenait que la distraction de Julien était déplorable. Mais même le carcan du système éducatif français ne peut forcer un enfant à travailler quand il est insensible à l'opinion des autres, quand les sanctions glissent sur lui, surtout si sa mère oublie ses griefs dès qu'elle a franchi la porte du bureau du directeur.

A dix-sept ans, au moment où ses camarades de classe étaient volontaires pour combattre le Kaiser, Mercuès s'inscrivit dans une école de dessin privée à Paris. Il s'y montra brillant et passa son examen pour entrer aux Beaux-Arts. Après quelques années, cette conception traditionnelle de la peinture commença à le mettre mal à l'aise. Il comprit, puis déclara ouvertement, que l'art ne peut s'apprendre. « La technique, la couleur, l'anatomie, oui. Mais le reste, non. »

Il laissa tomber les Beaux-Arts. D'Algérie, son père avant de mourir lui envoya de l'argent pendant un an. Lorsque Mercuès eut vingt-trois ans, il perdit également sa mère. A part un modeste legs à sa meilleure amie, elle laissait à son fils tout ce qu'elle possédait.

A près de vingt-six ans, Julien Mercuès n'était pas parvenu à se faire une réputation dans le monde de l'art, sauf auprès de quelques-uns de ses contemporains. Pour lui, les galeries et les marchands étaient des forbans. Lorsqu'il entendit dire que Marcel Duchamp avait traité les marchands de tableaux de « morpions accrochés au cul des artistes », il exulta.

« Que pensez-vous de Cheron qui a royalement donné à Zadkine dix francs pour soixante dessins ? tonna-t-il. Et sept franc cinquante à Foujita pour une aquarelle ? Un morpion ? On devrait le pendre haut et court! Vous savez combien il achète les portraits de Modigliani? Vingt francs! C'est monstrueux! »

Cependant, il ne restait presque rien de cet héritage et Kate Browning, la riche Américaine qui l'avait invitée au bal des surréalistes, n'était pas revenue. Aurait-il dû lui envoyer un mot d'excuse pour sa disparition? se demanda distraitement Mercuès avant de retourner à son chevalet.

Katherine Maxwell Browning, de New York, possédait un petit talent. Un très petit talent, elle en était consciente. Son intelligence était vive, son œil savait reconnaître la beauté. Mais elle n'était pas créatrice. Elle se disait sculpteur. Sa famille, de riches agents de change qui n'avaient pas la moindre idée de ce qu'était l'art, lui vouait une admiration sans bornes. Même ses professeurs, à Sarah Lawrence, se montraient encourageants. Elle s'était longtemps dissimulé son manque de talent jusqu'au moment où cela lui était devenu impossible.

Kate Browning était arrivée à Paris au début de l'année 1925 pour étudier avec Brancusi mais il ne voulut pas d'elle. Cependant, le professeur qui enseignait dans l'atelier 51 où elle se présenta ensuite fut assez indulgent pour l'admettre à son cours. Il s'attendait à la voir offrir l'habituelle tournée aux étudiants, à assister à quelques cours puis à s'éclipser discrètement comme le faisaient tant d'Américains à cette époque.

Elle avait vingt-deux ans, un ovale parfait, et des cheveux blond cendré encadraient son visage. Son front haut, ses pommettes saillantes et ses yeux gris légèrement cernés lui conféraient une grande distinction.

Au début du printemps 1926, Kate Browning dont le français, bien que manquant un peu de fantaisie, était irréprochable, fut emmenée chez Mercuès par un de ses camarades des Beaux-Arts.

Elle ressentit un véritable choc devant sa peinture. Elle regarda les toiles, plongea dans cet océan de couleurs et comprit immédiatement que Julien Mercuès était le plus grande peintre français de son temps.

Cependant, Kate était suffisamment intelligente pour ne pas se précipiter sur l'œuvre de Mercuès. A leur première rencontre, elle l'avait entendu fulminer contre les collectionneurs.

« J'en ai connu qui étaient prêts à embarquer tout ce que ces pauvres diables de peintres leur proposaient et à bas prix, naturellement. Ils achètent tout et attendent que le marché confirme leur intuition. Et là, ils se sucrent. Ils sont même pires que les marchands. Avec ceux-ci, au moins, on sait quand on se fait avoir. »

Tout en l'écoutant, Kate se voyait déjà comme la future protectrice de sa carrière et de son talent. A partir de ce jour, elle se surprit à se réveiller la nuit et à penser à lui, se demandant comment faire pour le lancer comme il le méritait.

Sa nature âpre au gain était dissimulée par le mince vernis du monde civilisé. Elle était maligne, très maligne et obstinée. Avec précaution, elle lui acheta une première toile, puis une seconde le mois suivant. Elle avait compris qu'en dépit de sa situation financière préoccupante, Mercuès devenait immédiatement soupçonneux dès qu'on cherchait à acquérir l'une de ses œuvres.

Elle avait décidé de l'inviter au bal des surréalistes. Et, quand il s'était enfui avec Maggy dans ses bras, elle avait refusé de considérer cela comme

64

une insulte. Patience, s'était-elle contentée de mur-
murer.

Son désir de le lancer venait-il de l'admiration
qu'elle lui vouait en tant que peintre ou en tant
qu'homme? Sa beauté rude et secrète était-elle
étrangère à l'intérêt que portait Kate à sa peinture?

Elle ne se posait pas la question et d'ailleurs la
réponse lui importait peu. Elle avait décidé de se
consacrer entièrement à lui.

Un samedi après-midi, au début du mois de
juillet, Maggy était en train de peler des pommes de
terre lorsqu'elle entendit frapper à la porte. Elle
jeta un coup d'œil vers Julien qui travaillait dans
l'atelier. On frappa de nouveau mais il ne parut pas
entendre. Curieuse, Maggy alla ouvrir. Devant elle
se tenait une belle jeune femme d'une élégance
surprenante pour le quartier. Elle était vêtue d'une
robe en crêpe de Chine d'un blanc immaculé et
coiffée d'une cloche en paille finement tressée, du
même ton. L'homme qui l'accompagnait ressemblait à un paysan endimanché. Il semblait récuré de
frais et mal à l'aise dans son costume.

« M. Mercuès est-il chez lui? demanda la
femme.

— Oui, mais il travaille, répondit Maggy, peu soucieuse de déranger Julien inutilement.

— Je suis attendue, mademoiselle, insista Kate
avec un sourire poli

— Il ne m'en a pas parlé... »

Elle s'interrompit brusquement car Kate, sans
plus attendre, venait de passer devant elle et d'entrer. Bouche bée, Maggy regarda le couple s'avancer

dans la pièce. De mauvaise grâce, Mercuès posa ses pinceaux et serra la main de Kate.

« Je vois que vous nous aviez oubliés, Julien. C'est sans importance. J'avais prévenu Adrien que vous ne nous attendriez probablement pas. Adrien, je vous présente Julien Mercuès. Julien, voici l'ami dont je vous ai parlé dans mon mot, Adrien Avigdor. »

Les deux hommes se serrèrent la main.

Maggy enleva son tablier. Elle était pieds nus, comme d'habitude, et portait une robe à fleurs en coton qu'elle ne mettait que pour traîner dans la maison. Elle se redressa et entra de sa démarche souple dans l'atelier. Dieu merci, je suis grande, songea-t-elle, en observant Kate Browning et son compagnon, tous deux plus petits qu'elle. Pourquoi, se demanda-t-elle, Julien ne l'avait-il pas prévenue qu'il attendait des visiteurs ? Cela devait avoir un rapport avec le petit message bleu qu'il avait reçu ce matin et jeté dans la corbeille à papiers avec un grognement agacé.

« Voulez-vous du vin ? proposa Mercuès. Maggy, apporte le vin. »

Comme elle cherchait dans la cuisine quatre verres à peu près convenables, Maggy sentit l'irritation la gagner. Pourquoi ne l'avait-il pas prévenue ? La jeune femme semblait sortir d'un yacht – ainsi c'était cette fameuse Américaine qu'il avait plantée là le soir du bal des surréalistes. Il ne lui avait pas dit qu'elle était aussi jolie. Et cette robe ravissante ! Elle ressemblait à une fille de la haute société faisant ses visites de charité, Avigdor ne pouvait être son amant. Il semblait trop... rustique pour cela. Pourtant son nom lui était vaguement familier. Elle trouva une bouteille de vin rouge, presque pleine, posa sur un plateau quatre verres dont deux ébréchés, et apporta le tout dans l'atelier.

Mercuès versa le vin. Adrien Avigdor regardait autour de lui d'un air distrait, comme un homme qui pense à ses plantations et qui se demande si la pluie va tomber avant le soir. Il semblait à peine écouter le bavardage mondain de Kate. Lorsqu'elle se tut enfin, il dit à Mercuès : « J'ai vu les deux toiles que Kate vous a achetées. Elles m'ont beaucoup plu.

– C'est ce qu'elle m'a écrit », répondit Mercuès avec rudesse comme pour couper court aux compliments.

Il est vraiment incroyable, se dit Maggy. Peut-être cet homme était-il un client potentiel. Pourquoi se montrer aussi désagréable ?

« Puis-je jeter un coup d'œil sur vos tableaux ? demanda Avigdor.

– Ecoutez, Avigdor, les marchands comme vous ne se contentent pas de jeter un coup d'œil autour d'eux, répondit Mercuès d'un air mauvais. Vous ne rendez pas visite aux peintres le samedi après-midi pour tuer le temps, ne me prenez pas pour un idiot. Ce sont les types comme vous qui...

– Vous faites erreur, monsieur Mercuès, interrompit Avigdor avec douceur. Il ne faut pas mettre tous les marchands dans le même sac. C'est injuste. Pensez à Zborowski qui a fait vendre les portraits de Modigliani quatre cent cinquante francs. Qui d'autre aurait pu intéresser cet Américain, Barnes, à Soutine ? Et il y a d'autres intermédiaires qui sont dignes d'estime, comme Basler Couquiot et le poète Francis Carco. Vous les trouvez malhonnêtes, ceux-là ?

– D'accord, il y a quelques exceptions, mais dans

l'ensemble c'est une bande de voleurs et de maque-
reaux. »

Kate se mit à rire.

« Bien dit, Julien! Mais, comme je vous l'ai écrit,
Adrien fait partie des exceptions. Autrement, je ne
vous l'aurais pas amené. Peut-il jeter un coup d'œil
sur vos toiles? Et moi aussi par la même occasion?
Cela fait des mois que je n'ai pas vu votre travail.

– Allez-y, allez-y puisque vous êtes là, grogna
Mercuès. Mais n'espérez pas que je vais m'asseoir et
vous regarder. Je déteste le genre de commentaires
que se croient obligés de faire les gens quand ils
regardent vos œuvres. Je vais aller dans le jardin
jusqu'à ce que vous ayez fini. Viens avec moi,
Maggy, et apporte la bouteille. »

Adrien commença par regarder les tableaux
accrochés aux murs.

« Non, Adrien, dit Kate avec impatience, voyons
d'abord les nouveaux. Aidez-moi, je voudrais voir
celui-ci. »

Rapidement, Avigdor retourna toutes les toiles
négligemment entassées contre le mur. Il les plaça
les unes à côté des autres sans prendre le temps de
les regarder. Il opérait à la vitesse d'un cambrioleur,
effrayé à l'idée que Mercuès pût changer d'avis et
les prier de déguerpir. Kate et lui les contemplèrent
en silence, tremblants d'émotion et d'excitation.

Adrien Avigdor ne pouvait détacher ses yeux des
portraits de Maggy. Il avait envie de presser contre
lui cette chair qui semblait vivante, de s'en gorger.
Les portraits de cette fille l'excitaient beaucoup
plus que Maggy elle-même.

Enfin, il s'arracha à la contemplation des sept nus
et se tourna vers les natures mortes. En les regar-

dant, il eut l'impression d'être dehors, étendu dans l'herbe haute, païen, serein, innocent, tout entier livré à ses sens. Aussi impatient qu'un chiot poursuivant un os, il passait d'une toile à l'autre, incapable d'en étudier une plus de quelques secondes parce qu'une autre attirait immédiatement son regard.

Kate l'observait avec un sourire triomphal. Sûre du génie de Mercuès, elle avait attendu avec impatience la réaction d'Avigdor. Il était, d'après les connaisseurs, le marchand de tableaux d'avant-garde le plus perspicace de l'époque. En un an, il avait organisé plusieurs expositions dans sa nouvelle galerie de la rue de Seine et chacune avait été une réussite. Des artistes encore inconnus se succédaient chez lui à un rythme rapide. On parlait constamment de ses découvertes.

Elle tourna le dos aux nus. Quelque chose, dans ces portraits, la dégoûtait profondément. Mais ses autres œuvres! Elles étaient étonnantes. Aucune des anciennes toiles de Mercuès, pas même celles qu'elle avait achetées, n'avait cette force, cette formidable vitalité. Elle en était stupéfaite.

« Alors? fit-elle en anglais, langue qui pour elle était celle des affaires.

– Mon Dieu, Kate, j'en ai le souffle coupé. J'ai l'impression d'avoir été frappé par la foudre. Laissez-moi me remettre, répondit Avigdor avec son bon sourire de campagnard.

– Alors, insista Kate, vous êtes d'accord avec moi?

– Sans réserve.

– Vous m'avez dit qu'il vous était impossible d'organiser une autre exposition cette année. N'allez-vous pas changer d'avis maintenant?

– Je viens de découvrir un nouveau mois en 1926. Nous allons le baptiser octobre.

– Vous voulez dire que son exposition ouvrira la saison? demanda Kate, incrédule.

– Naturellement, répondit-il avec la simplicité du paysan prospère discutant le prix des betteraves.

– Naturellement », répéta Kate, étonnée par l'ampleur de sa victoire. Elle avait acheté plusieurs toiles à Avigdor depuis qu'il avait ouvert sa galerie et connaissait l'excellente réputation dont il jouissait parmi les collectionneurs. Aujourd'hui, en le voyant prendre une décision avec la même rapidité qu'elle, elle comprenait sa réussite foudroyante.

Comme elle avait eu raison de l'amener ici sans laisser à Julien le temps de s'y opposer! Comme beaucoup de marchands, Avigdor achetait comptant les toiles qu'il se proposait d'exposer. La différence entre le prix qu'il les payait et celui qu'il en demandait, ensuite, c'était son affaire...

Elle savait qu'il paierait Mercuès un minimum et elle en était ravie. Elle ne voulait en aucun cas que Mercuès fût indépendant financièrement car un peintre qui a de l'argent n'a aucun besoin d'une protectrice. Quand ses prix commenceraient à grimper, ce qui ne tarderait pas, elle lui proposerait de devenir son agent.

Ils demeurèrent un instant silencieux comme deux conspirateurs.

« Il vaut mieux que j'aille lui parler, dit enfin Avigdor.

– Oh! non, Adrien.

– Mais ma chère Kate, il faut que vous compreniez une chose : votre Mercuès est peut-être allergique aux discussions d'argent, comme vous le prétendez, mais tant que je ne lui aurai pas fait signer un contrat d'exclusivité, nous n'aurons rien à discuter.

– Adrien, faites-moi confiance. Il vaut mieux ne pas évoquer le contrat aujourd'hui. Proposez-lui simplement une exposition dans trois mois. Avouez que je ne me suis pas trompée jusqu'à présent, n'est-ce pas?

– Kate, comment puis-je proposer à cet homme de le lancer sans avoir l'assurance qu'il ne va pas me laisser tomber et signer un contrat avec une autre galerie un jour ou l'autre?

– Il ne le fera pas. Je vous en donne ma parole.

– Ça ne me suffit pas, ma chère Kate. Pourquoi êtes-vous si sûre qu'il ne me filera pas entre les doigts?

– Je le sais... j'en suis sûre », insista calmement Kate.

Adrien la regarda en silence. Il n'était pas certain d'aimer Kate Browning mais il l'admirait. Pour quelqu'un qui n'était pas du métier, elle avait un goût très sûr. Se pourrait-il que Mercuès, ce géant arrogant, fût sous son influence? Rien dans la façon dont il l'avait accueillie ne l'indiquait et cependant... Cependant, il était impossible de douter de Kate lorsqu'elle s'exprimait avec une telle assurance. Cela valait le coup de prendre des risques. En fait, il ne voyait pas ce qu'il aurait pu faire d'autre. Avigdor avait décidé d'ouvrir sa saison par une exposition des œuvres de ce peintre et il savait qu'il ne pourrait approcher Mercuès qu'à travers Kate. Il acquiesça d'un signe de tête et se tourna vers la porte donnant sur le jardin.

« Est-ce que je lui en parle, Kate, ou bien voulez-vous vous en charger?

– Adrien! Mais c'est à vous de le lui dire, bien

sûr! C'est vous qui avez pris cette décision et c'est votre galerie », répondit-elle avec un sourire charmant.

Oh! oui, se dit Avigdor, elle est maligne. Un petit frisson le parcourut. Pas étonnant qu'elle ne lui ait jamais plu physiquement. Il n'aimait pas qu'une femme fût aussi intelligente que lui.

6

ADRIEN AVIGDOR n'avait que vingt-huit ans lorsqu'il rencontra Julien Mercuès pour la première fois et cependant il avait déjà le pouvoir de décider de l'avenir d'un peintre en quelques minutes.

Son père, un célèbre antiquaire, disait souvent en montrant sa boutique prospère du quai Voltaire : « Nous leur vendions des antiquités avant qu'ils ne construisent Notre-Dame. » « Nous », c'étaient les juifs Avigdor, « leur », c'étaient les autres. Adrien, qui adorait son père tout en se moquant gentiment de lui, se demandait s'il n'était pas convaincu d'avoir vendu des antiquités égyptiennes pendant la construction des pyramides.

Lorsqu'il était enfant, Adrien parcourait le pays avec son père pour acquérir des objets. Très rapidement, il avait compris la différence entre l'attitude des marchands et celle des acheteurs. A huit ans, il pouvait déjà juger la marchandise en s'imaginant de l'autre côté de la vitrine. A dix ans, il savait reconnaître les objets invendables, ceux qui font l'admiration des gens mais restent dans la vitrine. Lorsqu'on lui montrait un service de thé de Limoges, ses doigts repéraient instantanément la seule tasse légèrement fêlée à la base.

Lorsque son père mourut, plutôt que de travailler

dans l'affaire familiale avec ses deux frères aînés, Adrien ouvrit sa propre boutique, rue Jacob, à deux pas de l'église Saint-Germain des Prés. Il était convaincu que les gens achètent plus facilement dans un magasin situé à l'ombre d'une église. A vingt-cinq ans, fortune faite, le commerce des antiquités cessa brusquement de l'intéresser, fait sans précédent pour un Avigdor. Il comprit qu'il en avait assez le jour où il revendit, cinq fois ce qu'il l'avait payé, un service à chocolat qui avait prétendument appartenu à l'impératrice Joséphine, tout en luttant pour ne pas s'endormir pendant la transaction.

Nous leur avons vendu les débris des siècles passés pendant trop longtemps, se dit-il. Et, en quelques heures, il décida de changer de métier. Dans le commerce des antiquités, tout ce qui pouvait faire l'objet d'une transaction existait déjà. Dans celui de l'art, les bénéfices reposaient sur des œuvres pas encore créées. Ses employés en qui il avait toute confiance pourraient continuer à faire marcher l'affaire. Lui se contenterait de passer au magasin de temps en temps.

Se lancer dans le commerce de l'art était un défi, Avigdor le savait. Il faudrait concurrencer Paul Rosenberg, les frères Bernheim, René Gimpel, Wildenstein et, le plus riche de tous, Vollard, dont la fortune venait des deux cent cinquante Cézanne qu'il s'était arrangé pour acheter à l'artiste cinquante francs pièce. Ce ne serait pas facile de réussir dans une profession dominée par des marchands aussi célèbres qui avaient pris en main les peintres modernes les plus importants, tels que Matisse et Picasso. En outre, ils s'attiraient une riche clientèle dont beaucoup d'Américains millionnaires, par la facilité avec laquelle ils vous sortaient de derrière les fagots un Vélasquez, un dessin de Goya ou bien n'importe quel impressionniste.

Avec leur air digne et leurs murs tendus de velours gris, Avigdor savait qu'ils évoluaient dans un véritable panier de crabes. Lorsque la profession découvrit que les frères Bernheim avaient vendu un Matisse vingt mille dollars à New York et Wildenstein un grand Cézanne soixante mille dollars – prix inimaginables en France – ils s'arrachèrent les cheveux.

Adrien Avigdor se dit que si on pouvait faire un tel bénéfice sur le dos de peintres totalement inconnus vingt-cinq ans plus tôt, il devait y avoir un marché fabuleux avec ceux qui n'intéressaient pas encore les grands marchands.

Pendant deux ans, il se consacra à l'étude du commerce de l'art. Il allait voir les propriétaires de galeries qui l'accueillaient comme un collègue prospère et cultivé du monde des antiquaires. Il souriait, expliquait qu'il envisageait de commencer une collection de tableaux mais que, malheureusement, il n'y connaissait rien.

Chez Gimpel, il dit timidement qu'il ne voulait pas de dessin de Greuze, ni même un petit Marie Laurencin, mais plutôt quelque chose d'un jeune peintre. Chez Rosenberg, il soupira devant un Picasso. Il admirait beaucoup cet artiste mais n'avait pas les moyens d'acheter ses œuvres. Il adorait ce Monet – celui avec le bateau rouge qui valait trois cent mille francs – mais bien sûr le temps où il était encore possible d'acquérir des Monet à un prix raisonnable était passé depuis longtemps. Chez Zborowski, il admit qu'il était terriblement tenté par les Soutine. Etait-il vrai qu'ils ne parvenaient pas à en vendre un seul l'année dernière et qu'aujourd'hui chacun d'eux valait quinze mille francs? Fascinant!

Le marché de l'art était décidément une chose imprévisible!

Avigdor prit l'avis d'un certain nombre de critiques d'art parmi ceux qui écrivaient dans des revues spécialisées et dont les lecteurs achetaient régulièrement des tableaux. Il leur demanda de le conseiller. Certains assumèrent cette responsabilité contre une modeste rétribution, comme c'était la coutume. A d'autres, il consentit des prix sur de beaux objets. Tous devinrent ses amis.

Parfois, il plongeait dans les quartiers sordides où vivaient les artistes, à Montparnasse, à la Ruche, à la cité Denfert-Rochereau et au 3, rue Joseph-Bara. Il n'achetait rien, mais ne rejetait rien non plus. Il se contentait de regarder.

En 1925, Avigdor qui avait maintenant vingt-sept ans loua et rénova joliment une galerie, rue de Seine. Il exposa sept artistes qui l'intéressaient et qui avaient encore un long chemin à parcourir. Son choix s'avéra excellent. En un an, il acquit la réputation d'un marchand d'avant-garde doté d'un discernement exceptionnel. Tous les yeux étaient braqués sur lui. Ses amis critiques d'art applaudirent, car ne lui avaient-ils pas appris tout ce qu'il savait? Les autres l'attaquèrent sournoisement, ce qui eut pour effet de lui faire vendre encore davantage de toiles car à Paris, pour que la peinture d'avant-garde retienne l'attention, il faut qu'elle fasse scandale.

Mercuès accepta la proposition d'Avigdor en cachant bien sa satisfaction. Il ne voyait pas en quoi signer un contrat d'exclusivité était si important. Kate le lui expliqua et, en outre, lui fit remarquer qu'il ne demandait pas assez cher de ses œuvres.

« Laissez-moi marchander pour vous avec Avigdor, lui proposa-t-elle. Les peintres ne savent pas estimer le prix de leurs toiles. J'aimerais m'occuper de cela, Julien. Nous faisons très bien ce genre de choses dans ma famille. Vous me feriez un grand plaisir en acceptant. »

Mercuès, qui avait horreur de parler argent et que l'idée de traiter de ces questions avec Avigdor épouvantait, accepta avec reconnaissance et put ainsi se consacrer entièrement à son exposition.

Pendant des années, il s'était montré négligent avec ses toiles dès qu'elles étaient terminées. Il les entassait contre les murs et oubliait souvent de les vernir. Mais il était si fier de son travail de ces derniers mois qu'il portait maintenant une attention extrême à tous ces détails. Pendant les trois mois qui précédèrent son exposition, il fut presque trop occupé pour peindre. Maggy faisait bouillir la marmite en posant. Kate passait régulièrement à la maison et emmenait Mercuès dans sa Talbot bleue décapotable pour lui montrer les épreuves du catalogue, choisir les invitations ou prendre un verre avec Avigdor.

Par ailleurs, Kate entretenait d'excellents rapports avec les encadreurs. C'est elle qui servait d'intermédiaire entre Mercuès et ces artisans fiers et même facilement susceptibles qui refusaient de se laisser harceler par les peintres, mais qui étaient toujours prêts à rendre service à cette charmante Américaine qui leur parlait si gentiment.

Maggy observait tout cela avec une triste prémonition au fond du cœur. Elle ne possédait aucune arme, à part son corps et son amour, et Mercuès, l'esprit ailleurs, la délaissait complètement. Lorsqu'ils faisaient l'amour, l'ombre de la jalousie de Maggy et celle des sentiments ambigus de Mercuès concernant l'exposition se glissaient entre eux.

Il exultait mais se rongeait d'inquiétude. Au fond

de lui, il ressentait tout cela comme une victoire. Cet homme qui s'était montré méprisant et discourtois envers les autres artistes, qui avait suivi son chemin solitaire, qui n'avait cessé de dénoncer la commercialisation de l'art, cet homme avait maintenant désespérément envie d'être enfin reconnu par ses pairs.

Comme la date du vernissage approchait, Mercuès devint de plus en plus nerveux.

Kate avait la conviction qu'il était un génie et savait trouver les mots qui l'apaisaient momentanément, bien qu'il affectât de l'écouter distraitement.

Même si Maggy avait su quoi dire, il n'aurait prêté aucune attention à ses propos. Elle était trop jeune, trop ignorante pour que son opinion importât à Mercuès. Bien entendu, Maggy trouvait ses toiles merveilleuses, mais elle ne connaissait rien à la peinture. Comment le jugement d'un modèle de dix-huit ans pouvait-il lui apporter le soutien moral qu'il retirait de la conversation d'une femme cultivée, qui, à vingt-trois ans, connaissait déjà tout ce qui compte à Paris dans le petit monde de l'art?

Au mois de juin, Paul Rosenberg avait montré les œuvres de Picasso des vingt dernières années. L'exposition de Julien Mercuès qui commença le 5 octobre 1926 fut le deuxième événement artistique de l'année.

Au bout de deux heures, Avigdor, littéralement assiégé, colla la petite pastille « vendu » sur la dernière des cinquante toiles exposées. Alertés par les critiques, les collectionneurs et les curieux étaient venus nombreux au vernissage. Patiemment, Avigdor calmait ses bons clients, furieux de ne pouvoir acheter le tableau qu'ils voulaient.

« Revenez demain, répétait-il avec son bon

regard, et je verrai si je peux vous trouver quelque chose... mais je ne vous promets rien. Pardonnez-moi, mon ami. Non, je vous assure que je ne m'en suis réservé aucun. Vous savez que je ne fais jamais ça. Demain, je tâcherai de vous trouver quelque chose. »

Il était décidé à puiser parmi les œuvres plus anciennes de Mercuès.

Sombre et silencieux, celui-ci se tenait au centre de la longue pièce. Il comprenait qu'il avait gagné mais, au lieu de la joie escomptée, il ne ressentait que confusion, vide, incrédulité. Et, pis encore, il éprouvait une sorte d'angoisse. Le succès, dédaigné si longtemps, lui tombait dessus avec une telle brutalité qu'il bouleversait sa vie. Cet univers lui était trop étranger, sa position trop exposée, le prix à payer trop élevé.

Chaque fois qu'un inconnu s'approchait de lui pour le féliciter, les mots lui semblaient de plus en plus dénués de sens. Des gens l'entouraient, lui parlaient, jacassaient entre eux, mais il ne parvenait pas à faire le rapprochement entre cette excitation et ses toiles sur les murs. Il n'arrivait pas à faire le lien entre son travail, dans la solitude de son atelier, et ce déluge de compliments dont on le gratifiait. Il remerciait à voix basse, le regard lointain, rejetant d'un air absent les boucles rousses qui collaient à son front moite.

Lorsque Kate passait près de lui, il lui souriait faiblement. Ils échangeaient quelques banalités sur le succès de l'exposition ou sur la réussite des encadrements. Kate était rayonnante.

Maggy se tenait dans un coin, en proie à une gêne intolérable. Poser pour un artiste, ce n'était rien, mais être ainsi exposée aux regards, c'était très déplaisant. Elle regrettait amèrement d'être venue.

Elle avait le sentiment d'être un animal, un cheval qui vient juste de gagner une course, ou un chien primé dans une exposition canine. « Magnifique, mademoiselle... » ou « Splendide, vraiment splendide... » lançaient-ils en passant rapidement près d'elle, comme si elle avait été une bête et non un être humain avec lequel on pouvait parler. Bientôt, se dit-elle, ils vont me tendre un morceau de sucre.

Si seulement Julien s'était approché d'elle, si leurs regards s'étaient croisés... Mais il était aussi immobile et lointain qu'un arbre planté au milieu de la pièce. Pourquoi l'ignorait-il ainsi un jour comme aujourd'hui? se demanda-t-elle, misérable.

Paula qui était près d'elle tout à l'heure s'était également éclipsée. Elle connaissait la plupart des gens et bavardait avec les collectionneurs, les artistes et les critiques qui venaient dîner chez elle au moins trois fois par semaine. Si cette réception n'était pas donnée en l'honneur de Paula, c'était pourtant bien grâce à elle qu'elle avait lieu. Si Paula Deslandes n'avait pas lancé Maggy, Mercuès serait peut-être encore inconnu, songeait-elle. Soudain un homme s'approcha d'elle.

« Ce vernissage est vraiment un événement, madame, ce n'est pas votre avis?

– Si, absolument », répondit Paula avec un subtil mouvement de tête que n'eût pas désavoué Mme de Pompadour. A son accent, elle comprit immédiatement qu'il était américain.

« Vous êtes collectionneuse, madame?

– Modeste, très modeste, répondit Paula, regardant l'homme avec intérêt. Et vous, monsieur? »

Comme toujours, elle réagit instinctivement à sa

virilité et à sa séduction. Puis elle remarqua qu'il était très élégant, bien qu'il portât ses vêtements avec une raideur typiquement américaine.

« Oui, moi aussi... Peut-on vivre à Paris sans collectionner quelque chose?

– Certains le font, mais ils ne m'intéressent pas, répondit-elle d'un air dédaigneux.

– Puis-je me présenter? Perry Kilkullen.

– Paula Deslandes. »

Ils se serrèrent la main et Paula le regarda avec attention. Il avait une quarantaine d'années et l'air prospère. Ses cheveux épais et blonds commençaient à blanchir sur les tempes et ses yeux gris étaient pleins d'un enthousiasme juvénile. Paula pensa qu'il faisait partie de ses hommes que les Anglais sont bien obligés de considérer comme des « gentlemen » bien qu'ils soient américains.

« Avez-vous acheté une toile, aujourd'hui? demanda Paula.

– Malheureusement non. Toutes celles qui me plaisaient étaient déjà vendues.

– Laquelle auriez-vous choisie? demanda-t-elle avec sa moue la plus charmante.

– N'importe lequel des nus – je trouve que c'est ce qu'il y a de plus beau.

– Vous n'avez pas mauvais goût, le taquina Paula.

– J'ai remarqué que vous parliez à une jeune femme, tout à l'heure, dit-il, désignant Maggy du regard. C'est le modèle, n'est-ce pas?

– Vous n'imaginez tout de même pas qu'il y en ait deux comme elle?

– Je suppose que c'est la femme de l'artiste?

– Dieu l'en préserve!

– Son... amie, alors? demanda-t-il, hésitant à prononcer ce mot ambigu.

– Pas du tout, répondit Paula, protectrice. Maggy est un modèle professionnel. Le meilleur de Paris, tout le monde vous le confirmera. Elle travaille pour plusieurs peintres.

– Maggy?

– Maggy Lunel, ma protégée, dit-elle d'un air avantageux.

– Elle est très belle, superbe, même », dit Perry Kilkullen.

Paula le regardait avec insistance. Il contemplait Maggy avec une admiration si évidente que Paula en aurait ri si son amour-propre n'en avait pas été légèrement blessé. Ah! mais pour qui se prenait-elle, à la fin? A quarante-trois ans et même bien conservée, pouvait-elle lutter avec la resplendissante Maggy?

« Comment est-elle devenue votre protégée? demanda l'étranger sans essayer de dissimuler sa curiosité.

– Ah! c'est une longue histoire », répondit évasivement Paula.

Toujours dans son coin, Maggy regarda Mercuès debout à quelques mètres d'elle. C'était intolérable! Elle ne pouvait plus endurer d'être ainsi séparée de lui. Peut-être mettrait-il son bras autour de ses épaules, ou prendrait-il sa main. Elle avait besoin d'un simple mot d'amour, d'un geste tendre. Pourquoi était-elle si puérile? Même un sourire l'aiderait à supporter ce moment. Maggy se fraya un chemin à travers la foule pour rejoindre Mercuès. Elle tomba sur Avigdor aux prises avec un homme vigoureux aux cheveux teints en noir.

« Adrien, à qui appartient ce nu sur les coussins verts? Je veux trouver ce veinard et le lui racheter. Ce n'est qu'une question de prix. Je suis prêt à mettre cher, très cher... Dites-le-moi, mon vieux, soyez gentil.

– Il n'est pas à vendre, dit doucement Maggy.

– Mlle Lunel a raison, acquiesça Avigdor. Il appartient à Mlle Browning.

– Où est-elle? Je veux lui parler, s'écria le gros homme.

– M. Avigdor se trompe, intervint Maggy d'une voix ferme. Ce tableau m'appartient. Julien me l'a donné le jour où il a été peint. Et il n'a pas de prix parce qu'il n'est pas à vendre.

– Qu'en dites-vous, Avigdor? insista l'homme.

– Il doit y avoir une confusion. Ah! peut-être Mlle Browning peut-elle..., bégaya Avigdor au comble de la gêne.

– Ecoutez, suivez-moi », proposa Maggy au gros homme.

Visiblement Avigdor était trop troublé pour savoir ce qu'il disait ou faisait. Non sans mal, elle parvint à rejoindre Mercuès et lui prit le bras.

« Julien, Avigdor vient juste de dire à ce monsieur que mon tableau ne m'appartient pas. Veux-tu lui expliquer qu'il se trompe, s'il te plaît? »

Mercuès tourna la tête et les regarda, le sourcil froncé.

« Qu'est-ce que c'est que ce cirque, Maggy? Alors toi aussi tu t'y mets, maintenant? Tu ne trouves pas qu'il y a assez de cinglés comme ça ici?

– Julien... écoute-moi. Il s'agit de mon tableau, le premier que tu aies fait de moi sur les coussins verts. Avigdor prétend qu'il appartient à Mlle Browning.

– C'est exact », dit Kate calmement.

Elle avait rejoint Mercuès au moment précis où Maggy posait sa main sur son bras.

Mercuès secoua la tête avec colère.

« Qu'est-ce que c'est que cette histoire?

– C'est très simple, Julien, répondit Kate posément. Je me suis réservé tous les nus avant le vernissage. Ils sont trop importants dans votre œuvre pour être vendus séparément. Si je ne l'avais pas fait, ils seraient à l'heure actuelle entre les mains de sept personnes différentes. »

Maggy lâcha le bras de Mercuès.

« Vous ne pouvez pas l'avoir acheté, mademoiselle Browning, il n'a jamais été à vendre. C'est le mien. Il m'appartient. Demandez à Julien! Julien, dis-lui. Tu t'en souviens... tu ne peux pas l'avoir oublié, tout de même! »

Mercuès ferma un instant les yeux comme pour effacer ses paroles et Maggy revit le moment où il s'était abattu sur elle comme un oiseau de proie et où il avait essuyé ses grandes mains pleines de peinture sur son ventre.

« Il vous en fera un autre, déclara Kate sans élever la voix. N'est-ce pas, Julien? Soyez raisonnable, mademoiselle, calmez-vous. Vous ne pouvez pas vous attendre qu'il ait tenu une telle promesse, cette toile a une importance capitale dans son œuvre. C'est la première de cette série. Je suis sûre que nous sommes tous d'accord là-dessus.

– Julien! Pourquoi ne dis-tu rien? Tu sais très bien que tu m'as donné ce tableau. »

La voix de Maggy montait dangereusement.

Mercuès regarda tour à tour les deux femmes : le visage de Maggy, empourpré par la colère, celui de Kate calme, mais déterminé.

« Cesse de te conduire comme une enfant, Maggy, ordonna Mercuès avec rudesse. Kate a absolument raison. Il faut que ces sept tableaux restent ensemble. Je t'en ferai un autre, bon Dieu! »

Pendant un long moment, Maggy le fixa d'un

regard incrédule. Elle avait recouvré son sang-froid. Le brouhaha des conversations avait faibli. Les paroles de Kate et de Mercuès résonnaient encore dans sa tête. A cet instant, elle en savait plus sur eux qu'eux-mêmes, et peut-être plus qu'ils n'en sauraient jamais.

Maggy avait toujours su que Kate était une ennemie. L'Américaine avait un regard dur, minéral. Elle n'avait pas acheté ces toiles parce qu'elle les aimait, mais parce qu'elle les détestait. Elle voulait les faire disparaître. Mercuès en qui Maggy avait toujours eu confiance – et se méfier eût été contraire à sa nature aimante – s'en était pris à elle, avait simulé l'irritation pour faire passer la trahison.

Ici, en ce moment qui aurait dû être son heure de gloire, il avait l'air d'une bête traquée. Si elle restait là en face d'eux encore quelques minutes, elle allait se mettre à hurler.

Lentement, tranquillement, elle s'adressa à Kate.

« Puisque vous voulez tellement mon portrait, mademoiselle, que vous êtes prête à le voler, je vous le donne. Il n'a pas de prix. Gardez-le, mais souvenez-vous qu'il ne vous appartiendra jamais vraiment. » Elle se tourna vers Julien. « Tu ne peux pas rattraper ce que tu viens de faire, Julien. Tu m'as donné quelque chose que tu m'as repris. C'est si simple que même une enfant comme moi peut le comprendre.

– Oh! merde, Maggy! Tu fais des histoires pour rien...

– Adieu, Julien. »

Elle fit un signe de tête glacial à Kate et à Avigdor et se dirigea vers la porte, la tête haute.

7

En sortant du vernissage, Perry Mackay Kilkullen songea vaguement à prendre un taxi, car il risquait d'arriver en retard à son dîner. Mais l'idée de se retrouver enfermé dans l'une de ces sombres Renault rouges par cette douce soirée d'octobre ne lui disait rien, aussi décida-t-il de rentrer à pied au Ritz.

Il traversa la Seine par le pont du Carrousel et jeta un coup d'œil distrait vers l'île de la Cité. Ce soir, il avait l'esprit entièrement occupé par une fille, une grande fille au port de reine et à la crinière rousse, avec une bouche merveilleuse et un corps qu'il mourait d'envie de toucher.

Perry Kilkullen avait quarante-deux ans. C'était un fleuron de l'aristocratie catholique américano-irlandaise. Apparenté à la riche famille Mackay, il avait épousé, très jeune, une fille du non moins riche clan McDonnell, une jeune fille gracieuse et pieuse qui descendait du Seigneur des Iles lui-même et parlait des McDonnell du XIIIᵉ siècle comme s'ils avaient été cousins germains.

Les années passant, l'intérêt que portait Mary Jane Kilkullen à la généalogie tourna à l'obsession, une compensation à son absence de descendance car Perry et elle n'avaient pas d'enfants. Comme la plupart de leurs amis, ils jouaient au golf à Pine-hurst au printemps, faisaient du bateau à Southampton en été et skiaient à Lake Placid en hiver. Mais cette stérilité rongea peu à peu le couple comme un acide corrosif. Ils se détournèrent l'un de l'autre et plongèrent dans un activisme forcené pour oublier tout échec conjugal.

Mary Jane Kilkullen se lança dans les bonnes œuvres et Perry travailla d'arrache-pied dans sa banque internationale. En 1926, il séjournait plus longtemps à Paris que dans leur grand appartement, 1008, Park Avenue.

Paris était devenu sa passion et le consolait de l'aridité de sa vie privée. Ici, il se sentait un cœur neuf, il rajeunissait.

Perry Kilkullen habitait une suite de trois pièces donnant sur un jardin intérieur du Ritz et, bien que sa vie parisienne fût jalonnée de télégrammes, de conférences et de dîners d'affaires, il renvoyait souvent son chauffeur et revenait à l'hôtel en flânant.

Vers la place Vendôme, il croisa quelques femmes qui le regardèrent avec insistance frappées par son pas décidé et son allure.

Mais il ne les voyait pas. Il monta précipitamment l'escalier du Ritz déjà envahi par des hommes en smoking et des femmes en robe du soir, traversa à grandes enjambées le hall gris et or, oublia de saluer le concierge et le liftier en gants blancs, passa sans un mot devant le valet de chambre et ne toucha pas à la pile de lettres qui l'attendait dans l'entrée. Il se changea rapidement. Un nom résonnait follement dans sa tête : Maggy Lunel. Maggy Lunel.

Il ne lui fallut pas plus d'une demi-heure d'enquête, le lendemain matin, pour découvrir que Mme Paula Deslandes était la propriétaire de La Pomme d'or. Elle lui avait confié que Maggy Lunel était sa protégée. Que voulait-elle dire par là?

Il demanda à sa secrétaire de lui réserver une table à La Pomme d'or le soir même et y dîna seul, sans remarquer la qualité du gigot ni l'exquise amertume du brie, attendant fébrilement le moment où Mme Deslandes consentirait enfin à s'arrêter à sa table. Elle l'avait accueilli aimablement mais le restaurant était plein et elle semblait affairée. Du coin de l'œil, Paula remarqua qu'il touchait à peine à ses plats. Laissons-le attendre, se dit-elle avec un reste de fierté offensée. Comme il buvait sa seconde tasse de café, Paula s'approcha de lui et lui fit un signe de tête. Perry se leva immédiatement.

« Puis-je vous offrir un cognac, madame?

– Volontiers. »

Paula s'assit en face de lui, ses coudes grassouillets appuyés sur la table, le menton dans les mains. Comment allait-il aborder le sujet? se demandat-elle, amusée.

« Il faut que je la voie, madame. »

Paula leva un sourcil admiratif. L'attaque directe. C'était bien un Américain!

« Pouvez-vous m'aider? »

Elle leva l'autre sourcil, ses jolis traits hésitant entre la compréhension et l'hésitation.

« Madame, je suis amoureux. »

Elle claqua ses doigts d'un air ironique.

« Comme ça, tout d'un coup? Ce n'est pas possible.

– Ecoutez, je vous jure que je suis un homme

sérieux. Je ne suis ni bizarre ni sujet aux fantasmes. C'est la première fois qu'une chose semblable m'arrive. Je suis banquier...

– Un banquier? Tiens, décidément, c'est de plus en plus étrange.

– Je vous l'assure – ne riez pas, je vous en prie –, je suis l'un des associés de la banque Kilkullen International. Voici ma carte. Tout ce que je vous demande, c'est de m'aider à la revoir. »

Paula regarda longuement la carte comme si elle cherchait à y lire l'avenir. Maggy avait passé la nuit chez elle et elles avaient bavardé très tard. Maggy avait quitté Mercuès. Elle ne savait pas si Kate et lui avaient fait l'amour mais elle s'en fichait, avait-elle assuré à Paula qui comprit au ton de sa voix qu'elle disait la vérité. L'orgueil de Maggy avait été mis à rude épreuve. Mercuès l'avait traitée avec une désinvolture inacceptable. Il l'avait peu à peu rejetée de sa vie. Elle avait longtemps refusé de voir la vérité en face mais maintenant le doute n'était plus possible : Mercuès lui préférait l'Américaine. Paula l'avait écoutée en silence. Elle savait qu'il ne faut pas se mêler des querelles des amants. Si jamais Maggy se réconciliait avec Mercuès, les mots que Paula prononcerait se retourneraient contre elle.

Mais, les jours passant, elle comprit que Maggy s'en tiendrait à sa décision. Les événements de ces dernières semaines avaient éclairé le caractère de Mercuès d'une lumière peu flatteuse et lui avaient ôté ses dernières illusions.

Paula ne doutait pas que Maggy aimât encore Mercuès. Une passion comme celle qu'elle avait vécue marque une femme pour la vie. On ne se remet jamais tout à fait d'un pareil amour. Mais l'histoire du tableau avait révélé la vraie nature de Mercuès et lui avait donné la preuve qu'il ne tenait pas à son modèle. Elle avait perdu toute confiance en lui et ne pourrait plus jamais l'aimer comme avant.

La colère de Maggy avait fini par se dissiper. Elle reconnaissait que jamais Mercuès ne lui avait dit qu'il l'aimait. Mais elle l'avait cru. Les yeux secs, elle était ferme et décidée. C'était la seule façon dont elle pouvait faire face à cette situation. Pleurer lui aurait fait encore plus de mal. Elle envoya un ami chercher les affaires qu'elle avait laissées chez Mercuès et se réinstalla dans son ancienne chambre.

« Madame... »

Paula leva les yeux. Cet homme était bon et généreux. Il n'y avait qu'à le regarder. Et riche, à en juger par la qualité de ses vêtements. Il était également sincère. Qu'il fût amoureux de Maggy sans jamais lui avoir adressé la parole, elle ne le croyait qu'à moitié, mais lui en était persuadé. Il la désirait, c'était certain. Pour l'amour, on verrait plus tard. Il était probablement marié, mais quelle importance? Il fallait que Maggy guérît de ses blessures et ce riche et séduisant Américain l'y aiderait, même s'il était un peu fantasque.

« Voulez-vous nous inviter à dîner demain soir, monsieur Kilkullen? demanda-t-elle avec gravité.

– Ah! quelle merveilleuse idée », dit-il avec un soupir de soulagement.

Si elle avait refusé de l'aider, il aurait demandé à Avigdor de le faire, mais il préférait passer par Paula. Il se sentait moins ridicule.

« Chez Marius et Jeannette, puisque c'est la saison des huîtres », continua Paula, pensant que, de toute façon, Maggy ne pouvait pas dîner chez Maxim's avec les robes de Mme Poulard.

« Comment puis-je vous remercier?

– En ne tiquant pas quand je commanderai ma

seconde douzaine d'huîtres et en me suppliant d'en prendre une troisième. Et en m'empêchant de prendre un dessert. Je ne suis pas une femme difficile. Je préfère les plaisirs simples. »

Au cours de ce premier dîner, tandis que Paula engloutissait ses huîtres, Perry Kilkullen comprit qu'un chagrin rongeait Maggy. Elle était tendue et triste. Cela l'encourageait plus que si elle avait été gaie. Il se promit de la guérir de sa peine, quelles qu'en fussent les causes.

Dans les semaines qui suivirent, il lui fit une cour assidue, comme la faisaient les hommes au temps de sa jeunesse. Malgré ses quarante-deux ans, les manières de Perry Kilkullen restaient empreintes d'une grâce édouardienne, celle d'une époque où l'on savait prendre son temps.

Tous les jours, il lui envoyait des fleurs qu'il commandait chez Lachaume, mais il ne se serait pas permis de lui offrir quoi que ce fût d'autre. Le matin, en remontant la rue de la Paix, il s'arrêtait devant la vitrine de Cartier. Il aurait aimé entrer et lui acheter... n'importe quoi. Mais il savait que ce serait de mauvais goût. Chaque fois qu'elle le lui permettait, il l'invitait à dîner. A la demande de Maggy, ils allaient dans des restaurants simples où elle était à l'aise dans ses vêtements. Gentiment, comme s'il avait cherché à apprivoiser un oiseau, il la laissait parler de son enfance et de sa grand-mère. En échange, Perry lui racontait la façon dont son ancêtre, l'honorable Ned Kilkullen, avait fini par être l'homme fort de Tammany Hall et lui expliquait la différence entre les Irlandais et les autres immigrants.

Soudain, Perry songea à sa femme : sa nature

passionnée d'Irlandaise n'était plus qu'un lointain souvenir. Mary Jane Kilkullen était devenue une femme sèche se consacrant entièrement aux bonnes œuvres et qui n'évoquait plus pour lui qu'un appartement rempli d'objets anciens et d'argenterie brillante. Il avait oublié le goût de ses lèvres et la sensation du contact de sa peau. Sa vision disparut aussi vite qu'elle était apparue. La réalité, c'était la rondeur de l'épaule de Maggy, l'éclat de ses yeux écartés, sa beauté étrange.

Après deux semaines de cour assidue, Perry Kilkullen, qui avait été si direct avec Paula, commença à se maudire d'être à ce point incapable d'arriver à ses fins. Il était paralysé par l'amour. Il avait l'impression d'être redevenu un adolescent timide qui hésite à prendre la main de sa bien-aimée par peur d'essuyer une rebuffade. Comment, se demandait-il, tout en négligeant son courrier et en oubliant de rappeler ses correspondants, comment avait-il laissé une semblable situation se développer entre eux ?

Une autre semaine passa avant que Maggy, consciente des sentiments que Perry nourrissait à son égard, ne commençât à s'interroger sur ses « intentions », comme disait cette vieille concierge de Paula. Elle n'avait jamais connu d'homme aussi galant et aussi timide. Un soir qu'ils dînaient au Grand Véfour, Maggy lui déclara qu'elle voulait aller danser. C'est plus qu'une envie, lui expliqua-t-elle gravement, c'est une nécessité physique.

« Où voulez-vous aller ? demanda-t-il, ravi de cette idée.

— Au Jockey », répondit-elle. Maggy n'était pas retournée dans les boîtes ou les bistrots de Montparnasse depuis le fameux vernissage.

Rive droite, elle ne courait pas plus le risque de

tomber sur Mercuès que si elle avait traversé l'Océan. Si, ce soir, elle avait décidé d'aller au Jockey, la boîte préférée des artistes, c'était pour se prouver qu'elle ne craignait plus de l'y rencontrer.

Maggy et Perry se retrouvèrent bientôt serrés dans une petite pièce sombre et étroite qui était probablement l'endroit le plus bruyant de Paris. Deux hommes, un peintre et un ancien steward de paquebot, en étaient les propriétaires. La boîte de nuit la plus célèbre de Montparnasse était décorée comme un saloon : des murs couverts d'affiches et de tableaux noirs sur lesquels des poèmes absurdes étaient écrits en argot américain. Lee Copeland, un ancien cow-boy, jouait du piano, accompagné par deux guitares hawaiiennes. Lorsqu'ils étaient fatigués, un phonographe qui hurlait les derniers airs de jazz à la mode aux Etats-Unis les remplaçait. En ce moment, on entendait *Black Bottom*, l'air de *Scandals*, de George White. Maggy et Perry s'assirent. Sur la petite piste de danse, les couples se démenaient comme des diables.

Puis Lee Copeland attaqua *Someone to Watch Over Me*, et Perry sourit, soulagé.

« Ça, c'est davantage dans mes cordes. Vous voulez danser, Maggy ? »

Elle se leva et, d'un geste machinal, se débarrassa de ses chaussures. C'était la première fois qu'il la prenait dans ses bras et il en était tout ému.

Comme les guitares hawaiiennes braillaient l'une des œuvres les plus connues de Gershwin, Maggy devint soudain accessible à Perry de façon presque magique. La timidité qui le paralysait depuis des semaines s'évanouit brusquement au son de la mélodie.

I'm a little lamb that's lost in the wood
Oh! how I would try to be good.

Perry songea qu'il n'oublierait jamais cet air ni ces paroles insipides. Ils restèrent enlacés les yeux dans les yeux jusqu'à la fin du morceau.

« Je vais lui demander de nous rejouer cette chanson, murmura Perry à son oreille.

– Ou vous pourriez me ramener à la maison », répondit Maggy.

Sans lui lâcher la main, Perry jeta un peu d'argent sur la table. Maggy remit ses sandales et ils sortirent du Jockey. Lorsqu'ils s'arrêtèrent devant l'immeuble étroit à côté de La Pomme d'or, Maggy fredonnait encore la mélodie. En silence, la main dans la main, ils montèrent jusqu'au cinquième. Au troisième, ils durent faire attention à ne pas trébucher contre les corbeilles de fleurs soigneusement alignées sur le palier, et, lorsqu'elle ouvrit sa porte, Perry eut un sursaut : l'énorme lit était entouré d'un océan de roses.

« Je crois que j'ai un peu exagéré, murmura-t-il.

– Une femme n'a jamais trop de fleurs.

– Mais on ne peut plus s'asseoir! s'écria-t-il, effaré.

– Et je ne peux même pas vous faire une tasse de café. Je ne peux pas accéder au réchaud.

– Pas plus qu'à votre cheminée.

– Et je ne peux pas ouvrir la porte de l'armoire pour pendre votre manteau.

– C'est sans importance, puisque je n'en ai pas.

– Cela simplifie les choses, non? Nous n'avons pas le choix.

– Non, ou plutôt si. Nous avons le choix entre

rester debout toute la nuit ou nous allonger sur le lit.

– J'ai mal aux pieds, dit-elle d'une voix plaintive.

– Alors, nous n'avons plus le choix. »

Il avait l'impression d'avoir attendu ce moment toute sa vie. Lorsqu'il se pencha pour prendre ses lèvres et qu'il sentit son souffle tiède se mêler au sien, un bonheur fou l'envahit. Ils s'entendirent sur le lit. Tout en l'embrassant et en la caressant, Perry se déshabilla. Maggy le regardait dans la pièce faiblement éclairée par la lune. Nu, il était étonnamment jeune, avec ses cheveux blonds épais et ses longs muscles de sportif.

Il fit glisser les fines bretelles de sa robe. Ses mains tièdes prirent lentement possession de son corps puis il ôta la robe et la lança sur une corbeille de violettes. Elle était nue, calme, délibérément et délicieusement passive. Il regarda longuement son corps parfait puis s'étendit sur elle, son cœur contre le sien, ses lèvres sur les siennes.

« Maggy, je t'aime... Laisse-moi t'aimer...

– Oh! oui. Aime-moi, Perry... chéri, aime-moi mais ne me demande rien de plus. »

Au début, leur rythme fut différent. Habituée à la violence et à la rapidité de Mercuès, Maggy se tendit vers lui, haletante. Mais Perry prenait son temps, la caressant et l'embrassant passionnément. Il la pénétra enfin, fort et sûr de lui, et lui fit longtemps, merveilleusement l'amour.

Deux fois, pendant cette nuit parfaite, ils se tournèrent l'un vers l'autre pour satisfaire leur désir.

Lorsque Maggy s'éveilla, il faisait grand jour et Perry dormait encore profondément. Se glissant hors du lit, elle enfila ses sandales argentées et, nue sous sa cape, elle dévala l'escalier. Chez le boulanger, au coin de la rue, elle acheta six croissants tièdes. Perry dormait encore lorsqu'elle rentra. Elle se fraya un passage entre les corbeilles de fleurs pour atteindre son réchaud à gaz et fit du café. Elle emplit deux grandes tasses, les mit sur un plateau avec un pot de lait, un sucrier et les croissants puis écarta les fleurs pour poser le plateau sur le sol.

Couché sur le ventre, Perry était enfoui sous les couvertures. On n'apercevait que sa tête et une main. Allait-elle lui ébouriffer les cheveux ou... Elle se pencha et lécha doucement son petit doigt. Il grogna et se rendormit. Elle glissa sa langue entre ses doigts. Il dégagea sa main mais elle l'emprisonna et suça le bout de son index. Il se redressa brusquement comme si la sonnette d'un réveil avait retenti.

« Qu'est-ce qui se passe ? Oh ! Maggy... » Il l'attrapa et la jeta sur le lit. « Pourquoi as-tu mis ton manteau ? Enlève-le ! Embrasse-moi ! Embrasse-moi ! »

Il l'emprisonna dans ses bras et glissa sa tête sur l'oreiller. Les cheveux de Maggy, étalés sur la taie blanche, faisaient une superbe tache orange. En prenant ses lèvres, il eut l'impression d'être redevenu un enfant, d'avoir devant lui des heures riches et pleines de promesses.

« Le café..., murmura-t-elle entre deux baisers. Il va refroidir. »

Maggy roula sur le lit, se pencha et parvint à poser le plateau entre eux sans rien renverser.

« Mon Dieu, d'où sort ce café ? demanda-t-il tandis qu'elle versait le lait. Hier soir, tu as prétendu que tu ne pouvais pas en faire... Mais c'est un festin que tu nous as préparé là.

– Comment se passer de café le matin ? J'ai fait un effort. Tiens, prends un croissant.

« – Il est délicieux. C'est le meilleur que j'aie mangé de ma vie. Où les as-tu achetés?

– A la boulangerie du coin... pendant que tu dormais. »

Lorsqu'il ne resta plus rien sur le plateau, Perry se recoucha et s'étira. Il regarda autour de lui et vit ce qui l'entourait pour la première fois. La seule jolie chose dans la pièce, c'étaient les fleurs. Un papier fané et taché par endroits recouvrait les murs. La vieille armoire de Maggy était bancale et le plafond bas écrasait la pièce, la réduisait encore, en dépit du soleil qui entrait par les deux fenêtres.

« Il y a des cabinets quelque part? demanda-t-il.

– Dans le couloir, seconde porte à gauche.

– Tu n'en as pas chez toi?

– Non, mais il y en a un par étage. J'ai un lavabo et un bidet – avec l'eau froide – mais, quand je veux prendre un bain, il faut que j'aille chez Paula.

– As-tu une idée de l'endroit où j'ai pu mettre mon pantalon? demanda-t-il, jetant un coup d'œil autour de lui.

– Il doit être quelque part par là.

– Si je ne le trouve pas, je serai obligé de faire pipi dans le bidet », la menaça-t-il. Il songea qu'en vingt ans de mariage, il n'avait jamais parlé à sa femme avec une pareille liberté.

« Ah! je le vois... là, sur les roses », dit Maggy.

Pendant son absence, Maggy se brossa les dents et se lava le visage. Puis elle rassembla les vêtements de Perry sur le lit où elle se réinstalla, vêtue maintenant d'un peignoir en soie mauve.

« Maggy », dit Perry en ouvrant la porte. Il s'assit près d'elle comme s'il s'apprêtait à faire une déclaration importante.

« Ecoute, mon amour chéri, tu ne peux pas rester ici.

– Mais pourquoi? J'ai la plus belle vue de Paris.

– Parce que nous ne pouvons pas vivre de café et de croissants. Parce que je ne peux pas supporter que tu n'aies pas de salle de bain. Parce qu'il y a tant de choses que je veux te donner! Parce que je ne peux pas dormir ici toutes les nuits et partir le matin sans repasser par le Ritz pour prendre un bain et me changer. Et parce qu'il n'y a pas assez de place pour tes fleurs.

– Dormir ici toutes les nuits? demanda-t-elle, n'ayant retenu que ces mots.

– Tu ne veux pas de moi?

– Oh! si. Bien sûr que si...

– Toutes les nuits? insista-t-il.

– Toutes les nuits... je ne sais pas... » Elle s'assit sur ses genoux et regarda les poils blonds qui couvraient sa poitrine. « Mais cette nuit, demain et après-demain également.

– Alors tu vois bien, ma jolie femme, qu'il faut que tu déménages. Où veux-tu que je mette mes affaires dans une chambre aussi petite?

– Sans parler de ton valet de chambre.

– Aimerais-tu habiter le Ritz? Non, oublie cela. En cinq minutes, tout le personnel de l'hôtel ne parlerait plus que de nous et je déteste qu'on mette le nez dans mes affaires. Maggy, laisse-moi te chercher un appartement.

– Il n'est pas question que je m'installe chez un homme ni dans une suite. Je préférerais encore garder ma petite chambre. J'y suis très bien, d'ailleurs. Mais si c'est un endroit à moi, dont je sois la seule à posséder la clef, comme ici, alors peut-être accepterai-je de reconsidérer la question.

– Je te le promets. Ce sera *ton* appartement. Il n'y

aura qu'une clef. Je t'appellerai pour prendre rendez-vous. Est-ce que mademoiselle est libre ce soir? Veut-elle bien recevoir M. Kilkullen? Mademoiselle a-t-elle envie d'être embrassée dans le cou? Mademoiselle veut-elle être caressée entre...

– Arrête..., dit Maggy, repoussant sa main. Mademoiselle a été comblée cette nuit. Elle n'a plus aucun désir ce matin.

– Promets-moi de déménager, Maggy. Tu ne m'as pas encore dit oui. »

Il la regardait avec inquiétude. Elle est si imprévisible, songea-t-il, peut-être préférera-t-elle un mode de vie où elle ait sa complète liberté.

« Perry, ce que tu veux, c'est me mettre en cage. Le fait que je sois la seule à avoir la clef n'y changera rien. Je serai quand même prisonnière.

– Quel mot horrible! s'exclama-t-il, indigné. Comment peux-tu penser cela?

– Parce que c'est vrai. C'est ce que les gens diront en tout cas. Je ne serai rien d'autre qu'une femme entretenue.

– Oh! Maggy, tu es impossible, soupira-t-il.

– Et tu m'obligeras à commander mes robes chez les grands couturiers – tu dois trouver ma garde-robe un peu insuffisante – et tu voudras m'acheter des bijoux et des fourrures.

– Oui, bon Dieu, oui, j'adorerais cela... Ça n'a rien d'extraordinaire! »

Maggy sauta sur le lit avec un large sourire.

« Des bracelets en diamant jusqu'aux épaules? Du chinchilla jusqu'au sol? Des week-ends à Deauville? Ma propre voiture? »

Perry regardait son visage espiègle.

« Oui, mon amour. Des bracelets à tes deux poignets, et jusqu'aux épaules, si c'est possible. Dix manteaux de fourrure. Toutes les robes de Chanel. Une voiture... et ce n'est qu'un début!

– Oh! oh! »

Elle se mit à tourner comme un derviche sur le lit et s'écroula sur lui.

« J'ai toujours rêvé d'être une femme entretenue! C'était le rêve de ma jeunesse dépravée. Fabuleux... Etre prisonnière, comme à la Belle Epoque! » Elle fut parcourue d'un frisson délicieux. « Ecoute, chéri, quand as-tu l'intention de me mettre en cage? Pour te dire la vérité, je veux quitter Montparnasse et ne jamais y revenir. J'en ai terminé avec ma vie ici. C'est un chapitre clos. Je ne veux plus voir personne... sauf Paula.

– Aujourd'hui... ce matin. Je vais te retenir une suite au Lotti – c'est à trois pas du Ritz – et nous te chercherons immédiatement un appartement.

– Oh! *oui*. Je savais qu'être une femme entretenue serait merveilleux! Mais entretenue par un riche Américain grand, séduisant et fou! »

Maggy couvrit son visage d'un torrent de baisers.

« Ça alors, ça c'est la vie, mon chéri, la bonne vie?

– Oui, la bonne vie, répéta Perry, oui, mon amour, je te le promets. »

8

« Il ne travaille pas », dit Kate à Avigdor. Tous deux étaient assis dans un café. « Il n'a rien fait depuis le vernissage. » Le marchand fronça les sourcils. Un artiste qui ne peint pas régulièrement, comme on va à son bureau, est, la plupart du temps, un mauvais investissement.

« C'est cette sacrée fille! Elle n'est jamais revenue, n'est-ce pas?

– Ça n'a rien à voir, répondit Kate d'un ton sec. Bien sûr, il était furieux après sa scène idiote, sa révoltante petite scène, mais il s'en est remis. Il n'est pas du genre à sécher sur pied pour une femme. Il n'en a plus besoin comme modèle et ils ne sont pas restés ensemble assez longtemps pour qu'il soit perturbé au point de cesser de travailler. Elle n'a pas cette importance pour lui.

– Elle a tout de même dû compter dans sa vie, objecta Avigdor, sinon elle n'aurait pas été une pareille source d'inspiration. »

Mais quelque chose sur le visage fermé de Kate l'empêcha de poursuivre dans cette voie.

« Moi je crois tout simplement que le vernissage a été un tel choc pour lui qu'il y a réagi de cette manière, déclara Kate. Moi-même, je me suis sentie un peu... à plat, ces derniers temps.

« – Mais a-t-il essayé de peindre? demanda Avigdor.

– Oui, c'est ce qui m'inquiète le plus. Cela fait deux semaines qu'il s'installe devant son chevalet et se contente de le regarder, heure après heure, jour après jour, pendant que sa peinture sèche sur sa palette. Chaque fois que je passe chez lui, je le vois devant sa toile vierge. Et le soir, il se soûle au vin rouge, ce qu'il n'a jamais fait avant. Mais il ne veut pas en parler. Adrien, il a l'air... traqué. C'est le seul mot que je puisse trouver pour décrire son regard. Il a l'air en pleine détresse, je n'y comprends rien.

– Peut-être faudrait-il qu'il parte un peu, qu'il voie autre chose que les quatre murs de son atelier. Ce n'est pas le premier artiste à être incapable de toucher à ses pinceaux après un tel succès.

– Je lui ai suggéré d'aller faire un tour.

– Et alors?

– Il prétend qu'il n'est pas le genre d'homme à prendre des vacances, qu'il n'en a pas envie. Il dit qu'il n'a rien fait de bon depuis des mois et qu'il faut qu'il s'y attelle jusqu'à ce que l'inspiration revienne.

– Voulez-vous que je lui parle?

– Je crois que ce serait une bonne chose. Il a été très satisfait de la façon dont vous avez organisé son exposition.

– Merci », dit Adrien d'un ton sec.

Il avait fait de cet homme la coqueluche de la saison, mais il était inutile d'en espérer la moindre reconnaissance. Les marchands sont sans illusion à l'égard de leurs poulains.

Deux jours plus tard, un matin de la mi-octobre, Mercuès partit pour la Provence. La veille au soir, comme Kate et lui prenaient un dernier verre ensemble, elle lui avait proposé de l'emmener en voiture, comme si l'idée venait juste de lui traverser l'esprit.

« Je ne connais que Paris et un peu la Normandie. J'aimerais voir Aix et Avignon, mais je n'aime pas voyager seule... Ainsi vous n'auriez pas à prendre le train...

– Vous êtes extraordinaire, Kate, répondit Mercuès, hargneux. Je n'ai pas du tout envie que vous me serviez de chauffeur, figurez-vous.

– Eh bien, vous conduirez, cela m'est égal, répondit-elle, agacée.

– Voilà une réaction typiquement américaine! Comme si j'avais une voiture!

– Je vous apprendrai à conduire dans la campagne. C'est enfantin. »

Après Fontainebleau, Kate quitta la route nationale et laissa le volant de la petite voiture de sport à Mercuès. Elle savait qu'il possédait d'excellents réflexes et une grande concentration visuelle. Elle était curieuse de savoir comment il relèverait le défi. Sans un mot, elle regarda ses grandes pattes prendre possession du volant et du changement de vitesses.

Il ne lui fallut pas plus de dix minutes pour avoir la voiture en main, après quoi ils regagnèrent la nationale et filèrent à quatre-vingt-dix kilomètres à l'heure en direction de Saulieu sur une route presque déserte.

Ils déjeunèrent légèrement à Avallon puis reprirent la route. Ils dépassèrent, toujours en silence, l'endroit où Kate avait projeté de s'arrêter pour la nuit. La conduite semblait mettre Mercuès en transe.

De temps en temps, Kate regardait son profil. Rien, dans son visage sévère, n'invitait à la conversation.

« Où comptez-vous vous arrêter? demanda-t-elle enfin, car l'après-midi s'avançant, elle commençait à avoir froid dans la décapotable.

– A Lyon, là où la Saône rejoint le Rhône. Autrefois, il y a très longtemps, c'était un endroit sacré. Pour moi, contrairement à ce que prétendent les Provençaux, c'est vraiment le début de la Provence.

– Mais c'est encore à deux cents kilomètres, protesta Kate.

– Oui, mais la route descend, l'assura Mercuès. On descend toujours quand on va vers le sud. »

A Lyon, ils trouvèrent un petit hôtel, firent un excellent dîner pour pas cher et, soûlés par le vent, fatigués, se retirèrent dans leurs chambres respectives. Le lendemain, ils suivirent le Rhône, traversèrent Avignon, et s'arrêtèrent vers minuit à Villeneuve-lès-Avignon dans une pension où Mercuès était déjà descendu pendant les vacances, lorsqu'il était encore aux Beaux-Arts.

Mme Blé avait acheté cette maison à un propriétaire terrien. Demeure d'un cardinal à l'origine, c'était devenu un prieuré de 1333 à la Révolution, époque à laquelle la maison avait cessé d'appartenir au clergé pour tomber dans des mains séculières. Cependant, elle baignait encore dans une atmosphère de paix, due en partie à son isolement. Elle était bâtie en forme de U autour d'une cour où les colonnes de marbre moussu de l'ancien cloître se dressaient comme des sentinelles dans le jardin ombragé. Au centre de la cour, une volée de marches descendait à la cave, aussi ancienne que la maison du cardinal Arnaud de Via. C'était le cœur véritable de la maison.

« Il faut que j'achète un guide de la région, déclara Kate le lendemain matin après le petit déjeuner.

– Pourquoi?

– Nous sommes descendus si vite que je suis complètement désorientée. Je suis incapable de reconnaître l'est de l'ouest dans cette région mais je sais qu'elle est... historique et je n'aime pas me sentir ignorante.

– Historique? répéta Mercuès, levant un sourcil.

– Oh! Seigneur, Julien! Elle est remplie de ruines, d'églises, de musées et de toutes sortes de choses à voir. Cessez de prendre cet air surpris. Cela vous agace que j'aie envie de connaître ce qui m'entoure? Nous avons roulé deux jours entiers comme des fous, je veux comprendre pourquoi vous avez choisi de vous arrêter ici.

– Et vous croyez qu'un livre vous le dira?

– Eh bien... oui, en partie. Nous ne pouvons pas errer dans la région au hasard.

– Ah! bon?

– Nous pouvons évidemment nous passer de guide mais nous ne verrons rien.

– Dieu, que vous êtes américaine, Kate! Détendez-vous et ouvrez simplement les yeux. C'est ce que je suis venu faire – regarder autour de moi. »

Kate abandonna la discussion. Bien qu'errer sans guide dans une région inconnue fût contraire à sa nature organisée, elle ne voulait pas se disputer avec Mercuès.

Ce jour-là et le lendemain, ils se promenèrent à pied autour de Villeneuve-lès-Avignon et explorèrent la ville qui avait prospéré au XIVᵉ siècle, lorsque le pape avait quitté Rome pour Avignon. Les hauts dignitaires de l'Eglise s'étaient installés à Villeneuve qui devint rapidement une cité active avec un grand monastère et un fort magnifique. De tout cela, il ne restait que des rues étroites, bordées d'arcades, et les quelques pierres des palais épiscopaux qui tenaient encore debout.

Le troisième jour, ils prirent la route d'Apt. Au loin, vers le nord, se dessinaient les monts du Vaucluse. Mais c'étaient les montagnes du Luberon, et plus particulièrement le versant nord qui intéressaient Mercuès. Il y était déjà venu et n'avait jamais oublié ses grandes falaises de calcaire érodées sur lesquelles s'accrochait une maigre végétation, à l'instar de ces villages perchés dans la montagne et qui semblaient inaccessibles, comme Maubec, Oppède-le-Vieux, Félice, Ménerbes, Lacoste et Bonnieux.

Mercuès était très excité. A Oppède-le-Vieux, ils grimpèrent au château et découvrirent une très belle ferme dans la vallée. Suivi sans enthousiasme par Kate, Mercuès dévala le chemin raide et caillouteux jusqu'à la voiture. Ils redescendirent dans la vallée et cherchèrent la ferme qu'ils avaient repérée.

Mercuès ne se préoccupait jamais des panneaux « Propriété privée ». Il allait jusqu'aux fermes, en faisant le tour, déchaînant les aboiements furieux des chiens jusqu'au moment où la fermière apparaissait sur le seuil de la porte. Tandis que Kate attendait dans la voiture, il engageait la conversation avec elle. Elle finissait toujours par les inviter à boire un verre de vin. Il adorait entrer dans les fermes car aucune ne ressemblait à l'autre. Elles n'avaient en commun que leurs murs de quatre-vingts centimètres de large et leurs énormes chemi-nées dans lesquelles on pouvait tenir assis.

Les fermières provençales, d'un naturel pourtant taciturne, n'hésitaient jamais à les faire entrer. L'enthousiasme de Mercuès à l'égard de leurs demeures et sa séduction avaient raison de leur méfiance. Elles sentaient que ce grand diable d'étranger venu du Nord avec ses cheveux roux et ses yeux couleur de mer s'intéressait réellement à leur façon de vivre.

« Il n'existe pas d'endroit plus beau au monde », dit-il à Kate. Ils se promenèrent pendant trois jours dans le Luberon tout en retournant chaque soir à Villeneuve pour dîner.

Kate ne l'avait jamais vu aussi expansif et aussi heureux. Elle-même se sentait différente. Ces cour-ses dans la campagne qui embaumait le thym et le romarin l'avaient dépouillée de sa sophistication de citadine. Son visage dur, qu'elle couvrait toujours d'un nuage de poudre ivoire, avait bruni au soleil. Sans rouge, ses lèvres minces semblaient plus pul-peuses et ses cheveux, malmenés par le vent, volaient autour de son visage sans qu'elle s'en souciât. Elle avait l'air d'une gamine.

« Vous aviez raison à propos du guide, admit-elle, comme ils finissaient de dîner dans le jardin de la pension de Mme Blé.

– Mais, Kate, pensez à tout ce que vous avez manqué! Le palais des Papes à Avignon – nous n'y sommes pas entrés et c'est juste de l'autre côté de la rivière – les arènes d'Arles, les fontaines d'Aix, la Maison carrée de Nîmes... Vous voici au cœur de la

Provence historique que les touristes visitent depuis des siècles et vous n'avez vu jusqu'à présent que quelques villages endormis et une douzaine de fermes.

– Pourquoi continuez-vous à me taquiner, Julien? Je vous ai dit que vous aviez raison. Voulez-vous des excuses en bonne et due forme?

– Des excuses? De la part de la riche et hautaine New-Yorkaise qui manipule les gens avec tant de talent qu'ils ne s'en aperçoivent même pas? »

Il lui sourit avec condescendance.

« Ce que vous dites est injuste et blessant », répondit-elle d'un ton sec, sentant la colère la gagner. Pourquoi fallait-il qu'il fût odieux dès qu'elle faisait une concession?

« Injuste? Pas du tout. Vous ne voulez pas vous voir telle que vous êtes. Ici, vous vous comportez différemment, je le reconnais, mais à Paris, où vous êtes dans votre élément, vous êtes incroyablement autoritaire. Vous êtes une femme remarquable, Kate. Quel mal y a-t-il à être riche, élégante et raffinée, à regarder le monde de haut et à faire faire vos quatre volontés à ceux qui vous entourent? Bien des femmes voudraient être à votre place.

– Vous êtes odieux, Julien! Rien ni personne ne compte pour vous. A part votre travail, de quoi ou de qui vous souciez-vous vraiment? Vous êtes un monstre! »

Mercuès sourit d'un air provocant.

« Et vous, ma chère Kate, vous laissez tout le monde vous marcher sur les pieds parce que vous avez trop bon cœur, c'est cela? La complaisante, la douce Kate ne demande de la vie que les petits fruits qui tombent des arbres, n'est-ce pas? »

Trop furieuse pour répondre, elle demeura silencieuse, luttant contre sa colère.

« Deux fortes personnalités comme les nôtres devraient former un couple intéressant, qu'en pensez-vous, Kate? Voulez-vous tenter l'expérience? »

Kate se leva brusquement et s'éloigna dans le jardin, loin de la lumière. Mercuès la suivit. De ses mains puissantes, il la fit pivoter vers lui. Elle se raidit et détourna la tête, refusant de le regarder. Peut-être était-elle furieuse. Il n'en savait rien et s'en fichait. Ces derniers temps, elle avait commencé à l'exciter et elle n'avait sûrement pas décidé de l'accompagner pour la beauté des paysages. Il connaissait les femmes, y compris les riches Américaines.

« Kate, allons dans ma chambre. Je veux vous voir nue, allongée sur mon lit.

— Julien!

— Ne me dites pas que vous êtes choquée. Ai-je été trop direct avec Mlle Browning? Je veux vous faire l'amour, Kate. Si vous n'en avez pas envie, dites-le-moi, je n'insisterai pas. Alors... c'est oui ou c'est non?

— Comme c'est typique de vous, comme c'est romantique, murmura-t-elle.

— Oui ou non? »

Dans la pénombre, il vit son visage prendre une expression si troublée, si pleine d'un désir inavoué qu'il mit son bras autour d'elle et l'entraîna vers la maison sans un mot. Ils montèrent l'escalier en silence. Il la tenait par la taille et sentait chez elle une raideur, un refus de s'abandonner. Cependant, elle n'essayait pas de lui résister. On avait l'impression qu'elle montait les marches sous hypnose.

Il la lâcha pour refermer à clef la porte de sa chambre. Lorsqu'il se retourna, il s'aperçut qu'elle regardait par la fenêtre. Il s'approcha d'elle et caressa sa nuque d'un doigt léger. Elle ne sursauta pas, ne se retourna pas, mais ses mains agrippèrent la poignée de la fenêtre.

« Kate, comment voulez-vous que nous commencions notre expérience si vous ne vous retournez même pas? » murmura-t-il d'un air moqueur.

Elle ne bougea pas. Mercuès se pencha et effleura sa nuque avec ses lèvres. Kate semblait se cramponner à la poignée. Il esquissa un sourire et, de la pointe de sa langue, lécha doucement le cou et les épaules de Kate, puis accéléra le mouvement. Elle laissa tomber ses mains et se retourna, pâle et tremblante.

« Vous ne m'avez jamais embrassée, Julien. Pas même embrassée.

– C'est une erreur, je l'admets », répondit-il, levant d'un doigt son menton vers lui. Les lèvres de Kate étaient froides, serrées l'une contre l'autre. Il rejeta la tête en arrière, surpris. « Kate, vous n'êtes pas obligée de continuer si vous n'en avez pas envie. Je n'ai jamais violé une femme.

– Non, non, Julien, je le *veux* », insista-t-elle d'une voix tendue.

Elle jeta ses bras autour de son cou et, pressant ses lèvres contre les siennes, elle lui donna de petits baisers rapides comme des coups de bec.

Pendant un moment, Mercuès, amusé, la laissa poursuivre son assaut maladroit puis il s'écarta d'elle.

« C'est comme ça qu'on embrasse en Amérique, Kate?

– Vous vous moquez toujours de moi! »

Il la prit dans ses bras et l'étendit sur le lit. Il s'allongea à côté d'elle et l'attira contre lui.

« J'admets une autre erreur... J'ai oublié combien vous étiez impatiente. Je vais vous apprendre la patience, Kate, vous en manquez terriblement. » Ses mains parcoururent lentement son corps raidi. Elle tressaillit mais ne protesta pas. « Je n'ai pas l'intention de vous déshabiller, pas avant un long moment, murmura Julien en se penchant vers elle. Restez tranquille. » Et il embrassa ses lèvres closes. Il y avait des semaines qu'il n'avait pas fait l'amour et il avait envie d'elle. Ses jolies lèvres s'amollirent et s'entrouvrirent. Il les lécha doucement, enfonça sa langue, la retira, effleura de nouveau sa bouche, la bâillonna avec la sienne. Elle répondait avec avidité à ses baisers et se détendait peu à peu. Soudain cette passivité la quitta et il sentit, aux mouvements de ses reins, qu'elle voulait être possédée. Mais il se contenta de continuer à l'embrasser, riant intérieurement du supplice qu'il la forçait à endurer. Elle gémit et se tendit vers lui. Tu vas me supplier, espèce de garce, se dit-il, bien qu'il fût horriblement excité.

« Julien..., dit Kate, haletante. Déshabillez-moi.

– Non, Kate.

– Julien... *s'il vous plaît*.

– Si vous me voulez, déshabillez-moi », dit-il.

Il enleva ses chaussures et resta immobile sur le lit. Kate regarda cet homme magnifique qui s'offrait à elle de façon si bizarre et, soudain, de ses doigts tremblants, elle commença à ôter la chemise de Julien. Il l'aida. Elle lui caressa une seconde la poitrine avant de s'attaquer à la boucle de sa ceinture. Elle déboutonna sa braguette, effleura son pénis raidi et s'arrêta net.

« Julien... vous... Faites-le vous-même, l'implorat-elle.

– Tiens, tiens, on perd son sang-froid ? » railla-t-il, la regardant avec attention malgré l'envie qu'il avait de la prendre ainsi, dans le désordre de ses vêtements, avec ses cheveux humides à la racine, ses lèvres gonflées et ses poings serrés.

« Non! Vous êtes odieux! » répondit-elle avec violence avant de reprendre sa tâche.

Il était nu sous son pantalon de velours côtelé. Elle défit les boutons un par un et Mercuès sentit sa respiration s'accélérer. Lorsqu'elle eut déboutonné le dernier, il se débarrassa de son pantalon et la coucha sur le lit.

« C'est bien, Kate, c'est bien. Vous avez été patiente », murmura-t-il en la déshabillant.

Comme il le pensait, elle avait de petits seins, des hanches étroites et des poils aussi fins que ceux d'une petite fille.

Kate était étendue dans une attitude si pleine de modestie que Mercuès eut du mal à ne pas se moquer d'elle. « Charmante Kate », murmura-t-il en l'attirant dans ses bras. Il resta un long moment ainsi, réchauffant son corps avec le sien jusqu'au moment où il la sentit se détendre. S'il s'était agi d'une autre, il l'aurait déjà prise, mais Kate, peu sensuelle et inexpérimentée, lui lançait un défi qu'il entendait relever. Elle avait envie de lui, bien sûr, mais elle voulait s'en débarrasser le plus vite possible et surtout ne pas perdre le contrôle d'elle-même. Il n'était pas décidé à entrer dans son jeu. Il parcourut du doigt son épine dorsale et caressa ses fesses de petit garçon. Il sentit une tension monter en elle et murmura : « Patience, Kate, patience... » Il retira sa main et la posa sur ses reins. Elle se pressa contre lui. « Patience », répéta-t-il, prenant plaisir à ce lent éveil de ses sens, lui qui ne s'infligeait jamais cette délicieuse et douloureuse attente. D'un bras, il maintint Kate immobile, et lui écarta les cuisses. Elle protesta faiblement. Il enfonça ses doigts dans sa chair humide et la caressa longuement.

« Julien, mon Dieu, arrêtez... » haleta Kate, se tendant vers lui. Il accéléra le mouvement de ses doigts jusqu'au moment où il la sentit trembler. Lorsque le dernier spasme l'eut secouée, il retira sa main. Elle le regardait, les yeux grands ouverts. « Vous voyez comme la patience est récompensée, Kate », murmura Mercuès. Elle ne hocha pas la tête, ne sourit pas, mais le regarda avec gravité.

« Cela ne m'était jamais arrivé avant, chuchota-t-elle, épuisée.

– Alors, notre expérience est déjà une réussite. Maintenant, c'est mon tour, Kate », dit Julien, prenant possession de sa chair tiède et consentante.

Plus tard, comme si elle sortait d'une transe, Kate se mit à couvrir les mains de Julien de baisers mais elle s'aperçut qu'il dormait profondément.

9

KATE BROWNING était au supplice. Chaque nuit, lorsque Mercuès se retirait d'elle et s'endormait lourdement, elle restait éveillée, son corps mince vibrant
d'une passion qu'elle n'avait jamais connue auparavant. La pensée du plaisir qu'il faisait naître en elle
la faisait frissonner délicieusement. Elle mettait ses
doigts entre ses cuisses et sentait le tendre bouton
de chair prêt à frémir de nouveau, encore gonflé
des caresses de Mercuès. Dans la journée, elle ne
pensait qu'à cela. Pendant les repas, elle regardait
ses grandes mains rompre le pain, couper la viande
et elle se surprenait, mortifiée, à frotter ses cuisses
l'une contre l'autre sous la table. Elle gémissait
intérieurement en imaginant ses lèvres sur sa peau
et effleurait furtivement le bras de Mercuès avec
ses mamelons douloureux.

Elle sentait son existence vaciller sur ses bases.
Cet homme, dont elle était folle, ne lui appartenait
pas. Il ne se souciait d'elle que lorsqu'ils faisaient
l'amour. Mais, même dans ces moments-là, il ne se
donnait jamais complètement à Kate, ne trahissait
jamais le besoin qu'il avait d'elle, ne lui disait jamais
qu'il l'aimait. Dissimulait-il, comme elle, ses sentiments, ou bien n'était-elle qu'une femme de plus
dans son lit ?

« Je vous aime bien, Kate », disait-il, sans se rendre compte à quel point ce « bien » la faisait souffrir.

Elle avait désespérément envie qu'il lui dise ces mots simples mais si nécessaires : « Je vous aime. » Bien qu'elle connût ses défauts par cœur, elle était consciente d'être chaque jour plus amoureuse de lui. Quant aux femmes qu'il avait possédées avant elle, elle ne s'en préoccupait pas. Rien n'importait, sauf ce besoin obsessionnel qu'elle avait de lui.

Ses nerfs étaient mis à si rude épreuve par l'obligation de dissimuler ses émotions qu'elle pleurait la nuit, allongée près de l'homme qui dormait et dont elle savait qu'elle ne hantait pas les rêves. Quand elle séchait enfin ses larmes, elle examinait froidement la situation.

La frustration était un sentiment étranger à sa nature profonde. Quand elle voulait une chose, elle n'imaginait pas qu'elle pût lui échapper.

Pendant leur seconde semaine en Provence, Mercuès décida de faire un tour à Nîmes. Kate et lui se promenèrent dans le parc et grimpèrent les marches raides qui menaient à la tour Magne, la tour de guet romaine dont les ruines dominaient un vaste panorama. Fatigués, ils finirent par s'asseoir sur l'herbe.

« Je ne pourrais pas, je ne songerais même pas à peindre ce paysage, dit-il. Il est trop complet, trop vaste, il répond à toutes les questions que je pourrais me poser, il n'a aucun besoin d'un homme.

— Vous n'avez rien trouvé... que vous ayez envie de peindre en Provence ? » demanda Kate après un moment d'hésitation.

C'était la première fois qu'il évoquait son métier

depuis qu'ils avaient quitté Paris et elle n'y avait fait elle-même aucune allusion.

« Non », répondit-il.

Non, pensa-t-il, je n'ai pas envie de peindre, et c'est ce qui me fait le plus peur. *Ne pas vouloir peindre, ne pas avoir envie de peindre...* je n'ai jamais connu un pareil vide. Ce jeune couple sur le banc là-bas – ils ne voient même pas le paysage. Ils ont probablement joué toute leur enfance ici... Autrefois, j'aurais pu peindre ces mains qui s'effleurent à peine, j'aurais pu peindre ces mains une douzaine de fois, ces mains qui n'osent pas se toucher et qui, pourtant, se toucheront. Mais je n'ai pas envie de les peindre... je n'ai pas à les peindre. Mais si je ne suis pas un peintre, pourquoi suis-je sur terre?

« Venez, Kate, dit-il en se levant brusquement. L'herbe est encore humide. »

La semaine suivante, Mercuès se rendit plusieurs fois à Félice, ce village accroché à la pente nord du Luberon, à l'est de Ménerbes. Il y avait découvert la pétanque.

Dans l'unique café du village, les hommes se rassemblaient à midi et le soir pour boire le pastis. Maintenant que l'automne était arrivé, beaucoup de fermiers se joignaient à eux pour profiter de ce court temps de repos entre la dernière récolte et le début de la chasse. Après quelques tournées, les hommes faisaient une partie de pétanque derrière le café.

L'un des fermiers, Joseph Bernard, avait regardé Mercuès avec attention.

« Vous jouez à la pétanque? avait-il demandé.

– Non, je ne suis qu'un touriste, avait répondu Mercuès pour s'excuser.

116

– Ça ne fait rien. Vous voulez essayer ? »

Mercuès s'en était tiré honorablement. Au bout d'une heure, il savait tirer et pointer.

Il revint souvent au café car il adorait l'atmosphère chaleureuse des parties de pétanque.

Kate le regardait jouer, étonnée qu'il pût s'absorber ainsi dans un jeu qui lui paraissait dénué d'intérêt. Mercuès faisait de gros progrès et tirait avec une précision qui étonnait les autres.

« Oh! t'es sûr que t'es pas du pays ? lui demanda Joseph Bernard. T'as du sang provençal, c'est pas possible... D'ailleurs, t'as un nom du coin.

– C'est possible, mais je ne peux pas le prouver. Je ne sais pas d'où venaient mes grands-parents. Ils sont morts, maintenant, et quand ils étaient en vie je n'ai jamais songé à le leur demander.

– La plupart des étrangers sont ridicules à la pétanque. Ça paraît simple, mais ça l'est pas. Si tu t'exerçais encore quelques semaines, je pourrais te prendre dans mon équipe. On a un tournoi le dernier samedi de novembre. »

Mercuès prit le jeune fermier par les épaules et offrit une tournée générale. Il comprenait ce qu'une pareille proposition signifiait pour des hommes qui étaient capables de discuter indéfiniment d'un tournoi de pétanque.

« J'aimerais pouvoir rester, Joseph, mais il faut que je gagne ma croûte.

– Nous aussi, répliqua Joseph, mais on trouve toujours le temps de jouer aux boules. Sinon, pourquoi on travaillerait ? »

En dehors du café et de la pétanque, Félice possédait un autre attrait. Au-dessous du village, pas trop loin de la grand-route, Mercuès avait découvert un mas abandonné. Un jour, en musardant, il avait suivi un chemin sillonné d'ornières qui serpentait en montant autour d'une butte plantée de chênes-lièges. En sortant du bois, Kate et lui débouchèrent sur une allée de cyprès qui formait comme un mur d'enceinte autour du mas.

Mercuès gara la Talbot sur un bout de pelouse jaunâtre et sèche près des cyprès. On n'entendait que les cigales. Aucun des bruits familiers d'une ferme ne parvenait jusqu'à eux. Pas d'aboiements de chiens ni de voix d'enfants. Un gros pied de chèvrefeuille courait le long du mur. Des papillons orange et rouges voletaient au-dessus de la pelouse comme des cerfs-volants chinois et un essaim d'abeilles bourdonnait.

Kate et Mercuès firent le tour du mas pour essayer de voir à l'intérieur mais les ronces et les vrilles du chèvrefeuille les empêchèrent de s'approcher du mur.

Le mas était flanqué d'une tour ronde percée de deux fenêtres ouvertes haut au-dessus d'eux. Celui qui l'avait abandonné devait savoir qu'il était presque impossible d'y entrer. La maison était le moyeu d'une grande roue formée par les champs coupés de cyprès ou de roseaux tout autour. Une plantation d'oliviers voisinait avec une bande de terre rouge inculte. Puis venaient des vignes lourdes de grappes non cueillies. Plus loin, dans un verger d'abricotiers, les fruits tombaient et pourrissaient.

« C'est incroyable, explosa Mercuès. Regardez ces grappes de raisin! Et ces olives! Et les abricots! Tout ça pourrit sur pied. C'est scandaleux!

— Le mas est peut-être à vendre, suggéra Kate.

— Il n'y a aucune pancarte nulle part. Tout ce que j'ai vu, c'est le nom de la maison sur la boîte aux lettres : " La Tourrello ". Elle fait probablement partie d'un domaine et les héritiers doivent se battre pour l'avoir.

– Demandons à Félice. Ils doivent savoir. Si la maison est à vendre, nous pouvons toujours la visiter.

– Non, je ne crois pas. Je ne veux pas entrer. »

Mercuès paraissait troublé.

« Mais pourquoi ne voulez-vous pas entrer ? Vous avez visité tous les mas de Maubec à Bonnieux. Pourquoi pas celui-ci ?

– Je ne peux pas l'expliquer. C'est juste une intuition... »

Il avait le curieux pressentiment que, s'il pénétrait dans cette maison, il ne parviendrait jamais à l'oublier. Il éprouvait une joie esthétique à la contempler mais il ne voulait pas aller plus loin.

« Comme vous voudrez », dit Kate, habituée à respecter sa volonté.

Dans la semaine qui suivit, ils retournèrent quatre fois au mas mais elle ne lui proposa plus de se renseigner, bien qu'elle fût suprêmement irritée par sa fascination pour ce lieu. Il fait la cour à cette vieille ferme, songea-t-elle avec une pointe de jalousie, il l'aime comme une femme, il tourne autour de ses murs comme un adolescent mort d'amour. Entre le café, la pétanque et les visites du mas, il s'arrange pour ne rien faire de la journée. Quand se remettra-t-il à peindre ?

Au café de Félice, quelques jours plus tard, Joseph Bernard questionna Mercuès.

« Tu dis que t'es peintre, hein, Julien ? Des peintres, il en vient constamment ici. Y en a toujours un qui traîne dans le coin. Mais j'en ai jamais vu un qui peigne autre chose que la campagne. Moi je dis qu'un vrai peintre devrait être capable de faire un portrait *ressemblant*. Qu'est-ce que t'en penses, toi?

– Tous les peintres ne font pas de portraits, Joseph, et le portrait ne ressemble pas obligatoirement au modèle, ou tout au moins à la façon dont celui-ci se voit, ce qui n'est pas la même chose.

– J'étais sûr que t'allais me sortir un truc compliqué, répondit Joseph, déçu. Alors toi, tu pourrais pas me peindre comme je me vois moi dans la glace?

– Si, peut-être... je ne sais pas. Mais je peux faire quelque chose qui va t'amuser. »

Mercuès prit un crayon derrière le comptoir et se mit à dessiner rapidement, à grands traits, sur l'envers d'un carton de Loto.

« Tiens, regarde. »

En moins d'une minute, il avait saisi l'essentiel de Joseph Bernard, il en avait fait la caricature.

« Mais, bon Dieu, c'est vrai que ça me ressemble! Mon grand blair... tout y est! » Bernard s'étranglait de rire. « Dessine Henri, maintenant. Il a une sale gueule lui aussi. » Il saisit un vieux fermier par la manche et le poussa devant Mercuès qui prit un autre carton. Bientôt, Mercuès fut entouré d'hommes qui réclamaient leur portrait, se disputant comme des écoliers à qui passerait en premier. Il les croquait avec une facilité qui les surprenait.

Les fermiers étaient fascinés. Comment le peintre s'y prenait-il? Cela tenait de la magie. Ceux qui habitaient près du café se précipitaient chez eux pour ramener leur femme et leurs enfants qui attendaient sagement leur tour. C'était encore plus marrant que la belote. Mercuès dut changer deux fois de crayon car les pointes s'émoussaient, mais

rien ne semblait pouvoir l'arrêter. Il ne resta bientôt personne à Félice qui n'eût été caricaturé.

Lorsque Kate et Mercuès regagnèrent Villeneuve,
il était près de sept heures. Mercuès était si heureux
qu'il n'avait pas envie de parler. Les caricatures... il
avait même oublié qu'il pouvait en faire. Et elles lui
avaient rendu la fièvre de créer. Ses doigts mou-
raient d'envie de toucher de nouveau un pinceau. Il
allait sentir encore cette délicieuse odeur de térébenthine. Il savait ce qu'il allait jeter sur sa toile –
tout ça parce qu'il avait pris un crayon sans y
penser, pour amuser ses copains. Et ils étaient
tellement contents! Leur joie était la seule récom-
pense qu'il pût accepter sans avoir l'impression de
trahir son talent.

Pour la première fois, Mercuès éprouva ce sentiment de triomphe qui lui avait fait complètement
défaut lors du vernissage. Il avait l'impression
d'avoir fait peau neuve et d'être plein d'une force
nouvelle. Il avait du mal à maîtriser son excitation,
à attendre le lendemain matin.

Ce soir-là, après le dîner, Mercuès partit tout seul
faire une promenade. Sa jubilation lui tenait compagnie. Il suivit les berges du Rhône. L'air était
délicieusement frais et les feuilles des arbres, agi-
tées par le vent, bruissaient. Il eut soudain la
conviction qu'il devait rester en Provence.

Jamais plus, pensa-t-il, jamais plus la solitude des
villes. Jamais plus Montparnasse où trop de gens
parlaient trop de langues différentes dans trop de
cafés, disaient trop de bêtises sur le gouvernement,
la religïon et les écoles de peinture. Jamais plus

l'hiver parisien gris et froid, sans lumière ni horizon.

Mais s'énumérer les nombreuses raisons qu'il avait de ne pas rentrer était inutile. Il y en avait une, capitale et qu'il venait de découvrir : en Provence, il pourrait retravailler. C'était comme s'il avait eu une révélation, une vision.

A l'aube, il éveilla Kate.

« Les vacances sont finies, Kate. Je retourne au travail. »

Elle poussa un soupir de soulagement.

« Donnez-moi une demi-heure, le temps de m'habiller et de faire mes bagages.

— Non, vous n'avez pas besoin de vous dépêcher. Vous pouvez rester encore un peu si vous voulez.

— Mais... je ne comprends pas. Vous venez de me dire que vous vouliez vous remettre au travail.

— Je reste ici, Kate.

— Quoi ? Qu'est-ce que c'est que cette histoire ?

— Je vais rester ici jusqu'à ce que je trouve une maison à louer dans Villeneuve. La pension reste ouverte toute l'année, ce qui règle le problème. Dès l'ouverture du magasin, je vais téléphoner à ce bon vieux Lefebvre pour qu'il m'expédie toutes les fournitures dont j'ai besoin par le prochain train et j'enverrai la facture à Avigdor. Rien n'est plus simple. J'ai tout prévu.

— Pourquoi avez-vous décidé de rester ? Pour faire partie de cette foutue équipe de pétanque ? demanda Kate, perfide.

— Ce ne serait pas une mauvaise raison mais j'en ai une meilleure. » Mercuès marchait de long en large dans la chambre sans la regarder. « C'est cet endroit, Kate, cet endroit... » Il ne savait comment expliquer à Kate la brusque conviction qui lui était venue hier soir qu'il lui fallait rester. Et d'ailleurs, se dit-il, pourquoi le lui expliquer? « C'est la lumière qu'il y a ici... Vous ne comprenez pas?

– Je comprends parfaitement », répondit-elle d'une voix calme. Elle savait que toute discussion était inutile. « Je vais rester un jour ou deux de plus, dans ces conditions.

– Restez autant que vous voudrez, mais bien sûr, vous risquez de commencer à vous ennuyer quand je me mettrai à peindre. Je suis très heureux que vous soyez ici, Kate, très heureux.

– Nous verrons. »

Pensait-il qu'elle allait errer dans la maison comme un chat? se demanda-t-elle, furieuse. Cette décision prenait Kate complètement au dépourvu. L'amour, dissimulé au prix d'un grand effort de volonté, l'avait rendue inattentive à tout le reste. Elle s'était contentée de rêver pendant tous ces jours, obsédée par leurs deux corps.

« Puisque vous restez, Julien, je ne me promènerai pas avec vous aujourd'hui. Je vais être coincée dans cette voiture suffisamment longtemps pendant le trajet du retour. Je voudrais faire un saut à Avignon pour essayer de trouver quelques gros chandails et un manteau convenable si toutefois ils ont l'article. Je vais demander au taxi de m'emmener en ville.

– Non, non, prenez la voiture. Je vais faire un tour à pied pour voir ce qu'il y a à louer dans le coin. »

Kate ne rentra qu'en fin d'après-midi. Mercuès l'attendait avec impatience. Il lui tardait d'aller annoncer la nouvelle à ses copains de Félice.

Sur la petite route qui menait au village, Kate posa soudain sa main sur celle de Mercuès.

« Tournez à gauche, dit-elle.

– Pourquoi? Nous allons être en retard pour la partie de pétanque. Je peux aller à La Tourrello n'importe quand, vous savez.

– Je veux vous montrer quelque chose. Cela ne prendra pas longtemps. »

Il prit le chemin du mas et se gara, comme d'habitude, sur la pelouse jaunâtre.

« Vous voulez la voir une dernière fois? demanda-t-il. Je ne savais pas qu'elle vous intéressait à ce point. »

Kate sortit de la voiture et se dirigea vers la grosse porte en bois. Elle sortit une clef de sa poche et ouvrit non sans mal. Comme Mercuès la regardait, stupéfait, elle se retourna et lui fit signe de venir.

« Mais que faites-vous? cria-t-il, bien décidé à ne pas entrer. Où avez-vous trouvé cette clef? »

Kate revint vers la voiture et tendit la clef à Mercuès. « Prenez-la. C'est la mienne. Ou plutôt la vôtre. Pour être plus précise, c'est ma dot. »

Il la regarda, effaré. Quelle femme étonnante! On pouvait dire qu'elle ne faisait pas les choses à moitié. Il comprit, en regardant ses yeux graves et pleins d'espoir, qu'elle était toujours parfaitement raisonnable, même en ce moment. Digne, sérieuse et attentive, elle lui fit son extraordinaire proposition.

« Voulez-vous m'épouser, Julien? »

Il demeura silencieux. Il savait qu'elle s'apprêtait à en dire plus et il était curieux de l'entendre.

« Je vous aime et vous avez besoin d'une femme. Il vous faut également une maison. J'ai vu le notaire de Félice aujourd'hui et j'ai acheté cette ferme. L'ancien propriétaire est mort. L'héritière est sa petite-fille. Elle était impatiente de vendre. La semaine prochaine, un jeune fermier et sa femme vont emménager dans l'aile gauche et engager des hommes pour remettre le verger et les vignes en état. » Elle s'interrompit un instant, puis poursuivit, lui faisant miroiter une vie délicieuse : « Je cherche un architecte pour dessiner votre atelier. J'ai déjà engagé un entrepreneur à Avignon. J'ai rendez-vous avec lui demain. Un plombier et un électricien l'accompagneront. Il y a beaucoup de travaux à faire avant que la maison soit...

– Mais vous pourriez vivre ici, en pleine campagne ? l'interrompit-il soudain.

– C'est plutôt que je ne peux pas envisager de vivre là où vous n'êtes pas. Je me sens incapable de rentrer à Paris sans vous.

– Mais je n'ai jamais songé au mariage, dit Mercuès.

– Eh bien, voilà l'occasion, répondit-elle avec une pointe d'humour. Il est temps de faire quelque chose de nos vies. Vous avez bien commencé mais le plus dur reste à faire. Des années et des années de travail qui requerront toute votre énergie... et pensez aux nombreux tournois de pétanque à venir.

– Vous essayez de m'acheter, Kate.

– Bien sûr ».

Elle ne cédait pas un pouce de terrain, la clef dans sa main tendue, le vent faisant voler ses cheveux, les yeux adoucis par l'émotion qu'elle laissait enfin paraître.

« J'essaie de penser à une seule raison... de dire non », déclara Mercuès lentement.

Il sauta hors de la voiture et prit la clef. Elle était froide et lourde dans sa paume. Il comprit que cette terre et cette femme seraient son avenir. Ils éclatèrent ensemble d'un de leurs nombreux rires complices.

« Comme la vie est étrange! s'exclama-t-il.

– Pray love me little, so you love me long[1], murmura-t-elle.

– Qu'est-ce que ça veut dire, ma petite Américaine? demanda-t-il en la prenant dans ses bras.

– C'est d'un poète... un jour je vous le dirai... un jour vous comprendrez. »

1. Priez de m'aimer un peu, ainsi vous m'aimerez longtemps.

10

« Non, c'est inconcevable! Hors de question! » s'exclama Paula.

Pour quelqu'un qui avait soi-disant tout vu dans sa vie, elle paraissait scandalisée au-delà de toute expression.

« Mais pourquoi? gémit Maggy.

– Pour deux raisons évidentes. Ta lingerie et tes chaussures. Oh! Maggy, regarde-moi ça », dit Paula, désignant la pile de sous-vêtements qu'elle avait sortie de l'armoire et étalée sur le lit. Elle saisit trois jupons et les lui brandit sous le nez d'un air accusateur.

« Celui-ci est troué, celui-là a l'ourlet qui s'effiloche et il manque la moitié des rubans au troisième. Ta lingerie est dans un état lamentable. Et où sont tes gaines et tes soutiens-gorge? Tout ce que je vois ici, ce sont des jarretières dépareillées, des bas reprisés, des culottes achetées à Tours et ces affreux jupons. Ils sont propres, c'est tout ce qu'on peut en dire.

– Oh! Pourquoi joues-tu les duchesses? répliqua Maggy, rejetant une mèche de cheveux qui lui tombait sur l'œil. Pourquoi me préoccuperais-je de ça? Je n'en ai pas besoin pour mon travail. Pas plus que pour aller danser. Au contraire! Quant à mes jupons, il y a juste un point à faire. Mme Poulard me les arrangera en un rien de temps. »

Paula s'assit sur le lit d'un air décidé.

« Tu es folle, Maggy. Comment peux-tu espérer être traitée avec respect chez Patou ou chez Molyneux s'ils te voient avec ces loques? Qu'en pensera Mlle Chanel? Elle te prendra pour une clocharde. Quelle que soit la somme que tu comptes dépenser pour t'habiller, aucun couturier, aucune vendeuse ne te prendra au sérieux si tu ne portes pas des dessous convenables, des chaussures correctes et un chapeau décent.

— Bon, alors voilà ma fabuleuse carrière de femme entretenue foutue avant qu'elle ait commencé. Je n'ai pas les vêtements qu'il faut pour en commander d'autres, donc je ne peux pas m'installer au Lotti, c'est ça? »

Maggy s'assit par terre, croisa ses jambes nues et se pencha en avant d'un air maussade, le menton dans la main.

« Tout était si simple, ce matin... Mais tu t'es arrangée pour compliquer tellement les choses que je ne veux plus en entendre parler. L'année dernière, tu m'as appris à ôter ma culotte et maintenant tu voudrais que je porte des gaines et Dieu sait quoi encore! Je dirai à Perry qu'il faut que nous restions ici... Tant pis pour son valet de chambre et son travail. Il faut qu'il m'aime comme je suis. Et au diable les gaines!

— Ecoute, ce n'est pas un problème insoluble, dit Paula. Calme-toi, mon pigeon. Cela ne demande qu'un peu de réflexion, comme tout ce qui est important dans la vie. Pour ton linge, c'est très simple, il faut tout changer. Il y a une boutique, tout près de la rue Saint-Honoré, tenue par trois émigrées russes titrées. Elles sont discrètes, compréhensives, efficaces, spécialisées dans des cas comme le tien...

– Ah! Parce que maintenant, je suis un cas? s'exclama Maggy, indignée.

– Pour ce genre de chose, oui, répliqua Paula, imperturbable. Si on leur commande tout cet après-midi et qu'on leur explique la nature de l'urgence, elles te feront une lingerie exquise dans la semaine. Quant aux chaussures, je connais un merveilleux petit bottier italien à deux pas de chez elles, rue Saint-Florentin. Je te propose d'y faire un saut aujourd'hui.

– Pourquoi ne pas regarder d'abord ce qu'il y a chez Raoul?

– Raoul? Avec ses chaussures à quatre-vingts francs qui t'ont esquinté les pieds?

– Tu ne t'es jamais inquiétée de l'état de mes pieds avant aujourd'hui. Ça fait un an que je me chausse chez Raoul.

– Ecoute, tu veux que Perry soit fier de toi, non?

– Il l'est déjà. »

Soudain, la vision de Kate Browning, telle qu'elle lui était apparue la première fois dans l'atelier de Mercuès, lui traversa l'esprit. Kate Browning si sûre d'elle, vêtue de blanc, avec ses gants immaculés, si raffinée qu'elle semblait être sortie du ventre de sa mère avec des chaussures parfaites et un chapeau de chez Rose Descat.

Galvanisée, Maggy bondit sur ses pieds avec une soudaineté qui stupéfia Paula.

« Et les gants? demanda-t-elle, prenant Paula par les épaules et la secouant. Pauvre femme, à force de traîner dans ta cuisine, tu ne sais même plus qu'une femme sans gants ne ressemble à rien! Tu ne penses qu'aux gaines! Mais les gants, c'est capital.

Comment puis-je commencer ma nouvelle vie sans au moins une douzaine de paires de gants, puisqu'il n'est pas question que je les porte plus d'un jour, un jour, tu m'entends? »

Elle lâcha Paula et mit à virevolter dans la chambre, prenant un bas ici, un autre là, inspectant leur état pour finir par en trouver deux intacts. Elle jeta tous les autres dans la corbeille à papier. « Douze douzaines de paires de bas de soie avant le déjeuner. Puis on file chez tes aristos. A moi la soie, le satin, les dentelles et le crêpe de Chine! Je veux des jarretières, des *soutiens-gorge* pour mettre mes seins en valeur, des culottes en satin vert pâle, lavande ou moka, des chemises de nuit rouges... Quoi d'autre? Des pyjamas chinois! Mais pas de gaines! »

Maggy se planta devant la glace. Elle se regarda avec attention, fit bouffer ses cheveux. Elle les tira en arrière, les tordit en chignon au-dessus de sa tête, puis les laissa retomber d'un air désapprobateur.

« J'ai besoin d'une bonne coupe.

— Bien sûr. Comment veux-tu porter des chapeaux avec cette tignasse? Et sans chapeau...

— Je sais, l'interrompit Maggy. Sans chapeau aucune vendeuse digne de ce nom ne me respectera. Maintenant, dis-moi, Paula... Faut-il que je me fasse couper les cheveux avant d'aller voir Antoine, ou bien celui-ci acceptera-t-il de me les couper dans leur état actuel? »

Paula écarquilla les yeux. Antoine était le meilleur coiffeur de Paris. Vingt ans auparavant, il avait inventé la coupe à la Jeanne d'Arc. C'est sur la grande actrice Eve Lavallière qu'il s'était fait la main. L'expérience l'avait tellement angoissé qu'il avait mis six ans à la renouveler. Maintenant il régnait en maître dans son salon de la rue Didier qui avait été inauguré par un bal de quatre cents personnes où toutes les femmes étaient vêtues de blanc. Chaque créature du sexe féminin rêvait de confier sa tête à Antoine.

« Antoine? dit Paula, pleine de respect.

– Mais bien sûr. Au premier coup d'œil, il verra que je suis digne de ses ciseaux.

– Comment prendras-tu rendez-vous?

– J'irai le voir. Il ne résistera pas à l'envie de couper cette superbe chevelure. »

Maggy était assise devant la glace. Entouré de ses assistants, Antoine s'agitait autour d'elle. Dans un coin, Paula regardait la scène d'un air sombre.

« Mon Dieu, cette plantation de cheveux! s'exclama-t-il avec son accent polonais.

– Qu'est-ce qu'elle a, ma plantation de cheveux? » demanda Maggy, prête à prendre le moindre prétexte pour s'enfuir. Ah! Si elle pouvait filer maintenant, avant qu'il ne commence! Elle regarda autour d'elle, en pleine panique. Tout était en glace dans le salon. Les murs, les tables, les chaises et l'escalier également. On prétendait même que ce grand Polonais pâle couchait dans un cercueil en verre qui, disait-il, le protégeait des dangereuses radiations électriques qui se propageaient dans l'air nocturne.

« Comment avez-vous pu la garder cachée aussi longtemps? demanda-t-il d'un air de reproche. L'élégance commence avec la plantation des cheveux, madame, et la vôtre est une beauté, dit-il, effleurant du doigt la ligne de ses cheveux. Il faut la *mettre en valeur*.

– Eh bien, allez-y », marmonna Maggy.

Elle le vit prendre des ciseaux et ferma les yeux.

Il était maintenant trop tard pour fuir et elle

s'efforça bravement de sourire. C'était son cou, cette colonne blanche et interminable? Ses oreilles, ces deux petites coquilles roses de chaque côté de son visage? Antoine lui mouilla les cheveux et termina sa coupe au rasoir. Elle était coiffée à la garçonne, avec une raie sur le côté. De part et d'autre de son visage, ses cheveux lisses revenaient en pointes sur ses joues, à hauteur du lobe de l'oreille. Sa nuque était courte. Les yeux verts de Maggy paraissaient immenses et ses pommettes hautes ressortaient, maintenant que son visage était dégagé.

Elle enleva son peignoir et se leva pour mieux se voir. Elle tournait la tête de tous les côtés afin d'étudier son nouveau visage dans la glace. Antoine et ses assistants étaient muets.

Sa tête lui paraissait bizarrement détachée de ses épaules. La femme qu'elle voyait dans le miroir lui semblait audacieuse, plus âgée que Maggy, débordant de confiance en elle. Elle était aussi suprêmement chic, bien qu'elle portât les vêtements de Maggy et ses déplorables chaussures. Sa tête rousse, si brillante qu'elle semblait peinte, attirait tous les regards dans la pièce.

Paula retenait son souffle. Lentement, Maggy s'approcha du miroir jusqu'à le toucher. Elle resta ainsi une seconde, faisant de la buée sur la glace, puis soudain elle y appuya ses jolies lèvres et embrassa son image.

Antoine laissa échapper un soupir de soulagement. « Madame est satisfaite? demanda-t-il avec un soupçon de fatuité.

– Madame est enchantée! » Maggy se tourna vers le Polonais surpris et lui planta un baiser sur l'oreille. « Mais il faut dire Monsieur et non Madame, dorénavant. » Elle prit l'œillet passé à sa boutonnière de veste et le glissa derrière l'oreille d'Antoine. « D'un monsieur à un autre, lui dit-elle. Je vous adore. »

Perry Kilkullen n'avait pas la moindre idée de la façon dont il fallait s'y prendre pour mettre une femme en cage.

Se sentant pour une fois plus américain que parisien, légèrement décontenancé mais tout à fait décidé, il alla voir un agent immobilier.

« Dans quel quartier voulez-vous habiter? Combien voulez-vous de pièces de réception et de chambres? Aurez-vous un ou plusieurs domestiques? Voulez-vous un appartement ou un hôtel particulier?

– Je n'en ai pas la moindre idée. Montrez-moi ce que vous avez de mieux et je verrai après. »

Il visita une douzaine d'hôtels particuliers et d'appartements dans les quartiers résidentiels de la rive droite mais aucun ne le tenta suffisamment pour qu'il l'achète. Il ne demandait pas à Maggy de l'accompagner dans ces expéditions car il voulait lui faire la surprise. Enfin, il trouva un vaste appartement, avenue Vélasquez, au second étage d'un immeuble qui donnait sur le parc Monceau. Il lui plut immédiatement.

Il emmena Maggy le visiter dans la soirée. Elle le suivit de chambre en chambre sans un mot.

« Tu ne l'aimes pas? finit par demander Perry, inquiet.

– Est-ce que tu as compté les pièces?

– Non... mais il m'a semblé bien.

– Il y a onze pièces et au moins deux douzaines

de placards. Dieu sait combien de salles de bain, sans compter l'énorme cuisine, la buanderie et les chambres de domestiques au septième.

– Tu le trouves trop grand? demanda-t-il, déçu.

– Enfin, Perry, c'est de la folie! Deux chambres et une salle de bain me suffisent largement.

– Mais tu m'as dit que tu voulais être entretenue royalement, comme les femmes de la Belle Epoque.

– Oh! Perry, dit-elle en se blottissant dans ses bras, j'ai si *peur*! Je sais que je t'ai dit cela, mais ce ne sont que des fantasmes. La réalité, la voilà. Je veux retourner rive gauche, trouver une petite chambre dans un petit hôtel, me fourrer dans mon lit et tirer les couvertures sur ma tête. »

Perry la serra contre lui et la caressa doucement comme on réconforte un animal terrifié. Il se rendit soudain compte qu'il avait toujours vécu entouré de riches New-Yorkaises qui espéraient toutes habiter un jour un immense appartement comme celui-ci. Des femmes qui avaient l'habitude de passer de pièce en pièce avec une autorité tranquille dans de vastes maisons. Mais Maggy, cette fille adorable, son premier et véritable amour, n'avait pas l'habitude de tout ce luxe. Qu'elle fût terrifiée à l'idée d'habiter un appartement de onze pièces l'attendrissait et la lui rendait encore plus chère.

« Ecoute, lui murmura-t-il à l'oreille, comme s'il s'adressait à un enfant, si tu préfères, nous pouvons aller vivre à l'hôtel, mais pourquoi ne pas essayer cet appartement? De toute façon, chérie, nous n'allons pas emménager demain. Il faut l'arranger, le meubler. Quand il sera terminé, si tu n'en veux toujours pas, eh bien, je le revendrai. Qu'en penses-tu? »

En fait il n'avait aucune envie de vivre à l'hôtel. Il

voulait faire à Maggy une vraie maison, un endroit pour eux deux.

La voix de Maggy lui parvint, étouffée contre sa veste.

« Combien de mois ça va prendre? demanda-t-elle, soupçonneuse.

– Oh! longtemps, répondit Perry. Très long-temps. »

Au cours des six mois qui suivirent, il sembla à Maggy qu'elle apprenait chaque jour un nombre étonnant de choses. Et, pour commencer, elle avait décidé d'apprendre l'anglais. Deux raisons l'y poussaient : la première, c'était que Perry, ne s'exprimant jamais dans sa propre langue, était désavantagé par rapport à elle. La seconde, c'était que partout où ils allaient, que ce fût au bal Tabarin, chez Maxim's ou chez Frederick, elle entendait plaisanter en anglais et ne comprenait rien.

Le dollar était coté si haut que Paris était rempli d'Américains. Quinze dollars par semaine leur suffisaient pour vivre. Avec leur insouciance, leur gaieté turbulente et leur façon de se précipiter à Paris comme si c'était une immense cour de récréation, ils intriguaient Maggy. Il n'y avait que les Américains pour jouer au tennis dans le night-club de Joséphine Baker avec des raquettes en carton ou pour s'asseoir avec les musiciens du Bricktop et jouer un jazz aussi sauvage. Ne pas parler anglais en 1926 à Paris, c'était manquer une bonne partie de la fête.

Chaque matin, après le petit déjeuner, Maggy prenait sa leçon d'anglais avec l'épouse bostonienne d'un écrivain américain qui semblait éprouver des difficultés pour achever son roman.

Perry avait engagé Jean-Michel Frank, le décorateur en vogue, pour meubler l'appartement et, tandis qu'il était à son bureau, Maggy vaquait à ses occupations.

« As-tu une idée, Paula, des contraintes que doit subir une femme entretenue? lui demanda-t-elle un jour d'une voix plaintive. C'est effrayant. Impossible de sortir de chez soi le matin sans une robe d'O'Rosen ou de Chanel sur le dos et gare à vous si vous vous montrez à un cocktail sans vous être changée entre-temps...

– J'espère que tu n'as pas le culot de te plaindre, répondit Paula d'un air sévère. Chaque métier a ses inconvénients.

– Oui, mais quand on est entretenu, on passe un pour cent de son temps au lit et les quatre-vingt-dix-neuf autres à se changer, dit Maggy, songeuse. N'y a-t-il aucun métier où on puisse porter les mêmes vêtements du matin au soir? Et les chapeaux, Paula! J'en ai un assorti à chaque tenue!

– J'aurais pu te le dire, répondit Paula d'un air entendu, mais j'avais peur que tu te dégonfles.

– En tout cas, maintenant, c'est trop tard », dit Maggy, retrouvant sa bonne humeur.

« Nous devons recruter un majordome? demanda Maggy d'un air incrédule.

– L'appartement sera habitable le mois prochain, répondit Perry. Il faut que nous engagions du personnel, et avant tout un majordome.

– Mais comment saurai-je quelles questions lui poser? s'écria Maggy, indignée. Je ne sais ni comment on fait l'argenterie, ni comment on annonce un dîner, ni comment on conserve les cigares. Si tu veux un majordome, engage-le toi-même. De même pour les autres domestiques. D'ailleurs je ne suis pas sûre d'emménager dans ce grand bazar.

– Tu n'as même pas été voir ce que le décorateur avait fait. Tu n'es vraiment pas curieuse!

– C'est vrai », mentit Maggy. En fait, il lui arrivait souvent de se demander ce que faisait M. Frank de l'appartement mais elle ne voulait pas s'en mêler. Si elle exprimait une opinion ou un désir, Perry s'imaginerait immédiatement qu'il avait eu gain de cause, qu'elle était d'accord pour habiter l'appartement, ce qui n'était pas encore le cas. La vie à l'hôtel, même dans un hôtel aussi luxueux que le Lotti, avait un côté bohème qu'elle aimait. Les ascenseurs étaient remplis d'amoureux qui n'étaient visiblement pas mariés, le hall plein de musique et de rires et les femmes de chambre toujours prêtes à bavarder avec vous.

« Bon d'accord, je vais m'en occuper, répondit Perry, résigné.

– J'ai une idée, demandons à Paula. C'est le genre de chose qu'elle fait très bien. Elle voit immédiatement à qui elle a affaire. Elle est très psychologue. »

Leur amour était simple, sans mystère, plein de douceur. Elle avait le sentiment que Perry la protégerait de tout ce qui pourrait de nouveau la faire souffrir. Avec lui, elle se sentait en sécurité et elle savait maintenant combien c'était précieux.

Parfois, le souvenir de Julien Mercuès la tourmentait. Elle sentait encore la ligne sévère de ses lèvres s'adoucir sous les siennes. Mais elle chassait résolument cette image et pensait à son bonheur actuel. Et puis, que se serait-il passé si elle avait vécu des années avec Mercuès? Un jour, elle en aurait eu assez de cet homme égoïste, obsédé par sa peinture. Comme elle avait eu de la chance de s'en tirer aussi bien! Les quelques mois qu'elle avait passés avec le peintre lui avaient laissé une blessure au cœur, mais elle savait que la partie essentielle de son être était intacte. Elle se pencha en avant et frotta doucement sa joue sur la main de Perry.

« Qu'est-ce qu'on fait, alors, pour ce majordome? murmura-t-elle.

— Je m'en occuperai moi-même.

— Je savais que tu le ferais. »

« Ferme les yeux et promets-moi de ne pas les rouvrir. Je vais te conduire dans le salon. Je veux que tu voies cette pièce en premier », dit Perry à Maggy.

On était en avril 1927 et tous deux se tenaient devant l'entrée de l'immeuble du parc Monceau.

« Mais c'est ridicule! Oh! Après tout, au point où nous en sommes! » Maggy ferma les yeux et prit le bras de Perry. Il lui sembla qu'ils marchaient long-temps avant que Perry dise : « Tu peux regarder, maintenant. »

Elle ouvrit les yeux sur l'une des premières pièces modernes du XXe siècle, et eut l'impression qu'une brise fraîche venait de la propulser dans un nou-veau monde, un monde beige, or, blanc et ivoire dans lequel le luxe s'exprimait par la pureté des formes et la sobriété des couleurs. Cela ne ressem-blait en rien à ce qu'elle avait vu lors de sa première visite. L'appartement était complètement transformé. Les murs lugubres, recouverts de boise-ries sombres, avaient été mis à nu du plancher au plafond et tapissés de panneaux carrés de papier parchemin, légèrement différents les uns des autres. Aucun tableau ne les coupant, ils formaient, ainsi assemblés, une œuvre d'art d'un or pâle qui luisait dans la lumière des lampes en plastique blanc aux formes audacieuses.

La pièce ne lui paraissait plus gigantesque. En foulant les tapis blancs, elle comprit qu'elle bougeait dans une *sorte* d'espace où elle n'aurait jamais imaginé que les gens pussent vivre, un espace frais et ouvert qui faisait paraître tous les intérieurs encombrés, prétentieux et démodés. Maggy parcourut du doigt le dossier des fauteuils tendus d'une soie ivoire et caressa le dessus des tables basses en laque dorée. Elle se laissa tomber sur l'un des grands canapés en cuir et allongée, les yeux mi-clos, contempla la pièce.

« Alors, qu'en penses-tu ? Tu ne trouves pas que c'est sensationnel ? demanda Perry, anxieux. Les lampes ont été dessinées par Giacometti, il y a au moins quarante couches de laque sur les tables, les tapis ont été tissés à la main à Grasse...

– Qu'importent tous ces détails, chéri. Viens t'allonger près de moi. C'est comme si on flottait... »

Ils emménagèrent trois jours plus tard.

La première nuit, Maggy ne parvint pas à s'endormir. Elle sortit du lit, enfila son déshabillé et se promena dans l'appartement. Elle avait le sentiment agaçant qu'il manquait quelque chose. Pourtant, M. Frank n'avait négligé aucun détail.

Jamais, pensa Maggy, je n'aurais imaginé vivre un jour entourée d'une pareille profusion d'objets. Il me faudra des semaines pour les connaître tous. Rien de ce qui rend la vie suprêmement confortable ne manquait ici et tout était d'une propreté extraordinaire, une propreté qui faisait presque paraître défraîchie sa luxueuse suite au Lotti.

Maggy s'approcha des portes-fenêtres qui ouvraient sur le parc Monceau. De son balcon, elle découvrait une grande partie du plus beau des parcs parisiens avec ses colonnes classiques et son bassin ovale. Le parc, fermé à cette heure, était vide. Le lendemain, il résonnerait des cris des enfants amenés par leurs nurses. Agitée, elle passa de pièce en pièce avec le sentiment grandissant qu'il manquait quelque chose d'essentiel à cet appartement, mais sans trouver quoi. Maggy finit par retourner au lit et sombra dans un sommeil troublé par des fragments de rêves.

Le lendemain, au crépuscule, elle entra pour la première fois dans l'appartement avec sa propre clef. Les joues rosies par la fraîcheur de cette soirée d'avril, elle ne prit même pas le temps d'ôter son manteau et courut presque le long du couloir jusqu'à la salle à manger. Elle tenait sous son bras un grand paquet enveloppé dans du papier journal.

Elle avait passé la journée dans les boutiques de la rue des Rosiers et ce paquet contenait l'objet qu'elle cherchait et qu'elle avait fini par trouver. Celui qui manquait dans l'appartement. Sur le buffet étaient posés deux lourds chandeliers en argent et lapis-lazzuli dessinés spécialement pour la pièce par le grand orfèvre Jean Puyforcat. Ils étaient assortis à la coupe en argent et lapis qui trônait sur la table. Maggy prit les chandeliers et les plaça de chaque côté de la coupe. Puis, avec précaution, elle défit son paquet et en sortit un vieux chandelier en cuivre à sept branches.

« Voilà, c'est mieux comme ça », dit-elle à voix haute, en posant le menorah sur le buffet.

11

Perry Mackay Kilkullen se moquait éperdument des lettres horrifiées qu'il recevait de sa mère, de ses sœurs et de ses frères. Ce que l'Eglise en pensait le plongeait dans l'indifférence. Il ne se préoccupait pas davantage de la muette désapprobation de ses collègues et des ragots de leurs épouses. L'opinion des gens qu'il avait connus avant de rencontrer Maggy ne comptait pas pour lui. A quarante-deux ans, il avait vécu plus de la moitié de sa vie et il avait l'impression de venir tout juste de naître. *Maggy.* Sans elle, il n'aurait jamais été un homme véritable.

Il continuait à s'occuper de la banque avec le même enthousiasme. Personne ne pouvait l'accuser de négliger son travail mais, en dehors de cela, il s'était délibérément coupé de son passé. Il refusait toutes les invitations à dîner du petit monde parisien de la banque et, lorsque ses camarades de Yale venaient visiter Paris avec leurs épouses, il les évitait. Il s'arrangeait pour ne pas être obligé d'aller à New York où sa femme, enfermée dans sa dignité et ses convictions religieuses, attendait avec sérénité qu'il lui revînt. Beaucoup d'hommes sont la proie du démon de midi, mais cela leur passe, avait assuré sa mère. Mary Jane McDonnell Kilkullen était beaucoup trop fière pour évoquer auprès de ses amis l'attitude de Perry. Elle continua à s'occuper de ses bonnes œuvres. Personne ne la ferait se comporter comme une victime. C'était trop vulgaire.

A l'automne 1927, Maggy eut vingt ans mais elle continuait à en paraître dix-huit avec son visage sans maquillage qui la faisait immédiatement remarquer dans une foule et la rendait fascinante, bien qu'elle fût tout, sauf une beauté à la mode. Elle n'avait pas et n'avait jamais eu le style « jolie petite jeune fille » ou fragile « débutante ». Au cours des derniers mois elle avait donné libre cours à son goût et à son imagination, et s'était trouvé un style dont l'élégance mystérieuse faisait se retourner tous les passants.

Pour son anniversaire, Perry l'emmena dîner chez Marius et Jeannette, où ils s'étaient rencontrés, puis ils allèrent dans leur boîte favorite, chez Joséphine à Montmartre. Les bizarres animaux familiers de Joséphine, une chèvre et un cochon, gâtés par les rois d'une douzaine de pays d'Europe, amusaient toujours beaucoup Maggy.

Mais, ce soir, elle était songeuse. Vingt ans, c'était très différent de dix-neuf. Elle était maintenant une femme et non plus une jeune fille. Son adolescence s'était enfuie et elle ne savait s'il fallait s'en réjouir ou s'en affliger. Elle poussa un soupir et tripota le double rang de perles que Perry lui avait offert pour son anniversaire.

« Qu'est-ce qui ne va pas, mon bébé ? lui demanda-t-il.

– Je ne serai plus jamais jeune – *vraiment* jeune. Et je t'interdis de te moquer de moi.

– C'était si merveilleux que cela d'être vraiment jeune ? »

Elle secoua la tête :

« Ce que je veux dire, c'est que tout était devant moi. Je n'avais pas besoin de penser à l'avenir parce que c'était une chose abstraite et lointaine. Au fond, les choix que je faisais ne comptaient pas vraiment. Rien n'était définitif, puisque tout allait changer de toute façon. Mais maintenant, je me sens si... si... » Elle eut un geste d'impuissance et renonça à préciser sa pensée.

« Maintenant, tu as l'impression qu'il faut que tu prennes des décisions? demanda-t-il tendrement.

— Oui, c'est un peu ça... Comme s'il devenait urgent que ma vie prenne forme, dit-elle en haussant les épaules.

— Elle va prendre forme. Tu vas m'épouser. »

Elle le regarda, incrédule.

« Pourquoi dis-tu cela? Tu sais bien que c'est impossible! D'ailleurs, je n'y ai jamais songé.

— Toi non, mais moi, si. Je veux divorcer, t'épouser et vivre avec toi le reste de ma vie. Toute autre solution serait bâtarde.

— Mais tu es marié et catholique », objecta Maggy, consternée.

Pour épouser Maggy, Perry Kilkullen était résigné à devenir un mauvais catholique. Il avait découvert que sa foi lui importait beaucoup moins que son amour. Dès l'instant que son imagination s'était mise en marche, il n'avait plus supporté cette pure convention sociale qu'était devenu son mariage, et les lois de l'Eglise avaient commencé à lui peser. Comment obéir à des règles qui lui commandaient de vivre dans le mensonge et de sacrifier ses aspirations les plus profondes? Chaque fois qu'il faisait l'amour avec Maggy, il était, selon l'Eglise, en état de péché mortel. Cependant, quand il prenait possession d'elle, il avait l'impression d'accomplir un acte sacré. Ses seins, son ventre, ses cuisses, tout en elle était sacré.

« Mais comment peux-tu sourire ainsi? Te rends-tu compte de ce que tu es en train de dire? Tu es devenu fou, ma parole!

– Tu n'aurais pas envie de devenir ma femme, si c'était possible! » demanda Perry, inquiet par la violence de sa réaction. Il s'attendait à de l'étonnement, à une certaine confusion mais pas à ce refus obstiné.

« Je ne veux pas que tu aies des ennuis à cause de moi, conclut-elle.

– Je me desséchais avant de te connaître, déclara-t-il avec véhémence. Je mourais de soif et tu m'as sauvé. J'aurais pu continuer ainsi pendant des années, mais j'aurais fini aussi sec, blanchi et dépourvu de sève qu'un bois flottant.

– Mais cela va te poser de graves problèmes, non? insista-t-elle.

– C'est une certitude, répondit-il avec un sourire de soulagement. Tu acceptes de m'épouser? Tu continueras à m'aimer même si je mets très long-temps à obtenir mon divorce?

– Tu sais bien que oui », répondit-elle lentement. Sa frayeur se dissipait devant ce besoin qu'il avait d'elle.

« Même si tu n'es plus " vraiment jeune "? Tu crois que tu n'es pas trop vieille pour prendre cette décision? Je peux mettre un certain temps à obtenir mon divorce, tu sais.

– Je suis encore assez jeune pour prendre le risque, dit Maggy gravement.

– Alors c'est une affaire réglée? demanda-t-il avec une pointe d'anxiété dans la voix.

– Entre nous deux, oui, *oui mon chéri*. Mais pour le reste...

– Je prendrai le prochain bateau pour New York, promit Perry.

– D'accord. Et maintenant, pendant que je suis encore jeune, dansons. »

Moins de dix jours après le vingtième anniversaire de Maggy, Perry Kilkullen annonça à sa femme, dans la bibliothèque de leur appartement de Park Avenue, son intention de divorcer. Pendant deux heures, Mary Jane n'avait ni élevé la voix ni même prononcé une parole amère. Elle l'avait écouté calmement sans l'interrompre, ses longues jambes croisées, ses mains posées sur ses genoux. Elle ne me rend pas les choses difficiles, songea Perry. Elle semblait l'écouter attentivement. Peut-être, après tout, avait-elle envie de refaire sa vie, elle aussi. Sans doute, avait-elle trouvé un homme qui l'aimait comme toute femme désire être aimée. Il s'arrêta enfin de parler. Maintenant, elle savait tout. Il lui avait tout avoué.

Mary Jane resta longtemps silencieuse. Au moment où il allait reprendre son monologue, elle dit d'une voix si douce qu'il dut prêter l'oreille pour l'entendre : « Un divorce ? Je ne te ferai jamais ça, Perry.

– Comment " je ne te ferai jamais ça " ? C'est moi qui suis responsable, pas toi.

– Je ne pourrais jamais t'abandonner, Perry. Tu t'attendais vraiment à ce que je fasse une chose aussi cruelle ?

– Mary Jane, cesse de tout embrouiller. Ce n'est pas toi qui m'abandonnerais, c'est moi qui t'ai quittée.

– Tu n'as rien commis d'irréparable, Perry, dit-elle doucement. Tu... Oh ! Je suppose que les gens diraient que tu t'es écarté du droit chemin. Les gens adorent dire ce genre de choses, mais en fait, tu as simplement fait une erreur. C'est sérieux mais pas irréparable. Dieu merci, l'Eglise comprend. Elle te reprendra quand toute cette histoire sera terminée.

– Je croyais que tu m'écoutais, bon Dieu!

– Je t'écoutais. J'ai entendu chaque mot. Mais, Perry, pauvre Perry, tu sembles oublier que tu as une âme immortelle.

– Mary Jane, je suis un adulte. J'ai quarante-deux ans. Laisse-moi le soin de m'inquiéter de mon âme.

– Tu me demandes l'impossible, Perry. Si j'acceptais de divorcer, si tu épousais cette fille alors que je suis encore en vie, tu serais excommunié. Et j'en serais tout aussi responsable que toi.

– Je suis prêt à prendre ce risque.

– Mais pas moi. Je ne suis pas prête à t'envoyer en enfer. Et tu sais que tu n'as pas le droit de me le demander. »

Il la regarda en plissant les yeux. Se pourrait-il qu'elle jouât un jeu en se retranchant ainsi derrière sa piété? Mais il ne voyait sur son visage qu'une calme résolution et il comprit qu'elle ne céderait jamais. Elle existait dans un monde parallèle au sien et il n'y avait pas de communication possible entre eux. Sa foi niait l'existence de la passion de Perry. Maggy et son amour pour elle n'avaient aucune réalité aux yeux de Mary Jane. Ils n'étaient qu'une abstraction, un « état de péché » dont il serait arraché par la confession, la pénitence et son retour au bercail. Il savait qu'il avait perdu et que continuer à plaider sa cause ne la ferait pas revenir sur sa décision.

Perry finit par s'en aller. Mary Jane regarda sa

montre et fronça les sourcils. Elle avait manqué une réunion du Secours catholique qu'elle était censée présider. Cependant, rien ne lui paraissait aussi important que de faire comprendre à Perry qu'aucune circonstance ne l'amènerait à le condamner pour l'éternité.

En décrochant son téléphone pour s'excuser de son absence, elle se demanda comment Perry pouvait imaginer être heureux un seul jour hors de l'Eglise. Pauvre Perry, désillusionné, corrompu, déshonoré. Et comment pouvait-il croire que Mary Jane McDonnell consentirait à être la première femme divorcée de l'histoire de son clan? Cela prouve qu'il est tombé bien bas, songea-t-elle en composant son numéro.

Perry s'attarda quelques semaines à New York pour essayer de persuader les membres de sa famille qui avaient une certaine influence sur Mary Jane de plaider sa cause auprès d'elle. Mais il échoua totalement. Les Kilkullen et les Mackay ne voulaient pas entendre parler de divorce. Lorsqu'il essaya d'évoquer Maggy, seule l'une de ses sœurs l'écouta, et encore était-ce, Perry en était certain, par simple curiosité. Elle était bavarde comme une pie et il l'imaginait déjà répétant d'un air horrifié et ravi toute l'histoire à ses amis. « Modèle de peintre... Vingt ans, ma chère... Vous voyez ce que je veux dire! »

Comment parler de Maggy à ces gens-là? Comment leur faire entrevoir sa pureté, sa grâce? Quant à ses amis masculins, lorsqu'ils comprenaient qu'il était tombé amoureux fou d'une autre femme que la sienne, ils étaient tout prêts à compatir, mais l'idée que cet amour pût l'amener à divorcer ne les effleurait même pas. Pourquoi, demandaient-ils, ne pas laisser les choses telles qu'elles étaient actuellement? Beaucoup de catholiques avaient une maîtresse, ce n'était pas une raison pour divorcer!

Pendant deux mois, Perry fut happé par ses obligations professionnelles. Il écrivit à Maggy qu'ainsi il n'aurait pas besoin de retourner à New York avant un an et peut-être plus.

Il avait demandé à son avocat parisien, maître Jacques Hulot, de s'occuper de tout ce qui concernait la maison. C'est lui qui payait les domestiques, vérifiait les comptes et réglait les factures de Maggy, de façon qu'elle ne se fasse aucun souci.

Comme aucune femme en France n'avait le droit de posséder de compte en banque à son nom, l'un des employés de l'avocat lui remettait chaque semaine une somme d'argent liquide. Perry voulait qu'elle eût toujours un portefeuille bien garni afin de satisfaire tous ses caprices. Dans ses lettres quotidiennes, la seule chose qu'il négligea de lui raconter fut l'entrevue avec sa femme et Maggy ne lui demanda pas de détails.

Elle était en pleine forme, l'assurait-elle. Elle s'était commandé un manteau sable, comme il le lui avait conseillé avant de partir, avait repris ses leçons d'anglais et faisait beaucoup de progrès. Il lui manquait terriblement mais elle s'accommodait de sa solitude sachant qu'il n'allait plus tarder à rentrer.

En relisant les lettres de Maggy dans son appartement du Yale Club, Perry Kilkullen rendit grâce à Dieu d'être riche. Si riche qu'il pouvait se passer de l'approbation du reste du monde. Sa famille lui fermerait sa porte mais ne pourrait l'empêcher de créer son propre univers avec Maggy, un univers doux et merveilleux dans lequel chacun de ses désirs serait comblé, sauf celui de l'épouser. Ce serait un de ces arrangements permanents que les Français comprenaient si bien. Et Maggy n'aurait jamais le sentiment qu'il était pour elle autre chose qu'un vrai mari, constamment présent. Bien sûr, elle risquait d'être amèrement déçue quand il lui dirait la vérité, mais elle était française et accepterait la réalité.

Maggy vint le chercher à Cherbourg. Perry qui attendait ses bagages l'aperçut de l'autre côté de la barrière, le visage tendu, l'air excité. C'était l'instant dont il avait rêvé constamment au cours de cette interminable traversée. Dieu merci, ces douloureuses semaines de séparation prenaient fin. Malgré l'envie qu'il avait de la serrer dans ses bras, il redoutait les questions qu'elle ne manquerait pas de lui poser sur son entrevue avec Mary Jane.

Soudain, Maggy se glissa sous la barrière et courut vers lui. Elle se jeta dans ses bras et lui couvrit le visage de baisers. Au douanier qui protestait, elle répondit par une phrase courte et argotique que Perry ne comprit pas mais qui fit sourire l'homme.

« Oh! mon chéri, si tu savais ce qui se passe! J'ai une nouvelle incroyable à t'annoncer. J'étais debout à quatre heures du matin pour être sûre d'être ici à temps... Oh! Perry! » Elle s'interrompit brusquement.

Complètement sous le charme, Perry la contemplait, émerveillé, sans chercher à comprendre ses propos obscurs. Il prit son visage entre ses mains et caressa doucement sa joue.

« Eh bien, pourquoi ne me dis-tu pas ce dont il s'agit? demanda-t-il, doucement.

— Je n'ose pas. Je suis trop timide, répondit-elle.

— Timide, toi? Voilà qui est nouveau, dit-il.

— J'ai toujours été terriblement timide mais je le cache soigneusement. Les gens s'imaginent que j'ai de l'aisance parce que je suis grande, déclara-t-elle d'une voix nerveuse.

— Et c'est pour me dire cela que tu t'es levée à quatre heures du matin? Ta taille est certes un sujet fascinant mais de là à en perdre le sommeil!

— Devine, dit-elle, reculant et mettant un doigt sur les lèvres de Perry.

— Tu as renvoyé la cuisinière?

— Sois sérieux, l'implora-t-elle.

— Chérie, ça fait près de deux mois que je ne t'ai pas vue et tu ne faisais allusion à aucun mystère dans tes lettres. Attends... j'y suis! »

Maggy respira profondément et passa du français à l'anglais.

« I'm going to have a baby. No, *were* are going to have a baby[1].

— *C'est impossible!*

— J'ai déjà des nausées le matin, annonça-t-elle fièrement.

— Maggy, ce n'est pas possible! Je n'ai jamais pu avoir d'enfant.

— Mais tu as changé de femme, mon amour. »
Elle souriait mais son regard était anxieux.

« J'ai du mal à y croire, dit-il l'air incrédule.

— Mais tu n'es pas heureux, alors, Perry, j'avais tellement peur que tu réagisses ainsi... Je suis désolée...

— Non! Mon Dieu, ne dis pas cela... C'est la chose

---

1. « Je vais avoir un bébé. Non, *nous* allons avoir un bébé. »

la plus incroyable, la plus... Maggy, mon amour, tu ne peux pas savoir combien j'ai souhaité avoir un enfant. Mais j'avais abandonné tout espoir depuis longtemps. C'est la plus merveilleuse des nouvelles. Seigneur, je ne peux même pas te dire... »

Des larmes de joie jaillirent de ses yeux. Lorsque Maggy les vit, un peu de couleur revint sur ses joues.

Pendant des semaines, elle avait vécu en proie à la terreur et à l'exaltation. Après tout, n'allait-elle pas devenir sa femme ? Cependant, Maggy n'osait pas lui annoncer la nouvelle dans ses lettres. Elle avait attendu un certain temps avant d'aller consulter un médecin, effrayée de s'entendre confirmer sa grossesse. Elle était enceinte de trois mois.

« Remercie le Ciel que cela ne te soit pas arrivé avant, lui avait dit Paula en apprenant la nouvelle. Si Mercuès t'avait fait un enfant, je t'aurais fortement conseillé de le faire passer. Je connais au moins une douzaine d'excellents médecins qui pratiquent couramment ce genre d'intervention. Mais tu peux avoir confiance en Perry. C'est un type bien. Evidemment, il y a le problème de son divorce, mais je suis sûre qu'il réglera ça tôt ou tard. Les Américains divorcent très facilement. Tu te rends compte, Maggy ? Tu vas avoir un merveilleux mari et un bébé ! Ah ! C'est la seule chose qui m'a manqué dans ma vie. J'aurais adoré avoir un enfant. Mais toi, mon pigeon, tu vas tout avoir. Je t'envie, tu sais. »

Maggy s'accrochait aux paroles de Paula, essayant désespérément d'y croire. Elle nicha sa tête au creux de l'épaule de Perry.

« Serre-moi, serre-moi fort, tu ne sais pas comme tu m'as manqué. »

Dans la voiture, à l'arrière de la grosse Voisin

conduite par le chauffeur, elle demanda du ton le plus léger possible :

« Comment ça s'est passé avec ta femme?

– Ça va s'arranger, chérie, répondit-il sans hésiter. Ce n'est qu'une question de temps.

– Mais... tu vas pouvoir divorcer rapidement?

– Tu veux dire avant la naissance du bébé?

– Eh bien... je l'espérais un peu, admit-elle.

– J'ai peur que ce soit impossible. Mais Maggy, il ne faut absolument pas que tu t'inquiètes, je te *promets* que tout ira bien, je te le jure. Quand le bébé sera en âge de comprendre, nous serons déjà un vieux couple. La seule chose qui compte, c'est que tu sois suivie pendant ta grossesse et que tout se passe bien.

– Que tout se passe bien?

– *J'ai tellement envie de ce bébé, Maggy.* »

En mai 1928, naquit Theodora Lunel. Ce prénom, qui signifie « don de Dieu » en grec, plaisait beaucoup à Maggy et à Perry. Ce fut, dès le premier jour, un bébé facile. Elle criait rarement, buvait son biberon en entier et se réveillait en gazouillant. Et elle était extraordinairement jolie avec ses traits fins et ses cheveux roux et bouclés.

Perry était fou de bonheur. Le besoin indéniable, atavique de prolonger sa propre existence, qu'il avait réprimé pendant longtemps, surgissait de nouveau avec force. Il était si complètement absorbé par le bébé que Maggy, confinée dans sa chambre de clinique pendant quinze jours, en devenait jalouse.

Elle adorait la nourrir en pleine nuit, lorsqu'elles étaient seules toutes les deux. « Petite bâtarde, disait-elle à l'enfant d'une voix pleine de tendresse.

Adorable petite bâtarde, comment peux-tu avoir l'air aussi pensif? Quelle dignité, quel air de méditation sur ton visage pendant que tu vides mon sein! On dirait que tu dois hériter d'un royaume. Ah! Tu te prends au sérieux, n'est-ce pas? Pas même une pensée pour ta pauvre vieille mère. Bâtarde et fille de bâtarde. Doublement bâtarde. Tu devrais te soucier davantage de moi. Te mettre au monde n'a pas été une petite affaire, tu sais. J'exige un peu de respect. Mais cela t'est bien égal, hein? Après tout, moi je n'ai pas eu de mère pour me nourrir et j'ai quand même survécu. Tu es le bébé le plus chanceux du monde... bien que tu sois une bâtarde. »

Maggy et Perry ne parlaient jamais du fait que le bébé portait le nom de Maggy. Perry l'avait assurée que tout cela changerait dès qu'ils seraient mariés. Cependant, cette histoire tracassait Maggy à un point qui la surprenait. Depuis qu'elle avait quitté Tours, elle ne pensait plus à sa naissance illégitime mais les circonstances la lui remettaient en mémoire. Elle se revoyait dans la cour de l'école, répondant avec mépris aux sarcasmes dont on l'accablait, se battant avec une telle férocité que même les plus fortes avaient fini par la laisser tranquille. En traitant elle-même Teddy de bâtarde, elle avait l'impression que personne d'autre n'oserait le faire. Elle extirpait le poison avant qu'il pût circuler dans les veines du bébé.

Elle ne confiait son anxiété qu'à Paula. Peu de temps après son retour à la maison, Paula, qui lui avait rendu de fréquentes visites à la clinique, vint la voir et la tança vertement.

« Tu es ridicule de te faire du souci pour une situation qui va être régularisée bientôt. *Régularisée*, je te dis! Nous autres Français avons du génie pour la régularisation. Enfin, Maggy, sois raisonnable, ouvre les yeux. Tu vis dans un luxe prodigieux, ton existence est parfaitement organisée et tout à fait comme il faut. Tout y est parfait, de la nurse anglaise de Theodora aux deux rangs de perles que tu portes autour du cou. Tout ce qu'une femme peut souhaiter, tu l'as. Et tu sais bien que Perry a l'intention de t'épouser. Tu devrais avoir honte de traiter, même en pensée, ce merveilleux bébé de bâtarde. Tous ces détails seront réglés en temps utile. C'est ton enfance malheureuse qui te rend aussi nerveuse, c'est tout. » Elle reprit un petit éclair au chocolat. « Tu as même un chef qui fait la pâtisserie mieux que personne, espèce de veinarde.

— Ce que tu peux être terre à terre, Paula, protesta Maggy en riant.

— Mais bien sûr que je le suis. Je ne l'ai jamais nié. Maintenant, où caches-tu ce petit bout de femme ? Je voudrais bien la voir, tout de même ! »

Teddy était née une année de bon vin, l'année où le pacte Kellogg-Briand avait été signé à Paris par quinze nations. Au salon de 1928, c'était un nu, grandeur nature, de Joséphine Baker qui avait fait sensation. Les gens se pressaient dans les salles de cinéma pour voir Mary Pickford, Charlie Chaplin et Gloria Swanson. Hermès créait le premier sac à main vraiment pratique et Coco Chanel était devenue la maîtresse du duc de Westminster, l'homme le plus riche d'Angleterre. Jean Patou, qui avait eu l'idée de faire venir des mannequins américains pour ses défilés, avait remporté un vif succès avec sa coupe en biais et sa nouvelle couleur *greige* que toutes les femmes élégantes adoptèrent.

Ce fut une année si douce, si heureuse, que Maggy en oublia ses appréhensions et s'absorba dans son rôle de jeune mère. Ce qui se passait dans le monde ne semblait pas la concerner. Perry lui lisait parfois le journal pendant qu'elle regardait jouer Teddy. Même l'exploit des deux Américains qui avaient fait le tour du monde en vingt-trois jours, quinze heures, vingt et une minutes et trois secondes en paquebot et aéroplane ne lui arracha que quelques commentaires distraits. Elle semble moins préoccupée par mon divorce, songeait Perry en la regardant nourrir le bébé. Elle paraissait attendre avec sérénité que les choses se dénouent mais Perry était loin de partager cet optimisme dont il était responsable.

Le divorce était la première chose à laquelle il pensait en s'éveillant le matin. Il prenait chaque jour la résolution de s'attaquer de nouveau au problème mais il se souvenait alors du refus catégorique que lui avait opposé Mary Jane et, vivant la vie la plus heureuse qu'un homme pût espérer ici-bas, il y renonçait.

Le premier anniversaire de Teddy passa sans qu'il fît quoi que ce soit. Pendant l'été 1929, Perry et Maggy emmenèrent la petite fille, la nurse et la femme de chambre passer six semaines au grand hôtel de Concarneau, sur la plage. Teddy ne vacillait plus sur ses petites jambes. Elle marchait très bien et courait même sans tomber.

Un jour que Perry lançait un ballon à sa fille sur la plage, il remarqua un groupe de quatre personnes assises sous un parasol. Lorsqu'il les regarda, elles détournèrent la tête. Teddy courut vers lui avec le ballon et s'écroula sur ses genoux en criant : « Papa, papa! » Perry sentit son sang se figer dans ses veines. Sous le parasol étaient assis deux de ses associés et leurs épouses. Il lança un coup d'œil vers eux mais ils s'étaient tournés de façon à ne plus lui faire face. En dépit de leur attitude pleine de tact, il savait que la stupeur les clouait sur place et qu'en quittant la plage, ils ne parleraient que de Perry Kilkullen et de son enfant naturel.

Il prit Teddy dans ses bras et la serra si fort que la petite fille protesta. Il se reprocha amèrement sa lâcheté. Depuis bientôt deux ans, son bonheur reposait sur un mensonge. C'était d'autant plus absurde que Maggy avait accepté de vivre en concubinage avec lui dès le début. Elle avait choisi. Mais pas Teddy. Quel avenir l'attendait? Quelle sorte de père était-il pour sa fille, son unique enfant, l'amour de sa vie?

Perry retourna à New York, décidé à arracher son consentement à Mary Jane. Il trouva une femme vieillie, grisonnante, dont la beauté n'était plus qu'un lointain souvenir. Le temps l'a moins maltraité que moi, songea-t-elle avec amertume. Comme c'est injuste!

« Mary Jane, j'ai une petite fille.

— Tu crois me l'apprendre? Rassure-toi, mes amis se sont chargés de le faire. Tu n'espères tout de même pas que je vais te féliciter?

— Son existence remet tout en question. Il ne s'agit plus de tes convictions religieuses ou de mon excommunication, mais de l'avenir de mon seul enfant. Si je suis prêt à prendre le risque de brûler en enfer, me laisseras-tu enfin partir?

— L'avenir de cette enfant ne me concerne pas. Elle a été conçue, elle est née dans le péché et elle ne m'est rien. Mais les commandements de Dieu sont clairs et j'entends m'y soumettre.

— Comment peux-tu réagir ainsi? Tu n'es pas une femme dure...

– Comment le sais-tu ? Comment saurais-tu ce que je suis devenue ? Depuis combien d'années m'as-tu quittée ? Va-t'en, Perry. Vous me dégoûtez, toi et ta bâtarde. »

Elle sortit en claquant la porte de la bibliothèque. Perry contempla les pierres grises et austères de Park Avenue et toucha dans sa poche les photos de Teddy qu'il avait apportées pour essayer d'attendrir Mary Jane. Mais il comprenait maintenant quel effet désastreux lui auraient fait ces photos. Il était satisfait qu'elle se fût enfin mise en colère. Maintenant qu'elle avait abandonné son rôle de sainte exclusivement préoccupée par le salut de son mari, peut-être pourrait-on arriver à quelque chose. Il reviendrait dans une semaine, dans deux semaines, chaque semaine pendant un an s'il le fallait. L'essentiel, c'était de ne pas renoncer. Elle finirait bien par céder un jour ou l'autre. Il rentra au Yale Club et essaya de se calmer en jouant au squash.

Deux semaines plus tard, le 29 octobre 1929, la Bourse s'effondra. La « prospérité de Coolidge » s'évanouit tandis que le cours de dix-sept millions d'actions dégringolait. Pendant les semaines qui suivirent, Perry dut faire face aux épargnants affolés dont lui et ses associés géraient les portefeuilles. Il comprit qu'il ne pourrait quitter New York avant longtemps et écrivit à Maggy de venir le rejoindre avec Teddy.

« Heureusement que j'ai appris l'anglais, dit Maggy à Paula tout en regardant sa femme de chambre remplir ses six malles.

– Cette crise ne risque-t-elle pas d'affecter Perry personnellement ? » demanda Paula, inquiète. En quelques semaines, le nombre de ses clients américains s'était considérablement réduit.

« Je n'en sais rien, mais je ne crois pas. Perry est tellement intelligent! Je n'ai jamais discuté argent avec lui. Il m'arrive même d'oublier de demander le prix de ce que j'achète.

– Oh! Tu es vraiment incroyable! » s'exclama Paula, scandalisée. Entretenue ou pas, comment pouvait-on se désintéresser du prix des choses!

« Mais c'est vrai, gloussa Maggy. Parfois je me fais l'effet d'une touriste américaine. Ah! Je suis contente d'avoir enfin réussi à te choquer. Je savais bien que j'y parviendrais un jour. »

Elle jeta ses vêtements sur le lit et embrassa Paula. « Pourquoi ne viens-tu pas avec moi? Je t'invite. Tu n'as jamais mis les pieds hors de Paris, espèce de rat des villes!

– Merci, mais je suis trop vieille pour voyager. Pourquoi irais-je voir des gratte-ciel alors que j'ai résisté à la tentation de visiter le Mont-Saint-Michel? Paris me suffit largement. Quand comptes-tu rentrer?

– Je n'en sais trop rien. Quand tout cela se calmera, sans doute.

– Eh bien, rapidement, j'espère, grommela Paula. C'est mauvais pour les affaires, cette crise américaine. »

Neuf jours plus tard, Maggy débarqua à New York. Elle descendit la passerelle du paquebot en tenant fermement la main de Teddy, essayant de maîtriser son excitation. Elle était suivie de Nanny Butterfield, la charmante nurse anglaise de sa fille. Le bateau était plein d'Américains inquiets qui rentraient chez eux pour voir ce qu'il advenait de cet argent qui leur avait permis de vivre des années en Europe. Perry devait venir les chercher au port et les emmener directement à l'appartement meublé qu'il avait loué.

Sous l'énorme lettre L, dans le sombre hangar de la douane, Maggy regardait autour d'elle en souriant. Elle s'était habillée avec un soin particulier. La petite voilette de sa cloche en satin atteignait juste le bout de son nez. Son manteau étroit, en lainage vert, à col de zibeline, était ravissant, des plus romantiques. Cependant, elle frissonna dans le vent aigre et, lorsque le douanier lui demanda d'ouvrir chacune de ses malles, son sourire s'évanouit. Teddy était grincheuse et Nanny Butterfield impatiente de la faire déjeuner. Où était Perry? Pourquoi n'était-il pas à ses côtés pour s'occuper de tout? Autour d'elle, les gens confiaient leurs bagages à un porteur. Le hangar lugubre s'était presque vidé quand Maggy fut enfin autorisée à partir. Trois porteurs se chargèrent de ses malles.

« Où allez-vous, ma p'tite dame? demanda l'un d'eux. Est-ce qu'on vous attend, ou bien voulez-vous un taxi? Il vous en faut au moins deux avec tous ces bagages.

– Je dois d'abord téléphoner, dit Maggy distraitement, cherchant du regard la haute silhouette de Perry.

– La cabine est juste derrière vous. »

Elle n'eut pas plus tôt refermé la porte qu'elle se rendit compte qu'elle n'avait pas d'argent américain. Pourquoi Perry était-il aussi en retard? Maggy revint vers le porteur. « Pourriez-vous, s'il vous plaît, me prêter de quoi téléphoner? Et me montrer comment ça fonctionne?

– Bien sûr, ma p'tite dame. C'est la première fois que vous venez ici, n'est-ce pas? » Il glissa une pièce dans la fente et demanda le numéro qu'elle lui communiqua, celui du bureau de Perry dans Wall Street. Puis il referma la porte et attendit dehors, se demandant avec quoi elle comptait le payer.

« Puis-je parler à M. Perry Kilkullen, s'il vous plaît?

– Je vais vous passer sa secrétaire. Qui le demande?

– Mlle Lunel.

– Un moment, s'il vous plaît. »

Lorsque la secrétaire répondit, Maggy dit avec impatience : « C'est Mlle Lunel à l'appareil. Pouvez-vous me dire où se trouve M. Kilkullen? Nous avions rendez-vous au port et il est très en retard.

– Etes-vous une cliente de M. Kilkullen? demanda la fille d'une voix hésitante.

– Non, pas du tout.

– Une amie, alors?

– Mais oui, bien sûr, cria Maggy, exaspérée. Maintenant, puis-je lui parler? C'est absurde, à la fin!

– Je... je ne sais pas, répondit la fille, de façon surprenante.

– Comment, vous ne savez pas? Vous ne savez pas quoi?

– Je suis vraiment désolée d'être celle... C'est vraiment affreux... Nous sommes tous encore sous le choc. M. Kilkullen a eu une crise cardiaque en jouant au squash il y a quatre jours. Il... il est décédé.

– M. Perry Kilkullen? » demanda machinalement Maggy. Ce devait être un parent, un autre Kilkullen.

« Oui, je suis navrée de vous apprendre cette affreuse nouvelle. Les obsèques ont eu lieu hier. C'était dans tous les journaux. Y a-t-il quelqu'un d'autre à qui vous aimeriez parler? Puis-je vous aider?

— Non, non, non. »

12

LORSQUE Maggy fut à nouveau capable de penser, elle se demanda ce qu'elle aurait fait sans Nanny Butterfield pendant les jours qui suivirent. La charmante Anglaise s'était chargée de tous les détails pratiques tandis que Maggy, hébétée, paralysée par le chagrin, la regardait faire.

Nanny Butterfield alla trouver le commissaire de bord du paquebot, changea les francs de Maggy en dollars et lui demanda de lui indiquer un hôtel. Elles s'installèrent dans deux chambres communicantes au Dorset et, avec l'aide du médecin de l'hôtel, Nanny mit Maggy au lit. Pendant les jours suivants, elle veilla sur elle comme une mère, la forçant à avaler un peu de nourriture et restant assise auprès d'elle jusqu'à ce que les drogues agissent et que Maggy sombre dans un lourd sommeil.

Lorsqu'elle s'éveillait le matin, Maggy souffrait tant qu'elle ne supportait pas de rester une seconde de plus sous les couvertures. Frissonnant malgré sa robe de chambre, elle se tenait devant la glace de sa salle de bain, effrayée par son reflet, le visage sillonné de larmes jusqu'au moment où elle retrouvait assez de forces pour se brosser les dents et se laver le visage.

S'habiller était pour elle une chose impossible et elle passa une semaine en chemise de nuit et robe de chambre, à marcher de long en large dans sa chambre surchauffée. Pendant des heures, les rideaux tirés, sa lampe de chevet allumée, Maggy faisait les cent pas en frissonnant, les épaules affaissées. Elle avait l'impression que, si elle s'arrêtait, elle allait mourir de chagrin. Elle avait peur de se mettre au lit et ne se couchait que lorsqu'elle tombait de fatigue.

Nanny lui amenait Teddy quelques minutes par jour. Maggy prenait l'enfant dans ses bras et la serrait contre elle, mais Teddy, pleine d'énergie, se débattait pour retourner jouer. La vue de sa fille était la seule chose qui réchauffait un peu son âme. Elle se faisait l'effet d'une patineuse évoluant avec agilité sur un lac glacé. Tout à coup, la glace s'était brisée et elle s'enfonçait maintenant dans l'eau glaciale. Noyée... noyée. Mais Teddy était chaude. Il ne fallait pas qu'elle se noie, parce que Teddy, elle, était encore chaude.

« Allons-nous rentrer à Paris, madame? demanda Nanny Butterfield, lorsqu'elle vit que Maggy sortait enfin de son hébétude.

— Combien d'argent nous reste-t-il?

— Environ trois cents dollars, madame.

— Il faut que je télégraphie à maître Hulot de m'en envoyer. Nous n'avons même pas de quoi prendre les billets de retour. »

La réponse télégraphiée arriva le lendemain.

SINCÈRES CONDOLÉANCES. M. KILKULLEN N'A LAISSÉ AUCUNE INSTRUCTION QUANT À DES SOMMES SUPPLÉMENTAIRES QUI POURRAIENT VOUS ÊTRE VERSÉES. J'AVAIS ORDRE DE PAYER LES DOMESTIQUES ET DE RÉGLER VOS FACTURES CHAQUE MOIS. C'EST TOUT. AI

TRANSMIS LE DOSSIER À L'AVOCAT NEW-YORKAIS DE M. KILKULLEN, M. LOUIS FAIRCHILD, 45, BROADWAY. VOUS CONSEILLE DE LE CONTACTER SI VOUS AVEZ BESOIN D'AIDE.

Me JACQUES HULOT.

« Lisez ça, dit Maggy, tendant le télégramme à Nanny Butterfield, trop stupéfaite pour s'indigner.

– Il se lave les mains de ce qui peut vous arriver, voilà tout, déclara Nanny.

– J'irai voir ce M. Fairchild, dit-elle d'un air indifférent.

– Oui, le plus tôt possible... » Nanny regarda Maggy livide, les yeux rouges, le visage bouffi à force de pleurer. « Pourquoi ne lui écrivez-vous pas pour prendre rendez-vous? Et aujourd'hui, madame, vous devriez vous habiller et venir vous promener avec Teddy et moi. Le parc est très agréable et cela vous changera les idées. L'air vous fera du bien.

– Oh! non, Nanny, je ne peux pas.

– Mais si, il le faut », répondit-elle avec sa tranquille autorité.

Trois jours plus tard, Maggy fut introduite dans le bureau de Louis Fairchild. Elle avait, chaque jour, passé plusieurs heures dans le parc avec Teddy et ce matin, elle était allée chez Richard Block, le grand coiffeur new-yorkais. Elle s'était même mis un peu de rouge à lèvres pour cet entretien.

« Merci d'avoir pris le temps de me recevoir, dit-elle à l'homme grisonnant, assis en face d'elle.

– Je vous en prie... Je dois dire que j'ai été très surpris en recevant votre lettre.

– Mais vous savez qui je suis, n'est-ce pas? demanda-t-elle, anxieuse.

164

– Bien sûr, seulement le pauvre Perry ne m'avait pas dit que vous deviez venir à New York. Je suis désolé, navré... C'est vraiment une chose affreuse. Je n'arrive pas encore à y croire. Il était si jeune...

– Monsieur Fairchild, je vous en prie, arrêtez, l'implora-t-elle. Je ne peux pas en parler. Je suis venue vous demander un conseil. Voudriez-vous lire ce télégramme et me dire ce que je peux faire ? »

Il le lut attentivement puis secoua la tête.

« J'avais suggéré à Perry de rédiger un testament. Je le lui ai conseillé cent fois mais il ne l'a pas fait. Comme tous les hommes de cet âge, il croyait avoir tout son temps.

– Je ne comprends pas... Dites-moi simplement quelle est ma position dans cette affaire.

– Votre position ? J'ai bien peur que vous n'en ayez aucune.

– Mais il s'apprêtait à divorcer. Nous allions nous marier, s'écria-t-elle.

– Quand il est mort, il était encore marié, mademoiselle Lunel. Légalement, vous ne pouvez rien réclamer puisqu'il n'a laissé aucun testament.

– Mais Teddy, notre fille ! Elle n'a aucun droit, elle non plus ? demanda-t-elle d'une voix incrédule.

– Je suis désolé, mais non. »

Louis Fairchild songea que, si Mary Jane n'était pas aussi butée et amère, il aurait pu essayer d'obtenir quelque chose pour l'enfant. Mais c'était à cause de cette bâtarde, insistait-elle, que son mari était mort en état de péché mortel, à cause de cette Française et de sa bâtarde.

« Mais il m'avait promis... »

Maggy s'interrompit. La colère, soudain, lui serrait la gorge. Elle se voyait telle qu'elle devait lui apparaître, assise là, en train de se lamenter, comme des millions d'autres idiotes depuis le commencement des temps. Des femmes stupides, puériles, qui faisaient confiance aux hommes, ces êtres légers qui prenaient ce dont ils avaient envie mais négligeaient d'assurer l'avenir de celles qu'ils aimaient. Des hommes qui mentaient. Qui mentaient toujours. Elle se leva et regarda l'avocat embarrassé.

« S'il vous plaît, monsieur Fairchild, pouvez-vous me dire exactement ce qui m'appartient ?

– Tous vos biens personnels. Vos bijoux, vos fourrures ou tout autre cadeau que M. Kilkullen ait pu vous faire. Une voiture, peut-être ?

– Et notre appartement de Paris ?

– Il fait partie de la succession. Il sera vendu avec tout ce qu'il y a dedans.

– Vendu, répéta Maggy d'une voix calme malgré sa colère. J'espère que quelqu'un a pensé à payer les domestiques.

– Maître Hulot m'a écrit à ce sujet.

– J'espère aussi qu'on les indemnisera pour avoir été jetés dehors sans préavis. Ce serait normal, non ?

– Qu'allez-vous faire ? » demanda Louis Fairchild.

Il n'avait pas vraiment envie de le savoir. Il n'avait pas envie de penser à l'avenir de cette ravissante jeune femme dépossédée de tout. Mais peut-être pouvait-il l'aider.

« Il faut que je réfléchisse... »

Maggy serra autour d'elle son manteau de renard argenté et enfila ses longs gants gris.

« Puis-je vous aider en quoi que ce soit ?

– Peut-être pourriez-vous me donner l'adresse d'un bijoutier honnête. Je crois qu'il ne me reste plus qu'à vendre une partie de mes bijoux, dit Maggy d'un ton très naturel. Autrement, je n'aurais même pas de quoi régler ma note d'hôtel à la fin de la semaine. »

Fairchild gribouilla un nom et une adresse sur une carte. « C'est le type à qui j'achète les bijoux de ma femme. Dites-lui que vous venez de ma part. Ecoutez... » Il hésita, gêné de proposer de l'argent à une fille aussi désirable. « Si vous avez besoin d'argent liquide, je me ferai un plaisir de vous dépanner.

– Merci, c'est très gentil, mais ce ne sera pas nécessaire », répondit-elle par un réflexe de fierté. Elle n'en était pas là. Tout au moins pas encore.

Louis Fairchild la raccompagna jusqu'à l'ascenseur puis retourna accablé dans son bureau. Quel gâchis ! Elle allait probablement rentrer à Paris et se trouver un mari. Dieu merci, elle était belle. Les jolies filles trouvent toujours des maris. Il ne pouvait pas blâmer Perry. Si lui-même avait eu la chance de rencontrer une fille comme Maggy Lunel, il ne l'aurait jamais laissée repartir. Mais il aurait eu la prudence de faire un testament en sa faveur.

Ce soir-là, Maggy tria ses bijoux. Elle mit à part ceux qui avaient une certaine valeur. L'autre tas, beaucoup plus gros, comprenait les clips et les colliers qu'elle avait achetés chez Chanel qui disait toujours : « Portez ce que vous voudrez, à condition que ce soit du toc. »

Elle possédait suffisamment de bijoux pour être à l'abri du besoin pendant un certain temps, songea-t-elle. Perry adorait l'emmener chez les joailliers lorsqu'ils se promenaient du côté de la place Vendôme. Il lui proposait de choisir quelque chose pour célébrer la pure joie du moment ou bien pour fêter la quatrième dent de Teddy.

Elle écarta ses perles et son bracelet préféré, et fourra le reste dans son sac à main. Elle ne pouvait se permettre d'être sentimentale et, de toute façon, elle en avait terminé avec les sentiments.

Maggy ne pouvait se pardonner d'avoir été une poire. Depuis son entrevue avec Louis Fairchild, elle avait l'impression d'avoir considérablement vieilli. Jamais plus elle ne ferait confiance à un homme. Cette certitude la réchauffa, la fit se redresser, la rendit étrangement alerte. A vingt-deux ans, ce n'était pas drôle de constater qu'on ne pouvait faire confiance à aucun homme, qu'il vous aime ou pas. Mais c'était une leçon qu'elle n'était pas près d'oublier. Il ne fallait dépendre que de soi-même. C'était désormais évident pour elle. L'eau sale, glaciale de l'hiver dans laquelle elle s'était débattue commençait à se retirer, la laissant sur la terre sèche. Une terre aride et peu accueillante, sans doute, mais beaucoup moins effrayante maintenant qu'elle avait compris qu'elle ne pouvait plus compter que sur elle. Elle s'était déjà retrouvée dans cette situation et elle avait survécu. C'était un territoire familier.

Maggy se regarda dans la glace. Tu n'as nulle part où aller, se dit-elle. Il faut que tu marches droit devant toi. Elle se mit à songer à la façon dont elle allait s'habiller pour vendre ces bijoux. Elle mettrait sa robe noire toute simple de chez Vionnet. Puis son manteau noir de Shiaparelli à la toute dernière mode avec ses épaulettes qui lui faisaient une carrure d'homme. C'était à la fois sévère et étonnant, tout nouveau. Elle compléterait sa tenue avec un feutre noir de Caroline Reboux. Aurait-elle l'air d'une veuve? Sûrement dans tout ce noir – mais pas une de ces veuves pathétiques qu'on roule si facilement.

Le lendemain, elle entra d'un air décidé chez Tiffany et chercha le vendeur que lui avait recommandé Louis Fairchild.

« J'ai là plusieurs bijoux dont je me suis lassée, dit-elle d'un ton très naturel. M. Fairchild m'a suggéré de venir vous voir.

– Vous voulez dire pour que je vous les rachète? demanda le vendeur, surpris.

– Ils viennent de Paris.

– Mais, madame, nous ne reprenons même pas nos propres bijoux. C'est la politique de la maison.

– Les autres bijoutiers américains ont-il la même politique? demanda Maggy, étonnée.

– J'en ai peur. Surtout en ce moment, madame. Il y a tant de femmes qui se découvrent des bijoux qu'elles n'aiment plus.

– Ah! bon... C'est bien ennuyeux ce que vous me dites là. »

Elle hésita, poussa un soupir et lui jeta un regard en coin, un regard malicieux de conspirateur.

Il toussa discrètement. « Ecoutez, vous pourriez peut-être tenter votre chance dans une petite boutique. Un bijoutier modeste se laissera plus facilement fléchir. Ils n'ont de compte à rendre à personne et sont toujours à la recherche d'une bonne affaire.

– Vous pourriez m'en recommander un? demanda Maggy d'une voix lasse qui donna immédiatement au vendeur l'envie de terrasser des dragons pour elle.

– Recommander? Non, hélas! vous m'en demandez trop. Mais il y a une boutique au coin de la rue, dans Madison Avenue, à deux blocs d'ici. C'est une bonne petite bijouterie. Le propriétaire s'appelle Harry C. Klein. Mais ce n'est qu'une suggestion, pas une recommandation, vous comprenez?

– Bien sûr, et je vous en suis reconnaissante. Vous avez été très gentil.

– Tout le plaisir a été pour moi. Vous êtes la première personne à qui j'ai parlé aujourd'hui. Mais cette panique de Wall Street ne peut pas durer. Quand les affaires iront mieux, revenez me voir. Tiffany a les reins solides. »

Harry C. Klein avait passé une matinée détestable. Une vieille cliente, venue pour faire changer la monture d'un saphir qu'il lui avait vendu des années auparavant, avait tenu à assister au travail, de peur qu'on ne lui remplace sa pierre par une autre de moindre valeur. Il avait failli lui jeter sa bague à la figure. Une vraie paranoïaque. Tout le monde devenait fou en ce moment. Les affaires étaient si mauvaises qu'il avait accepté. Les ouvriers dans l'atelier étaient furieux. Et maintenant, il avait en face de lui une jeune femme qui venait de poser tout un tas de bijoux sur le comptoir. Pensait-elle qu'il était le Père Noël? Aucun joaillier doué de bon sens n'envisagerait d'augmenter son stock en ce moment. Il regarda les broches, les boucles d'oreilles et les bracelets, en estima rapidement la valeur.

« C'est une mêlée, soupira-t-il.

– Une mêlée? En français ça veut dire une bagarre, dit-elle médusée.

– Pour les bijoutiers, ça signifie simplement un tas de petites pierres. » D'un air morose, il désigna un gros clip formé de petits diamants. « Vous voyez, il n'y a là aucune grosse pierre.

– Mais les grosses pierres sont si ennuyeuses! s'exclama-t-elle. C'est bon pour les vieilles princesses qui vont à l'Opéra ou pour les Dolly Sisters. Moi je voulais porter des bijoux amusants.

– Oui, malheureusement, les bijoux amusants sont invendables, dit-il en lui agitant un index moralisateur sous le nez.

– Je n'ai jamais acheté un bijou pour faire un placement », répondit-elle à voix basse.

Elle refoula la vision des déjeuners heureux dans les jardins du Ritz, qui se terminaient si souvent par la recherche de quelque folie scintillante dans les vitrines des joailliers. Alors, même là, elle avait été une *poire* – Perry lui aurait offert tout ce qu'elle aurait voulu. De gros bracelets en diamants, ceux qu'elle appelait avec mépris les « bracelets de nouveaux riches ».

« Madame, madame, les bijoux ne sont un placement que lorsqu'on les garde cinquante ans. Et, même en ce cas, c'est une partie de dés... Bien sûr, vous pouvez toujours les coudre dans l'ourlet de votre jupe et quitter le pays, mais pour aller où? Moi, je parle de revente, pas de placement. Je parle d'obtenir de vos bijoux un prix *proche* de celui que vous les avez payés. Pour cela, il faut posséder de grosses pierres, et de bonne qualité. Mieux vaut un rubis de deux carats d'une bonne teinte qu'un cinq carats avec un défaut.

– Mais regardez la complexité du dessin, le travail de joaillerie... » s'exclama Maggy, irritée. Alors tous ses trésors ne valaient rien? Cet homme essayait certainement de la rouler.

« Le travail n'entre pas en ligne de compte. Ce qui importe, quand on vend une mêlée, c'est le poids des pierres et la valeur des montures. Ecoutez, j'ai acheté récemment dans une vente tout un lot de petites pierres comme les vôtres, moins jolies peut-être, mais tout de même pas mal. Ce n'est pas rentable, vous comprenez, parce qu'il y a un énorme travail pour sortir les pierres. Je vous en donnerais un prix dérisoire... de toute façon je ne peux pas vous les acheter parce que, depuis la crise, il n'y a plus de demande. » Il regarda ses perles et hocha la tête avec regret. « Vos perles ont dû coûter une fortune, non? Je parie qu'elles viennent de Birmanie. Maintenant, les Japonais ont appris à les cultiver, mais ça n'a vraiment rien à voir. » Il soupira à la vue de ces perles magnifiques que même Maggy savait invendables.

« Alors, dit Maggy, poussant à son tour un soupir, tout ça ne vaut rien? *Bubkes*... rien du tout?

– *Bubkes?* répéta-t-il, stupéfait. Vous êtes juive?

– Mais oui, bien sûr. Est-ce que ça ne pourrait pas transformer ma mêlée en gros rubis?

– Malheureusement, non. Mais comment une belle fille juive comme vous ne possède-t-elle pas au moins un solitaire, un saphir ou un rubis? Ce n'est pas très malin de votre part!

– Je n'ai pas été très maligne », admit-elle, souriant devant son air indigné.

Elle défit les gros boutons de cuivre de son manteau et l'enleva. La boutique était surchauffée et il lui semblait qu'elle avait beaucoup plus l'air d'une veuve dans sa robe noire toute simple. Peut-être cet aimable quinquagénaire avait-il un faible pour les veuves juives? Il valait encore mieux essayer de brader sa mêlée que de ne pas la vendre du tout.

« Attendez une minute... Qu'avez-vous là? » Il lui prit le poignet et contempla son bracelet.

« Encore une mêlée, j'imagine, et quelques émeraudes.

172

– Ces émeraudes m'ont l'air intéressantes. Enlevez-le, je voudrais les observer de plus près. Avec votre guigne, vous allez voir que je vais leur trouver un défaut. » Il examina chaque émeraude à la loupe, puis rendit le bracelet à Maggy. « Elles sont belles, très belles. Pour des émeraudes comme celles-ci, je suis prêt à faire une exception.

– Vous voulez acheter le bracelet ?

– Oui, et je vous en donnerai un prix très honnête. Voulez-vous le faire estimer avant ? Vous seriez rassurée.

– Mais, monsieur Klein, je ne veux pas vendre le bracelet tout seul. C'est tout ou rien, répondit-elle sèchement. C'est un lot. »

Maggy remit son bracelet et prit son manteau.

« Où allez-vous ?

– Chercher quelqu'un qui m'achète le tout.

– Attendez, attendez, voyons. Si vous commencez à faire la tournée des boutiques, vous ne saurez plus où vous en êtes. Nous allons faire affaire. Ne soyez pas si pressée. »

Elle le regarda d'un air soupçonneux puis se détendit. De toute façon, elle était décidée à faire estimer ses émeraudes avant de conclure la vente.

Lorsque Maggy vendit enfin ses bijoux à Harry C. Klein, ils étaient déjà devenus amis. Il connaissait sa triste histoire : un mari français, David Lunel, qui avait fait de gros investissements aux Etats-Unis. Il était venu à New York pour évaluer le montant de ses pertes et s'était tué dans un accident d'auto. Elle était restée seule avec sa petite fille. En lui remettant son chèque de douze mille dollars, dont les trois quarts venaient de la vente du bracelet, Klein lui dit : « J'imagine que vous allez rentrer en

France? Peut-être créer une petite affaire? On peut faire pas mal de choses avec une pareille somme en ce moment.

– Je n'ai pas encore pris de décision. »

Elle remonta lentement Madison Avenue, plongée dans ses pensées, le chèque glissé, par mesure de précaution, dans son soutien-gorge. Elle avait assez d'argent pour s'installer pendant quatre ou cinq ans à Paris dans un quartier modeste. Mais quand elle n'aurait plus d'argent, que ferait-elle? Quelle sorte d'affaire peut-on monter quand on n'a aucune expérience? Et si son affaire faisait faillite et qu'elle se retrouve sans le sou? Peut-être pourrait-elle trouver un travail de vendeuse dans l'une de ces boutiques où elle avait l'habitude de dépenser l'argent de Perry sans même demander le prix des choses.

Elle regarda autour d'elle. Le froid était vif, le ciel tout bleu. La ville était belle, vivante, pleine de promesses. On y sentait une vitalité qui, en comparaison, faisait de Paris une cité vieillotte, enfermée dans ses traditions, sans attrait. Pourquoi ne pas couper net avec son passé? Pourquoi ne pas rester ici où elle était Mme Lunel, une veuve, au lieu de rentrer dans un pays où trop de gens connaissaient sa situation? Tout excitée, elle fit demi-tour et revint à la bijouterie.

« C'est trop tard pour changer d'avis. Nous étions d'accord et je vous en ai donné un bon prix, déclara M. Klein en la voyant faire irruption dans sa boutique, l'œil brillant.

– Il faut que je trouve du travail! Ici, à New York! Je ne rentre pas en France, c'est décidé.

– Mais qu'allez-vous faire?

– Je n'en sais rien. Que me conseillez-vous?

– Vous n'avez jamais travaillé de votre vie! Comment espérez-vous vous caser?

– J'ai été modèle.

– Quel genre de modèle?

– Pour... des dessinateurs de mode.

– Ah! bon? Vous ne m'aviez pas dit ça. » Il la regarda avec attention. C'était une fille courageuse, épatante. Elle méritait qu'on l'aidât. « J'ai un vieil ami qui travaille dans la mode. Nous jouons au poker deux fois par mois. C'est un Italien. Quand nous étions gosses, nous jouions ensemble au base-ball dans les faubourgs de la ville. Alberto Bianchi. Il a très bien réussi. Je vais lui passer un coup de fil, voir s'il peut faire quelque chose pour vous. » Il entra dans l'arrière-boutique pour téléphoner puis revint, l'air ravi. « Il pourra peut-être vous prendre... peut-être. L'un de ses modèles a filé avec le mari d'une de leurs meilleures clientes. Il s'est offert un petit cadeau de Noël. Allez-y vite. En ce moment, les places sont chères. Voici l'adresse et, dit-il en embrassant Maggy sur la joue, un baiser pour vous porter chance. »

En arrivant chez Bianchi, 55e Rue Est, la nervosité de Maggy augmenta. Les portes étaient en verre fumé et il n'y avait aucune vitrine sur la façade, seulement les briques patinées d'un vieil hôtel particulier modernisé.

Dans le hall, elle se sentit chez elle pour la première fois depuis qu'elle était arrivée à New York. Elle demeura un instant immobile. C'était l'ambiance familière des maisons de couture. Elle reconnaissait les bruits : les voix derrière les portes des cabines d'essayage. Celles des vendeuses, calmes, déférentes, celles des clientes, autoritaires, haut perchées. Et puis, l'odeur aussi : un mélange de parfums variés et de cigarettes.

Patricia Falkland, une très belle femme d'âge moyen, vêtue d'un tailleur élégant, était assise derrière son bureau sur lequel s'était posé un vase étroit contenant une seule rose blanche. Elle travaillait avec Alberto Bianchi depuis sept ans. Son activité consistait à superviser le travail des vendeuses. Elle ne se substituait jamais à elles mais donnait son avis lorsque les clientes hésitaient. Enfin, elle s'occupait de toutes les questions concernant le personnel de la maison. Un coup d'œil lui suffisait pour jauger les clientes. Elle savait que cette femme terne, d'âge mûr, épouse d'un important fabricant de conserves à Chicago allait dépenser des milliers de dollars pour s'habiller, de même qu'elle repérait instantanément les jeunes femmes de la bonne société, vêtues à la dernière mode, respirant le luxe, mais qui ne paieraient jamais leurs factures.

Lorsque Maggy entra, Patricia Falkland eut un sifflement admiratif. Peu de femmes suscitaient cette réaction chez elle. Maggy incarnait un idéal inaccessible aux femmes les plus riches. Comme à son habitude, Patricia Falkland remarqua immédiatement tous les détails de la toilette de Maggy, des ravissantes chaussures au charmant petit chapeau de forme si amusante. Elle savait qu'elle sortait de chez un grand couturier parisien. On aurait beau s'échiner à copier le tissu, la coupe et les boutons, l'ensemble resterait inimitable. *Comment font ces salauds?* se demanda-t-elle une fois de plus. Elle se posait toujours cette question quand elle voyait le produit de la haute couture parisienne et elle n'avait encore jamais réussi à y répondre.

Pendant une seconde, aucune des deux femmes ne parla. Maggy regardait autour d'elle.

Patricia Falkland se leva enfin et s'avança vers Maggy avec déférence.

« Puis-je vous aider, madame? demanda-t-elle avec le sourire qu'elle réservait à ses meilleures clientes.

– Je l'espère, répondit Maggy.

– Si vous voulez bien vous asseoir, je vais appeler une vendeuse immédiatement.

– Non, je vous en prie, ne vous donnez pas cette peine. Je cherche du travail. On m'a dit que vous aviez besoin d'un mannequin.

– Du travail? répéta Patricia Falkland, interloquée.

– J'ai cru comprendre que vous cherchiez un mannequin...

– Mais c'est impossible », répondit sèchement Mlle Falkland.

Comment cette femme osait-elle entrer dans le salon dans cette tenue, se donner des airs de cliente alors qu'elle cherchait tout simplement du travail? C'était incroyable! Elle n'avait jamais vu un culot pareil. Furieuse d'avoir commis une erreur de jugement, elle regarda durement Maggy.

« Mon ami, M. Harry Klein, m'a dit que la maison Bianchi avait besoin d'un mannequin, reprit patiemment Maggy. M. Klein a eu M. Bianchi au téléphone il y a à peine trois quarts d'heure. Je suis venue immédiatement.

– M. Bianchi a besoin d'un mannequin professionnel et non pas amateur. Nous payons trente-cinq dollars par semaine. Ça ne vous suffirait même pas pour acheter l'une de vos chaussures. Et nos filles travaillent comme des brutes... ou bien elles prennent la porte. Il n'est pas question d'engager quelqu'un qui n'a aucune expérience.

– Je vous en prie, faites-moi faire un essai », insista Maggy. Cette femme, pensa-t-elle, ne va pas se débarrasser de moi aussi facilement. Je ne suis plus la gamine timide qui n'osait pas enlever sa culotte. « M. Bianchi a dit à M. Klein qu'il avait besoin... »

Patricia Falkland prit note de l'obstination de Maggy. Depuis des années, elle déplorait la sentimentalité de son patron qui continuait à jouer au poker avec ses copains d'autrefois, mais elle savait quelle importance il y attachait. Elle comprit qu'en se débarrassant de Maggy, elle s'attirerait des ennuis.

« Suivez-moi, dit-elle brusquement. Mais nous perdons notre temps. »

Elle monta quelques marches et fit entrer Maggy dans une pièce vide où les nouveaux modèles français étaient suspendus à des cintres, près des coiffeuses des mannequins. Elle prit une robe du soir en satin blanc, coupée dans le biais et si décolletée des deux côtés qu'il était difficile de distinguer le devant du dos. Avec ce drapé de la hanche au genou, c'était probablement la robe la plus importable qu'eût jamais créée Jeanne Lanvin. Elle la tendit à Maggy sans un mot et retourna à son bureau.

Elle ruminait toujours sa colère lorsque Maggy apparut en haut des marches, enveloppée d'une cape d'hermine qu'elle avait trouvée pendue à un cintre. Ses cheveux roux, légèrement plus longs maintenant, formaient un cran à la hauteur des oreilles. Elle s'avança d'un pas glissant, ni trop lent ni trop rapide, un pas calculé pour permettre au spectateur de noter tous les détails de la robe. Son regard, volontairement lointain, décourageait tout contact personnel.

Ne me regardez pas, regardez ce que je porte, semblait-elle dire, parce que si cette robe vous tente, elle est à vous. Moi, mon rôle c'est de vous faire rêver. Je n'existe pas, mais ces toilettes ne sont-elles pas superbes? Je suis fière de les porter, ne serait-ce que quelques minutes.

Maggy traversa le hall. Patricia Falkland qui l'observait d'un regard froid remarqua qu'elle avait trouvé une paire de sandales en satin blanc, probablement dans le placard d'une des filles. Mais n'importe qui, même une vieille toupie, pouvait faire de l'effet, enveloppé dans de l'hermine. Tous les mannequins chez Bianchi se battaient pour porter cette cape. L'essai était truqué et elle n'était pas impressionnée.

Maggy virevolta devant elle et revint vers l'escalier. Là, lentement, d'un geste qui résumait tout ce qu'elle avait appris sur la façon de porter la fourrure, elle rejeta la cape et la tint négligemment à la main, révélant la robe en satin blanc qui, par le seul fait qu'elle était sur elle, devenait merveilleuse.

Maggy avait accroché un clip en strass de Chanel à la pointe de son décolleté et un autre dans le dos. Personne n'avait encore jamais vu cela à New York. Elle fit le tour de la pièce avec un léger sourire, le genre de sourire qui donne à la cliente l'envie irrépressible de porter cette robe. Elle ne regarda pas Patricia Falkland pour guetter son approbation mais, si elle avait jeté un coup d'œil vers elle, elle aurait vu un visage maussade aux lèvres pincées.

« Qui est-ce? » demanda une voix d'homme.

Patricia Falkand sursauta, mais Maggy, imperturbable, attendit, s'offrant aux regards tout en gardant ses distances.

« C'est une personne qui voudrait entrer chez nous, monsieur Bianchi, mais je ne crois pas qu'elle puisse convenir, répondit-elle.

— Ma parole, Patsy, vous avez besoin de lunettes! Comment vous appelez-vous, mademoiselle?

– Magali Lunel, répondit-elle avec un sourire à faire damner tous les saints de la terre, mais dans le métier on m'appelle Maggy.

– Ah! Vous êtes la fille que m'a recommandée Harry. Je ne m'attendais pas... Quand pouvez-vous commencer?

– Quand vous voudrez. Demain, si cela vous convient.

– Pourquoi pas maintenant? Patsy, Mme Townsend vient juste d'appeler. Finalement, elle a décidé de partir pour Palm Beach. Il lui faut de nouvelles robes pour les soirées de Tuxedo Park et nous sommes à court de personnel.

– Je peux commencer dès maintenant », déclara Maggy.

Quelques heures plus tard, après avoir passé une douzaine de robes, de tailleurs et de manteaux pour Mme Townsend, Maggy rentra chez elle. Ce travail lui rapporterait trente dollars par semaine. Toute joyeuse, elle songea qu'elle avait deux atouts précieux pour réussir dans ce métier : elle avait appris, en posant pour les peintres, à se déshabiller très rapidement et, pendant deux ans, elle avait fréquenté les maisons de couture les plus prestigieuses de Paris et assisté à de nombreux défilés. Elle pouvait imiter les mannequins sans aucune difficulté. Dieu merci, elle allait pouvoir garder Nanny Butterfield.

13

D'où venait le succès de Lavinia Longbridge auprès des jeunes gens de la bonne société new-
yorkaise?

Avant son mariage, lorsqu'elle s'appelait encore
Lavinia Pendennis, elle avait été la débutante la
plus fêtée après une entrée spectaculaire dans le
monde.

Lorsqu'elle avait épousé Cornwallis Longbridge,
on aurait pu s'attendre qu'elle tînt le rôle tradition-
nel de la jeune et riche épouse, mais elle s'y était
toujours refusée, soucieuse de conserver sa propre
identité à une époque où la femme n'était bien
souvent que le pâle reflet de son mari. Cornie
Longbridge faisait tout simplement partie de ses
admirateurs bien qu'il fût, de loin, son préféré.

Lally était une ravissante petite brune aux yeux
noirs, au teint clair et aux traits d'une exquise
finesse. Elle se maquillait très peu, se contentant de
souligner ses lèvres d'un rouge vif.

Mais il y avait beaucoup de jolies filles dans la
bonne société de New York. Non, ce n'était pas
uniquement sa beauté qui rendait Lally si populaire
auprès de ses amis. C'était sa soif inépuisable
d'amusements dont elle les faisait largement profiter.

A trente ans, elle avait conservé l'insouciante gaieté de son adolescence. La fortune de Cornie Longbridge était solide et la vie de sa femme entièrement tournée vers les plaisirs. Sa maison ressemblait à un feu de camp : quiconque s'en approchait se réchauffait immédiatement. Il y avait toujours à boire chez Lally car elle connaissait tous les trafiquants d'alcool de la ville. Elle inventa les soupers-buffet. Les dîners chez elle avaient toujours le charme des pique-niques et sa façon de mêler les gens les plus divers rendait ses soirées particulièrement amusantes. Elle invitait des musiciens de jazz, des journalistes, des boxeurs professionnels, des danseurs de comédies musicales de Broadway et, murmuraient les jaloux, même des gangsters.

Souvent, lorsque la fête battait son plein, Lally observait du coin de l'œil les groupes hétéroclites qu'elle avait réunis et elle se sentait l'âme d'un metteur en scène. Ses soirées étaient improvisées, rarement préparées plus d'un ou deux jours à l'avance. Habitués à son hospitalité, ses domestiques faisaient face à tous les problèmes qu'elle suscitait avec bonne humeur.

Lally Longbridge s'habillait chez Bianchi depuis des années. Elle possédait ce rare talent chez les petites femmes de faire oublier sa taille tant elle avait de goût. En fait, Lally ne se voyait pas petite. C'étaient les autres qui étaient trop grands. Maggy avait compris cela et lui proposait volontiers des modèles réservés en principe aux grandes femmes.

Depuis quelque temps, elle s'intéressait de plus en plus à Maggy. Mme Lunel ne ressemblait pas aux autres mannequins. Quel était le secret de cette veuve française qu'on n'arrivait pas à faire parler d'elle-même ? Son attitude réservée à l'égard de

Lally, pourtant si amicale, était curieuse, presque vexante.

Un jour de printemps, en 1931, elle invita Maggy à une party.

« Dites-moi que vous viendrez, Maggy. Après le dîner, nous organiserons une chasse au trésor. Il y aura un prix fabuleux pour l'équipe gagnante. »

Maggy hésita. Les mannequins ne fréquentaient jamais les clientes. Elles n'appartenaient pas au même milieu. C'était un fait auquel personne ne faisait jamais allusion mais qui était admis tacitement.

« Oh! Maggy, ne soyez pas ridicule. Je sais ce que vous pensez, mais c'est absurde. Toutes les femmes travaillent aujourd'hui, c'est même devenu très à la mode. Ce n'est pas une raison pour ne pas s'amuser.

– Entendu, je viendrai avec plaisir », répondit Maggy.

Après tout, elle avait bien mérité de s'amuser un peu. Depuis un an et demi, elle menait une vie très dure, travaillant parfois dix heures par jour.

Mais ce travail épuisant l'empêchait de penser au passé et la faisait sombrer tous les soirs dans un lourd sommeil. Parfois elle rêvait de Perry et pleurait à son réveil. Mais, le plus souvent, c'est de Julien Mercuès qu'elle rêvait. Comment cet homme qu'elle détestait pouvait-il encore hanter ses songes? Ces matins-là, elle partait travailler avec soulagement.

Maggy était maintenant le mannequin vedette d'Alberto Bianchi. Toutes les filles essayaient d'imiter son style. Même Patricia Falkland avait été forcée d'admettre, au fond d'elle-même, que personne ne savait mettre en valeur et faire vendre une robe comme Maggy. Lorsque les filles étaient réunies dans le vestiaire, elles sollicitaient constamment l'avis de Maggy et il n'y avait rien sur quoi celle-ci n'exprimât une opinion ferme, une approbation ou une désapprobation immédiate, qu'il s'agît d'une nouvelle coiffure ou de la teinte d'une paire de bas. Elles lui confiaient leurs nombreuses affaires de cœur et Maggy leur prodiguait des conseils pleins de sagesse durement acquise.

Les défilés de mode au profit d'œuvres de bienfaisance étaient devenus très en vogue et on demandait constamment à la maison Bianchi d'y participer.

Bientôt, les organisateurs qui étaient tous des amateurs firent appel à Maggy pour diriger les mannequins qui, pour la plupart, étaient inexpérimentées et terrifiées à l'idée de défiler sur une estrade.

Maggy touchait maintenant cinquante dollars par semaine. Elle vivait avec sa fille et Nanny Butterfield dans un appartement exigu, dans la 63e Rue.

Cependant, même augmenté, le salaire de Maggy ne couvrait guère que son loyer, les dépenses pour Teddy et les gages de Nanny Butterfield. Dieu merci, ses vêtements parisiens étaient ici à la dernière mode, la France étant toujours en avance sur l'Amérique dans ce domaine. C'était d'ailleurs sans importance car elle n'avait jamais l'occasion de porter de toilettes élégantes.

Les filles de chez Bianchi l'avaient, dès les premiers jours, invitée à venir avec elles dans des *speakeasies* et des boîtes de nuit, mais elle avait toujours refusé. Dans ses lettres à Paula, elle ne parlait jamais de sa solitude voulue, certaine que celle-ci l'aurait désapprouvée. Après son travail, Maggy rentrait vite chez elle pour dîner de bonne heure avec Teddy et se tremper les pieds dans l'eau chaude.

Mais cette flatteuse invitation de Lally Longbridge lui donnait soudain envie de mettre un terme à cette solitude, ne fût-ce que le temps d'une soirée. Elle avait envie de s'amuser. Elle rêvait d'entendre encore le son d'un saxophone ou d'une guitare. La mélodie de *Sweet Georgia Brown*, oubliée depuis six ans, lui revint aux lèvres. En s'habillant pour la soirée, elle se rendit compte que, un soir de mai, même une ville toute de métal et de béton comme New York pouvait devenir excitante.

Lorsqu'elle en eut terminé avec la liste de ses invités, Lally Longbridge s'occupa de former ses équipes pour la chasse au trésor.

Maggy Lunel, pensa-t-elle, était si intelligente qu'il fallait absolument la mettre avec Gay Barnes qui n'avait rien dans sa jolie tête blonde. Gay avait été la danseuse la plus célèbre de *Vanities*, d'Earl Carroll, avant d'épouser Henry Oliver Barnes qui devait avoir trente-cinq ans de plus qu'elle. Lally, que le succès des autres femmes intéressait toujours beaucoup, prétendait qu'elle avait conquis la bonne société plutôt collet monté de New York grâce à sa beauté et à la façon ingénue qu'elle avait de ne pas entendre les plaisanteries un peu lestes qu'elle provoquait chez les hommes.

Qui mettre avec ces deux femmes ? Elle mordilla son pouce d'un air pensif. Pourquoi pas Jerry Holt ? Tout le monde lisait sa page spectacle et il était aussi brillant que sa réputation était douteuse. Et puis Darcy, Jason Darcy – mais tout le monde l'appelait Darcy – la coqueluche de l'édition. Il serait plus amusé que choqué de se retrouver en compagnie d'une ancienne danseuse de comédie musicale et d'un mannequin. Ce genre d'équipe mettait Lally en joie.

Plusieurs heures plus tard, après le dîner, les dix équipes se réunirent dans le salon ultra-moderne de Lally, tout en chrome et verre, rempli de tulipes blanches. Lorsqu'elle tendit ses listes, un murmure de protestations s'éleva.

On exigeait :
Une débutante (à condition qu'elle soit jolie);
Une chaussure appartenant à Ethel Barrymore;
Un chien parfaitement blanc;
Un programme de Smiles, signé par Adèle et Fred Astaire;
Une nappe du Colony Restaurant;
Un majordome anglais, un vrai;
Une édition originale de *L'Adieu aux armes*;
Un gant jaune;
La casquette d'un policier;
La veste d'un serveur de chez Jack et Charlie.

« C'est diabolique, gémit Gay Barnes. Nous ne gagnerons jamais.

– Combien de temps avons-nous? demanda Maggy.

– Deux heures, répondit Jerry Holt. L'équipe qui rapporte le plus de choses en deux heures gagne.

– J'ai une idée, annonça Gay Barnes. Il n'est précisé nulle part que nous ne devons pas nous séparer, n'est-ce pas? Scindons-nous en deux groupes. Quel intérêt cela présente-t-il de chercher tous la même chose? Jerry et moi pourrions nous charger des cinq premiers articles et vous deux du reste. Qu'en pensez-vous ?

– Tout ce que je sais, c'est que j'ai certainement un gant jaune chez moi. J'ai un nombre impressionnant de paires de gants, dit gaiement Maggy, se demandant avec stupeur pourquoi cette fille avait choisi de faire équipe avec un pédé.

– Comme vous voudrez, dit Darcy, mais dépêchons-nous. Nous avons déjà perdu cinq minutes. »

Dans Park Avenue, Darcy fit monter Maggy dans une grande limousine.

« Vingt et un, 52e Rue Est, dit-il au chauffeur. Je soupçonnais Lally d'avoir organisé une chasse au trésor, c'est pourquoi j'ai demandé au chauffeur de rester », expliqua-t-il à Maggy.

L'énorme Packard bleu marine était l'une des nombreuses façons dont Jason Darcy se singularisait parmi les jeunes hommes de sa génération. Fils unique du propriétaire de la compagnie d'assurances Hartford, il avait été considéré comme l'un des étudiants les plus brillants de sa classe à Harvard. Diplômé à dix-huit ans, il avait emprunté de l'argent à sa famille pour lancer ses trois magazines dont le tirage ne cessait de monter.

Darcy avait maintenant remboursé toutes ses dettes et vivait comme un prince. On le rencontrait avec les plus jolies filles de New York qu'il divisait en deux catégories : les filles de la bonne société et les chorus girls. Il traitait les filles de la bonne société comme des chorus girls et inversement. Cette attitude semblait leur convenir. Aucune femme n'avait encore réussi à mettre le grappin sur lui et toutes en tiraient la conclusion qu'il ne s'intéressait qu'à ses affaires.

A vingt-neuf ans, Jason Darcy était déjà un homme influent, qui obtenait tout ce qu'il voulait. Pour le moment, le jouet qu'il avait décidé de s'offrir, c'était Maggy. Pendant le dîner, il avait croisé deux fois son regard, bien qu'ils fussent à des tables différentes. Cette gourde de Gay Barnes avait eu pour une fois une idée de génie en scindant l'équipe. De toute façon, s'il n'y avait pas eu l'excuse de la chasse au trésor, il serait passé à l'offensive d'une manière ou d'une autre.

Maggy regarda distraitement Darcy : un visage long et fin d'une extrême distinction, le visage d'un savant ou d'un lettré. Des yeux gris un peu moqueurs, une bouche sévère, parfois méprisante. Il se déplaçait avec une certaine économie de mouvement et beaucoup de grâce. Ses cheveux bruns étaient plaqués et il avait plusieurs centimètres de plus qu'elle. Un visage curieux, pensa-t-elle, et elle le chassa de ses pensées. Le trajet en limousine l'excitait davantage que n'importe quel homme.

Ils entrèrent chez Jack et Charlie, le speakeasy le plus huppé de New York, celui qui ressemblait le plus à un club.

On les conduisit à une table et Darcy commanda du champagne. Maggy regarda le serveur remplir leurs deux coupes.

« C'est du gâchis, dit-elle. Nous n'aurons jamais le temps de finir la bouteille. Regardez la liste – le majordome anglais, la casquette de policier... Quelle heure est-il ? »

L'esprit de compétition commençait à la gagner. Ce n'était pas le moment de s'asseoir et de boire de l'alcool de contrebande, même si c'était du véritable champagne français.

Darcy lui lança un regard amusé.

« Je me suis arrangé pour louer la veste du serveur. Je téléphonerai à la maison pour demander à mon majordome de venir nous rejoindre devant chez Lally avec mon exemplaire de *L'Adieu aux armes* – Clarkson a travaillé pour le duc de Sutherland – et, sur le chemin du retour, nous passerons prendre le gant chez vous puisque vous pensez en avoir un.

– Vous n'avez vraiment pas l'esprit sportif », dit-elle sèchement.

La suffisance de cet homme lui gâchait son plaisir.

« Nous n'avons pas fait le serment de gagner. Juste celui de participer. Honnêtement, vous n'en avez pas assez des chasses au trésor ?

– Je ne risque pas, c'est la première à laquelle je prends part. Qu'est-ce qui vous donne le droit de transformer cette soirée en un simple verre à deux ? » demanda-t-elle, irritée.

Elle détestait ces hommes trop sûrs d'eux.

Il ne répondit pas, but son champagne et la regarda avec curiosité.

« Où diable Lally vous a-t-elle dénichée ? demanda-t-il. Et comment se fait-il que nous ne nous soyons pas rencontrés plus tôt ?

– Je travaille chez Alberto Bianchi, répondit-elle simplement.

– Qu'est-ce que vous faites ? »

Ainsi, c'était l'une de ces nombreuses femmes qui s'étaient mises à travailler après la crise, qui acceptaient des « petits boulots marrants » pour montrer qu'elles étaient pleines de ressources.

« Je passe des robes que d'autres achètent.

– J'ai du mal à le croire.

– C'est pourtant la vérité.

– Vous voulez dire que vous êtes une victime réelle de la crise, que vous travaillez pour vivre?

– Pour cinquante dollars par semaine, mais je m'en sors très bien.

– Dites-moi tout, lui suggéra-t-il, persuadé que, comme toutes les femmes, elle ne demandait qu'à se confier.

– Vous ne manquez pas de culot! Pourquoi vous dirais-je tout? Je sais à peine votre nom. Vous m'avez gâché ma chasse au trésor et maintenant vous voudriez que je vous raconte ma vie! Mais pour qui vous prenez-vous? Et puis vous auriez pu me demander si j'aimais le champagne avant d'en commander.

– Vous avez raison, répondit-il, déconcerté. Je suis désolé. Voulez-vous boire autre chose?

– Non, j'ai assez bu, merci. »

Elle regarda autour d'elle sans plus se soucier de lui.

« Madame Lunel, je m'appelle Jason Darcy et j'ai vingt-neuf ans. Je suis né dans une famille respectable du Connecticut, à Hartford, exactement. Je ne suis jamais allé en prison, je ne triche pas au poker, j'adore les animaux, ma mère dit grand bien de moi et je me conduis généralement mieux que je ne l'ai fait ce soir.

– Est-ce bien « tout »? demanda Maggy avec un léger sourire.

– J'édite des revues. *Mode*, *Women's Journal* et *City and Country Life*.

– Tiens, tiens! Trois magazines pour un seul homme. En quoi consiste votre travail, à part demander aux inconnues de raconter leur vie?

– Je suis le patron.

190

– C'est un peu vague. Que fait un patron de magazines? Soyez plus précis, s'il vous plaît. »

Il remarqua son air moqueur.

« Cela ne semble pas vous impressionner beaucoup.

– Non, pour la bonne raison que je n'ai aucune idée de ce que fait un éditeur de magazines.

– Eh bien, c'est moi qui les ai entièrement conçus – formats, contenu, etc. Les rédacteurs en chef me rendent compte de tout ainsi que les services commerciaux et, d'une manière générale, chacun de mes collaborateurs.

– C'est ce qu'on appelle un empire de presse? demanda-t-elle. Comme l'empire de Hearst?

– Oui, mais en plus modeste, répondit Darcy. N'êtes-vous pas ravie de boire du champagne avec un magnat de la presse?

– Je suis bien trop vieille et trop blasée pour avoir ce genre de réaction »

Jason Darcy ne pouvait détacher son regard de Maggy. Elle le fascinait littéralement. Mais, bon Dieu, qui était Maggy Lunel? Ni une chorus girl ni une fille de la bonne société. Dire qu'il croyait connaître toutes les plus jolies filles de New York!

« Ça y est! J'y suis! Vous êtes la nouvelle fille de Powers.

– Powers?

– Une agence de mannequins. Ne me dites pas que vous ne connaissez pas l'agence John Robert Powers!

– A la vérité, c'est un univers qui m'est tout à fait étranger. Je me contente de défiler avec les derniers modèles de Paris sur le dos – ou plutôt les copies de ceux-ci et j'organise également des défilés de mode pour des œuvres de bienfaisance. La maison Bianchi n'a jamais utilisé de fille de chez Powers.

– Cela viendra. Powers se développe vertigineusement. Cette agence existe depuis deux ans, depuis que les agences de publicité et les magazines ont commencé à utiliser des photographies au lieu de dessins.

– Qu'est-ce qu'elles gagnent, ces filles?

– Au début, elles étaient payées cinq dollars de l'heure mais maintenant elles en gagnent quinze.

– Quinze dollars! Mais c'est une fortune! s'exclama-t-elle, stupéfaite.

– Oui, c'est très bien payé. En outre, malgré la crise, les filles travaillent de plus en plus. Aujourd'hui, une société qui ne fait pas de publicité sombre rapidement. Personne ne fait mieux vendre un produit qu'une jolie fille.

– Et John Powers, que gagne-t-il?

– Dix pour cent de ce que touchent ses mannequins.

– Combien emploie-t-il de filles? insista-t-elle.

– Je ne sais pas très bien... Une centaine de personnes, j'imagine, en comptant les hommes et les enfants. Vous devriez prendre contact avec lui.

– Oui, peut-être », répondit-elle évasivement.

Darcy était surpris : Maggy ne manifestait aucune coquetterie à son égard bien qu'il fût l'un des meilleurs partis de la côte Est. A vingt-neuf ans, il avait acquis assez d'influence pour se rendre désirable, eût-il ressemblé à un gnome, ce qui n'était pas le cas.

Alors pourquoi cette femme, assise en face de lui, l'interrogeait-elle avec ce détachement, comme s'il n'était bon qu'à lui donner des renseignements professionnels?

Peut-être était-elle amoureuse? C'était la seule

explication possible. Et, pourtant elle était venue seule à la soirée de Lally. Il était possédé par une furieuse envie d'en savoir plus sur elle.

« Si nous allions danser? lui demanda-t-elle soudain, une note de triomphe dans la voix.

– Et la chasse au trésor de Lally?

– C'est un jeu ridicule et ennuyeux – n'est-ce pas ce que vous pensez?

– Où voulez-vous aller? Au St. Regis Roof, à l'Embassy ou au Cotton Club?

– Au Jockey, murmura Maggy.

– Au Jockey? répéta-t-il, stupéfait.

– J'ai dit ça? N'y faites pas attention. C'est fermé depuis des années. Allons à Harlem. »

Adrien Avigdor était enfin rassuré. Depuis que Julien Mercuès s'était installé à Félice cinq ans auparavant, depuis son étrange mariage avec Kate Browning, il avait déjà exposé trois fois à Paris et vendu toutes ses toiles. C'était chaque fois un triomphe.

Cette année, il fallait absolument organiser une exposition à New York. Mercuès peignait beaucoup mais montrait peu ses œuvres. Dans le contrat qui le liait à Avigdor, il était stipulé que Mercuès, en mettant une simple étiquette Ne pas vendre, pouvait retirer certaines toiles d'une vente ou même en interdire l'exposition. C'était un droit reconnu à tous les peintres français.

Tous les ans, quatre mois avant son exposition, Avigdor descendait passer une semaine à La Tourrello pour discuter, souvent âprement, avec Julien Mercuès des œuvres à exposer. En 1928, le peintre avait refusé de lui confier la moindre toile. Il les trouvait toutes mauvaises. Cet automne-là, Avigdor n'avait pu organiser d'exposition. Une fois par an, Mercuès brûlait les toiles qu'il n'aimait pas. Il s'arrangeait toujours pour le faire en présence d'Avigdor. Il s'agitait devant le feu avec son tisonnier, tel un démon sorti tout droit d'un tableau de Hiëronymus Bosch, tandis qu'Avigdor, accablé, regardait ces milliers de francs partir en fumée.

« C'est au cas où je tomberais raide mort, Adrien. Vous seriez capable de faire main basse sur des œuvres que je n'ai jamais eu l'intention d'exposer. Qui me dit que vous n'iriez pas jusqu'à les vendre, hein ? »

Il était aussi méfiant que les paysans qui vivaient autour de lui. Il n'avait confiance qu'en Kate, et encore... Il n'était pas sûr qu'elle aurait respecté sa volonté.

Ces autodafés rendaient Avigdor malade, mais il se consolait en se disant qu'à chaque exposition il vendait jusqu'à la dernière toile de Mercuès et que, d'autre part, aucun de ses concurrents n'en avait. Les collectionneurs, assez chanceux pour posséder un Mercuès, ne le revendaient pas. Mercuès conservait pour lui-même les toiles qu'il préférait.

Le prix de ses œuvres grimpait vertigineusement à cause de leur rareté. Mais après tout, songeait Avigdor, il n'y avait que trente-six Vermeer identifiés. Peut-être Mercuès savait-il ce qu'il faisait. Il avait fini par accepter d'exposer à New York. Il y aurait ses nouvelles œuvres et une sélection des anciennes à partir de 1926. De nombreux Américains allaient prêter leurs toiles. L'exposition promettait d'être intéressante. Les critiques d'art des journaux et des magazines avaient déjà pris contact avec Avigdor. *Vanity Fair* avait consacré un long article à Mercuès et Man Ray était venu à Félice pour le photographier dans son atelier. Mark

Nathen, qui possédait une des galeries les plus célèbres de Manhattan, projetait d'attirer le Tout-New York artistique et mondain à son vernissage. Chacun, dans le petit monde de l'art, était extraordinairement curieux de voir le travail de cet homme qui vivait comme un ermite dans le Luberon, indifférent à sa célébrité grandissante.

« Avant le dîner, nous pourrions peut-être faire un saut au vernissage de la nouvelle exposition de Nathen, proposa Darcy à Maggy au téléphone.

– De quelle exposition s'agit-il? » demanda-t-elle distraitement.

Elle n'avait pas le temps de se tenir au courant de la vie culturelle de New York.

« Mercuès, le peintre français... Vous avez dû en entendre parler. »

Maggy sentit son cœur battre la chamade et la peur lui contracter l'estomac. Mais pourquoi avoir peur? se demanda-t-elle.

« Oui, je sais qui c'est, répondit-elle, mais je n'ai pas envie de sortir ce soir.

– Pourquoi Maggy? Vous n'êtes pas bien?

– Je suis trop fatiguée pour bouger, pour m'habiller... Je crois que je couve un rhume.

– Je suis très déçu, dit-il gravement.

– Moi aussi. Croyez-moi. »

Depuis le jour où il avait fait la connaissance de Maggy, trois semaines auparavant, Darcy lui proposait de sortir avec lui plus souvent qu'elle n'en avait envie. Chaque fois qu'il la voyait, il était surpris de sa réserve, de son refus obstiné de parler d'elle-même. Elle insistait toujours pour le retrouver dans un speakeasy ou dans un restaurant. Elle ne l'invitait jamais à monter chez elle et lorsqu'il lui disait au revoir devant la porte de son ascenseur, elle lui serrait la main avec une certaine raideur comme si elle avait eu peur qu'il l'embrassât.

Darcy éprouvait pour elle une curiosité qui tournait à l'obsession. Il ne savait rien de sa vie.

« Je vous appellerai demain, prenez soin de vous. Me promettez-vous de vous coucher de bonne heure? demanda-t-il.

— Oui, je vous le promets », répondit-elle.

En entrant dans la galerie Nathen, Darcy se surprit une fois de plus à songer à Maggy Lunel. Ressentait-elle quelque chose pour lui? Mais, si c'était le cas, pourquoi ne le laissait-elle pas l'approcher? Comme pour se rassurer, il se mit à passer en revue tous ses atouts : il était riche, il avait un métier intéressant, une maison remplie de domestiques, une bonne santé et une pile d'invitations venues de tous les pays où étaient diffusés ses magazines. Il avait beaucoup à offrir. Pourquoi Maggy lui refusait-elle obstinément l'accès de son jardin privé?

Il regarda distraitement la foule autour de lui. Il y avait là le Tout-New York. Il connaissait beaucoup de gens. On se serait cru à un entracte au Metropolitan Opera plutôt qu'à un vernissage. Il pensa que le vernissage avait été organisé au profit d'une quelconque œuvre de bienfaisance tant les femmes du monde y étaient nombreuses. Il était rare de voir les Whitney, les Kilkullen, les Gimbels, les Rutherford et les Vanderbilt mêlés à la faune de Greenwich Village et de Southampton.

Il s'absorba dans la contemplation des tableaux et fut peu à peu envahi par une émotion intense.

Chaque toile était une étape vers un monde inconnu, un monde lumineux, merveilleux.

Et pourtant, songea Darcy, étonné, qu'avait choisi de peindre l'artiste? Une table de café avec des chaises autour, une rangée de peupliers frissonnant dans le vent, un panier à provisions rempli d'un pain, d'une botte de radis et d'un bouquet de dahlias, une femme penchée dans un jardin, au petit jour – rien qui n'eût été déjà peint des centaines de fois.

Cependant, l'émotion de l'artiste devant ces choses simples passait avec une telle force dans ses toiles que, pendant un moment, on épousait sa vision, on voyait le monde avec ses yeux. Emerveillé, avec l'impression qu'il venait de quitter New York pour pénétrer dans cet univers champêtre et ensoleillé, Darcy entra dans une autre salle. Il eut d'abord du mal à voir les tableaux car les gens étaient agglutinés devant.

Maggy! Stupéfait, il contempla les grandes toiles représentant Maggy nue et abandonnée, s'offrant avec une joie impudique. Elle était là, devant lui, plus érotique, plus violemment sensuelle que toutes les femmes qu'il avait vues à ce jour.

Maggy avec ses jambes écartées sur un lit défait, un bras ballant. Maggy, les cheveux mouillés, faisant sa toilette. Maggy étalée sur une montagne de coussins verts, ses poils roux éclairés par la lumière. Comme Darcy demeurait immobile, incapable de détacher son regard de ces toiles, il saisit des bribes d'une conversation excitée.

« Maintenant, elle travaille chez Bianchi, mon cher. Oui, oui, Française... Perry Kilkullen... Vous avez dit Bianchi? Veuve, mon œil... Quelle peau et quels seins! N'avaient-ils pas un enfant? Rencontrée chez Lally... Oui, un enfant. Ça vous choque? Ne soyez pas si provincial! Pauvre Mary Jane! »

Bon Dieu, pourquoi ne l'avait-il pas peinte nageant dans le sperme, pendant qu'il y était, songea Darcy. Pourquoi ne pas avoir baisé directement la toile? Il fut pris de fou rire. La vie vous réservait de belles surprises! Cette princesse insaisissable! Elle l'avait bien mystifiée. Quelle femme merveilleuse! Son admiration pour Maggy grandit. Il remarqua le regard lubrique des hommes dans la salle. Ils étaient tous excités. Lui aussi. Oh! Maggy, Maggy chérie, ainsi tu « savais » qui était Mercuès, n'est-ce pas? Et combien de fois s'est-il arrêté de peindre pour te faire l'amour? Comment, en fait, pouvait-il porter la moindre attention à sa peinture et à ses pinceaux? Ce type devait avoir des nerfs d'acier pour travailler dans ces conditions. Oh! Maggy, aucune femme ne m'a jamais fait pareil effet. J'ai l'impression d'avoir encore quinze ans et d'être puceau.

Le lendemain, à l'heure du déjeuner, Maggy avait perdu son emploi. Elle ne pouvait en vouloir à Bianchi. Il avait reçu des douzaines d'appels téléphoniques indignés et, si personne n'avait employé le terme de putain, c'est qu'il était franchement démodé. Maggy ne pouvait plus organiser de défilés de mode ni travailler chez Bianchi. Personne n'achèterait une robe portée par elle. On viendrait la voir par pure curiosité. Navré, Bianchi lui avait remis un chèque correspondant à deux semaines de salaire.

En sortant de l'exposition, Darcy essaya de joindre Maggy chez Bianchi sans succès. Il l'appela chez elle; Nanny Butterfield prétendit qu'elle était déjà au lit. Il téléphona plusieurs fois mais Maggy refusait de répondre à qui que ce fût, même à Lally qui s'était manifestée plusieurs fois. Elle fit dire par Nanny qu'elle était partie en voyage et ne rentrerait pas avant un certain temps.

Quand Darcy comprit que Maggy refusait de lui parler, il se rendit chez elle. Le portier qui avait l'ordre de ne laisser monter que les livreurs ne lui permit pas d'entrer. Il envoya des fleurs deux fois par jour, avec des mots la suppliant de l'appeler à son bureau ou chez lui. Il la guetta devant son immeuble pendant des heures. Il fit tout sauf se déguiser en livreur. Il était stupéfait de sa propre conduite mais il ne pouvait faire autrement.

Quatre jours après le vernissage de l'exposition de Mercuès, Darcy rappela en fin d'après-midi, espérant que Maggy allait finir par se décider à répondre. Elle était dans la salle de bain quand le téléphone sonna. Nanny Butterfield préparait le dîner dans la cuisine. Ce fut Teddy qui décrocha, en dépit de l'interdiction de sa mère.

A trois ans, Teddy était déjà habituée aux exclamations admiratives qu'elle suscitait dans la rue ou au parc. Elle avait déjà compris qu'elle pouvait mettre tous les adultes dans sa poche et enfreindre certaines lois sans se faire gronder. Mais pas à la maison. Nanny et Maggy, convaincues que rien ne serait plus facile que de la pourrir, s'efforçaient d'être sévères avec elle. Le téléphone était un objet de vénération pour Teddy.

« Allô? dit-elle tout bas.

– Qui est à l'appareil? demanda Darcy, persuadé qu'il avait fait un faux numéro.

– Teddy Lunel. Et toi, qui c'est?

– Un ami de ta maman. Bonjour, Teddy.

– Bonjour. Tu sais, j'ai des nouvelles chaussures rouges.

– Teddy, est-ce que ta maman est là?

– Oui... Comment tu t'appelles?

– Darcy.

– Quel âge t'as?

– J'ai... Ecoute, Teddy, passe-moi ta maman.

– Elle est dans la salle de bain. La voilà... Maman, c'est un monsieur... »

Elle tendit craintivement le récepteur à sa mère qui chercha Nanny des yeux, faillit raccrocher puis se résigna à répondre.

« Oui? dit-elle sèchement.

– Maggy, enfin! Pourquoi vous cachez-vous ainsi?

– Je ne me cache pas, répondit-elle avec brusquerie.

– Vous hibernez, alors. Votre fille est adorable, beaucoup plus sympathique que vous. Voulez-vous dîner avec moi ce soir?

– Non, je ne veux pas sortir.

– Mais pourquoi? Vous êtes la coqueluche de New York, Maggy.

– Darcy, ne vous moquez pas de moi. J'ai perdu mon sens de l'humour, ces derniers temps.

– Mais je vous dis la vérité. La galerie est bourrée de gens qui se pâment devant votre beauté et votre sensualité.

– Un succès de scandale, vous croyez que j'ai envie de ça?

– Mais c'est ça, New York, Maggy. L'essentiel c'est d'avoir du succès. Personne ne se préoccupe de savoir sur quoi il repose tant qu'on parle de vous, dit-il, essayant de la réconforter de son mieux.

– Si c'était ainsi, je n'aurais pas perdu mon job », répondit-elle d'un ton amer.

Ne comprenait-il pas à quel point elle était embarrassée, humiliée?

« Ça, c'est autre chose. Bianchi doit composer avec ses clientes, mais, contrairement à ce qu'elles pensent, elles ne font pas la pluie et le beau temps à New York.

– C'est possible mais comme je dépendais d'elles...

– Maggy, souvenez-vous de ce que je vous ai dit de l'agence Powers. Pourquoi ne pas prendre contact avec eux?

– Non, répondit vivement Maggy. Je ne serai plus jamais mannequin. J'ai été un modèle de peintre, puis un modèle de haute couture. J'avais dix-sept ans quand j'ai commencé, j'en ai maintenant vingt-trois et je me retrouve sans travail. Et je n'ai jamais gagné plus de cinquante dollars par semaine. Non merci, très peu pour moi. J'ai fait le tour de la question. D'un autre côté... eh bien... je suppose que c'est idiot de ma part... » Elle s'interrompit.

« Continuez, Maggy, dites-moi tout.

– C'est peut-être une idée absurde... enfin, pas totalement. Vous m'avez dit que Powers avait une centaine de mannequins et qu'il prélevait dix pour cent de leur salaire...

– Oui, c'est ça.

– J'ai l'habitude de dire aux mannequins ce qu'il faut faire et comment il faut le faire. Chez Bianchi, toutes les filles me demandaient des conseils. Je ne sais pas, je dois avoir une espèce de don pour ce genre de choses. Les exigences des peintres doivent être à peu près celles des photographes. Alors j'ai pensé... que je pourrais essayer... de monter ma propre agence.

– Concurrencer John Robert Powers? demanda-t-il, incrédule.

– Pourquoi pas? Après tout ce n'est pas sorcier. Il suffit d'une bonne organisation. Vous comprenez, Darcy, expliqua-t-elle, piquée par son étonnement, j'ai un petit capital à risquer.

– Maggy, vous êtes fabuleuse! Voulez-vous travailler avec *Mode*, *Women's Journal* et *City and Country Life*?

– Ce serait formidable. Darcy, vous parlez sérieusement? ça pourrait vraiment marcher? demanda-t-elle en riant.

– Bien sûr, pourquoi pas? dit-il, songeant combien son rire lui avait manqué. Maggy, venez dîner avec moi ce soir. Nous allons baptiser la nouvelle agence au champagne.

– A une condition, c'est que vous me laissiez payer.

– En voilà une idée!

– L'agence Lunel désire offrir du champagne à son premier client. »

14

Les filles de Lunel, comme chacun appelait les mannequins de l'agence Lunel, étaient exquises, gracieuses comme des papillons, plus sophistiquées que leurs rivales de chez Powers qui engageait surtout le genre « longue tige nourrie aux céréales ».

Les filles de Lunel traversaient les années 30 comme si la crise n'avait pas existé. Lorsqu'on les voyait entrer au Stork Club ou à l'El Morocco, deux hommes à chaque bras, une orchidée piquée dans le corsage sans bretelles de leur robe du soir, on oubliait la triste réalité quotidienne. Elles représentaient l'évasion pour des millions d'Américains qui s'entassaient dans les salles de cinéma pour voir des films où tous les héros étaient prospères et les téléphones blancs. *Vogue* avait écrit récemment dans un article sérieux : « Comment se préoccuper de la Bourse ou de la popularité de Hitler quand on voit des petits chapeaux si amusants dans la rue? » Les gens éprouvaient le besoin de se distraire, ne fût-ce que par procuration. Le *New York Daily News* avait fait une enquête auprès des femmes pour savoir si elles préféraient être actrice de cinéma, débutante ou mannequin chez Lunel. Quarante-deux pour cent auraient voulu travailler pour Maggy.

Tandis que Maggy faisait son chemin à New York, Julien Mercuès travaillait fiévreusement à Félice. Il ne peignait plus, comme il l'avait fait dans sa jeunesse, des scènes ou des objets variés. Maintenant, il se consacrait à un seul sujet pendant deux ou trois ans. Du millier d'études qu'il faisait et détruisait éventuellement, émergeait un certain nombre de toiles, jamais moins d'une douzaine, jamais plus de trente.

Mercuès entrait dans son atelier après le petit déjeuner et n'en ressortait qu'à l'heure du dîner. Vers une heure, on lui apportait de la viande froide, du pain et une bouteille de vin. Il dévorait debout devant sa toile, indifférent au goût des aliments. Profitant du manque d'intérêt de son mari pour tout ce qui n'était pas son travail, Kate s'occupait de ses affaires. Elle discutait tous les contrats avec Avigdor, entretenait une correspondance suivie avec les galeries à l'étranger qui voulaient exposer les œuvres de Mercuès et prenait toutes les décisions concernant l'aménagement de la ferme.

Une fois par an, à l'époque des vendanges, il abandonnait son atelier et partait travailler dans les vignes avec les hommes. Le reste du temps il vivait dans un monde clos. Il n'avait pas le temps de lire les journaux. Les événements politiques en Europe ne le concernaient pas plus que la mode des plumes de coq sur les robes du soir des Parisiennes. Les tournois de pétanque le préoccupaient davantage que l'incendie du Reichstag.

Kate Mercuès, au contraire, continuait à s'intéresser à la vie hors de Félice. Elle se rendait à Paris plusieurs fois par an pour garder le contact avec les milieux artistiques et pour se commander des vêtements. Malgré sa vie à la campagne, elle était restée très élégante quoique habillée plus simplement. Elle organisait les expositions de Mercuès avec Avigdor, et représentait toujours son mari qui refusait d'assister aux vernissages. Parfois, elle le quittait un mois entier pour rendre visite à sa famille à New York. Il remarquait à peine son absence.

La crise avait sérieusement entamé la fortune de Kate. Elle n'était plus riche. Elle avait même eu de la chance d'investir une partie de son capital dans l'achat de La Tourrello. Bien qu'elle eût rempli ses engagements envers Mercuès et considérât cette maison comme sa dot, c'était tout de même un excellent placement. Son mari n'avait qu'une faible idée de leur prospérité financière. Les nombreux hectares fertiles qui entouraient le mas croulaient sous les fruits et les légumes destinés aux commerçants d'Apt. Ils élevaient des cochons, des poulets, des canards et quelques chevaux. Ils possédaient ce qu'on fait de plus moderne en matière d'équipement et ils avaient engagé un personnel important pour cultiver la terre. Chaque fois qu'un nouveau terrain était à vendre, Kate se précipitait pour l'acheter. N'y aurait-il eu que la ferme qu'ils auraient déjà très bien vécu, songeait-elle avec satisfaction, comptant et recomptant les sommes importantes, provenant de la vente des tableaux, qu'elle déposait à la banque à Avignon.

L'intérêt qu'elle portait à l'aspect commercial du métier de son mari compensait le manque de communion entre eux dont elle n'était qu'en partie consciente. Il lui parlait rarement de son travail et ne lui demandait jamais de poser pour lui car, expliquait-il, sa peau mate prenait mal la lumière. Il ne l'invitait jamais non plus à lui rendre visite dans son atelier. Kate était maintenant une hôtesse célèbre. Le mas était devenu une demeure très confortable et tous les gens que Mercuès et elle avaient connus à Paris étaient conviés à y passer de longs week-ends.

Mercuès rejoignait souvent les joueurs de pétanque derrière le café et ne rentrait chez lui que pour dîner, lorsque la dernière partie était terminée. En hiver, lorsqu'il faisait trop froid pour jouer, il travaillait toute la journée et se couchait de bonne heure comme un fermier exténué. Mais son corps, ce corps qui prenait fréquemment possession du sien et dont elle n'était jamais rassasiée, appartenait à Kate. Il suffisait qu'il murmure « Patience, Kate », en la caressant pour qu'elle soit dans tous ses états.

Julien Mercuès était comme une drogue pour elle. Elle ne pouvait s'en passer, songeait-elle, assise seule devant la grande cheminée du salon. Elle ne regrettait pas la vie mondaine qu'elle avait menée avant de le rencontrer. Ce qui dans l'existence de Julien n'appartenait pas à son travail était à elle, elle en était certaine.

Le 29 septembre 1938, les accords de Munich furent signés et des millions d'Anglais, de Français et d'Allemands poussèrent un soupir de soulagement. Il n'y aurait pas de guerre.

Pendant l'été 1939, Kate, qui n'avait pas revu sa famille depuis deux ans, se rendit à New York. Sa ville natale était particulièrement animée à cause de l'Exposition universelle dont le thème était : le monde de demain.

Hitler avait envahi la Tchécoslovaquie deux mois plus tôt mais chaque jour, vingt-huit mille personnes, pour qui cet événement n'avait pas de signification particulière, faisaient la queue pour visiter le « Futurama » où la General Motor's leur offrait une vision idyllique des années 60. On allait construire des automobiles aérodynamiques coûtant deux cents dollars et de longues autoroutes très sûres. On guérirait le cancer. Les lois fédérales allaient protéger les forêts, les lacs et les vallées. Chacun prendrait deux mois de vacances par an et les femmes auraient encore une peau ravissante à soixante-quinze ans.

« Kate, il faut absolument que tu rentres aux Etats-Unis, déclara Maxwell Woodson Browning, son oncle préféré, diplomate à la retraite. Rester en Europe devient très dangereux.

— Oncle Max, pourquoi es-tu si pessimiste ? Que fais-tu des accords de Munich ? Hitler a obtenu ce qu'il voulait et il n'est pas assez fou pour tenter quelque chose contre la France – nous avons la ligne Maginot et tout le monde sait que les soldats d'Hitler sont de pauvres diables mal équipés. Les Allemands manquent d'armes et leurs uniformes ne sont même pas en lainage.

— Pure propagande ! Ne crois pas un mot de tout cela.

— Quelle absurdité ! Pourquoi veux-tu que les journaux français et la radio fassent de la propagande ? Ils sont parfaitement libres de dire la vérité.

– Kate, la situation est très préoccupante. Je suis en contact avec des gens qui croient, comme moi, qu'Hitler ne va pas tarder à envahir le reste de l'Europe. Tu risques de te faire coincer là-bas par la guerre.

– Mais, oncle Max, personne ne souhaite la guerre! Tu as vraiment une vision pessimiste des choses!

– Serais-tu devenue idiote, Kate? »

Ces mots, proférés d'un ton sec par un homme qu'elle admirait et respectait depuis son enfance, l'ébranlèrent. A la fin de la soirée, elle était si convaincue qu'il voyait juste qu'elle écrivit immédiatement à Julien de venir la rejoindre.

Lorsque Mercuès reçut cette lettre, il la parcourut distraitement et la jeta dans la corbeille à papiers. Une telle aberration ne valait même pas le timbre collé sur l'enveloppe. Il travaillait à approfondir une nouvelle vision des oliveraies. Rien ne devait venir interrompre le cours de cette gestation. A la troisième lettre, il finit par répondre un mot bref, l'assurant que personne au village ne croyait à la guerre. Hitler n'aurait pas le culot de s'attaquer à l'armée française.

Kate prit les choses en main et se mit à chercher, au nord de Danbury, une ferme dans laquelle Mercuès se sentirait bien. Les événements se faisant de plus en plus menaçants, elle était sûre qu'elle parviendrait à lui faire entendre raison. Connaissant Julien, elle savait qu'il était inutile d'essayer de le faire bouger tant qu'elle ne lui aurait pas trouvé un atelier confortable. Alors il viendrait la rejoindre. Ou bien c'est elle qui irait le chercher.

Le 1er septembre 1939, l'Allemagne envahit la Pologne. Deux jours plus tard, l'Angleterre et la France, liées par traité à la Pologne, déclarèrent la guerre à l'Allemagne.

S'il l'avait voulu, Mercuès aurait encore pu quitter la France à cette époque, mais il avait commencé à peindre sa série, *Les Oliviers*. Les vignes roussissaient, nimbées d'une lumière plus douce. L'été finissait. Mercuès, comme une femme sur le point d'accoucher, ne pouvait plus quitter le mas.

A Félice, les esprits étaient calmes. Chacun pensait qu'il y avait certainement un moyen diplomatique de sortir de la drôle de guerre, la *Sitzkrieg*, comme disaient les Allemands. Mais, tandis que Mercuès pensait à ses oliviers, les Allemands envahirent la France. Le 17 juin 1940, Pétain proposa l'armistice, qui était une reddition. Le piège était refermé.

Pourquoi maintenant? enrageait Mercuès, maudissant sa malchance. Pourquoi maintenant, alors que j'ai tant à faire, que je peins comme je n'ai jamais peint de ma vie? Que vais-je devenir si je ne peux plus faire venir mes fournitures de Paris? Il n'y a pas un magasin correct à Avignon. Et comment me procurer des toiles?

Il tournait comme un ours en cage dans son atelier. Il compta les quelques toiles vierges qui lui restaient et les empila dans un coin. Depuis des mois, il n'avait rien reçu de Paris. Comme tous les peintres, il avait un véritable stock de tubes de couleur, mais combien de temps tiendrait-il sans en recommander? En outre, il était inquiet pour le mas. Depuis le départ de Kate, rien n'allait plus à la ferme.

Jean Brunel, le jeune fermier que Kate avait

recruté avant leur mariage, avait toujours engagé des aides dans les périodes de gros travaux, au printemps et à l'automne. Mais, depuis le printemps dernier, on ne trouvait plus d'hommes disponibles. Quand ils n'étaient pas prisonniers des Allemands, on avait besoin d'eux dans leur propre ferme pour remplacer ceux qui étaient partis se battre. Brunel faisait de son mieux avec l'excellent équipement que lui avait procuré Kate et qui faisait l'envie de tous les fermiers de la région. Ce matin, il était venu voir Mercuès, l'avait *interrompu dans son travail* pour lui dire qu'il craignait de manquer d'essence pour ses motoculteurs. Le nouveau gouvernement de Vichy commençait à tout rationner.

« Merde, Brunel! avait explosé Mercuès que cet intrusion exaspérait. Que voulez-vous que j'y fasse?

— Je suis désolé, monsieur Mercuès, mais comme Madame n'est pas là, j'ai préféré vous avertir...

— Brunel, faites au mieux mais ne me cassez pas les pieds avec ces histoires. Et je ne veux pas être dérangé quand je travaille! »

Cinq jours après le cessez-le-feu, le 22 juin, Marthe Brunel frappa timidement à la porte de l'atelier en fin d'après-midi. Habituellement, elle ne pénétrait jamais dans ce sanctuaire de la création, se contentant de poser, à l'heure du déjeuner, un plateau devant la porte. Mais aujourd'hui il fallait bien qu'elle surmonte la terreur que Mercuès lui inspirait.

« Qu'est-ce que c'est? demanda-t-il d'un ton impatient.

— Monsieur Mercuès, il faut que je vous parle.

— Eh bien, entrez, bon Dieu! Qu'est-ce qu'il y a?

— Monsieur Mercuès, des gens sont arrivés avec une voiture remplie de bagages. Ils demandent s'ils peuvent passer la nuit ici. C'est M. et Mme Behrman et leurs trois enfants. Je leur ai dit d'attendre dehors, que j'allais vous demander. Ils essaient de passer en Espagne. Ils prétendent que les juifs ne sont plus en sécurité en France. »

Mercuès frappa violemment la paume de sa main avec son poing. Charles Behrman et sa femme, Toupette, étaient de vieux amis. Il avait fait connaissance de Behrman, un sculpteur, des années auparavant à Montparnasse. Il avait loué l'atelier voisin de celui de Mercuès, boulevard Arago et l'avait souvent nourri quand il était fauché. Mais maintenant ils avaient trois enfants, des gosses proprement insupportables. Ils étaient venus passer un week-end, il y avait quelque temps de cela, et Mercuès avait cru devenir fou. De quel droit Behrman faisait-il irruption chez lui avec sa détestable marmaille? C'était intolérable. Et qui sait combien de temps ils resteraient, une fois confortablement installés? S'il avait décidé de passer en Espagne sous prétexte qu'il était juif, c'était son affaire. Après tout, la guerre était finie, le cessez-le-feu avait été annoncé.

« Vous lui avez dit que j'étais ici? demanda-t-il à Marthe Brunel.

– Pas exactement, juste qu'il fallait que je vous demande l'autorisation de les faire entrer.

– Dites-leur que vous ne m'avez pas trouvé, que je suis sorti et que vous ne savez pas à quelle heure je serai de retour. Dites-leur que vous ne pouvez pas leur laisser passer la nuit ici sans ma permission. *Débarrassez-vous d'eux d'une manière ou d'une autre.* Vous ne leur avez pas ouvert le portail, au moins?

– Non, non, monsieur.

– Bon. Assurez-vous qu'ils partent bien, suivez-les du regard jusqu'aux chênes-lièges.

– Oui, monsieur Mercuès. »

Le lendemain, Mercuès se rendit à Félice et offrit une tournée de pastis à ses amis. Il écouta leurs propos plus attentivement que d'habitude. Ces hommes d'un naturel joyeux, qui avaient discuté politique sans se fâcher d'innombrables fois, étaient aujourd'hui profondément divisés et amers. Certains pensaient que Pétain avait sauvé la France, d'autres le considéraient comme un traître.

Cependant, ils étaient tous d'accord pour pester contre ces gens du Nord qui passaient la ligne de démarcation pour se réfugier dans le Sud. Ils étaient partout, démunis, affolés, ne parvenant à obtenir ni nourriture ni essence. Ils harcelaient les autorités locales, c'était un véritable fléau qui s'était abattu sur les fermes et les villages.

Mercuès rentra chez lui, pensif. Il connaissait trop de gens à Paris et surtout trop de juifs. A cause de Kate et de son sens excessif de l'hospitalité, tous leurs amis connaissaient maintenant le chemin de La Tourrello. Ils savaient combien de chambres d'amis comportait le mas et n'ignoraient pas que leurs terres étaient si productives qu'ils pouvaient presque vivre en autarcie. Il risquait de voir arriver de nombreux amis comme les Behrman.

Il convoqua Marthe et Jean Brunel dans la cuisine.

« Brunel, dit-il à l'homme, vous allez me construire une clôture là où la route bifurque vers le mas. La région grouille de gens qui cherchent un refuge et je ne veux pas qu'ils viennent me déranger dans mon travail.

– Bien, monsieur.

– Madame Brunel, je compte sur vous pour ne plus faire irruption dans mon atelier. Si quelqu'un passe par les bois, ne venez pas me le dire. Racontez que je suis absent en ce moment et que vous ne pouvez recevoir personne. N'ouvrez pas la porte, entrouvrez seulement le judas. Compris?

– Oui, monsieur. »

Pendant les deux années qui suivirent, un certain nombre de vieux amis et de relations de Mercuès tentèrent d'atteindre La Tourrello. La plupart du temps, ils ne cherchaient qu'un refuge pour une nuit. Mais les grandes portes en bois restèrent toujours fermées.

Ces visiteurs affolés étaient presque tous juifs. Peu d'entre eux survécurent à la guerre.

En juin 1942, tandis qu'il enterrait sa mère, Adrien se dit soudain qu'il était temps de quitter Paris et qu'il était désormais libre de le faire. Il s'assura que l'étoile jaune avec le mot *Juif* écrit en lettres majuscules était bien visible sur sa veste. A Paris, on avait arrêté des femmes sous prétexte qu'elles dissimulaient leur étoile jaune avec leur sac à main. Encore hier, un homme avait été arrêté parce que son étoile se décousait. La semaine dernière, une vieille dame qui vivait près de chez lui avait été prise dans une rafle alors qu'elle sortait le courrier de sa boîte aux lettres. Elle avait négligé de coudre une étoile sur sa robe de chambre.

Avigdor n'avait pas prévu cela, personne ne l'avait prévu, lorsqu'il avait pris la décision de rester à Paris. Sa mère, rendue presque infirme par l'arthrite, était incapable de voyager et tous deux, pendant ces chaudes semaines de juin, deux ans auparavant, avaient observé l'exode derrière les volets mi-clos de leur appartement boulevard Saint-Germain.

Pendant des heures, ils regardaient la horde muette et terrifiée qui tentait de gagner le Sud. Une grande partie de Paris, des villages entiers et des centaines de kilomètres de campagne étaient abandonnés à l'ennemi qui avançait. Les gens fuyaient sur les routes dans des voitures qui s'arrêtaient bientôt faute d'essence. Ils continuaient à pied, portant des enfants effrayés, des parapluies et le chapeau du dimanche, poussant devant eux des landaus remplis de trésors pathétiques. Les fermiers trimbalaient des poulets en cage et traînaient des vaches mourant de soif derrière eux.

« Va-t'en, Adrien, je t'en supplie, va-t'en, l'avait imploré Mme Avigdor. Je suis une vieille femme. Il ne faut pas que tu restes pour moi... Mme Blanchet, notre voisine, m'a proposé de me faire mes courses. Pars maintenant, Adrien, pendant qu'il en est encore temps!

– Ne sois pas absurde, maman. Comment puis-je abandonner mes artistes et quitter ma galerie? »

Il n'ajouta pas qu'il n'avait aucune confiance dans les promesses de ses voisins et qu'il ne pouvait pas la laisser faire face, toute seule, à l'arrivée des Allemands. En outre, il avait la responsabilité de plusieurs centaines de toiles qui lui avaient été confiées par des gens fuyant Paris. C'étaient souvent les plus belles œuvres des artistes dont il s'occupait. Il s'était engagé à les garder. Qui sait ce que feraient les Allemands en entrant dans la ville? Hitler avait horreur de l'art moderne. Même le vieux Picasso était un dégénéré aux yeux des nazis. Il fallait bien que quelqu'un restât.

Maintenant, deux ans plus tard, il ne pouvait

s'empêcher d'esquisser un sourire triste en repensant à cette décision. Cependant, il en ferait autant aujourd'hui. Grâce à lui, les dernières années de sa mère avaient été supportables. Dieu merci, elle était morte avant que le port de l'étoile de David ne fût rendu obligatoire à partir de six ans.

Elle avait toutefois vécu assez longtemps pour devoir s'inscrire comme juive à la préfecture de police. Il avait fallu la soutenir car ses pauvres jambes ne la portaient plus. Elle avait vécu assez longtemps pour voir le mot *Juif* écrit en lettres majuscules sur sa carte d'identité et pour savoir que tous les juifs étrangers avaient été déportés. Mais elle ignorerait toujours que les juifs français, même ceux qui vivaient en France depuis des siècles, n'avaient désormais plus le droit de travailler, d'avoir le téléphone, d'acheter des timbres, d'aller au restaurant, au café, dans les librairies ou au cinéma. Pas même de s'asseoir dans un jardin public. Ils nous laissent quand même une heure par jour pour faire nos courses, songea Avigdor avec un sombre humour, de trois à quatre – quand toutes les boutiques ou presque sont fermées.

Les trains continuaient de rouler, bien que très irrégulièrement, et les gens pouvaient voyager, tout au moins ceux qui étaient munis d'un *Ausweis*. Avigdor réfléchit aux possibilités qui s'offraient à lui.

Soutine, il le savait, s'était réfugié en Touraine, Max Jacob à Saint-Benoît-sur-Loire, Braque à L'Isle-sur-la-Sorgue et son ami, le grand marchand de tableaux Kahnweiler, vivait dans le Limousin sous le nom de Kersaint. Picasso travaillait toujours à Paris ainsi que Vlaminck et Cocteau.

La galerie d'Avigdor avait été confisquée au profit d'un marchand aryen qui faisait des affaires prospères avec l'ennemi, vendant les croûtes de peintres d'énième ordre. Quelques mois auparavant, Avigdor avait demandé à Paula Deslandes des tuyaux pour quitter Paris. Elle était morte peu de temps après d'une crise cardiaque et La Pomme d'or était fermée pour de bon.

Depuis que la résistance s'était organisée en France, Paula n'avait cessé d'aider des gens en danger. « Je me suis entraînée à cela toute ma vie, avait-elle dit gaiement à Avigdor. J'ai toujours eu toutes sortes de raisons pour ne pas quitter Paris, mais j'en ai maintenant une excellente : je reste pour aider les autres à partir. »

Les premiers moments d'affolement passés, les Parisiens avaient regagné leur ville. De jolies femmes portaient de nouveaux chapeaux et ceux qui avaient de l'argent pouvaient dîner ouvertement dans des restaurants qui achetaient tout au marché noir sans se sentir coupables puisque dix pour cent de leur chèque était reversé à une œuvre de charité. Dans les cafés, les intellectuels avaient repris leurs discussions. Les gens tombaient encore amoureux et allaient à l'église. Et les femmes mettaient des enfants au monde. Néanmoins, de profonds changements s'étaient opérés dans la vie de chacun.

Tous les Français ne réagissaient pas de la même manière à la présence des Allemands. Avigdor savait à qui s'adresser pour avoir, sans danger, de faux papiers ou un *Ausweis*. On pouvait tout obtenir, de la « vraie » fausse carte d'identité venant tout droit de la préfecture à la plus lamentable des contrefaçons.

Il avait ses sources, des amis sur lesquels il pouvait compter et, Dieu merci, de l'argent pour quitter Paris.

Deux semaines plus tard, muni d'une carte d'identité qui ne portait pas la mention *Juif,* des indispensables cartes de rationnement et d'un *Ausweis,* Adrien Avigdor, vêtu d'une salopette bleue, monta dans un train avec sa précieuse bicyclette en direction du Sud. Il voyagea pendant des jours et des jours, attendant parfois un train pendant des heures dans des gares sordides et bondées. Autour de lui, les gens, épuisés, passaient parfois la nuit entière assis sur leur valise. Dès neuf heures du soir, le couvre-feu les enfermait dans la gare jusqu'au lendemain matin.

Plusieurs fois, dans le train, les Allemands avaient contrôlé ses papiers, comparant son visage à la photographie. Mais sa figure aimable et franche, sa figure de brave fermier décourageait les soupçons et sa nouvelle carte, habilement vieillie, qui lui avait coûté à peu près autant qu'une propriété à la campagne, était irréprochable. Avigdor était décidé à prendre contact avec un réseau de résistants qui se cachaient dans la montagne, près d'Aix-en-Provence, mais il avait résolu de passer d'abord voir Mercuès. Il voulait s'assurer que le peintre allait bien.

Le trajet à bicyclette d'Avignon à Félice lui parut rude, mais Adrien Avigdor était heureux. Se retrouver dans cette ravissante campagne après ces années noires dans un Paris bourré d'Allemands lui paraissait merveilleux. Il se rendit compte qu'il lui fallait pédaler ferme s'il voulait atteindre La Tourrello avant le couvre-feu.

Exténué, il mit pied à terre et poussa sa bicyclette dans la côte, à travers le bois de chênes-lièges. Cinq minutes plus tard, il cognait à la grande porte qu'il connaissait si bien. Au bout d'un long moment, Mme Brunel ouvrit le guichet et lui jeta un regard méfiant.

Avigdor sourit en apercevant ce visage familier.

« Non, ce n'est pas un fantôme, madame Brunel. C'est bien moi. Je suis content de vous voir, madame Brunel, très content. J'espère qu'il vous reste encore une bonne bouteille pour moi? Allez... ouvrez-moi. M. Mercuès est là?

— Vous ne pouvez pas entrer, monsieur Avigdor, dit la femme.

— Il est arrivé quelque chose? demanda-t-il, inquiet.

— Personne ne peut entrer, monsieur.

— Mais... qu'est-ce que c'est que cette histoire? Je suis venu d'Avignon à bicyclette. Vous avez peur de quelque chose, madame Brunel?

— De rien, monsieur, mais j'ai des ordres. Nous ne pouvons recevoir personne.

— Mais il faut que je vois M. Mercuès.

— Il est absent.

— Mais enfin, madame Brunel, vous me *connaissez*! Combien de fois suis-je venu ici? Je suis un ami – un ami intime. Allons, laissez-moi entrer... qu'est-ce qui vous prend?

— C'était avant... M. Mercuès n'est pas là et je ne peux pas vous laisser entrer.

— *Où est-il?* Où est madame?

— Je vous l'ai dit, monsieur est absent en ce moment. Madame est dans son pays. Au revoir, monsieur Avigdor. » La gardienne referma le guichet.

Avigdor demeura un instant immobile, incrédule. Le mas était aussi fermé qu'un village fortifié du Moyen Age. Il regarda le ciel. Il faisait encore clair

mais il avait tout juste le temps de regagner Beau-
mettes et son unique auberge avant le couvre-feu.

Furieux, jurant entre ses dents, il reprit sa bicyclette et descendit la colline. Avant de pénétrer
dans le bois, il s'arrêta pour jeter un dernier coup
d'œil vers le mas.

Là, derrière la fenêtre du pigeonnier, il aperçut
une tête massive, facilement reconnaissable. Julien
Mercuès le regardait s'éloigner. Avigdor crut voir le
regard du peintre fixé sur lui. Mercuès s'éloigna de
la fenêtre. Le cœur battant, Avigdor se précipita
vers le mas, persuadé qu'il allait venir lui-même
ouvrir la porte. Tout était la faute de cette idiote de
gardienne. Elle avait agi sans consulter Mercuès.

De longues minutes s'écoulèrent dans un silence
total. Adrien comprit et remonta sur son vélo. Lui
qui n'avait pas versé une larme lorsque les Allemands avaient remonté les Champs-Elysées ou
quand sa mère était morte se mit à pleurer.

Cinq mois après qu'Avigdor eut rejoint le maquis,
les Alliés débarquèrent en Afrique du Nord et les
Allemands occupèrent la zone sud. Une importante
garnison d'Allemands et l'inévitable Gestapo s'installa à Avignon et des troupes stationnèrent à cinq
kilomètres de Félice, à Notre-Dame-des-Lumières.

Pendant près de deux ans, afin de ne pas risquer
d'être réquisitionné par le service du travail obligatoire, Julien Mercuès avait travaillé dans les
champs. De toute façon, il le fallait bien s'il voulait
continuer à manger. On ne trouvait presque plus
rien chez les commerçants de Félice.

Mais, la nuit tombée, il fermait ses volets pour
dissimuler la douce lumière qu'il parvenait à créer
avec les bougies que Kate avait stockées avant la

guerre, et peignait. Comme il n'avait plus de toiles, il prenait les innombrables paires de draps entassées dans le placard à linge et les enduisait d'une glu obtenue en faisant bouillir des os de lapin. C'était son bien le plus précieux. Il regrettait amèrement d'avoir brûlé tant de tableaux. Il aurait pu s'en resservir. Il voyait, avec désespoir, sa réserve de tubes de peinture diminuer, bien qu'il se rationnât sévèrement. Mais parfois, dans la transe de la création, il oubliait sa pénurie et utilisait généreusement ses couleurs, comme autrefois. Alors, en regardant ses tubes à moitié vides, Mercuès était envahi par un sentiment de détresse.

Quelques semaines après l'arrivée des Allemands à Avignon, une Citroën noire s'arrêta devant le mas. Un officier allemand en uniforme vert en descendit, suivi de deux soldats armés de mitraillettes. Blême, Marthe Brunel ouvrit le portail à la hâte.

« C'est la maison de Julien Mercuès? demanda l'officier dans un français correct.

— Oui, monsieur.

— Allez le chercher. »

Aucun Français n'obéissait aux ordres d'un Allemand sans un sentiment de crainte, pas même Mercuès qui pourtant n'écoutait pas la B.B.C., n'avait jamais eu aucun contact avec la Résistance et était parfaitement en règle avec les autorités de Vichy.

« *Kapitän* Schmitt », dit l'homme en lui tendant la main. Mercuès la lui serra. « J'admire votre œuvre depuis des années. En fait, moi aussi, je peins à mes heures... en amateur, bien sûr, mais j'adore la peinture.

– Merci », répondit Mercuès d'un air réservé.

L'homme faisait certainement partie de ces barbouilleurs qu'il avait toujours évités avec soin. Et puis, son uniforme jurait avec ses propos amicaux.

« J'étais à Paris jusqu'à une date récente et j'ai eu le plaisir de rendre visite à Picasso dans son atelier. Si ce n'est pas trop indiscret, pourriez-vous me faire visiter le vôtre ? J'en ai tant entendu parler !

– Mais volontiers », répondit Mercuès.

Il l'emmena dans son atelier. Schmitt regarda avec attention toutes les toiles que Mercuès avait entassées contre le mur. Ses exclamations de plaisir et ses commentaires témoignaient d'un goût réel pour la bonne peinture et d'une connaissance approfondie de l'œuvre du peintre.

Le capitaine donna un ordre à ses soldats. L'un d'eux courut à la voiture et en rapporta une bouteille de cognac.

« J'ai pensé..., dit l'officier avec une trace de timidité soudaine, je vous en prie, permettez-moi... Je serais très honoré. »

Mercuès regarda cet homme poli, enthousiaste et cultivé qui était la seule personne à avoir vu ses toiles depuis deux ans et demi.

« Asseyez-vous, dit-il, je vais aller chercher des verres. »

Après cette première visite, le capitaine Schmitt revint souvent. Il passait voir Mercuès toutes les deux ou trois semaines et lui apportait des tubes de peinture.

Plus tard, cette même année, lorsque l'organisation Todt battit les buissons du Luberon pour récupérer des milliers de fermiers qu'ils envoyaient construire des terrains d'aviation et des blockhaus sur la côte, Schmitt prit en main le dossier de Mercuès et s'arrangea pour lui éviter le travail obligatoire.

Si ses voisins voyaient d'un mauvais œil son amitié avec un officier allemand, Mercuès n'en sut rien car il ne mettait plus les pieds au café de Félice. L'atmosphère y était tendue, pesante, et il n'y avait plus rien à boire. Quant aux boules, seuls quelques gamins et deux ou trois vieillards y jouaient encore.

Un jour, en rentrant des champs, Mercuès trouva Mme Brunel tremblante de rage.

« Ils sont venus et ils ont tout pris! Tout! Le dernier poulet, les navets, la confiture, les tickets de rationnement... Ils ont fouillé toute la maison, ils m'ont même fouillée, moi! Oh! monsieur Mercuès, si seulement vous aviez été là...

– Qui est venu? demanda Mercuès d'un ton rude.

– Je ne sais pas, je ne les ai jamais vus avant. Ils ne sont pas d'ici – de jeunes sauvages, des gangsters, des criminels... Ils sont partis vers Lacoste par les bois.

– Ils sont entrés dans mon atelier?

– Ils sont allés partout, ils ont ouvert toutes les portes... »

Mercuès se précipita dans l'atelier et en ressortit presque aussitôt en criant : « Où sont mes draps?

– Ils les ont pris, et tous ceux qui étaient dans la maison aussi, et les couvertures...

– Tous les draps?

– Qu'est-ce que je pouvais faire, monsieur Mer-

222

cuès, je vous le demande? cria-t-elle avec colère. Je vous ai dit que c'étaient des gangsters. »

Lorsque le capitaine Schmitt revint le lendemain en apportant comme d'habitude une de ses propres toiles pour avoir l'avis du maître, il trouva Mercuès dans tous ses états.

« Que se passe-t-il? Que vous est-il arrivé?

— On m'a volé, répondit Mercuès d'un air lugubre.

— C'étaient des Allemands? Si c'est le cas, je vais m'en occuper personnellement, soyez-en certain.

— Non... je ne sais pas qui c'est. De jeunes voyous, m'a dit la gardienne. Une bande d'apaches.

— Le *maquis*?

— Je n'en sais rien. Mais c'étaient des étrangers, elle ne les avait jamais vus avant.

— Que vous ont-ils pris? demanda Schmitt, inquiet de l'expression désemparée de Mercuès.

— Beaucoup de choses sans importance, mais ils ont embarqué mes draps. Je ne peux plus travailler, vous comprenez? Il ne me reste plus une seule toile. J'ai envie de les tuer, ces salauds!

— De quel côté sont-ils partis?

— Je n'en sais rien... Vers Lacoste, d'après Mme Brunel, à travers bois. Mais vous pensez bien que, maintenant, ils doivent être loin.

— Je vais voir ce que je peux faire pour vous procurer des toiles. Ce n'est pas facile, il n'y en a presque plus nulle part, mais je vais essayer. »

Deux jours plus tard, Schmitt revint avec une voiture remplie de draps.

« Je n'ai pas trouvé de toiles, mais je vous rapporte vos draps, dit-il, rayonnant.

— Mais comment?

— Nous avons pincé les voleurs dans les bois, du

côté de Lacoste. Ils avaient tout un chargement « réquisitionné ». Le maquis.

    – *Ce n'étaient pas des types du maquis!*

    – Oh! si, Julien, sans aucun doute. Ne vous inquiétez pas, ces salauds ne vous embêteront plus jamais. »

15

C'est parce que je suis trop grande, se dit Teddy Lunel avec découragement en regardant la classe autour d'elle.

Au cours de ces sept années passées à Elm School, une petite école privée tout près de Central Park West, elle avait souvent songé que son manque de popularité devait venir de sa situation familiale.

Contrairement aux autres, elle n'avait ni père ni famille. Et sa mère travaillait toute la journée. Il est vrai qu'ayant sauté une classe, elle était également plus jeune que ses compagnes. Puis Teddy avait fini par penser que c'était à cause de sa taille – à treize ans, elle mesurait déjà un mètre soixante-douze – qu'on la rejetait ainsi.

Elle n'était jamais invitée à aucun goûter d'anniversaire, sauf lorsque les mères insistaient pour avoir toute la classe. Pendant l'heure du déjeuner, personne ne lui gardait de place au réfectoire et, lorsque les filles se racontaient des secrets et gloussaient, elles s'arrangeaient toujours pour le faire loin de Teddy.

Cet ostracisme n'était pas nouveau. Il remontait en fait à ses premiers jours de classe.

Mais personne autour d'elle ne connaissait suffisamment la psychologie enfantine pour expliquer à Teddy que son extraordinaire beauté en était la cause. Cette beauté l'isolait du reste de ses camarades. Lorsque les adultes lui faisaient des compliments – et peu de gens y résistaient – elle n'en faisait aucun cas puisque, malgré son physique, personne ne l'aimait.

Maggy n'avait aucune idée des souffrances de sa fille. Teddy ne lui avait jamais avoué qu'elle était une paria. Sa mère l'aimait trop, elle était trop fière d'elle. Teddy avait peur de la décevoir.

Maggy pensait souvent que sa fille manquait de la plus élémentaire confiance en soi. Mais peut-être était-ce mieux ainsi, concluait-elle. Maggy, dont le métier reposait sur le physique des femmes, trouvait Teddy d'une beauté presque magique. Ses cheveux, tout un dégradé de roux, formaient un contraste romantique avec la pâleur de son teint. Ses lèvres étaient exquises. Sous des sourcils épais, à la courbe parfaite, elle avait les yeux bleus de son père. Son nez magnifique – un vrai nez, pensait Maggy avec fierté – lui donnait une expression hautaine. S'il était un peu important pour un visage d'enfant, plus tard il serait superbe. Maggy ne voyait pas Teddy comme une adolescente parmi les autres mais comme la femme qu'elle allait devenir. Elle ne se doutait pas qu'elle aurait donné n'importe quoi pour n'être que petite et mignonne et non spectaculaire comme elle l'était. Mais le fait que sa fille n'eût aucune amie et aucun parent, sauf elle, la préoccupait un peu.

Au début, quand elle avait monté son agence (elle travaillait encore chez elle à cette époque), elle avait constaté que les mannequins traitaient Teddy comme leur petite sœur. Par la suite, Maggy avait loué des bureaux dans l'immeuble de Carnegie Hall et avait demandé à Nanny Butterfield et plus tard à Mlle Gallirand qui l'avait remplacée d'amener Teddy à l'agence plusieurs fois par semaine après l'école.

Lorsque Teddy commença à avoir des devoirs à faire, on lui installa un bureau dans un coin tranquille et les filles de Lunel, qui étaient maintenant environ cent vingt, passaient l'embrasser, lui montrer de nouvelles photos ou prendre une pomme dans sa corbeille de fruits. Cela valait bien tous les parents du monde, pensait Maggy.

Elm School était tout près du grand appartement qu'elle louait dans l'élégant San Remo, 74e Rue et Central Park West, qui donnait sur le parc. Au loin, on apercevait les immeubles de la 5e Avenue. Maggy aurait pu s'installer dans l'East Side et envoyer sa fille dans une école plus connue. Mais, dans cette partie de la ville, Teddy aurait risqué de buter constamment sur un Kilkullen, un McDonnell, un Murray ou un Buckley. L'East Side était le quartier de la bourgeoisie catholique et, après que Maggy eut perdu son job chez Bianchi, après le scandale de l'exposition Mercuès, elle avait essayé de mettre une certaine distance entre sa fille et ces gens-là.

Teddy vadrouillait dans le San Remo pendant des heures. C'était son domaine. Elle connaissait la vie de tous les liftiers noirs. Elle était la chouchoute des portiers qui étaient toujours prêts à lui donner un morceau de craie pour jouer à la marelle. C'était une enfant vivante et pleine d'énergie, toujours à bicyclette ou sur patins à roulettes. En hiver, elle descendait les collines du parc à plat ventre sur son traîneau. Comme le joueur de flûte, elle traînait derrière elle toute une ribambelle d'enfants plus jeunes qu'elle à qui elle racontait des histoires compliquées qui se passaient toujours en Amazonie.

Parfois, au printemps, lorsque la pluie tombait et que les forsythias étaient en fleur, Teddy allait se réfugier toute seule dans l'Anne Hathaway Garden, au pied d'une tour en vieilles pierres. Là son imagination s'enflammait et elle rêvait à l'amour dont elle n'avait pas une idée très précise.

Lorsque Teddy eut treize ans, elle obtint son diplôme de l'école élémentaire. C'est elle qui conduisit la classe dans la salle des fêtes. Les professeurs s'étaient demandé s'il valait mieux, pour qu'on remarquât moins sa taille, la mettre en tête ou en queue. Ils avaient opté pour la première solution.

Lorsqu'elle s'avança sur l'estrade afin de recevoir son diplôme, l'assistance applaudit frénétiquement. Maggy avait invité Darcy, les Longbridge, Gay et Oliver Barnes et une douzaine de ses mannequins préférés. Les douze cover-girls les plus célèbres de l'année 1941, coiffées de leur plus joli chapeau, crièrent et applaudirent à tout rompre tandis que Teddy, les yeux baissés, traversait la scène avec grâce.

Au collège, Teddy décida de forger une alliance avec les quelques filles impopulaires de la classe. Sally, véritable rat de bibliothèque, portait des verres épais et transpirait abondamment; Harriett bégayait et était affublée de chaussures orthopédiques; quant à Mary Ann, la chouchoute du professeur, elle s'asseyait toujours au premier rang et

228

avait la détestable habitude de lever frénétiquement le doigt lorsque les autres séchaient. Ces
trois-là devinrent ses meilleures amies.

Teddy ne venait plus faire ses devoirs à l'agence.
Après la classe, elle travaillait avec ses nouvelles
amies. Elles se réunissaient toutes les quatre chez
l'une ou chez l'autre et terminaient leurs devoirs le
plus vite possible afin de pouvoir parler des garçons. Elles n'avaient aucun visage précis en tête,
plutôt une vague idée du garçon idéal. La question
qui les tourmentait le plus était celle de la nuit de
noces. Fallait-il porter une chemise de nuit transparente comme celle de maman? Et devait-on entrer
dans le lit ou bien s'étendre dessus? *Et alors, que se
passait-il?* A ce stade de la conversation, elles se
mettaient à glousser et allaient chercher des bis-
cuits et du Coca-Cola dans la cuisine.

Un jour, Teddy avait essayé de leur expliquer ce
qui se passait ensuite. « Le père met son zizi dans le
ventre de la mère et il y a une petite graine qui... »
Elle fut interrompue par des protestations indi-
gnées. Ses amies ne voulaient pas entendre de
détails aussi révoltants et elles avaient du mal à
croire que la mère de Teddy avait un jour raconté
ça à sa fille. A quatorze ans, elles étaient mal
remises du choc de leurs premières règles et ce que
Maggy appelait les « choses de la vie » était beaucoup trop dénué de romantisme pour qu'elles pussent le supporter.

Qu'est-ce que ce serait, songeait Teddy, si elles
savaient la vérité sur moi! Si elles ne pouvaient
même pas accepter la façon dont on faisait les
enfants, que diraient-elles en apprenant qu'elle était
une bâtarde? Oh! Maman n'avait pas employé ce
mot-là, bien sûr, mais ça revenait au même.

Elle ne se souvenait pas à quel âge exactement sa

mère lui avait expliqué en français (langue dans laquelle elles s'exprimaient toujours lorsqu'elles étaient seules) qu'elle était une enfant naturelle mais c'était il y a si longtemps qu'elle avait grandi avec cette idée qui était devenue chaque année plus obsédante. Comment Maggy lui avait-elle fait comprendre que mieux valait ne pas essayer de connaître ses origines? Et comment lui avait-elle appris à dire, d'une façon qui arrêtait net d'éventuelles questions, que son père était mort?

Teddy n'abordait jamais ce sujet tabou avec sa mère. Mais ce lourd secret l'isolait des autres. Elle se sentait à part. Aucune d'elles n'avait réellement de secret. Et, pourtant, le but de leur amitié était de se confier, de se rassurer mutuellement, de s'aider à traverser cette période ingrate qu'est la puberté.

Maggy avait cependant donné à Teddy quelques détails sur son père. Elle lui avait raconté qu'il était mort d'une crise cardiaque avant de pouvoir divorcer, mais qu'étant catholique irlandais, il aurait eu du mal à le faire. La voix tendue avec laquelle elle lui fournit cette courte explication, son air triste découragèrent l'enfant de lui poser d'autres questions.

Teddy adorait sa mère mais, comme beaucoup de gens, elle en avait un peu peur.

L'habitude de commander, d'être à la tête d'une affaire de plus en plus importante, donnait au caractère de Maggy une dimension qui manquait à la plupart des femmes dans les années 40. Si on avait du mal à l'imaginer en mère, on n'en avait par contre aucun à l'appeler « la Patronne » comme le faisaient toutes les filles.

A trente-quatre ans, Maggy restait une beauté et

semblait plus jeune que la plupart de ses amies. Le temps s'était contenté de creuser légèrement son visage et d'en accentuer l'ossature.

Au bureau, Maggy portait des tailleurs gris et noir en hiver, blancs en été qui venaient de chez Hattie Carnegie. Les perles birmanes qu'elle avait reçues pour son vingtième anniversaire ornaient toujours son cou et elle continuait d'épingler un œillet rouge au revers de sa veste. C'est Titania, de Saks, dans la 5e Avenue, qui dessinait les ravissants chapeaux qu'elle portait même au bureau, comme le faisaient toutes les femmes qui s'occupaient de mode à cette époque. Maggy les connaissait toutes et déjeunait souvent avec l'une ou l'autre au Pavillon, où Henri Soulé leur réservait toujours une bonne table.

Et, le soir, Jason Darcy était toujours là. C'était son meilleur ami, son amant depuis des années, son complice, l'homme qu'elle n'épouserait jamais. Maggy avait eu du mal à faire admettre cela à sa meilleure amie, Lally Longbridge.

« Es-tu devenue folle, Maggy? lui avait-elle demandé des années auparavant. Darcy meurt d'envie de t'épouser. Pourquoi n'acceptes-tu pas?

– Lally, je ne veux plus jamais dépendre d'un homme. Si nous nous marions, je sais ce qui arrivera. J'aurai de moins en moins de temps à consacrer à mon travail et un jour je finirai par l'abandonner pour me contenter d'être l'épouse de Darcy. Je partirai en voyage avec lui, je m'inquiéterai de nos maisons, de nos domestiques, de nos réceptions – peut-être même de nos enfants. Je dépendrai de lui, Lally, tu comprends? Je ne peux pas supporter cette idée. » Maggy avait posé son verre et secoué le bras de Lally pour qu'elle comprenne. « Il vaut mieux continuer comme ça. Darcy sait que je suis à lui, qu'aucun autre homme ne m'intéresse. Si ce n'est pas suffisant pour lui, je suis désolée, mais je n'envisage aucune autre solution. »

Maggy savait que Teddy devait s'interroger sur ses relations avec Darcy, mais si elle ne parvenait pas à les faire comprendre à une femme aussi intelligente que Lally, comment pouvait-elle les expliquer à une adolescente? Il y a tant de choses que je ne peux pas dire à Teddy, songea-t-elle avec un sentiment de culpabilité. Elle n'avait jamais avoué à Teddy qu'elle-même était une enfant illégitime. Elle lui avait raconté qu'elle avait perdu ses parents lorsqu'elle était petite. Teddy, qui dévorait *Les Hauts de Hurlevent* et qui avait vu *Philadelphia Story* une douzaine de fois, était bien trop perdue dans ses rêves romantiques pour se préoccuper de l'enfance de sa mère.

« Patsy Berg a touché le *truc* d'un garçon, déclara Sally avec un air d'incrédulité fascinée.

— Je ne te crois pas, répondit Mary Ann, effarée.

— Si elle l'a réellement fait, c'est qu'il l'a forcée », ajouta Harriett avec l'expression supérieure de quelqu'un qui a fait le tour de la question.

Teddy demeura silencieuse. Elle aurait donné n'importe quoi pour *voir* le truc d'un garçon, seulement le voir. Elle arpentait les couloirs du Metropolitan Museum à la recherche d'une statue dotée d'un pénis qui serait autre chose qu'une simple enjolivure en marbre, sans plus de signification qu'une décoration sur un gâteau d'anniversaire. La plupart du temps, ils étaient cassés comme les nez des statues grecques. Elle *savait* qu'il y avait là un mystère que le musée ne révélait pas. Mais elle avait presque seize ans et, jusqu'à présent, le seul garçon qui lui avait demandé de sortir avec lui, c'était le cousin d'Harriett, Melvin Allenberg. Melvin était beaucoup plus petit qu'elle, chétif et portait des verres épais mais il était en quatrième année à Collegiate et, quand il souriait, il ressemblait vaguement à Van Johnson, bien qu'il ne fût ni blond, ni grand, ni séduisant. Toutefois, il n'avait pas de boutons. La seconde fois qu'il l'invita, elle accepta.

Dès le premier instant où il avait aperçu Teddy, l'imagination fertile de Melvin s'était mise à galoper. Il la vénérait et en avait une furieuse envie tout à la fois. Ses fantasmes étaient peuplés de grandes et belles femmes qui faisaient tout ce qu'il leur ordonnait.

Avant de sortir, Teddy rasa les poils blonds de ses jambes. Elle était la première, parmi toutes ses amies, à faire cela. Les autres la regardèrent d'un air sombre.

« Je ne peux pas croire que tu te donnes tout ce mal pour mon idiot de cousin, même s'il a dix-huit ans. Tu es cinglée, Teddy, déclara Harriett, la plus désapprobatrice du groupe. Tu sais ce que sa mère a dit à maman? qu'il était bizarre. Il est censé avoir un Q.I. très élevé mais il ne veut pas aller à l'université. Les sports ne l'intéressent pas. Il se fiche de tout sauf de son sacré appareil photo et de la chambre noire qu'il s'est bricolée dans un placard. Tante Ethel ne peut garder aucune domestique convenable parce qu'il leur demande de poser pour lui. Les domestiques! Tu te rends compte, Teddy? Ne me dis pas qu'il n'est pas un peu timbré. Un jour, ma tante a trouvé dans sa chambre tout un lot de revues cochonnes. Tu as intérêt à faire attention avec lui. Il a beau t'arriver à l'épaule, tu ne peux pas prévoir ce qu'il aura en tête. »

Teddy sourit à Harriett et rasa sa seconde jambe. Elles sont jalouses, pensa-t-elle. Aucune d'elles n'est encore sortie avec un garçon.

Pendant le film, elle sentit fréquemment son regard fixé sur elle. Après le cinéma, Melvin l'emmena manger des gaufres et lui dit avec gravité : « Tu es la plus belle fille du monde, Teddy.

— Tu trouves? dit-elle, surprise par la spontanéité de cette déclaration.

— Sans aucun doute. » Il se tourna vers elle et les verres de ses lunettes brillèrent dans la pénombre. « Je suis un connaisseur en ce domaine, demande à n'importe qui à Collegiate.

— Je ne te crois pas.

— Peu importe. C'est la vérité. Tu es une véritable beauté. »

Elle se sentit rougir. Les compliments des adultes la laissaient indifférente, mais pas ceux de Melvin. Il était visiblement sincère. Il s'exprimait sur le ton de quelqu'un qui fait une simple constatation. Ses yeux bleus étaient clairs et intelligents. Tout son drôle de petit visage respirait la conviction.

« J'ai décidé de t'appeler Red[1], continua-t-il. Les belles filles devraient toujours avoir un surnom, ça les humanise et puis, Teddy me fait penser à Theodore Roosevelt. Quand un type te regarde, Red, il voit quelque chose qu'il n'avait jamais vu auparavant sauf au cinéma, peut-être. Alors il est terrifié à l'idée de te dire des choses inintéressantes, de ne pas être à la hauteur. Ton problème, ça va être d'arriver à ce que les gens aient des rapports normaux avec toi. C'est presque impossible. Toutes

1. « Rouge », en anglais. (N.d.T.)

les belles filles souffrent de ça. Peu d'hommes parviennent à établir un vrai contact humain avec elles.

– Tu es fou, Melvin, dit Teddy, à la fois gênée et délicieusement flattée.

– Penses-y, Red, penses-y. Quand nous serons tous deux riches et célèbres, tu me diras que j'avais raison. »

Teddy ne répondit pas. Cette phrase « Quand nous serons tous deux riches et célèbres », prononcée sur un ton parfaitement naturel, semblait éclairer son avenir comme un rai de lumière. Elle avait soudain l'impression que tout devenait possible. Elle baissa les yeux, traça lentement avec sa fourchette des lignes dans son sirop d'érable et demanda, délibérément provocante pour la première fois de sa vie : « A quoi ça ressemble, une revue cochonne, Melvin ?

– Ah ! C'est Harriett qui t'a dit ça ! Je ne peux même pas collectionner les photos d'art sans que ma famille pense que je suis un vieux dégoûtant. Red, as-tu l'impression que je sois un vieux cochon ?

– Mais Harriett n'a jamais dit ça, protesta vivement Teddy, défendant son amie. En fait, elle n'a jamais dit un mot sur toi jusqu'à ce que tu me proposes d'aller au cinéma.

– Elle ne m'avait pas parlé de toi non plus. De toute façon, je ne la vois jamais. Nos mères s'évitent mutuellement.

– Harriett t'a-t-elle parlé de ma famille... de mon père ?

– Non, elle aurait dû ?

– Eh bien, il faisait partie de l'Abraham Lincoln Brigade. Il est mort en combattant les fascistes en Espagne... C'était un héros. »

Melvin la regarda avec émotion.

« Tu dois être fière de lui, non?

– Oui, très. Maman ne s'en est jamais vraiment remise. Elle se tue au travail pour oublier. Elle est française, tu sais. Sa famille était noble – parmi ses ancêtres, il y a un marquis à qui on a coupé la tête pendant la Révolution française. On leur a confisqué leurs terres et tous leurs biens. Maman est la dernière de la lignée, enfin... C'est plutôt moi, en fait », ajouta-t-elle d'une voix rêveuse.

Pétri de respect, Melvin avala sa salive. Pas étonnant que Red ne ressemblât à aucune des filles qu'il avait connues auparavant.

« Tu sors beaucoup? hasarda-t-il après un silence qui semblait dédié à la mémoire de l'infortuné marquis.

– Maman est terriblement sévère. Elle ne me laisse sortir que deux fois par semaine, le vendredi et le samedi. Le dimanche, elle m'oblige à me coucher très tôt à cause de l'école. »

Melvin jeta un coup d'œil à sa montre.

« Viens, Red. Tu as la permission de onze heures et demie. Je ne veux pas que tu aies des ennuis à cause de moi. »

Devant la porte, Melvin Allenberg regarda Teddy qui avait été étrangement silencieuse pendant tout le retour.

« Tu as vu *Jane Eyre*? demanda-t-il, sachant que, quand on est petit et pas beau, il faut insister pour obtenir ce qu'on veut.

– Non, répondit Teddy qui l'avait déjà vu deux fois.

– Tu veux qu'on y aille samedi prochain? Si tu n'es pas déjà prise

– Euh... plutôt vendredi si tu peux. Samedi je ne suis pas libre.

– Entendu », dit-il, rayonnant.

Une fois de plus, sa simplicité, rare chez les garçons de cet âge, lui avait fait atteindre son but.

« Merci pour cette bonne soirée », dit Teddy, à qui ses trois amies avaient appris de mauvaise grâce cette phrase rituelle.

Melvin lui fit un sourire à la Van Johnson.

« Ecoute, je sais que tu n'es pas le genre de fille à laisser un type t'embrasser la première fois que tu sors avec lui, mais tu ne crois pas que tu pourrais faire une exception ce soir? »

Teddy ôta les lunettes du garçon, mit ses bras autour de sa taille et le serra contre elle. Le visage de Melvin buta contre sa clavicule et il lutta pour se dégager. « Pas comme ça, Red. Viens, penche-toi... » Il planta un chaste baiser sur ses lèvres. « Voilà... Maintenant, promets-moi que tu ne laisseras personne d'autre te faire ça.

– Je te le promets », chuchota Teddy. Avec son premier sourire de femme, elle se pencha vers lui, l'embrassa légèrement sur les lèvres avant de lui rendre ses lunettes. « Ne le dis à personne, murmura-t-elle. Ma réputation est en jeu. »

16

« Tu lui as dit *quoi*? » Bunny Abbott, la camarade de chambre de Teddy à Wellesley, éclata de rire. Elle pensait pourtant avoir fait le tour des excentricités de Teddy, une figure parmi les quatre cents étudiants de première année qui étaient entrés à l'université en même temps qu'elle à l'automne.

« Je me suis simplement rajouté deux centimètres, répondit Teddy calmement. Quand ils entendent ça, ils se dégonflent à moins de mesurer un bon mètre quatre-vingts. Ça élimine les avortons.

— Je ne comprends pas que tu puisses encore accepter de sortir avec des types que tu ne connais pas. On ne peut plus mettre un nom sur ton carnet de rendez-vous.

— Oh! Ça m'amuse... C'est comme d'ouvrir un cadeau de Noël », répondit Teddy d'un ton léger. Comment aurait-elle pu lui faire comprendre la joie qu'elle éprouvait à être ici et à vivre pleinement la vie universitaire, y compris les « rendez-vous aveugles »? Dès son arrivée à Wellesley, Teddy avait eu un succès fou. Tous les après-midi, le téléphone du pavillon des étudiantes sonnait au moins une douzaine de fois pour elle. La standardiste passait la tête dans le couloir et criait « Lunel » avec une résignation ironique.

Un certain nombre de filles brillantes travaillaient une partie de la nuit. D'autres n'avaient qu'une idée, depuis leur arrivée, être présidente de la classe. D'autres encore ne s'intéressaient qu'à la musique ou à la philosophie et quelques-unes jouaient tout l'après-midi au bridge. Si Teddy Lunel était préoccupée par les garçons, c'était son droit. Après tout, elle ne se faisait jamais coller à ses examens et elle avait été assez bonne élève pour entrer à Wellesley. C'était la seule chose qui comptait.

Ces appels téléphoniques incessants avaient commencé avec la diffusion d'un petit livre rouge contenant la photographie des étudiantes de première année, leurs noms et celui de leur ville natale. Il avait été imprimé dans le but d'aider celles-ci à mieux se connaître, mais il n'était pas sorti depuis vingt-quatre heures qu'on en voyait déjà des exemplaires circuler dans toutes les universités masculines de la Nouvelle-Angleterre.

Dès son entrée à l'université, les grandes rencontres de football de l'Ivy League occupèrent tous les week-ends de Teddy jusqu'à Noël. Elle avait le choix entre neuf partenaires pour se rendre au Dartmouth Winter Carnaval et si elle n'avait pas craint de négliger ses études elle serait sortie avec des étudiants de Harvard tous les soirs.

Lorsque Maggy retrouva sa fille pour les vacances de Noël cette année-là, elle la trouva changée. C'était une jeune fille extrêmement séduisante. Teddy conservait des orchidées pour ses corsages dans le réfrigérateur, des lettres d'amour arrivaient tous les matins, elle sortait chaque soir et dormait jusqu'à midi le lendemain. La seule chose qui rassurait Maggy, c'était le peu de sentiment que Teddy mettait dans tout cela. Elle passait de l'un à l'autre avec un cynisme absolu et ne s'imaginait jamais qu'ils pussent être réellement amoureux d'elle.

Teddy vécut glorieusement ses premières années d'université. Elle eut d'innombrables aventures sentimentales et sa personnalité s'en trouva modifiée. Elle commença à avoir confiance en elle et à être heureuse pour la première fois de sa vie. Maintenant, lorsqu'elle entrait dans une pièce, elle savait qu'elle y serait la bienvenue. Les déceptions et la souffrance semblaient loin derrière elle.

La réalité n'était jamais suffisante pour Teddy. A six ans, lorsqu'elle racontait ses journées de classe à Maggy, elle l'embellissait déjà. Cette tendance s'accentuait de jour en jour. Sa vie, bien qu'excitante, ne lui renvoyait pas une image satisfaisante d'elle-même. Son imagination, qui lui avait fait inventer un père mort pendant la guerre d'Espagne et une famille française aristocratique, se développa.

Au cours d'un match Harvard-Yale, Teddy déclara à son compagnon : « Mon père a fait ses études à Harvard, tu sais. Avant de mourir, il m'emmenait toujours voir jouer Harvard quand le match avait lieu près de New York. Il est mort en escaladant une montagne au Tibet, mais il a réussi à sauver tous ses compagnons. » A Princeton, dans un groupe qui faisait des projets pour l'été, elle devint nostalgique. « Quand j'étais enfant, je passais toutes mes vacances dans le château familial en Dordogne. C'est le berceau des Lunel. Il y avait une centaine de pièces dont la moitié tombait en ruine. Je n'y suis plus retournée depuis la mort de mon grand-père. » Au Dartmouth Winter Carnaval, elle demanda au garçon qui l'accompagnait : « Ça t'ennuierait que je n'assiste pas à l'épreuve de saut ? Tu comprends, mon père est mort devant ma mère. Il faisait du saut dans les Alpes... Il s'entraînait pour les Jeux Olympiques. Elle ne s'en est jamais remise. » Lorsqu'on parlait des vacances de Noël, Teddy évoquait celles de son enfance. « Nous allions toujours chez mon arrière-grand-mère au Québec. Elle avait dans sa propriété le plus grand arbre que j'aie jamais vu, un sapin gigantesque. Nous faisions une farandole autour avec mes petits cousins – j'en avais au moins une douzaine – non, je ne les vois plus. Ma mère s'est disputée avec la famille de mon père après sa mort. Ils lui en voulaient de ne pas l'avoir empêché de rejoindre les Forces françaises libres lorsque la France a été envahie. Son avion a été abattu pendant qu'il exécutait une mission spéciale pour de Gaulle. »

Tous croyaient à ces contes à dormir debout. Une fille aussi extraordinaire physiquement ne pouvait qu'avoir eu une vie étrange et pleine de tragédies. Elle ne racontait ces histoires qu'aux garçons qu'elle était sûre de ne pas revoir à New York où ils auraient pu rencontrer Maggy en venant la chercher.

Chaque fois qu'elle le pouvait, celle-ci exigeait de faire la connaissance des garçons avec lesquels sortait Teddy. Elle était rassurée par le défilé constant de ces visages frais et innocents.

« Le principal, c'est qu'elle en change constamment, expliqua Maggy à Lally Longbridge. Il vaut mieux qu'elle sorte avec une douzaine de garçons qu'avec un seul. Et si tu voyais la façon dont elle les traite! Je ne la comprends plus... si je l'ai jamais comprise. Depuis qu'elle est entrée à l'université, je me sens mal à l'aise avec elle, comme si j'avais perdu le contact. Je ne peux m'empêcher de me dire que j'aurais dû essayer d'être plus proche d'elle, de la connaître mieux... Elle fait toutes sortes de mystères avec moi et, pourtant, je lui ai vraiment donné tout ce que je pouvais. Je l'adore, elle vit dans un appartement confortable, je lui achète des robes ravissantes... Oh! Je ne sais pas, je ne la comprends pas.

– La plupart des mères tiennent le même langage, dit calmement Lally qui, n'ayant pas d'enfant elle-même, se croyait habilitée, on ne sait pourquoi, à donner des conseils à ses amies pour élever les leurs. Dès qu'ils entrent à l'université, ils deviennent des étrangers. Tu es sûre qu'aucun de ces garçons ne compte pour Teddy? Elle va bientôt avoir vingt ans. Que faisais-tu, toi, à son âge?

– Je vivais déjà comme une femme, répondit Maggy rêveusement. Mais nous sommes plus mûrs en France. Ou bien peut-être étaient-ce simplement les années 20. Je ne sais pas, mais ses soupirants me semblent tout juste sortis de l'œuf. Teddy m'assure qu'aucun de ces garçons ne songerait à faire l'amour avec elle... Tu crois que c'est vrai?

– Oui, c'est possible, Maggy. Les garçons bien n'essaient pas de coucher avec les filles. »

Tout dépend de la définition du mot « bien » songea Maggy.

Lally Longbridge avait raison. Les années 40, tout au moins la seconde moitié, furent une période très pudibonde. La majorité des filles de Wellesley de la classe quarante-neuf (dont faisait partie Teddy) demeurèrent vierges jusqu'au mariage. Teddy, en tout cas, se contentait de flirter jusqu'à rendre les garçons fous de désir. Elle avait été influencée, plus qu'elle ne l'aurait soupçonné, par la méfiance profonde de Maggy envers les hommes.

Elle se laissait parfois embrasser pendant des heures à l'arrière d'une voiture ou sur un canapé dans le salon sombre d'un club d'étudiants. Les garçons se frottaient frénétiquement contre elle dans l'espoir d'avoir un orgasme à travers leurs vêtements, car Teddy ne leur permettait jamais de déboutonner leur braguette ou d'insinuer une main sous sa jupe. Ils étaient bien trop occupés pour remarquer le moment où elle-même jouissait, en silence et sans bouger, par la simple pression de ce pénis durci contre elle. Ces orgasmes furtifs lui arrivaient parfois sur une piste de danse. Jamais elle ne l'avouait, car cela aurait créé entre eux une intimité dont elle ne voulait pas.

Au fond, Teddy était assez indifférente aux souffrances qu'elle causait. Grisée par ses succès, elle était incapable de tomber amoureuse d'un garçon.

« Tout ce que j'espère, Teddy, c'est qu'un jour, un homme te fasse souffrir autant que j'ai souffert », lui avait dit un soupirant éconduit.

Elle prenait l'air contrit mais elle savait que cela ne lui arriverait jamais.

Si la vie sexuelle était rare avant le mariage dans les universités de l'Ivy League à la fin des années 40, l'ivresse était monnaie courante.

Lorsque Teddy avait assisté à son premier match de football sur le stade de Harvard, on l'avait initiée à ce rite à l'aide d'un punch vigoureux servi dans un gobelet en carton. L'alcool circulait dans l'un de ces seaux alignés généralement dans le couloir d'Eliott House et qu'on était censé remplir de sable pour éteindre le feu en cas d'incendie. Mais la plupart du temps, ils servaient aux étudiants de shakers ou de récipients à punch.

Après le match, on servit dans les chambres des cocktails meurtriers à base de fruits et de gin bon marché. Si on buvait systématiquement dans les universités de l'Ivy League, le samedi soir, Wellesley était un campus résolument « sec ». On avait bien entendu parler d'une fête donnée par un groupe qu'on appelait les « Lousy Eleven » où on aurait prétendument bu de la bière, mais personne n'y croyait parce que le risque était trop grand : tout étudiant surpris en train de boire dans l'enceinte du campus était immédiatement expulsé.

Teddy adorait boire. Seul l'alcool produisait ce changement de perception, cette impression soudaine que le monde lui appartenait.

Un dimanche après-midi du début de l'automne, au cours de sa dernière année d'université, cinq membres du groupe des chanteurs de Harvard, les Dunster Funsters, vinrent rendre visite à Teddy à Wellesley. Ils se baladèrent sur le célèbre et magnifique campus et, comme ils n'avaient pas envie de faire le tour du lac à pied, Teddy les emmena à l'Arboretum, un petit bois rempli d'essences très rares et presque caché derrière le pavillon des sciences. Les pins étaient nombreux et les aiguilles jonchaient le sol. Instinctivement, ils baissèrent la voix et ralentirent leurs pas. Ils avaient l'impression d'être sortis de Wellesley.

« Tu bois un coup, Theodora? demanda l'un des garçons, sortant un flacon de sa poche et s'asseyant sous un arbre.

– Tu es fou, Harry!

– Il n'y a rien de tel qu'un bon coup de scotch en plein air pour vous décaper. Allez, tiens, il n'y a que nous ici... et tu sais, hélas, que nous ne sommes pas dangereux.

– Vous êtes fou, je vous l'interdis! » cria-t-elle. Mais les garçons se passaient déjà le flacon. La première fois qu'ils en offrirent à Teddy, elle refusa. Bientôt, la douceur de cette journée d'octobre et l'odeur sapide du bois de pins la grisant un peu, elle en prit une gorgée, puis deux, puis trois. Harry avait raison : boire en plein air vous fouettait les sens et aiguisait votre perception de la nature. Elle avala une généreuse gorgée de scotch et déclara :

« Le gin sent mauvais, le bourbon est trop fort, le rye est infect, mais celui qui a inventé le scotch est un homme digne d'estime. »

Elle avait l'impression d'avoir fait une découverte importante.

« Ce n'est qu'en se tapant une bouteille entière de scotch par jour que Robert Graves a survécu aux tranchées pendant la Grande Guerre, affirma Luther, le camarade de chambre de Harry.

– Si on chantait un peu, Luther? » proposa Harry.

Et ils se mirent à chanter. D'abord tout doucement puis plus fort. Lorsqu'ils entonnèrent des chansons de football, aucun d'eux ne remarqua que leurs voix résonnaient dans le petit bois de pins. Teddy se joignit bientôt à eux mais sa voix était couverte par celles des garçons, aussi se leva-t-elle et se mit-elle à exécuter une danse antique et sauvage. Les cinq Funsters l'applaudirent frénétiquement.

« Continue, Teddy, continue!

– Chantez la chanson de Yale et je danserai.

– Jamais, en aucun cas.

– La chanson de Notre-Dame, alors, insista Teddy, faisant des entrechats d'un air espiègle.

« – D'accord pour Notre-Dame. Allez, Teddy, vas-y. »

Ils entonnèrent la chanson de combat et Teddy fit des cabrioles, ravissant démon en bermuda, les cheveux rabattus sur le visage et très très soûle.

Ce fut pendant cette danse bacchique que le professeur de philosophie de Teddy et sa femme, qui se promenaient paisiblement dans le parc, entrèrent dans le bois de pins, attirés par le bruit.

Deux jours plus tard, Teddy quitta Wellesley à jamais. On avait fait une enquête en bonne et due forme mais, dès le commencement, l'issue n'avait fait de doute pour personne. C'était trop grave.

A la gare Back Bay, elle agita une dernière fois la main pour dire au revoir aux Funsters qui la regardaient d'un air contrit. Mais, lorsque le train sortit des faubourgs de Boston et prit de la vitesse, elle s'injuria en silence : espèce d'idiote, pauvre idiote, PAUVRE CONNE! C'est ma faute, c'est entièrement ma faute. Je savais ce que je risquais. Je me croyais invulnérable. Imbécile, triple imbécile! J'ai tout perdu, je me suis exclue du paradis à jamais... Jamais plus je ne serai heureuse. Elle avait envie de pleurer mais le wagon était plein.

Elle resta assise pendant trois heures, ruminant sa détresse et se faisant d'amers reproches tandis que le train longeait la route qu'elle avait si souvent empruntée avec un sentiment de triomphe pour se rendre à Brown, à Yale et à Princeton. Pendant tout le trajet jusqu'à Hartford, elle fixa d'un regard aveugle la sinistre fenêtre. Enfin, elle se secoua et commanda un sandwich qu'elle mangea en regardant pour la première fois autour d'elle.

Au début, elle promena un regard indifférent sur les gens qui l'entouraient mais, au bout de quelques minutes, elle les observa avec plus d'attention. Le wagon était rempli d'hommes d'affaires qui la regardaient avec intérêt. Certains paraissaient même fascinés. Pour la première fois depuis l'instant où M. Tompkins s'était arrêté près d'elle, l'air ahuri, dans le bois de pins, elle se détendit un peu. Teddy se leva, remonta tout le wagon jusqu'aux toilettes, poussa la porte avec impatience et regarda son visage dans la glace. Elle avait beau être au plus bas, elle était la même que deux jours auparavant. Elle s'appuya contre le mur. Chaque kilomètre la rapprochait de cette confrontation avec Maggy qu'elle redoutait tant.

Il faut que tu trouves *quelque chose,* se dit-elle en se regardant d'un air lugubre. Tu ne peux pas lui annoncer simplement que tu as fait trois ans d'université pour rien. Il faut que tu aies des projets, une idée de ce que tu as envie de faire. Trois ans pour obtenir une licence d'histoire, ça n'a aucune valeur sur le marché du travail. Tu n'as rien d'autre que ton visage, ma fille, c'est aussi simple que cela.

Dans sa tête, Teddy passa en revue les différents commentaires que faisait Maggy quand elle regardait des photos de mannequins, le soir à la maison. Cela faisait sept ans que Teddy n'avait, pour ainsi dire, plus mis les pieds à l'agence. Depuis, toute une génération de mannequins avait été remplacée par une autre. Sept ans pendant lesquels elle n'avait que rarement feuilleté un magazine de mode. Cependant, elle n'avait jamais oublié les qualités indispensables pour faire ce métier. Combien de fois avait-elle entendu sa mère les énumérer en écartant des photos ? Mais elle, était-elle photogénique ?

Teddy savait que seuls des essais pouvaient en décider. Maggy ne se fiait qu'à cela car, disait-elle, beaucoup de ces filles étaient plus jolies au naturel qu'en photo.

Non, je ne peux pas en être sûre, pensa Teddy en retournant à sa place mais, au moins, je peux essayer. Peut-être maman sera-t-elle contente, après tout. Oh! Pauvre idiote, qui crois-tu abuser? Si elle avait eu envie que je sois mannequin, elle m'en aurait parlé. Et pourquoi m'aurait-elle envoyée à Wellesley? Mais enfin, c'était toujours mieux que rien.

Une fois sa déception et sa colère passées, Maggy se demanda soudain pourquoi sa fille était punie à ce point pour s'être enivrée avec des copains sur le campus alors qu'elle, au même âge, avait vécu avec un homme marié et mis au monde un enfant naturel? Après tout, il ne fallait pas exagérer l'importance des diplômes. Et ce serait une bonne discipline pour Teddy de s'essayer à ce métier.

Les filles de Lunel étaient un régiment de fantassins, travailleuses et motivées. Personne, en regardant les photos des magazines, ne pouvait imaginer ce qu'elles représentaient d'énergie et de volonté.

Quarante dollars de l'heure. Un pareil salaire continuait à étonner Maggy, bien qu'elle eût récemment décidé d'augmenter ses mannequins. Quand elle était arrivée à Montparnasse, un modèle de peintre gagnait en moyenne soixante *cents* pour une heure de pose. Bien sûr, lorsque Paula l'avait prise en main, elle s'était mise à gagner le double, mais pour passer une heure nue dans un atelier glacial, ce n'était quand même pas beaucoup. Pourtant, elle s'était arrangée pour vivre avec ça, pour payer son loyer, s'acheter des vêtements et un œillet tous les jours et même pour entretenir Julien Mercuès pendant un printemps inoubliable. Maggy essaya de se rappeler ce qu'elle ressentait alors. Certains souvenirs restaient vivaces en elle, d'autres avaient disparu depuis longtemps.

Maggy réfléchit. A qui devrait-elle adresser Teddy pour ses essais? Normalement, elle ne prenait plus ce genre de décision. Elle avait vingt-deux employés sous ses ordres, dont au moins six auraient pu régler ce problème d'un simple coup de téléphone. Mais si ces photos étaient décevantes, Teddy n'aurait aucun avenir dans cette profession.

Soudain Maggy, qui était tout sauf une rêveuse et décourageait bien des espoirs et des ambitions, se surprit à attendre ces premières photos de Teddy avec impatience.

A qui allait-elle l'envoyer? A Coffin, à Toni Frisell, à Horst, à Rawlings, à Bill Helburn? N'importe lequel de ces excellents photographes lui rendrait ce service, cependant elle savait qu'elle ne pourrait résister à l'envie de faire appel à l'un des trois plus grands photographes du monde : Avedon, Falk ou Penn. Mais, à Paris, c'était l'époque des collections. Avedon qui était devenu une vedette en quelques années avait été envoyé là-bas par *Bazaar* et Penn par *Vogue*. Restait Falk.

J'ai l'impression d'aller à l'abattoir, songea Teddy. Elle était debout devant le hangar aménagé qui abritait le studio de Falk, entre Lexington et la 3e Avenue. On était vendredi soir et il était cinq heures passées. Les gens sortaient du bureau et faisaient leurs courses pour le week-end. La rue était très animée.

C'est un temps idéal pour jouer au football, se dit Teddy en frissonnant dans la brise. Elle aurait dû être à des kilomètres d'ici, en train de se préparer à sortir – oh! Dunster, Leverett, Winthrop, Eliott! Elle murmura les noms familiers des pavillons d'étudiants à Harvard qui donnaient sur Charles River – c'est là qu'elle aurait dû être en ce moment. Et non ici, sur son trente et un, récurée et peinturlurée, vêtue de neuf, absolument parfaite, comme avait dit Maggy. Elle savait qu'elle n'avait jamais été aussi belle, mais le savoir ne l'aidait en rien.

Falk avait accepté de faire les essais de la nouvelle fille de Lunel, à condition que ce fût vendredi soir, après son travail.

Teddy sonna. La porte s'ouvrit et une petite femme souriante apparut sur le seuil.

« Ah! Vous êtes la nouvelle fille de Lunel, n'est-ce pas? Entrez. »

Teddy regarda autour d'elle. Les murs de la pièce simple et confortable étaient couverts de photos.

« Je peux jeter un coup d'œil? demanda-t-elle à la secrétaire, trop nerveuse pour rester assise.

– Bien sûr, allez-y. »

Teddy avait toujours prêté plus d'attention aux photos de mode que les autres filles de son âge, mais ces photos étaient magiques comme ces rêves qui révèlent un monde presque similaire au monde réel mais avec un certain décalage. Elle reconnaissait beaucoup de ces visages. La plupart des mannequins venaient de chez Lunel mais elle n'aurait jamais cru que ces filles pussent être aussi intéressantes. L'œil du photographe avait saisi l'essence même de leur personnalité. Derrière ces jolis visages, Teddy voyait le *moi* intime de chaque mannequin. Ce n'étaient pas uniquement des photos de mode mais de véritables portraits de femme pensant à des choses tout à fait personnelles et secrètes.

« Ecoutez, dit soudain la secrétaire, si je traîne encore ici, je vais être en retard à mon rendez-vous. Je pense que plus personne n'appellera ce soir, alors je vais m'en aller. Dites à Falk que je le verrai lundi matin de bonne heure. »

Elle prit son manteau et sortit en faisant à Teddy un signe de la main.

Teddy s'assit sur le bord d'une chaise dans la pièce vide. Par la porte ouverte, elle apercevait le studio brillamment éclairé. Elle attendit ainsi près de vingt minutes sans qu'il se passât rien. S'était-elle trompée de jour? Etait-elle toute seule là-dedans? Teddy finissait par se le demander.

Enfin, d'un pas hésitant, elle s'aventura dans le studio. Elle essaya d'ôter ses gants étroits qui semblaient coller à ses mains. Il n'y avait aucun endroit où s'asseoir, rien dans la pièce que la lumière intense des projecteurs, un appareil photo sur un trépied et un grand papier blanc qui couvrait tout un mur et une partie du sol. Elle sentit avec horreur la sueur couler de ses aisselles et s'infiltrer sous son bustier.

« Il y a quelqu'un? » demanda-t-elle d'une petite voix. Personne ne répondit. Soudain la porte de la chambre noire s'ouvrit et un homme apparut, les yeux fixés sur une feuille de papier qu'il tenait à la main. Il lui lança un regard.

« Je suis à vous dans une minute », marmonna-t-il, étudiant la photo humide en fronçant les sourcils. Puis il leva de nouveau les yeux sur elle, la regarda avec insistance et lâcha sa photo.

« Red? »

Teddy sursauta et plissa les yeux mais elle ne pouvait le voir clairement.

« *Red!* »

Une expression troublée passa sur le visage de Teddy. Elle s'avança d'un pas décidé en protégeant ses yeux avec sa main.

« Il n'y a qu'une personne qui m'appelle Red, c'est cet enfant de salaud qui m'a emmenée voir sept films, m'a appris à embrasser à la française et m'a laissée tomber sans un mot d'explication.

– Red... je vais t'expliquer... »

Galvanisée, sa nervosité oubliée, elle s'approcha de lui et agrippa sa chemise. « J'en ai versé des larmes pour toi, espèce de salaud! Je me suis sentie misérable pendant des mois... pourquoi ne m'as-tu plus jamais appelée, Melvin Allenberg?

– Ça t'a vraiment manqué?

– Tu es vraiment ravi d'apprendre que j'en ai bavé, hein? Quoi qu'il en soit, que fiches-tu ici?

– Je travaille, comme tu vois.

– Ainsi tu as réussi à mettre les pieds dans un studio de photographe... Le mouton noir des Allenberg... Je parie que ta mère ne s'en remet pas?

– Elle en a pris son parti.

– Où est Falk? Ça fait une demi-heure que je suis arrivée, dit Teddy d'une voix impérieuse.

– Falk, c'est moi.

– Arrête tes conneries.

– Tu vois quelqu'un d'autre ici?

– Prouve-le. »

Melvin Allenberg se mit à rire. « Seigneur, Red, tu ne changes pas. » Agrippant toujours sa chemise, Teddy essaya de le secouer mais il ne bougeait pas d'un pouce. Solide comme un ours, il riait aux éclats devant ses efforts. Elle était si furieuse que les larmes lui montèrent aux yeux. Il lui prit les mains et la força à lâcher prise.

« Viens chez moi, j'habite au premier. Je te donnerai toutes les preuves que tu veux. »

Il la lâcha et entra dans la salle d'attente. Il avait le pas alerte du propriétaire et, lorsqu'elle vit la grande pièce au-dessus de la remise, elle comprit qu'il était chez lui. Cette pièce ressemblait à Melvin. Elle était chaleureuse, en désordre. Il y avait de grandes photos partout, sur les murs et par terre. Des douzaines de books et de magazines s'empilaient sur le bureau et les grands canapés bas étaient recouverts de cuir vert capitonné.

« Tu veux boire quelque chose ? demanda-t-il en se dirigeant vers un plateau à liqueurs posé sur un vieux coffre de marine.

– Un scotch avec de la glace, mais ça n'améliore pas ton cas, Melvin Allenberg.

– Melvin Falk Allenberg. »

Teddy plissa les yeux sans faire de commentaire. Il prépara deux verres et s'assit sur un fauteuil, près du divan. Il se pencha en avant, les coudes sur les genoux, le menton reposant sur ses mains et regarda calmement Teddy pendant quelques secondes.

« Enlève ce chapeau, dit-il enfin.

– Quoi ? fit-elle, choquée.

– Enlève ton chapeau. Je n'aime pas cette voilette, ça m'empêche de te voir.

– Je ne sais même pas si je vais rester, répondit-elle avec un demi-sourire. Il faudrait que tu me donnes une bonne raison pour ne pas m'avoir rappelée. Ainsi, tu es devenu riche et célèbre, comme tu le prévoyais, espèce de salaud.

– J'ai dit que *nous* le deviendrions, rectifia-t-il.

– Tu t'en souviens ? Cinq ans plus tard ?

– Je me souviens de tout. Lorsque nous nous sommes rencontrés, tu entrais dans ta phase destructrice. J'avais beau n'avoir que dix-neuf ans, je la voyais venir. Je ne voulais pas être ta première victime... C'était déjà assez dur d'être ton premier triomphe. Un jour, j'ai compris que, s'il y avait une sortie de plus, un baiser de plus, un de ces baisers fiévreux que nous échangions sur le pas de ta porte, je serais foutu... et peut-être à vie. » Il demeura un instant silencieux puis ajouta : « Inutile de te dire que ça n'a servi à rien. C'était déjà trop tard.

– Hmmm », fit Teddy qui avait déjà entendu ce discours avec quelques variantes une bonne douzaine de fois dans sa vie.

Mais son calme, la tranquille acceptation de sa souffrance étaient plus convaincants que les phrases les plus passionnées. Il continua à la dévisager tandis qu'elle enlevait son chapeau avec précaution et secouait sa crinière flamboyante qui retomba en vagues souples autour de son visage.

Teddy but une gorgée de scotch (dont le goût resterait pour elle à jamais lié à l'idée de danger) et soutint son regard. Melvin Allenberg s'était amélioré en prenant de l'âge. Il ressemblait toujours à un oiseau avec son nez recourbé et ses grosses lunettes, mais tout son visage respirait l'intelligence et l'énergie. On sentait qu'il allait bien vieillir, que les années se contenteraient d'accentuer son ossature, le menton ferme, le grand front et le halo de boucles brunes autour. Elle n'avait jamais oublié ses lèvres. C'était le premier garçon qui l'avait embrassée.

« Tu sais, quand tu m'as laissée tomber, je m'apprêtais à te demander de m'accompagner à un bal d'étudiants. Mais j'étais bien trop fière pour te rappeler.

– Et tous ces types avec qui tu sortais?

– Je n'avais pas envie d'y aller avec eux, alors je n'y suis pas allée du tout », répondit-elle tristement.

Il se leva brusquement, s'assit à côté d'elle et l'embrassa.

« Oh! ma douce Red, mon bébé, je suis désolé... J'aurais dû t'appeler, mais que pouvais-je te dire? A cette époque, j'aurais été incapable de t'expliquer ce que je ressentais. Je n'aurais pas su trouver les mots. »

Tendrement, il essuya son rouge à lèvres avec un Kleenex et l'embrassa de nouveau. Elle se blottit dans ses bras. Elle le sentait aussi solide qu'un arbre et le contact de sa bouche sur la sienne était une sensation familière. Dieu sait qu'elle avait reçu des millions de baisers depuis, mais la mémoire de ses sens retrouvait le goût de ses lèvres, leur consistance, leur tiédeur. Et, pourtant, il avait beaucoup changé. C'était maintenant un homme et il l'embrassait comme un homme, plus comme un gamin. Teddy se débarrassa de ses chaussures et se laissa aller contre le dossier du canapé. Elle soupira avec délices et le laissa relever ses cheveux et l'embrasser derrière l'oreille. Puérilement, elle évita ses lèvres et frotta vigoureusement son nez contre le sien.

« Nous faisons la paix? demanda-t-il, anxieux.

– Je te pardonne, mais seulement au nom du bon vieux temps », grogna-t-elle. Les mains de Melvin parcoururent la veste élégante et si raide qu'elle aurait pu tenir toute seule. « Tous ces boutons entre toi et moi », se plaignit-il. Il commença à les défaire.

Ce fut comme un signal d'alarme dans la tête de Teddy, mais elle le laissa faire parce que la double rangée de petits boutons de taffetas de son chemisier la protégeait encore. Bientôt, elle se retrouva couchée sur le canapé sous une avalanche de baisers. Cette soudaineté, la rapidité de son attaque et le fait d'être seule avec lui dans la maison la troublaient. Elle regarda le visage de Melvin et se détendit de nouveau. Il avait ôté ses lunettes et il avait l'air si rassurant qu'elle replongea dans le flot de ses caresses, prenant plaisir à le sentir de plus en plus excité. Mais Melvin fit alors une chose qui n'était jamais arrivée à Teddy en trois ans de pelotage frénétique. Il la souleva dans ses bras et la porta jusqu'à sa chambre dont elle n'avait pas remarqué la porte auparavant.

« Melvin! protesta-t-elle en se débattant, arrête! Qu'est-ce que tu fais? Je ne me suis jamais étendue sur le lit d'un homme.

– Eh bien, il faut un début à tout et je ne suis plus un gamin », répliqua-t-il d'une voix rauque.

Teddy lutta pour se relever mais il était trop fort pour elle. Il l'embrassait partout où il pouvait : sur les doigts, le menton, le front, les yeux, il allumait des centaines de petits brasiers sous sa peau. Quelques minutes plus tard, lorsqu'elle fut brûlante de la tête aux pieds, il commença à déboutonner son chemisier. Elle protesta faiblement.

Ce n'est pas possible que cela m'arrive vraiment, songea-t-elle tandis qu'il enlevait son chemisier et sa jupe. Lorsque ses mains tièdes dégrafèrent le bustier, et que ses lèvres effleurèrent ses mamelons durcis, elle pensa de nouveau non, ce n'est pas vrai, je rêve, mais bientôt, son corps se mit à vivre sous sa langue, et elle s'abandonna à lui. Couchés, ils donnaient l'impression d'avoir la même taille. Melvin fut extrêmement doux, il se contrôla parfaitement et manifesta une patience à toute épreuve. Il prit Teddy Lunel complètement, et elle se donna à lui sans inhibition ni réticence.

A la fin, ravie d'être enfin débarrassée de cette chasteté pesante, elle se pelotonna contre lui, heureuse et reconnaissante.

17

CENT cinquante robes de printemps de Molyneux avec les gants assortis – un souvenir qui datait de 1933. C'était curieux tous ces détails qui lui traversaient l'esprit chaque fois qu'elle était nerveuse, songea Marietta Norton tandis que le Constellation s'élevait enfin au-dessus des nuages.

La rédactrice en chef de *Mode* poussa un soupir de soulagement. On était enfin sorti de la zone de turbulences. Pour rien au monde, elle ne l'aurait admis, mais elle avait peur en avion et le décollage à Idlewild, ce matin venteux de septembre 1952, avait été plutôt pénible. Elle songea avec regret aux jours anciens où on prenait encore le temps de vivre, où elle embarquait sur le *Normandie* chaque année à la période des collections. Cinq jours en première classe avec caviar, foie gras et champagne à tous les repas. On avait le temps de se rafraîchir l'esprit. Maintenant, elle se rendait en France pour un oui, pour un non à travers des cieux inhospitaliers dans ces appareils qui ne lui inspiraient aucune confiance.

Ce voyage, par exemple, ne rimait à rien. Traverser l'Atlantique pour photographier des vêtements de vacances! On aurait pu tout aussi bien faire les photos dans les Hamptons – après tout, les modèles

258

étaient tous américains – mais non, Darcy avait insisté. « Marietta, avait-il dit de son ton grand seigneur qui l'énervait toujours, c'est notre côté " tous azimuts " qui fait que notre tirage est supérieur à celui de *Vogue* ou de *Bazaar. Vogue* est d'ailleurs parti faire des photos au Portugal. *Mode* va faire son reportage en France. N'en parlons plus. »

Marietta Norton avait haussé les épaules. C'était un vieux débat entre eux et elle ne gagnait jamais.

Quoi qu'il en fût, elle savait qu'elle était une excellente rédactrice en chef. Darcy l'appréciait et le lui montrait de la seule façon qui comptait vraiment pour elle, en la payant bien, dans une profession où les salaires n'avaient rien de mirobolant. Dieu sait qu'après trente ans passés dans la mode, elle ne travaillait plus pour le plaisir mais pour l'argent, cet argent qui lui avait permis d'envoyer ses quatre filles dans les meilleures écoles. Ce métier, elle en avait fait le tour.

Il y avait eu trop de collections à Paris, trop de peignoirs de bain pour Noël photographiés en juillet, trop de courses en taxi, trop de déjeuners avec les annonceurs de *Mode*, trop de jours où il fallait trouver les mots pour convaincre les lectrices qu'une page était tournée, qu'une nouvelle femme était née et que tout ce qu'elles avaient acheté l'année précédente était devenu importable, alors que Marietta Norton elle-même se fichait éperdument de ce qu'elle avait sur le dos et que ça se voyait.

Comme beaucoup de rédactrices de mode, Marietta Norton était fagotée n'importe comment. Elle avait passé une grande partie de sa vie à sélectionner des toilettes créées en Europe ou aux

Etats-Unis. Son goût, son sûr instinct pour les choisir aurait pu lui valoir de figurer parmi les dix femmes les plus élégantes du monde, si elle avait eu le temps, l'envie et l'énergie de s'occuper de ses propres vêtements. De toute façon, elle était persuadée que les choses ne ressemblaient à rien sur elle. Elle était petite, boulotte et, comme disent les Anglais, ressemblait à une cuisinière.

Elle comptait sur ce voyage pour lancer des ensembles sport qui feraient paraître ternes et plats tous les modèles de *Vogue* photographiés au Portugal.

Bill Hatfield, le petit photographe maigrelet, avait un talent fou et Berry Banning, son assistante, semblait, pour une fois, décidée à se montrer efficace.

Le seul détail qui chiffonnait Marietta, c'était la coupe de cheveux du mannequin. Elle lança un coup d'œil critique à Teddy, assise devant elle. L'incomparable Mlle Lunel avait refusé énergiquement la nouvelle coupe de cheveux en forme de chrysanthème qui pourtant allait faire un malheur, Marietta en était convaincue. Mais quand verrait-on Teddy Lunel faire autre chose que ce qu'elle avait décidé?

Elle n'avait jamais eu à faire la moindre concession depuis le jour où elle avait commencé à poser, quatre ans auparavant. Comme Norman Norell et Mainbocher, les deux grands créateurs qui n'acceptaient qu'on photographie leurs modèles que si on leur consacrait quatre pages entières du journal, Teddy Lunel était le seul mannequin à n'avoir jamais été photographiée avec une autre fille. Mais ça valait mieux, se dit Marietta, car Teddy l'aurait complètement éclipsée.

C'était la sixième fois que Marietta emmenait

Teddy travailler en Europe. Au printemps dernier, elles étaient parties ensemble à Paris pour les collections automne-hiver. Dieu, qu'elle était belle avec ce chapeau en tulle noir de Balenciaga! Mais pourquoi l'hôtesse ne lui apportait-elle pas son Martini?

Bill Hatfield n'avait pas besoin d'un verre, bien qu'il en eût commandé un. Il avait été pilote dans la Navy pendant la guerre et prendre l'avion le plongeait dans l'indifférence. Il s'endormait avant le décollage et se réveillait au moment de l'atterrissage. Mais pour rien au monde il ne se serait séparé de ses trois talismans qui empêchaient les avions de tomber. Il était content que Marietta l'eût *booké* pour ce voyage. Cela lui changerait les idées. Sa vie était vraiment trop compliquée en ce moment. Ann avait fini par le quitter. Son avocat, prétendait-elle, allait contacter le sien pour entamer une procédure de divorce. Très bien, c'est ce qu'ils avaient de mieux à faire. Mais Monique et Elsa s'étaient toutes deux mis en tête de venir s'installer chez lui. Le leur avait-il vraiment suggéré, et à toutes les deux? Le seul problème, quand on était photographe de mode, c'étaient les mannequins. Elles étaient fantastiques. Il les aimait toutes, c'était là son drame. De toute façon, il serait peinard pendant ce voyage. Sa liaison avec Teddy Lunel était terminée depuis longtemps.

Il la regarda du coin de l'œil. Elle était plongée dans un livre. Il avait vécu avec elle les six mois les plus merveilleux de sa vie. C'était il y a trois ans, après sa rupture avec Falk. Lorsque Teddy rompait, c'était pour de bon. Pas de souvenirs, pas de regrets, rien. Elle ne regardait jamais en arrière, celle-là. Il se demanda avec combien de types elle avait couché depuis leur histoire.

Il y avait actuellement environ cent cinquante mannequins à New York. C'étaient les plus jolies filles d'Amérique. Parmi elles, une demi-douzaine se détachait du peloton, chacune avec sa beauté propre et *puis* il y avait Teddy Lunel. Seul un poète aurait pu expliquer la mystérieuse alchimie de sa beauté. Elle lui faisait penser à ce vers de Marlowe : « O toi plus belle que l'air du soir, parée de la beauté d'un millier d'étoiles... »

Bill Hatfield était content de travailler avec Teddy mais il savait qu'il ne passerait aucun courant sexuel entre eux comme cela n'aurait pas manqué de se produire s'il n'avait pas déjà couché avec elle. Photographier Teddy était une aventure constante. Elle n'était jamais la même. Chaque fois qu'elle changeait de vêtements, elle se coulait dans la peau d'une autre femme. Elle était payée soixante-dix dollars de l'heure, plus qu'aucun autre mannequin, mais elle les valait. Mais, bon Dieu, pourquoi l'hôtesse ne lui apportait-elle pas son Martini ?

Berry Banning était trop excitée pour remarquer les turbulences au décollage. Elle effectuait là son reportage le plus important depuis qu'elle était entrée à *Mode* trois ans auparavant. Elle n'avait encore jamais travaillé en Europe et elle était terrifiée par ses responsabilités. Bien sûr, Marietta avait choisi tous les vêtements et Teddy les avait essayés avant de partir, mais Berry était chargée de veiller à tous les détails.

C'est elle qui avait rempli les douze malles. Chaque tenue avait ses accessoires propres : chaussures, ceintures, sacs, chapeaux, bas, bijoux et lunettes de soleil.

Comme Diana Vreeland de *Bazaar* et Babs Rawlings de *Vogue*, Marietta Norton considérait la photo comme un art. Même lorsqu'elle projetait de photographier un simple chapeau, elle s'assurait toujours que le mannequin avait des chaussures cirées, des bas neufs et des gants immaculés. Elle jouait avec les accessoires comme un décorateur de théâtre, mais gare à sa malheureuse assistante si Marietta n'avait pas tout ce qu'il lui fallait sous la main. Qu'une valise se perde et Marietta n'aurait plus jamais confiance en Berry. Elle improviserait immédiatement quelque chose, bien entendu, mais la carrière de Berry serait finie. Et il n'y avait rien dans la vie qu'elle désirât davantage que faire carrière dans la mode.

Depuis qu'elle était toute petite, Berry Banning collectionnait les *Vogue*, *Mode* et *Bazaar* et plus récemment *Charm*, *Glamour* et *Mademoiselle*. Elle en feuilletait inlassablement les pages, comme une nonne relit son bréviaire. Elle évitait de regarder Teddy assise devant elle. Elle la verrait pendant dix jours, ça suffisait comme ça. Elle avait souvent travaillé avec Teddy dans différents studios new-yorkais, mais jamais plus d'un jour. Ces soirs-là, lorsqu'elle rentrait chez elle, elle se regardait dans la glace d'un air dégoûté.

Ce n'était pas qu'elle enviât Teddy ou qu'elle en fût jalouse – en fait, elle l'aimait bien – mais ce n'était pas juste que deux êtres humains pussent être aussi radicalement différents. Teddy semblait appartenir à une autre race. Ce devait être merveilleux de se réveiller le matin, de voir ce visage dans la glace et de se dire qu'il vous appartenait. Oh!

Pourquoi l'hôtesse ne lui apportait-elle pas son Martini ?

Sam Newman, l'assistant de Bill Hatfield, observait Berry Banning sans en avoir l'air. Seigneur, comme il aimait ce genre de fille ! Des seins bien ronds, de longues jambes bronzées, de la classe, du chic. Une fille riche et à l'aise. Pour lui, il n'y avait pas de meilleur coup qu'une fille riche. Elles semblaient y prendre plus de plaisir que les autres, peut-être parce que coucher avec l'assistant du photographe ne leur paraissait pas important. Il s'était envoyé des tas de filles de la bonne société qui travaillaient dans les revues de mode, il les préférait aux mannequins. Ah ! Evidemment, si elles avaient toutes ressemblé à Teddy Lunel !

Tout d'abord, les filles riches étaient beaucoup moins névrosées que les mannequins. Moins affolées à l'idée de se coucher tard. Elles aimaient boire et ne dédaignaient pas la bonne chère. Elles insistaient souvent pour payer l'addition car elles se sentaient un peu coupables de ne pas avoir besoin de leur salaire pour vivre. Mais il aimait leurs dessous en soie, leurs chaussures luisantes, leurs cheveux propres et naturels, leur corps musclé par la pratique du ski, de l'équitation et de la natation. Un jour, il aurait son propre studio et il épouserait une fille riche à qui il ferait une ribambelle d'enfants riches. En attendant, pourquoi l'hôtesse ne lui apportait-elle pas son Martini ?

Teddy posa son livre, appuya sa tête contre le dossier de son siège et ferma les yeux. Elle se laissa bercer par les vibrations familières de l'avion qui lui donnaient une sensation de liberté bien qu'elle eût fait ce voyage en Europe au moins une douzaine de fois depuis qu'elle avait commencé à poser.

Cette fois-ci, elle n'avait emporté que ses propres vêtements et un tube de rouge à lèvres parce que Marietta et Berry s'étaient occupées de tout. Le soleil lui fit cligner les yeux. Elle se souvint d'un voyage à Nassau, avec Micheline Swift, le superbe mannequin suisse, et John Rawlings, le photographe. Il avait proposé cent dollars à chacune si elles pouvaient faire, de tête, la liste de tout ce que contenaient leurs valises. Il leur permettait d'oublier trente articles. Toutes deux avaient perdu le pari.

Elle poussa un soupir et essaya d'oublier sa vie routinière, mais le soleil à travers ses paupières lui rappelait les lumières des studios. Chaque fois qu'elle se regardait dans la glace, c'était pour s'inspecter sans complaisance. Son visage n'était rien de plus qu'un objet qui lui appartenait, un bel objet fragile.

Etait-elle restée trop tard au St. Regis Roof, la nuit dernière? Dans ce cas, elle ferait bien de se coucher de bonne heure ce soir. Personne n'était prêt à payer soixante-dix dollars de l'heure une fille qui avait des cernes sous les yeux.

Les gens qui l'enviaient lorsqu'ils voyaient sa photo dans les magazines se rendaient-ils compte des contraintes qu'imposait ce métier? Les heures debout, les hamburgers hâtivement avalés entre deux séances de pose, le réveil sonnant tous les matins à six heures et demie. C'était si fatigant qu'on en venait à attendre paisiblement cette première ride fatale. Dieu, que c'était ennuyeux! Ennuyeux, mais royalement payé. Depuis plusieurs années, elle gagnait près de trois mille dollars par semaine. Pour elle, ça signifiait la liberté.

Elle avait emménagé dans un élégant appartement de la 63e Rue Est et il n'y avait pas de raison pour qu'elle ne continuât pas ce travail encore trois ou quatre ans, ou peut-être plus, si son visage tenait le coup.

Mais en avait-elle vraiment envie? Teddy avait fêté son vingt-quatrième anniversaire au printemps. Toutes ses amies étaient mariées et avaient au moins un enfant. Mais elle n'avait pas envie d'une ribambelle d'enfants élevés en banlieue. Elle ne voulait pas non plus finir comme sa mère, phagocytée par son travail, commençant à se sentir menacée par quelques-unes des nouvelles agences qui s'étaient montées à la fin des années 40 comme Fords, Frances Gill et Plaza 5.

Comme le bruit des moteurs faiblissait, Teddy songea qu'elle aurait aimé faire ce voyage toute seule. C'était tout simplement merveilleux de trouver un moment pour s'asseoir, regarder le ciel et rêver. Les jours se succédaient, remplis d'obligations et de rendez-vous. Chaque soir, en rentrant chez elle, elle téléphonait à l'agence pour noter ses rendez-vous du lendemain.

Quand elle n'était pas trop épuisée par sa journée, elle se précipitait pour prendre un bain, s'habiller et aller danser au Stork Club ou au 21, ou bien elle allait dîner à L'Aiglon ou chez Voisin avec l'un des vingt hommes qu'elle pouvait appeler à la dernière minute. Depuis deux mois, elle n'avait eu envie de faire l'amour avec personne. Seigneur, pourquoi les hommes étaient-ils à ce point décevants?

Elle avait cru tomber amoureuse deux ou trois fois dans sa vie, mais elle s'était trompée. Elle

266

n'avait jamais aimé personne, pas même Melvin, son cher Melvin qu'elle adorait, bien qu'elle se fût efforcée longtemps de le croire.

Leur liaison avait duré toute une année. Elle n'avait pas d'ami plus cher ni d'amant plus tendre, mais Melvin ne la faisait pas rêver. Quand il avait fini par comprendre qu'elle ne l'aimait pas, il en avait été si malheureux qu'ils avaient dû se séparer.

Chaque fois qu'elle avait une aventure sérieuse avec un homme, le manque de profondeur de ses sentiments la consternait. Elle n'était jamais vraiment amoureuse. Sa plus grande peur, c'était que quelque chose en elle, un vide incurable, l'eût condamnée à inspirer l'amour sans jamais le ressentir.

A part sa vie sentimentale décevante, Teddy avait réalisé tous ses rêves. Elle possédait tout ce que le monde de la mode peut apporter. En huit heures de travail, elle était l'objet de plus d'attention et d'adulation qu'une jeune mariée le jour de ses noces. Cependant, de plus en plus souvent, elle sentait l'enfant privée de père resurgir en elle. Elle avait envie de s'appuyer sur l'épaule d'un homme énergique. C'était absurde, bien sûr. Elle gagnait plus d'argent que la plupart des hommes qu'elle connaissait... mais, récemment, ses journées lui avaient paru comme ces interminables après-midi du dimanche.

Elle se leva soudain, jeta un coup d'œil à ses compagnons et secoua la tête d'un air sévère.

« J'ai l'impression que vous vous en foutez tous, mais je voudrais bien savoir ce qui est arrivé à mon Martini. Je vais aller chercher l'hôtesse. Quelqu'un veut-il quelque chose, pendant que je suis debout ? »

Vêtu d'un minuscule slip de bain, Julien Mercuès se tenait immobile au bord du plongeoir. A cinquante-deux ans, sa silhouette était restée celle d'un homme de trente. Il avait des jambes solides, des bras musclés et un dos puissant.

Son expression hautaine n'avait pas changé au cours des années, bien au contraire, mais on l'imputait maintenant à son génie. Son cou était plus épais, il avait des rides profondes autour des yeux et deux sillons encadraient sa bouche, mais son regard bleu était toujours aussi intense. Ses cheveux roux sombre, très courts, grisonnaient sur les tempes. Il avait le visage d'un chef de clan.

Avant de plonger dans la piscine construite deux ans auparavant en 1950, il regarda autour de lui, les mains sur les hanches. Le silence bourdonnant de ce repaire d'abeilles qu'était autrefois La Tourrello avait disparu depuis longtemps, depuis que Kate avait acheté le mas et y avait installé un bataillon de maçons, de plombiers et d'électriciens.

Maintenant, de nombreux bruits envahissaient la Provence. A huit cents mètres de la propriété on entendait passer les voitures sur la route d'Apt. Dans les champs, les tracteurs avaient remplacé les hommes. De temps en temps, le vol Paris-Nice passait au-dessus de leurs têtes. Mercuès demeura immobile, écoutant avec agacement tous ces sons qui gâchaient la campagne.

« Papa! cria une voix juste derrière lui.

– Merde! » Mercuès sursauta, perdit l'équilibre et tomba dans l'eau.

Trois mois après son retour en France, Kate découvrit qu'elle était de nouveau enceinte. Elle avait fait plusieurs fausses couches pendant leur mariage, mais Mercuès n'en avait pas été affecté. Il n'avait pas la fibre paternelle. Les enfants, aurait-il dit s'il y avait accordé une pensée, vous prenaient trop de temps, interrompaient votre travail sans aucun égard et étaient probablement décevants.

La grossesse de Kate, survenant à l'âge ridiculement tardif de quarante-trois ans, ne préoccupait pas beaucoup Mercuès. Il voulait avant tout qu'elle remette le mas en état et souhaitait vivement ne plus jamais avoir à s'occuper de questions matérielles. Quand Kate était revenue au printemps 1945 avec ses deux malles remplies de savon, de Kleenex, de papier hygiénique, de café soluble, d'aiguilles, de fil, de pellicules et de sucre blanc – luxe inimaginable en France pendant les cinq années à venir – il avait poussé un soupir de soulagement. Un enfant ne ferait que compliquer sa vie – mais l'aventure se terminerait probablement par une fausse couche, comme d'habitude. La plupart des hommes éprouvent le besoin d'avoir un fils pour se prouver qu'ils ont existé et laisseront quelque chose derrière eux. Mais Julien Mercuès savait qu'il était immortel et qu'un enfant ne changerait pas la place qu'il occuperait dans l'histoire de l'art.

Quoi qu'il en soit, lorsque Kate donna naissance, en février 1946, à une petite fille maigre, au visage grave, elle fut si heureuse et si fière que Mercuès ne put s'empêcher de ressentir une vague émotion. Kate prénomma le bébé Nadine. Elle cessa promptement de la nourrir au sein et retrouva vite ses forces. Mercuès était rassuré.

Au cours des années suivantes, les dons d'organisatrice de Kate s'exprimèrent pleinement. Jean Brunel rentra d'Allemagne avec une partie de ses dents en moins et la peau sur les os, mais il se remit rapidement et La Tourrello fut la première ferme du Luberon à retrouver toute son activité après la guerre grâce à l'argent de Mercuès et au dynamisme de Kate. On fit venir une nurse suisse pour s'occuper de Nadine et Kate se consacra de nouveau entièrement à son mari.

En 1946, les marchands américains revinrent en force en Europe, impatients de voir ce qui avait été peint pendant la guerre. L'atelier de Mercuès contenait beaucoup d'excellentes toiles, et notamment sa fameuse série *Les Oliviers*.

« Savez-vous ce qu'est devenu Avigdor? demanda Kate à Mercuès peu de temps après son retour.

— Non, je n'en ai pas la moindre idée, mais j'ai décidé de changer de marchand, répondit-il. Avigdor ne s'intéresse qu'aux nouveaux talents. Les artistes à qui il doit sa renommée n'obtiennent pas toujours les meilleurs prix. Pourquoi n'a-t-il jamais ouvert un bureau à New York, je vous le demande? Ça m'a fait perdre beaucoup d'argent. Notre contrat a pris fin pendant la guerre, autant en profiter. »

Kate finit par jeter son dévolu sur Etienne Delage, de New York, Paris et Londres. Le marchand découvrit bientôt que, contrairement à la plupart des peintres, Julien Mercuès ne s'enrichirait pas dans sa tombe.

Lorsque le musée d'Art moderne de São Paulo organisa une importante exposition des œuvres de Mercuès en 1948, celui-ci resta chez lui. Ce fut Kate qui supervisa l'installation des toiles. Un an plus tard, elle se rendit à New York pour le vernissage d'une grande rétrospective Mercuès au musée d'Art moderne, mais, de nouveau, Mercuès jugea inutile de se déranger. En 1950 et 1951, on le persuada de venir à l'importante exposition du musée Stedelijk à Amsterdam, à celle du Kunsthaus à Zurich, du Palazzo Reale à Milan et de la maison de la Pensée française à Paris, organisée pour fêter le vingt-cinquième anniversaire de sa première exposition.

Une fois ces différentes corvées terminées, Mercuès déclara qu'il n'irait plus jamais à aucune de ses expositions, quelle qu'en soit l'importance. Il s'en tint à sa résolution. A chaque vente importante, le prix de ses toiles grimpait en flèche. Etienne Delage découvrit, comme Adrien Avigdor l'avait fait avant lui, que la rareté de sa production en augmentait la valeur. Lorsqu'il eut vendu tous ses tableaux peints pendant la guerre, il recommença à montrer ses œuvres avec parcimonie, tout au moins celles qui échappaient à son autodafé annuel. En 1951, il gagna l'équivalent d'un quart de million de dollars sans avoir à se séparer de plus d'une demi-douzaine de toiles.

Au début des années 50, beaucoup de journalistes trouvèrent le chemin de Félice. Certains étaient si connus que Kate persuada Mercuès de leur accorder quelques interviews. Par ailleurs, elle le protégeait des historiens d'art qui écrivaient un livre sur lui, des collégiennes qui désiraient un autographe, des étudiants qui préparaient une monographie sur son œuvre et des collectionneurs qui essayaient d'acheter directement une toile, Delage ne leur proposant pas grand-chose. Cependant, rien n'était aussi agaçant, ne le dérangeait autant que les continuelles invitations mondaines de Kate.

Depuis deux ans, elle était devenue la reine de la région. Des aristocrates anglais avaient acheté un château près d'Uzès, un grand expert américain de Cézanne s'était installé à Ménerbes, les Gimpel, marchands de tableaux depuis des générations, avaient fait l'acquisition d'un autre château non loin de Félice et maintenant tous ces gens venaient chez eux.

Peu de temps après la naissance de Nadine, Mercuès avait perdu tout intérêt pour le corps de Kate, et un vague sentiment de culpabilité lui faisait supporter ces dîners avec Charlie Chaplin ou la duchesse de Windsor.

Oui, l'ambition sociale venait aux femmes dont on cessait de s'occuper, songeait-il. Il couchait avec d'autres filles, bien sûr, la plupart du temps à Avignon, par pure décence. Elles étaient jeunes, ardentes, mais pas plus importantes pour lui qu'une paire de lacets.

Kate semblait s'accommoder assez bien de cette vie. Nadine trottait partout et devenait bavarde comme une pie. Une ou deux fois, il avait essayé d'asseoir la petite fille dans un coin de son atelier parce qu'elle mourait d'envie de le regarder travailler, mais Nadine était incapable de se taire. « Pourquoi tu mets tout ce rouge, papa? Ce gros truc jaune, c'est un soleil? Tu peux peindre un oiseau, papa? Fais-moi un chien! » Ou alors : « Pourquoi tu dis rien, papa? C'est parce que tu réfléchis? » Non, non, il ne pouvait supporter cela. Il lui interdit l'entrée de l'atelier bien que le petit menton de Nadine tremblât et qu'elle fît cette moue que les domestiques trouvaient adorable.

A six ans, Nadine utilisait déjà toutes sortes de subterfuges pour obtenir ce qu'elle voulait. Mercuès la surprenait fréquemment à mentir et c'étaient les domestiques qui faisaient le plus souvent les frais de son imagination. Lorsqu'il insistait pour qu'on la punît, Kate se mettait en colère. « C'est parfaitement normal de mentir à son âge, Julien. Ne soyez donc pas si moralisateur! » Comme tous les adultes, Mercuès savait combien il est facile de mentir mais il trouvait inquiétant qu'un enfant eût appris si jeune à le faire si bien. Marthe Brunel, qui n'avait pas d'enfant elle-même, conspirait avec Kate pour pourrir Nadine en dépit de la discipline que la nurse essayait vainement d'imposer. Lorsque Mercuès abordait ce sujet avec Kate, celle-ci répliquait que c'était typiquement français d'espérer que les enfants se conduisent comme des adultes. Ne comprenait-il pas que sa fille n'était pas une enfant ordinaire? Elle était spéciale, avec un esprit curieux, rare et charmant chez un être si jeune.

Tout en nageant après être tombé dans la piscine, Mercuès pensa sombrement que, esprit curieux ou pas, il lui apprendrait à ne pas ramper silencieusement sur le plongeoir derrière lui, mais lorsqu'il remonta, elle s'était prudemment éclipsée.

18

« C'est ridicule, mais j'ai un peu peur, dit Marietta Norton à Bill Hatfield. Ça ne m'était pas arrivé depuis Pearl Harbor.

– Il y a de quoi. Moi aussi je suis terrifié. Mercuès ne passe pas pour un gars commode. Les trois derniers types qui ont essayé de le prendre en photo sont rentrés les mains vides. Mais ils n'avaient pas notre arme secrète – la belle Theodora. »

La rédactrice en chef et le photographe bavardaient dans le taxi qui les emmenait à La Tourrello. Ils venaient de quitter Le Prieuré, l'ancienne pension de Mme Blé à Villeneuve-lès-Avignon. Un autre taxi, dans lequel avaient pris place Berry, Sam et Teddy, les suivait. Ils étaient en France depuis dix jours et s'apprêtaient, après ce dernier après-midi de travail, à rentrer à New York, leurs objectifs atteints. Marietta Norton avait décidé de faire toutes ses photos de mode dans les ateliers des plus grands peintres français – Picasso, Matisse et Mercuès. Grâce aux nombreuses relations de Darcy dans les milieux artistiques, elle avait été très bien reçue.

En un jour, à Vallauris, Bill Hatfield avait pris quinze rouleaux de photos de Picasso avec Teddy.

De Vallauris, ils étaient partis pour Nice et avaient trouvé Matisse dans sa chambre d'hôtel au Regina, entouré de plantes vertes et d'oiseaux, occupé, maintenant qu'il ne pouvait plus peindre, à faire ses collages.

Matisse les avait accueillis avec sa gentillesse légendaire, séduit par la silhouette de Teddy dans sa robe brillante, un shantung rose shocking éclaboussé de taches orange. Pour cette dernière journée chez Mercuès, Marietta comptait photographier les vêtements de voyage qu'on verrait partout cet hiver – quatre pages en tout.

Dans le second taxi, Teddy avait pris place à côté du chauffeur, laissant la banquette arrière à Berry et à Sam qui semblaient entretenir des relations plus qu'amicales, à en juger par l'air béat qu'avait Berry en regagnant leur chambre la nuit dernière. Heureuse Berry, songea Teddy, je t'envie. La France est le paradis des amoureux.

Comme le taxi traversait L'Isle-sur-la-Sorgue avec ses vieilles roues hydrauliques qui tournaient encore sur les canaux qui entouraient la ville, Teddy consulta la carte. Dans un peu plus d'une demi-heure, ils arriveraient à Félice. Son estomac se contracta. Les autres savaient-ils que sa mère avait posé pour Mercuès? L'exposition des sept tableaux *La Rouquine* remontait à 1931, mais quiconque s'intéressait un tant soit peu à l'art moderne devait avoir vu des quantités de reproductions. Cependant combien de personnes en 1952 feraient le rapprochement avec Maggy?

Un jour, à l'université, Teddy avait vu une photo d'un de ces tableaux. Elle la connaissait déjà et n'y avait jamais prêté beaucoup d'attention, mais ce jour-là, tandis que le conférencier parlait de Mercuès, elle avait observé le visage du modèle et

275

s'était aperçue avec stupéfaction que les traits de cette rouquine à la pose sensuelle étaient exactement les mêmes que ceux de sa mère.

Aux vacances suivantes, Teddy, effrayée de sa propre audace, avait demandé une explication à sa mère, mais celle-ci ne lui avait répondu que quelques mots distraits. « J'ai posé pour des peintres quand j'étais très jeune – il y a si longtemps que j'ai oublié les détails. Naturellement, nous posions toutes nues... je croyais que tu savais cela », dit-elle d'un ton qui indiquait clairement qu'elle n'avait pas l'intention de s'étendre sur sa vie parisienne. Teddy n'avait pas osé insister. Chose curieuse, la vie de sa mère avant son arrivée aux Etats-Unis était un sujet aussi tabou que sa propre naissance.

Maggy comprenait-elle à quel point ces mystères pesaient à Teddy? Mais c'est ma faute, aussi, se dit-elle. Pourquoi suis-je à ce point incapable de lui poser des questions précises, de la pousser dans ses retranchements? C'est de la lâcheté.

Ces quatre dernières années, délivrée de la présence maternelle et financièrement indépendante, Teddy avait presque oublié les tourments de son adolescence. Dans le tourbillon de sa propre vie, ils lui paraissaient moins importants. Elle n'y pensait à nouveau qu'à cause de ces photos chez Mercuès. Cependant, en acceptant ce voyage, ne partait-elle pas à la recherche du passé de sa mère?

Maggy avait tout fait pour l'en dissuader. Teddy s'était demandé si sa mère aurait le courage de lui dire pourquoi elle était si réticente, mais Maggy s'était contentée de lui donner une douzaine de raisons qui n'avaient rien à voir avec Mercuès. Pour se venger, Teddy avait réfuté tous ses arguments.

De quoi Maggy avait-elle peur? Quel secret cachait-elle et comment pourrait-il choquer quiconque après tant d'années? Pouvait-elle être naïve au point de s'imaginer que sa fille se scandaliserait de voir le vieux monsieur pour lequel elle avait posé nue des années auparavant?

« Berry, dit-elle doucement, nous allons arriver. Tu ferais bien de te remettre un peu de rouge à lèvres avant que Marietta ne te voie. »

« Je suis désolée de vous faire attendre, expliqua Kate Mercuès à Marietta Norton, mais Julien travaille encore et je n'ose pas lui dire que vous êtes là.

– J'espère que la lumière va se maintenir, s'inquiéta Bill Hatfield.

– Je lui ai fait promettre d'arrêter de travailler à cinq heures ce soir et je le lui ai rappelé au petit déjeuner. Il accepte rarement de faire ce genre de choses, vous savez, mais quand il le fait, il tient ses promesses.

– Je vous en suis très reconnaissante », conclut Marietta, priant pour que l'expression de sa gratitude fasse descendre Mercuès plus vite.

Contrairement à Picasso qui leur avait consacré une journée entière, Mercuès n'avait accepté de poser que quelques heures en fin d'après-midi.

« Mais je vous en prie. J'ai été une lectrice de *Mode* toute ma vie, j'y suis d'ailleurs abonnée », déclara Kate en souriant.

Elle leur fit traverser le mas et ses grandes pièces aux poutres sombres et aux murs blanchis à la chaux.

Kate Mercuès ne s'occupait que de Marietta Norton. Dans un groupe, elle avait un don pour repérer immédiatement la personne importante. Par la rédactrice en chef, elle aurait sans doute des nouvelles de certains de ses amis new-yorkais influents et créerait des liens entre elles deux qui pourraient par la suite s'avérer profitables.

Elle savait que Mercuès se fichait éperdument que sa peinture fût ou non à la mode – elle n'aurait d'ailleurs jamais osé employer ce mot devant lui sauf en parlant d'une robe – mais elle, Mme Julien Mercuès, se souciait peu d'être la femme d'un peintre qui n'intéressait plus les gens dans le coup. Les impressionnistes avaient ignoré le grand Delacroix et le public en avait rapidement fait autant. Il ne fallait pas que les nouveaux abstraits fissent de même avec Mercuès. Ces pages dans *Mode* lui feraient une bonne publicité (mot que son mari abhorrait également).

Kate bavardait joyeusement avec Marietta. Tout le monde était assis, sauf Teddy, longue et mince dans sa robe de jersey blanc sans manches d'Anne Fogarty. Le corsage finement plissé en forme de cache-cœur était très décolleté et la jupe, ample comme un tutu de danseuse, s'arrêtait à dix centimètres du sol.

Pour accentuer l'illusion que Teddy appartenait à quelque corps de ballet, Marietta avait ajouté une ceinture dorée très étroite, des ballerines également dorées de chez Cepezio et un serre-tête qui rejetait en arrière la masse de ses cheveux roux. Dans cette robe, Teddy avait l'air aussi irréelle qu'une bulle de savon. Berry ne l'avait pas laissée s'asseoir à cause des huit jupons empesés qui formaient une crinoline et gonflaient la jupe. Teddy se pencha avec précaution et but une gorgée de limonade dans le verre que lui tendait Berry. Il ne manquerait plus que je me renverse ça sur ma robe, se dit-elle. Ses mains tremblaient. Mais pourquoi n'apparaissait-il pas, bon Dieu?

« C'est énervant d'attendre comme ça », murmura Berry, compréhensive.

Teddy semblait nerveuse. Elle s'était comportée avec Picasso et Matisse comme s'il s'était agi de deux vieux amis.

« Comment sont mes sourcils? » demanda Teddy.

La mode en 1952 exigeait des sourcils épais, accentués au crayon. Aucun mannequin, pas même Teddy, ne pouvait transgresser cette règle.

« Ils sont toujours là », la rassura Berry.

La porte de l'atelier s'ouvrit et Julien Mercuès se dirigea lentement vers eux en longeant la piscine, tout en essuyant ses mains avec un mouchoir taché de peinture. Kate le présenta à Marietta Norton et au reste de l'équipe. Lorsque Mercuès prit la main de Teddy, elle eut l'impression que son regard s'attardait sur elle.

« Venez dans mon atelier, proposa-t-il. Débarrassons-nous de cela en premier. »

Bien qu'il s'exprimât en français, tous le comprirent. Berry avait appris le français à l'école. Marietta en assistant aux nombreuses collections à Paris. Teddy avec sa mère et Bill Hatfield en traînant ses guêtres dans tous les studios parisiens.

Dans le grand atelier, ils demeurèrent silencieux. Il y régnait une sorte de désordre sublime qui, en comparaison, faisait paraître l'atelier de Picasso presque banal.

Seul Bill, maudissant le sort qui l'obligeait à prendre ses photos pendant qu'il y avait encore de la lumière, ne put regarder les toiles. Les autres, silencieux et immobiles, aussi intimidés que des nouveaux dans une classe, contemplèrent les tableaux un par un.

« Viens, Teddy, dit Bill en lui prenant le bras.

Mets-toi près de lui et prends l'air de quelqu'un qui s'amuse. » Mercuès se tenait devant son chevalet, quelque peu impatienté.

Faisant appel à toutes ses capacités professionnelles, Teddy s'approcha de lui, sa jupe de Reine des Cygnes froufroutant à chaque pas. Il était si grand qu'elle dut lever la tête vers lui. Elle rejeta la tête en arrière, et plongea son regard changeant dans le sien.

Mercuès lui prit le menton et tourna son visage d'un côté puis de l'autre. Il l'observa attentivement, sortit de sa poche son mouchoir qui sentait la térébenthine et, avant qu'elle ait pu faire un geste, il lui essuya les sourcils. Marietta poussa un cri, Sam une exclamation indignée, Berry un gémissement, Bill jura entre ses dents.

« C'est mieux ainsi. Vous utilisez trop de peinture, murmura Mercuès si doucement que Teddy fut la seule à l'entendre. Vous ressemblez à votre mère. » Il sourit pour la première fois. « Mais vous êtes mille fois plus belle qu'elle. »

Lorsque l'indignation devant cet acte sacrilège se fut un peu calmée, l'équipe de *Mode* entra dans la pièce où Teddy s'était changée et Marietta Norton, après avoir inspecté les dégâts, leur dit d'attendre. Elle partit à la recherche de Kate qu'elle trouva dans la cuisine.

« Madame Mercuès, nous avons un gros problème, dit-elle d'un air lugubre.

— Oh! mon Dieu! Que se passe-t-il?

— M. Mercuès a frotté les sourcils de mon mannequin avec un chiffon.

— Quoi!

— Ils étaient dessinés au crayon et il a tout enlevé.

Il a aussi ôté une partie de son fond de teint sur le front. Il va lui falloir au moins une heure pour réparer tout cela. Et il sera trop tard pour prendre les photos en couleurs, il n'y aura plus assez de lumière.

– Mais qu'est-ce qui lui a pris! »

Kate était furieuse. Parfois, il se conduisait vraiment comme un goujat.

« Je n'en sais rien, mais nous sommes dans de beaux draps! Nous avons quatre pages à remplir, vous comprenez.

– Ecoutez, je suis vraiment désolée. Je ne comprends pas pourquoi il a agi ainsi, mais il n'y a aucune raison pour que vous soyez victime de ses lubies. Je vais aller lui parler. S'il pouvait vous consacrer sa matinée de demain, pourriez-vous revenir ou bien avez-vous d'autres rendez-vous?

– Non, nous n'avons aucun autre rendez-vous, répondit Marietta.

– Laissez-moi vous préparer un gin tonic et je vais aller régler ce problème immédiatement.

– Merci pour le gin, mais je n'y tiens pas », dit Marietta avec un soupir de soulagement.

Elle comprenait ce genre de femmes. Kate Mercuès était, comme elle, une professionnelle. Elle remplirait ses quatre pages et c'était la seule chose qui comptait.

Le lendemain, après le petit déjeuner, ils retournèrent à La Tourrello. Dans le taxi, Teddy était plus troublée qu'elle ne l'avait jamais été. Ce moment, ce bref moment où Julien Mercuès lui avait tenu le menton la hantait. Elle ne pouvait penser à rien d'autre. Elle avait l'impression que sa vie était un film. Lorsque Julien Mercuès l'avait touchée, le metteur en scène avait crié « Coupez ». Jusqu'à ce qu'elle le voie de nouveau, l'écran devait rester vierge.

Dès qu'elle aperçut Mercuès contemplant cette nouvelle invasion les sourcils froncés, elle comprit qu'il l'avait attendue avec autant d'impatience qu'elle. Elle en était certaine. Elle s'approcha de son chevalet en retenant son souffle. Il lui tendit la main, elle la prit et ils se regardèrent intensément avant de se rendre compte que leur poignée de main durait un peu trop longtemps pour les convenances.

« Bonjour, mademoiselle Lunel, vous avez bien dormi?

– Bonjour, monsieur Mercuès. Non, je n'ai pas fermé l'œil.

– Moi non plus. »

« Teddy tourne-toi un peu, cria Bill Hatfield, on ne voit pas ta robe. »

Il faut que je touche son visage, songea Teddy. Je veux prendre sa tête dans mes mains, toucher ses tempes, là où les cheveux grisonnent et où la peau est toute lisse.

« Baisse la tête, insista Bill, comme si tu regardais la toile. »

Je veux embrasser ses yeux, effleurer ses paupières avec mes lèvres, pensa Teddy, en fixant la toile d'un regard aveugle.

« Teddy, pourrais-tu t'animer un peu? » protesta Bill.

Je veux poser mes lèvres sur sa poitrine, là où la chemise est déboutonnée. Je veux sentir sa respiration, je veux que nos cœurs battent à l'unisson.

« Teddy, tourne-toi un peu vers moi, s'il te plaît, je ne vois que le dos de ta robe. »

Je veux sentir ses lèvres sur les miennes. Je veux

282

l'entendre rire contre moi, je veux le supplier de m'embrasser, je veux qu'il me supplie de l'embrasser.

« Bon Dieu, Teddy! » s'exclama Bill, plus surpris qu'impatienté. Jamais Teddy n'avait besoin qu'on la dirige. Qu'est-ce qu'elle avait ce matin?

« Votre photographe n'est pas content, murmura Mercuès.

– Ça m'est égal.

– Mais il n'arrêtera pas avant d'avoir pris cette photo.

– C'est vrai, vous avez raison.

– Et plus vite il aura fini plus vite nous pourrons parler.

– De quoi allons-nous parler? »

« Teddy! Comment veux-tu que je prenne des photos si tu bouges les lèvres? »

« De quoi allons-nous parler? répéta-t-elle.

– Du reste de notre vie.

– Je rentre à New York demain.

– Vous allez rester ici avec moi.

– Vous parlez sérieusement?

– Vous le savez bien.

– Ecoutez, les enfants... Monsieur Mercuès, je veux dire, ce n'est pas du bon travail. Pouvez-vous aller vers la table et montrer à Teddy votre palette? suggéra Bill avec un calme exagéré.

– Où pouvons-nous parler? souffla-t-elle.

– Au restaurant Hiely, à Avignon, à huit heures et demie ce soir. Compris?

– Compris. » Teddy fit un charmant sourire à Bill et se concentra sur son travail, essayant de ne pas rencontrer le regard troublant de Julien.

Toutes ces années, pensa-t-elle, toutes ces longues années à rêver pour finalement rejoindre mon rêve ici, à cet instant. Personne n'a compté pour moi avant, personne ne comptera après.

En revenant de Félice, Kate Mercuès proposa à l'équipe de rester déjeuner mais Marietta déclina l'invitation : elle avait peur de rater le train de Paris. Il fallait encore qu'ils repassent par le Prieuré pour prendre leurs bagages.

« Tu as bouclé tes valises? demanda Berry, jetant un coup d'œil par-dessus son épaule à Teddy, étendue sur son lit.

– Je reste.

– Je t'en prie, Teddy. Tu sais que je perds mon sens de l'humour dès qu'il s'agit du boulot.

– Je ne rentre pas avec vous.

– Tu n'aurais pas vu ma liste, par hasard? J'ai toutes les valises mais impossible de trouver ma liste. Tu ne peux pas m'aider à la chercher?

– Tu n'écoutes pas ce que je te dis. Je reste en Provence... enfin quelque temps. Je n'ai jamais vu d'endroit aussi merveilleux.

– Mais tu ne peux pas faire ça!

– Pourquoi pas? » demanda Teddy d'une voix calme, tout en sentant une rougeur lui monter aux joues.

Berry la regardait avec inquiétude.

« Tu es malade? Tu ne te sens pas assez bien pour voyager?

– Mais si, ça n'a rien à voir... C'est un caprice... Tu ne fais jamais de caprices, Berry?

– Sûrement pas. Je ne pourrai pas me permettre d'en faire avant une douzaine d'années. Bon, très bien, reste... Eh, voilà ma liste. Je mets ton billet de retour sur le bureau. Tu aurais pu nous en parler plus tôt, c'est tout.

– Je n'en savais rien moi-même, déclara Teddy d'une voix rêveuse. Je vais envoyer un télégramme à l'agence pour les prévenir. Ils l'auront avant votre arrivée.

– Et ta mère? A mon avis cette décision ne va pas l'emballer.

– Oh! Elle comprendra, répondit lentement Teddy. J'ai l'impression qu'elle comprendra ça mieux que quiconque. »

La salle à manger du restaurant Hiely était grande et rectangulaire, avec des murs recouverts de boiseries et un parquet bien ciré.

Julien Mercuès et Teddy Lunel étaient assis l'un en face de l'autre à une table située dans un coin tranquille, près de la fenêtre. Teddy se demandait pourquoi personne ne l'avait prévenue que les coups de foudre vous paralysaient littéralement, vous ôtaient tous vos moyens. Jamais elle ne s'était sentie troublée à ce point, et pourtant elle avait une sérieuse habitude des « premiers dîners ». Ils s'étaient déjà dit tant de choses devant d'autres gens que maintenant qu'ils étaient enfin seuls, elle se sentait incapable d'émettre autre chose que quelques commentaires sur le dîner.

Julien Mercuès, pour qui la timidité était un sentiment inconnu, était aussi silencieux que Teddy. Il brûlait de lui dire certains mots mais n'y parvenait pas. Par quoi commencer? Par le commencement? Mais tout cela semblait si lointain, presque comme dans une autre vie. Et, pourtant, ce dîner solennel et maladroit lui paraissait comme la suite logique de sa vie. Ils avaient beau ne pas se connaître, il savait que leur avenir était en train de se sceller. Jamais il ne permettrait qu'on lui arrache cette femme.

Teddy tenait sa fourchette d'une main tremblante. Elle ne voulait pas flirter parce que leurs sentiments étaient trop graves. Ils l'avaient admis implicitement ce matin en s'avouant leur nuit blanche. Elle ne voulait que le toucher, le tenir contre elle.

Mercuès était beaucoup plus beau qu'elle ne se l'était imaginé. Grave, il n'essayait pas de plaisanter et semblait réfléchir. Quant à elle, les questions qu'elle avait envie de lui poser avaient trop d'importance ou pas assez. Il n'y avait pas de juste milieu. Il fallait que Teddy sût tout de Julien Mercuès, depuis sa naissance – sa vie était dense, compliquée, étrangère à son monde à elle – et, cependant, elle avait l'intuition que passé ce moment d'émotion intense qui les paralysait, ils se comprendraient mieux qu'ils n'avaient jamais compris personne.

A la fin du repas, Teddy leva les yeux au-dessus de son verre de vin et rencontra le regard de Mercuès. Une larme, une seule larme coula le long de sa joue. Il l'essuya avec son doigt et sembla retrouver l'usage de la parole.

« La semaine dernière, dit-il, j'étais sûr que je ne me sentirais plus jamais jeune.

– Et maintenant? demanda-t-elle avec gravité.

– J'ai l'impression de l'être pour la première fois. C'est comme si toutes mes années de jeunesse s'étaient déroulées dans une sorte de vide. Mais je n'en souffrais pas parce que je n'envisageais rien d'autre. Je n'étais pas malheureux – j'ai travaillé et vécu comme n'importe quel autre homme et je ne me posais pas de questions parce que je peignais et que c'était la seule chose qui m'intéressait. Je ne peux pas te dire que tu m'aies manqué parce que je ne savais pas que tu existais. C'est seulement maintenant que je comprends combien j'étais incomplet.

– Mais pendant la moitié de ta vie, je n'ai pas existé, répondit-elle avec un sourire.

– Une telle chose te paraît-elle possible? Je sais que c'est ainsi mais je n'arrive pas à le *sentir*.

– Nous aurions dû naître le même jour! s'écria Teddy avec passion. Nous aurions dû grandir ensemble. Tu ne m'aurais jamais quittée. Je t'attends depuis tant d'années! Toutes ces heures de souffrance, c'était parce que tu n'étais pas là. J'avais peur de ne jamais aimer, tu sais. Je ne pensais pas que ça m'arriverait à moi.

–·Moi non plus. C'est si... C'est drôle, maintenant je comprends les hommes qui abandonnent tout pour une femme. Avant je les méprisais. Je me sens... humain, maintenant, comme tout le monde.

– C'est un coup dur? demanda Teddy avec un rire qui sonnait comme une promesse.

– Non c'est un... soulagement extraordinaire. » Il s'écoutait parler avec stupeur et émerveillement. Il n'avait jamais dit cela à une femme, jamais rêvé que ce fût possible, jamais su que ces mots pourraient un jour franchir ses lèvres.

« Tu ne me quitteras pas. » Ce n'était pas une question mais un ordre.

« Comment pourrais-je te quitter? protesta-t-elle, le visage illuminé par l'amour.

– Tu ne le pourrais pas. »

Ils eurent un rire complice. En cinq phrases, ils étaient tombés d'accord pour bannir le monde extérieur. Le chaos avait été accepté, la folie, la folie à deux allait devenir leur pain quotidien.

« Viens, maintenant.

– Où veux-tu m'emmener? »

Mercuès réfléchit rapidement. Il songea à l'hôtel de l'Europe qui avait été au XVIe siècle la résidence d'un aristocrate. Cette noble demeure n'était devenue un hôtel que cent ans auparavant. A cette époque de l'année, il y aurait certainement des chambres. Demain, il réfléchirait à la question, mais ce soir, l'hôtel de l'Europe offrirait un havre parfait à leur amour.

« Viens, dit-il à Teddy. Je vais prendre soin de toi. »

Elle rougit, heureuse, Aucun des hommes qu'elle avait connus n'avait compris combien elle avait besoin qu'on lui dicte sa conduite, qu'on lui donne des ordres. Le seul à l'avoir obscurément senti était Melvin. Elle songea un instant à lui puis chassa cette pensée.

Elle se leva et traversa le restaurant à ses côtés, indifférente aux regards admiratifs que lui lançaient les hommes au passage.

Irrévocable. Le mot l'obsédait tandis que Mercuès la pénétrait. Irrévocable. A peine la porte de leur chambre refermée, ils s'étaient jetés sur le lit. Leur désir était si intense qu'il les empêchait de se livrer aux rituels travaux d'approche. Ils firent l'amour sans se déshabiller, avec fureur et passion, comme s'ils scellaient un pacte.

Puis il la déshabilla, enleva ses propres vêtements et, de ses longues mains, caressa doucement son corps comme un aveugle déchiffrant avec ses doigts.

Docile et prenant plaisir à l'être, Teddy ne bougeait pas. Maintenant qu'elle lui appartenait, ils avaient tout leur temps. Elle le laissa la caresser longtemps jusqu'au moment où submergée par le désir elle se souleva et couvrit le corps de Julien avec le sien.

Irrévocable. Il lui donnait de puissants coups de boutoir, la faisait gémir de plaisir. Elle le serra en elle, tous ses sens en éveil, jusqu'au moment où elle eut l'impression que tous deux se dissolvaient pour ne plus former qu'un seule être. A jamais, pensa-t-elle. *A jamais.*

19

MÊME au cœur de l'hiver, Avignon reste une ville gaie. En descendant à la hâte la rue Joseph-Vernet pour aller chez son coiffeur, Teddy respira avec délices l'air froid et sec. Tous les vendredis matin, elle se rendait chez son coiffeur. C'était son unique rendez-vous de la semaine. Teddy Lunel et Julien Mercuès s'étaient fait une vie hors du temps.

Depuis cette première nuit à l'hôtel de l'Europe, ils ne s'étaient plus quittés. Julien n'était jamais retourné à La Tourrello. Il avait abandonné sa maison, son atelier, sa femme et son enfant. Depuis quatre mois, ils vivaient dans un bonheur émerveillé, en marge de la réalité.

Après un court séjour à l'hôtel de l'Europe, ils avaient loué un grand appartement à l'intérieur des remparts. Il occupait tout le premier étage d'un hôtel particulier du XVIIIᵉ siècle situé dans l'élégant quartier de la préfecture. De leurs fenêtres, Teddy et Julien voyaient les paons du musée Calvet se pavaner sur les pelouses, entre les massifs de fleurs. Mercuès avait transformé la plus grande pièce en atelier. Dans la chambre voisine, ils avaient installé un immense lit à baldaquin dont les rideaux en velours bleu roi étaient brodés à l'intérieur de scènes de chasse. La nuit, ces rideaux tirés tout autour du lit les protégeaient du froid.

Il n'y avait pas de chauffage central dans l'appartement mais chaque pièce était pourvue d'une énorme cheminée où, dès le début du mois de novembre, brûlaient des feux d'eucalyptus et de pin. L'atelier était, en outre, très bien chauffé par un poêle baroque viennois en faïence blanche qui ressemblait à une montagne de crème fouettée. Mercuès l'avait déniché chez un antiquaire. Ainsi, Teddy qui posait pour lui tous les après-midi n'avait jamais froid.

De sa vie, il ne s'était couché aussi tard que maintenant, avait-il dit à Teddy. Il restait assis des heures devant la cheminée de leur chambre, sa bien-aimée dans ses bras, bavardant et riant à la lueur du feu jusqu'à une heure tardive. Ils grignotaient des noix, faisaient rôtir des châtaignes ou buvaient de l'alcool de fruits. Il n'avait jamais non plus dormi aussi tard. Lorsqu'il se réveillait, il contemplait Teddy endormie jusqu'à ce qu'elle ouvre les yeux puis lui faisait l'amour. Dans ces moments-là, Teddy oubliait l'endroit où elle se trouvait et ce n'est qu'en apercevant les scènes de chasse sur les rideaux que le souvenir lui en revenait.

« Je vous fais un second shampooing, madame ? »

Teddy hocha la tête et se replongea dans sa rêverie. Ils vivaient comme des souverains, en sécurité dans leur tourbillon d'amour, s'embrassant et se regardant à longueur de journée.

Chaque jour, vers midi, ils allaient prendre l'apéritif au café du Palais. Au crépuscule, ils montaient souvent au Rocher des Doms entouré d'un jardin planté de roses qui fleurissaient jusqu'à Noël. Parfois, ils allaient au cinéma voir des films où jouaient Jean Gabin, Michèle Morgan ou Gérard Philipe. A l'entracte, Teddy mangeait deux esquimaux, Julien quatre.

Leurs seuls amis étaient le médecin et sa femme qui habitaient le rez-de-chaussée. Deux amis leur suffisaient largement – c'était en tout cas l'avis de Julien en proie à des sentiments primaires et douloureux. Jaloux, il ne supportait pas que Teddy échappât une seconde à son regard. Chaque fois qu'elle partait se promener, il avait un pincement au cœur. La nuit, il s'éveillait et écoutait sa respiration. Lorsque les hommes la regardaient, il avait envie de montrer les dents. Elle était toutes les femmes pour lui, son épouse, son enfant, parfois aussi tendre qu'une mère ou aussi joueuse qu'une sœur.

La tête enveloppée d'une serviette-éponge, Teddy esquissa un sourire espiègle en pensant à la lettre qu'elle avait reçue de Maggy le matin même. Elle était conciliante, très différente des épîtres amères et coléreuses qu'elle lui avait envoyées au début de leur liaison. Son seul sujet d'inquiétude était l'avenir de Teddy, écrivait Maggy. Et si l'histoire se répétait? Si Julien ne parvenait pas à divorcer?

Comment pouvait-elle comparer les deux cas? se demandait Teddy. Kate Mercuès était protestante, et mariée civilement, non religieusement. Teddy essayait de réconcilier l'image de la Kate Mercuès que décrivait sa mère – une femme dotée d'une volonté bien plus forte que celle du peintre et qui lui avait fait peur dès qu'elle l'avait rencontrée – avec la créature incolore, assez frêle, d'âge moyen, qui faisait de la lèche à Marietta Norton.

Non, se dit Teddy, sa mère se trompait, elle voyait des fantômes. Les temps avaient changé. Comment, à notre époque, une femme continuerait-elle à s'accrocher à un homme qu'elle avait définitivement perdu ?

Le coiffeur mit un certain temps à lui sécher les cheveux. Teddy ne se faisait plus faire de mise en plis, pas plus qu'elle ne se maquillait. Elle se contentait de mettre un peu de rimmel sur ses cils. Elle semblait plus jeune qu'à l'époque où elle était mannequin et, passant beaucoup de temps dehors avec Julien, elle avait toujours bonne mine. Comme elle mangeait bien, buvait pas mal et se contentait de poser tous les après-midi dans la bienfaisante chaleur du poêle viennois elle avais pris du poids. Ses jupes la serraient et elle avait du mal à fermer ses pantalons.

Je ne pourrais jamais poser pour *Mode* aujourd'hui, songea-t-elle en se dirigeant vers le café du Palais où elle avait rendez-vous avec Mercuès. Marietta Norton tomberait raide si elle me voyait.

Teddy regarda sa montre et allongea le pas. En arrivant place de l'Horloge, elle aperçut la haute silhouette et les cheveux roux de Mercuès. Elle courut vers lui, faisant s'envoler une nuée de pigeons.

Songeuse, Kate Mercuès se tenait dans la pièce sans fenêtre qui faisait suite à l'atelier de Julien. C'est là qu'il entreposait ses toiles. Elles étaient soigneusement alignées sur des chevalets en métal, protégées de la lumière et de la poussière, datées et vernies, mais non signées. C'étaient les meilleures toiles de Mercuès, sa production d'un quart de siècle. Kate les connaissait toutes par cœur. Elle savait sur quel chevalet était posé chaque œuvre et ce qu'elle rapporterait pour peu qu'Etienne Delage fût autorisé à la vendre. Elle alluma la lumière et fit glisser vers elle un chevalet. Elle regarda longuement le portrait de Maggy nue sur les coussins verts, la toile la plus célèbre de la série *La Rouquine*. Kate n'avait pas contemplé cette toile depuis 1931, date à laquelle elle était revenue de l'exposition de New York mais elle n'avait jamais oublié sa présence parmi les six autres.

Oui, songeait-elle, c'est facile à comprendre. Quel homme aurait pu résister? L'appât de la chair fraîche, ils veulent tous cela à son âge. Julien ne diffère pas des autres à cet égard, il est même plus vulnérable que la plupart. J'ai toujours su que rien n'importait pour lui que la surface des choses. Au fond, c'est un être superficiel. C'est typique des hommes de cet âge-là de se comporter comme des imbéciles avec les femmes. On n'épouse pas ce genre de fille, on ne fiche pas toute sa vie en l'air parce qu'on a envie de coucher avec elle!

Combien de temps avait-il mis pour comprendre cela à propos de la mère? Quelques mois. Comme elle la haïssait, cette juive maussade avec son corps débordant de sensualité! Elle n'avait jamais compris le genre de femme qu'il fallait à un génie comme Julien. Kate esquissa une moue de dégoût en repensant à Maggy. Cette traînée avait dû avoir de nombreux amants après Julien. La petite Américaine était évidemment une bâtarde, sinon pourquoi aurait-elle porté le nom de sa mère?

Julien cherchait-il la mère dans la fille? Pensait-il pouvoir remonter le temps, redevenir jeune en pressant une dernière fois son corps contre de la chair fraîche? Elle eut soudain la folle impulsion de lacérer la toile avec l'un de ces outils pointus qui traînaient dans l'atelier. Elle serra les mains jusqu'à en avoir les jointures blanches.

Avec brusquerie, elle remit le chevalet à sa place, au fond de la pièce. Pendant les sept années qui avaient suivi la guerre, le prix des *Rouquines* avait triplé. C'était le meilleur placement qu'elle eût jamais fait, songea-t-elle avec amertume et leur valeur allait probablement quadrupler pendant les dix prochaines années. Cependant, peut-être se déciderait-elle un jour à les vendre malgré tout, si leur présence chez elle lui devenait trop intolérable. Dans ce cas, elle les proposerait sans doute à Adrien Avigdor. Si elle devait faire des affaires avec des juifs et dans le monde de l'art, il était impossible de l'éviter, autant traiter avec le meilleur d'entre eux.

Kate se souvenait de son voyage à Paris après la guerre et de son dernier entretien avec Avigdor. Elle tenait à récupérer un certain nombre de toiles de Mercuès qu'Avigdor avait gardées malgré l'expiration de leur contrat. Elle avait peur qu'il insistât pour les vendre lui-même mais, à sa surprise, Avigdor avait semblé soulagé de s'en débarrasser au profit de Delage.

Elle n'avait compris son attitude que lorsqu'il lui avait expliqué pourquoi il ne ferait plus jamais d'affaires avec Julien. Celui-ci l'avait chassé de La Tourrello. Et alors? Un Français qui cachait des juifs risquait sa vie. Avigdor ne savait-il pas cela? Et qu'est-ce que ça pouvait lui faire à Kate qu'il eût découvert que d'autres juifs, venus demander refuge à Julien, avaient subi le même sort?

De quel droit exposaient-ils ainsi la vie de son mari? avait-elle protesté, tandis qu'il la regardait avec une expression bizarrement attristée, assis derrière sa table, dans le somptueux bureau de sa galerie de la rive droite, avec sa Légion d'honneur obtenue, avait-il tenu à lui préciser, pour ses activités dans la Résistance. Elle lui avait demandé s'il considérait qu'un génie comme son mari devait vivre avec les mêmes règles de conduite qu'Avigdor? Il connaissait les artistes, voyons! Il savait bien que la politique ne les concerne en rien. Bah! Avigdor aussi est un imbécile, se dit-elle. Le mieux était de l'oublier. Il appartenait au passé.

Elle erra dans l'atelier et sortit une toile qui représentait un pommier en fleur. L'impression de printemps qui s'en dégageait était extraordinaire mais Kate la regardait distraitement. Elle pensait à la conversation qu'elle avait eue avec l'avocat qu'elle était allée consulter à Nice une semaine auparavant. Elle aurait pu demander conseil au notaire de Félice, mais sa femme était une de ses amies et elle ne se fiait pas à sa discrétion. Elle avait peur des ragots.

L'entretien avait duré peu de temps. L'avocat avait répondu de façon très simple à toutes ses questions. Le mariage civil était respecté en France, lui avait-il dit. Depuis 1866, on ne pouvait divorcer que pour faute.

« Pour faute?

— Après la présentation de faits constituant une violation sérieuse et répétée des devoirs et des obligations du mariage rendant la vie conjugale intolérable, chère madame, répondit-il, s'écoutant visiblement parler.

— Je ne comprends pas très bien, avait-elle dit. Voulez-vous dire que si mon mari a commis une faute grave je peux obtenir le divorce?

— Sans aucun doute. Ce n'est qu'une question de temps et de preuve.

— Mais si je ne veux pas divorcer en dépit de sa faute?

296

– Alors aucun divorce ne sera possible.

– Aucun? Même si lui le souhaite!

– Il ne parviendra jamais à divorcer, madame. C'est tout à fait impossible. »

Soulagée, elle était rentrée à Félice à travers un paysage hivernal et venteux. Elle n'avait pas besoin de s'inquiéter, pas besoin d'agir. Elle était protégée par le poids de la loi française. Son imbécile de mari savait-il cela? Il lui appartenait, comme ses toiles. Elle les avait payées, elle avait même gardé le reçu. Et lui aussi, que cela lui plaise ou non.

Mercuès posa son pinceau et resta totalement immobile pendant un moment. Teddy regardait d'un air rêveur les moulures du plafond. Etait-ce déjà l'heure de la pause? Il lui arrivait parfois de somnoler pendant qu'il peignait. Il s'approcha d'elle et la regarda avec attention.

« Qu'y a-t-il, mon chéri? demanda-t-elle. Je ronflais? »

Il s'agenouilla et traça avec son doigt une ligne sur son ventre.

« Non, tu ne ronfles jamais. Mais tu as pris du poids.

– Je sais. C'est le bonheur. Je vais finir par me transformer en Rubens. Mais, en fait, je m'en fiche, pas toi!

– Moi aussi, bien sûr », répondit-il, l'air songeur.

Peut-être la préférait-il plus mince. Les Français étaient si concernés par la ligne, les Françaises, en tout cas. Mercuès prit ses seins nus dans ses mains et les caressa d'un air rêveur. Puis il palpa longuement sa taille. Il semblait écouter quelque chose.

« Mais que fais-tu? demanda-t-elle en riant. Tu as les mains froides.

– Tu es enceinte, déclara-t-il avec une joyeuse incrédulité.

– Mais non, qu'est-ce que tu racontes! »

Elle s'assit, l'air inquiet.

« Tu es enceinte, Teddy, je te l'affirme. Tu n'as pas grossi, c'est autre chose. Crois-moi, je suis capable de faire la différence. » Il enfouit sa tête contre son ventre et l'embrassa, en proie à une excitation sauvage. « Mon Dieu, mon Dieu, tu n'imagines pas comme je suis heureux.

– Julien! Tu me fais peur... Comment peux-tu savoir ça?

– Réfléchis bien, Teddy. N'est-ce pas possible?

– Non... Si... J'imagine. Oh! non. Ce n'est pas possible! Oh! merde!

– J'ai raison, dit-il d'un air triomphant. Je le savais.

– *Qu'est-ce que je vais faire?* »

Teddy saisit son châle et s'en couvrit frénétiquement.

« Pourquoi veux-tu faire quelque chose?

– Julien! Mais tu n'es même pas divorcé!

– *Je le serai.* Je te promets sur ma vie, sur mon amour pour toi, sur mon travail, sur tout ce que j'ai de plus sacré que je vais divorcer. Surtout maintenant que tu es enceinte. Lorsque Kate saura que tu attends un enfant, elle cessera de s'accrocher ainsi à moi. Je la connais. Le problème, c'est qu'elle n'a pas encore compris ce que nous étions l'un pour l'autre. Elle ne sait pas, ne veut pas savoir que tu es la seule femme, la seule *personne* que j'aie jamais aimée dans ma vie. »

Il se leva et regarda Teddy, blottie dans son châle.

« J'en suis encore effaré moi-même. Pour moi, me réveiller avec toi le matin, c'est une joie incroyable. Mais, quand nous formerons une famille, quand je reconnaîtrai l'enfant à la mairie, quand la nouvelle deviendra publique, Kate ne pourra plus rester passive. Son honneur sera en jeu. Elle se rendra peut-être à mes raisons avant, lorsqu'elle apprendra que le bébé est en route. Même vis-à-vis de Nadine, il lui est difficile de ne pas réagir devant une telle situation. Elle préférera certainement régler le problème, empêcher les gens de parler, ne pas salir son nom. Oui, j'en suis convaincu.

– Tu sais à quoi tu me fais penser? railla Teddy. A ces histoires que je lisais dans *National Geographic* sur ces tribus où les femmes doivent donner la preuve de leur fécondité avant d'être épousées. Julien, tu voudrais que j'aie un enfant illégitime? Mais c'est inconcevable, voyons! Je suis une New-Yorkaise, pas une paysanne. Je gagne soixante-dix dollars de l'heure, c'est-à-dire trois mille dollars par semaine! Oh! Julien, tu ne comprends pas... »

Sa voix se brisa et elle éclata en sanglots, s'accrochant désespérément à lui. Il referma ses bras sur elle et la serra contre lui.

En pleurant, elle comprit soudain qu'elle n'était plus la Teddy Lunel qui gagnait soixante-dix dollars de l'heure, celle sur qui tout le monde se retournait dans la 57e Rue, mais une femme qui aimait un homme, une femme enceinte de cet homme et qui était devenue une part essentielle de sa vie.

Elle songea combien il lui serait facile de se faire avorter. N'importe quel mannequin de l'agence lui donnerait une bonne adresse en Suède. C'était à deux heures de Marseille en avion. Elle passerait le week-end dans une clinique de Stockholm et rentrerait le mardi ou le mercredi. Mais elle savait qu'elle ne le ferait pas et pourtant Julien l'aurait compris. Son bonheur avec elle était complet. Il n'avait pas besoin d'un enfant.

Non, c'était autre chose. Un sentiment de fatalité s'emparait d'elle peu à peu. Elle avait déjà changé. La jeune fille était devenue une vraie femme. Attendre un enfant de Mercuès était la suite logique de leur histoire. Elle avait le même sentiment de l'irrévocable que le premier soir, à l'hôtel de l'Europe.

A partir du moment où elle accepta sa grossesse, Teddy la vécut harmonieusement. Elle devait accoucher en juin. Elle savait que Mercuès faisait tout son possible pour obtenir son divorce, mais il ne lui en parlait pas. Cependant, elle se doutait que tout ne se passait pas au mieux entre Kate et lui. Mais rien de désagréable ne pouvait l'atteindre en ce moment. Cette grossesse, proche de son terme, l'immunisait momentanément contre la souffrance. Pour être sûre que Maggy n'allait pas débarquer dans les quarante-huit heures, elle ne la lui avoua pas. Elle lui annoncerait la nouvelle en même temps que la date de son mariage.

Julien insista pour engager des domestiques et Teddy recruta un jeune couple marié parce qu'ils étaient sympathiques et avaient l'air amoureux.

Le matin, Teddy et Julien faisaient de longues promenades et, l'après-midi, Teddy continuait à poser. Mercuès était passionné par ce corps fécondé. Son travail n'avait jamais été difficile ni énigmatique – il était trop épris de formes et de couleurs pour cela – mais maintenant, en peignant Teddy dans le plein épanouissement de sa grossesse, il commença à chercher, à penser, à aller au-delà de la surface des choses plus qu'il ne l'avait jamais fait auparavant. La maternité était un sujet qui ne l'avait jamais intéressé avant. Mais Teddy fleurissait si voluptueusement : ses seins, ordinairement petits, étaient gonflés et on voyait courir ses veines sous la peau blanche et transparente. Ses mamelons, plus larges, avaient légèrement foncé. Ses bras et ses jambes étaient plus ronds, moins anguleux. Son corps était devenu un miracle de beauté et il y sentait la puissance de la nature plus que dans n'importe quel paysage.

Au milieu du mois de juin, les premières douleurs se manifestèrent. Julien la conduisit à la clinique. Selon une vieille tradition provençale, on lui permit d'assister à l'accouchement. Les douleurs ne durèrent que six heures et Teddy les supporta avec courage. Lorsque le bébé sortit enfin, l'accoucheur dut lui donner plusieurs tapes pour qu'il crie. Une infirmière l'enveloppa promptement dans une couverture rose et le montra à Mercuès.

« C'est une fille, monsieur », annonça-t-elle, aussi fière que s'il s'était agi de son propre enfant.

Etonné, Mercuès contempla le petit visage cramoisi et les quelques boucles d'un roux ardent qui émergeaient de la couverture. Il observa attentivement sa fille et poussa un rugissement de plaisir.

« Un fauve, bon Dieu! Ma chérie, tu as mis au monde une petite bête sauvage. Si on l'appelait Fauve, Teddy, qu'en dis-tu? Tu aimes ce nom? »

Elle acquiesça d'un signe de tête mais l'infirmière protesta.

« Monsieur Mercuès, il faut choisir le prénom d'une sainte, c'est la coutume.

– Le nom d'une sainte? Du diable si je vais suivre une coutume aussi idiote! Fauve est la fille d'un peintre. »

« MAMAN, dit Nadine en pleurnichant, Arlette m'a dit que j'avais une petite sœur. C'est une menteuse. Je ne jouerai plus jamais avec elle. Elle est méchante et je la déteste.

— Comment t'a-t-elle dit ça, Nadine? Essaie de t'en souvenir.

— C'est sa mère qui l'a appris par sa sœur qui travaille dans une clinique à Avignon.

— Quand t'a-t-elle dit ça?

— Aujourd'hui, à Félice, quand je suis allée à la poste avec M. Brunel. Elle l'a dit à tout le monde.

— Elle a menti, Nadine. Tu n'as pas de sœur et tu n'en auras jamais. Mais ton père a un enfant bâtard. Dis ça à Arlette la prochaine fois qu'elle t'en parlera. »

Les yeux écarquillés, Nadine tripota ses boucles. A sept ans, elle savait ce que ce mot signifiait car, dans la région, les naissances illégitimes étaient fréquentes et les enfants entendaient les adultes en parler.

« Je ne comprends pas, maman.

— Depuis qu'il est parti, ton père vit avec une mauvaise femme et cette femme vient d'avoir un enfant. Cet enfant est un bâtard.

— Il va revenir, papa?

– Oui, sûrement... un jour ou l'autre. Il faut que tu sois patiente.

– Il amènera la mauvaise femme?

– Mais non, voyons, Nadine, tu sais très bien que non.

– Il amènera son bâtard? demanda Nadine, osant répéter le mot que sa mère avait employé.

– Bien sûr que non! Nadine, cesse de dire des idioties. » Kate se leva brusquement et quitta sa fille qui s'était mise à pleurer. Elle se précipita dans sa chambre, ferma la porte à clef et, s'asseyant dans son fauteuil préféré, fixa d'un regard aveugle un point dans l'espace. Elle s'attendait à cette nouvelle mais l'apprendre par la bouche de sa fille, c'était quand même saisissant. Quels autres ragots Nadine avait-elle entendus?

A Félice, les langues allaient bon train. Les habitants avaient tous quelque parent dans un hameau ou une ville du voisinage si bien que les nouvelles se répandaient rapidement dans toute la région. Elle avait entendu parler de cette grossesse six mois auparavant. A cette occasion, elle s'était même rendue chez son avocat pour confirmer sa position. Son mari était victime d'une aberration, d'une illusion, d'une folie temporaire dont un million d'hommes de son âge avait fait l'expérience, expliqua-t-elle à l'avocat. Elle ne divorcerait jamais, quoi qu'il arrive.

Mais Julien ne voulait pas accepter cela. Il continuait à lui envoyer lettre sur lettre pour tenter de la convaincre d'accepter le divorce puisqu'il ne reviendrait jamais vers elle.

Rien à perdre? Elle, Mme Julien Mercuès que tout le monde respectait dans les milieux artistiques internationaux? Elle que les conservateurs de musée suppliaient; elle qui pouvait lancer n'importe quelle galerie en lui permettant de faire une exposition Mercuès; elle qui seule pouvait accorder ou refuser la permission de reproduire les toiles de Mercuès; elle dont il fallait s'attirer les bonnes grâces si on voulait approcher le peintre, elle qui s'occupait de tout – *elle* n'avait rien à perdre?

Que se serait-il passé si elle ne lui avait pas présenté Adrien Avigdor vingt ans auparavant? Mercuès haïssait tant les marchands qu'on n'aurait peut-être pas encore assisté à sa première exposition. C'est elle qui lui avait mis le pied à l'étrier, c'était avec son argent qu'elle avait acheté La Tourrello et, s'il avait pu se consacrer exclusivement à sa peinture pendant un quart de siècle, c'était bien à elle qu'il le devait. Oh! non. Elle n'avait pas l'intention d'abandonner tout cela au profit d'une petite putain. Il lui devait sa vie. Dans ses lettres, Julien lui proposait de tout lui laisser : La Tourrello qu'elle lui avait donnée en dot, toutes ses toiles et l'argent qu'il avait en banque. Pour elle, ce n'était pas une question de prix mais d'identité : elle voulait rester Mme Julien Mercuès.

Kate lissa ses cheveux et ouvrit la porte. Elle avait été maladroite avec Nadine. Si l'enfant répétait ses paroles, la situation serait pire encore. Ce scandale, bien entendu, réjouissait tout le village. Les gens ne parlaient que de ça.

Kate trouva Nadine assise tristement dans un coin de la cuisine. Elle regardait en silence Marthe Brunel préparer le repas des hommes qui allaient bientôt rentrer des champs.

Elle emmena l'enfant dans sa chambre et la prit sur ses genoux.

« Nadine chérie, j'ai eu tort de te dire ça tout à l'heure. N'y pense plus. Maman est bête. Les mères sont bêtes, parfois, tu sais. Si Arlette te pose des questions sur ton père ou moi, ne réponds pas. Papa rentrera certainement bientôt, mais ce n'est pas une bonne idée d'en parler aux gens. Ça ne les regarde pas, tu comprends? Je ne veux pas que tu retournes à Félice avant un certain temps.

– Mais, maman, l'école ne finit qu'en juillet!

– Je sais, mon bébé, mais je vais en parler avec la maîtresse. Elle comprendra. Tu travailles si bien que ça n'a guère d'importance. Nous allons faire des tas de choses toutes les deux, tu verras. Nous ferons des promenades dans la grosse voiture de maman et nous irons au restaurant. Nous verrons de nouvelles choses et je t'achèterai tous les jours une surprise. Ce sera amusant, non? »

Nadine n'avait pas l'air convaincue. Si seulement je pouvais l'emmener à Paris ou à New York, songea Kate. Si je pouvais la sortir de cette foutue vallée où tout le monde se connaît et cancane. Mais je ne peux pas partir. Si Julien l'apprenait, il penserait que j'ai abandonné la partie. Non, je dois faire comme s'il n'était rien arrivé, comme si je n'avais rien entendu, comme s'il n'y avait rien à entendre.

« A quoi penses-tu, maman? demanda Nadine.

– A ce que je vais mettre ce soir. Il y a une soirée chez les Gimpel. Qu'en penses-tu, chérie? Tu crois que je devrais mettre mon tailleur blanc, ou cette robe que tu aimes, tu sais, la bleue? »

Teddy et Julien buvaient un pastis avant le dîner à la terrasse de Sénéquier, à Saint-Tropez. Un an plus tôt, *Vogue* avait découvert ce charmant petit village de pêcheurs où il faisait bon vivre mais qui n'était pas encore envahi par la foule. Teddy et Julien avaient décidé d'y passer l'été avec Fauve, âgée de deux semaines, et la nurse. Ils étaient installés à l'hôtel Aïoli, dans une suite de chambres.

« Je me sens nerveuse, Julien, dit Teddy d'un air morose.

– Je le sais, ma chérie, je le sens. C'est parce que j'ai joué trop longtemps à la pétanque cet après-midi? Je suis désolé... Je ne sais pas pourquoi nous ne sommes pas venus ici plus tôt. Nous avons passé des vacances merveilleuses.

– Et pourquoi pas? lança Teddy, irritée. Même si Fauve ne reste pas longtemps tranquille, elle et moi sommes d'excellents modèles. La maîtresse de l'artiste et sa fille illégitime – un sujet classique, n'est-ce pas?

– Teddy!

– Je sais, je sais, ce n'est pas ta faute. Je ne t'accuse de rien, Seigneur, mais je haïs cette situation et elle s'éternise.

– Je parie que tu as reçu une autre lettre de ta mère, grogna-t-il.

– Oui et je commence à croire qu'elle avait raison quand elle me disait, au début de notre liaison, que l'histoire risquait de se répéter. Elle n'a jamais réussi à se marier et, pourtant, elle passe pour foutrement intelligente, bien plus que moi. »

Mercuès prit ses mains dans les siennes et embrassa ses paumes.

« Ne dis pas de choses comme ça, mon amour, ça ne fait qu'envenimer la situation.

– Teddy! Je ne peux pas y croire! »

Effarée, Teddy retira ses mains de celles de Julien et leva la tête.

Là, devant le café, se tenaient deux hommes et deux femmes. Peggy Arnold – celle qui avait poussé cette exclamation – était le mannequin vedette de

Lunel depuis deux ans. Teddy se leva d'un bond et l'embrassa affectueusement. Elle était stupéfaite de sentir la joie qu'elle éprouvait à voir un visage familier. Elle avait l'impression de retrouver sa meilleure amie.

« Ainsi, c'est là que tu te cachais! Nous nous demandions ce que tu étais devenue. Ta mère nous avait dit que tu étais tombée amoureuse d'un Français. Teddy, je te présente Ginny Maxwell – elle travaille également chez Lunel – Bill Clark et Chase Talbot. Nous passons tout le week-end ici. »

Mercuès se leva et s'approcha d'eux.

« Je vous présente Julien Mercuès », dit Teddy d'un air possessif.

Elle était heureuse que quelqu'un surgissant de son passé les vît enfin ensemble.

« Peggy, j'ai un million de questions à te poser! s'écria-t-elle. Ecoute, veux-tu que nous dînions tous ensemble, ce soir?

– Impossible, mon chou, nous avons une soirée. Mais pourquoi ne venez-vous pas tous les deux faire du bateau avec nous demain? Chase a son yacht, bon enfin, un truc qui mesure seize mètres de long, ancré dans le port.

– C'est une excellente idée, n'est-ce pas, Julien?

– Nous en serons ravis », dit Mercuès à Peggy Arnold.

Il accueillait toute distraction avec joie. Il était persuadé que Kate finirait par céder mais il savait que ce serait long et il devenait de plus en plus difficile de rassurer Teddy.

Le lendemain, Teddy et Julien embarquèrent sur *Le Baron* à dix heures du matin. L'équipage était composé de quatre personnes, dont un cuisinier.

Le Baron quitta lentement le port de Saint-Tropez et se dirigea vers la haute mer. Les six passagers, installés sur des matelas à l'avant, se doraient au soleil. La main posée sur le bras de Mercuès, Teddy écoutait Ginny et Peggy lui donner les nouvelles d'un monde qu'elle avait quitté sans un regard en arrière.

En bavardant ainsi, elle comprit soudain combien elle manquait d'amies. C'était bon de se replonger, ne fût-ce qu'un moment, dans ce monde plein de certitudes et de références auquel elle avait pleinement adhéré autrefois.

Elle caressait le bras de Julien et ce contact léger était suffisant pour l'empêcher d'éprouver le moindre regret. Son ancienne vie n'était qu'un fac-similé d'existence. Elle abandonna la conversation et ferma à demi les yeux. La réalité, c'était Julien Mercuès, l'homme qui avait fait de cette fille effrayée à l'idée de ne jamais aimer une femme qui savait qu'elle aimerait à jamais. Et l'autre réalité, c'était Fauve. Lorsqu'elle prenait dans ses bras le bébé vêtu simplement d'une couche, lorsqu'elle le nichait contre son cou et qu'elle sentait son petit corps rond et doux contre elle, une intense émotion l'envahissait.

La réalité, c'était Julien et Fauve. La réalité, c'était la fin de ces vacances et le retour à Avignon. C'était l'automne qui allait arriver, les promenades dans le parc avec Fauve, les grands feux dans la cheminée, le marché, la tournée des antiquaires – oh! tant de choses merveilleuses, et manger, boire, sentir, toucher! Et pourquoi ne pas avoir un autre enfant? (Teddy sourit intérieurement.) Kate serait bien forcée d'admettre sa défaite. Comment n'avait-elle pas pensé à cela plus tôt? C'était une excellente idée.

« Voulez-vous vous baigner avant de boire un verre? demanda Chase Talbot au groupe.

– Comment est l'eau?

– Divine. C'est la meilleure heure pour nager. »

Le bateau était maintenant à plusieurs milles de la côte. La mer était calme et tout le monde avait envie de se baigner. On boirait plus tard.

« Gin tonic? » cria Peggy à Teddy qui remontait sur le pont.

Teddy jeta un coup d'œil aux quatre Américains qui avaient regagné leurs matelas. Ils plaisantaient et riaient, un verre à la main. Elle regarda vers la mer : Julien qui nageait à quelques mètres du bateau lui fit signe.

« Je plonge une dernière fois », dit-elle.

Elle allait nager vers lui, mettre ses mains sur ses épaules, l'embrasser et lui faire part de sa merveilleuse idée.

Personne n'entendit le gros bateau de pêche qui venait de passer derrière la poupe du *Baron*. Son large sillon secoua fortement le yacht. Teddy qui s'apprêtait à plonger perdit l'équilibre, bascula par-dessus bord et fit une culbute maladroite dans l'eau. Sa tête heurta violemment la patte de l'ancre qui dépassait sous la proue du bateau. Mercuès comprit ce qui s'était passé et plongea sous l'eau. Il rattrapa facilement Teddy et remonta avec elle en s'aidant d'un bras. Chase et Bill l'aidèrent à la hisser sur le pont. Elle ne s'était pas noyée. Elle n'en avait pas eu le temps. Elle était morte avant d'entrer dans l'eau.

Trois jours plus tard, on enterra Teddy au cimetière américain de Nice. Seuls, Maggy et Julien Mercuès étaient présents. Mercuès avait interdit aux quatre Américains de venir et ils avaient respecté sa volonté.

Maggy ne pouvait regarder Mercuès dans les yeux. Elle ressentait une telle haine à son égard qu'il lui était même impossible de proférer une parole. Elle savait qu'elle devait garder son calme si elle voulait le convaincre de lui laisser emmener sa petite-fille.

« Je veux emmener Fauve avec moi, annonça-t-elle enfin.

– Bien sûr, marmonna-t-il.

– Tu as compris ce que je viens de te dire? » Il n'avait probablement pas écouté.

« Naturellement, il faut que tu l'emmènes. Je n'ai plus de domicile. Je ne retournerai jamais à Avignon, pas plus qu'à La Tourrello. Je vais partir, je ne sais pas où ni pour combien de temps.

– Si je l'emmène maintenant, si tu es d'accord, tu ne pourras plus changer d'avis », trancha-t-elle sèchement.

Mercuès se leva, le regard fixe, les mains tremblantes. Ses joues étaient grises car il ne s'était pas rasé depuis l'accident, pas plus qu'il n'avait dormi ou mangé. Ses yeux avaient perdu tout éclat. C'était un vieil homme au regard mort.

« Rentre chez toi, Maggy. Je ne peux plus parler. Va-t'en. »

Il sortit d'un pas chancelant du hall de l'hôtel et, une minute plus tard, Maggy entendit sa voiture démarrer.

Elle demeura un instant immobile puis, comme galvanisée, elle se précipita à la réception pour demander qu'on lui réserve une place dans le prochain avion pour Paris avant de monter faire ses bagages.

« Madame? »

C'était la nurse qui venait d'entrer sur la pointe des pieds.

« Mettez les affaires du bébé dans une valise. Elle boit du lait, j'imagine?

– Oui, madame, du lait ordinaire depuis deux semaines. Mais n'oubliez pas de faire réchauffer le biberon.

– Je crois que j'y aurais pensé de moi-même. »

Le lendemain, accompagnée d'un jeune concierge du Ritz qui était censé veiller sur elle jusqu'à son départ, Maggy se rendit à Orly où elle devait s'embarquer pour New York. Elle portait Fauve dans ses bras. En passant devant le kiosque à journaux, elle serra si fort le bébé contre elle que Fauve se mit à pleurer. Une pile de *Paris-Match* venait d'être déposée sur le comptoir. En couverture, une photo prise à bord du *Baron*. Teddy et Julien Mercuès, debout, se regardaient dans les yeux. Entièrement absorbés l'un par l'autre, ils riaient d'un air heureux. Les deux bras de Mercuès étaient refermés sur elle en un geste possessif.

Combien de temps lui restait-il encore à vivre à cet instant? se demanda Maggy. Elle avait l'impression que tout l'intérieur de sa poitrine était déchiré.

« Que se passe-t-il, madame? demanda le jeune concierge, alarmé par son expression.

– Allez m'acheter *Match*, s'il vous plaît », dit-elle d'une voix sans timbre.

Elle ne voulait pas être la seule à ignorer les détails de cette tragique histoire.

Elle s'installa dans la salle d'attente des premières, Fauve dans les bras, et feuilleta le magazine. Le titre annonçait : « La mort de la compagne de Mercuès. » Au moins, ils l'appelaient sa compagne et non sa maîtresse, pensa Maggy, engourdie par la souffrance.

Apparemment, c'était le fait divers le plus important de la semaine. *Paris-Match* lui consacrait douze pages de texte et de photos.

Désespérée, Maggy tournait les pages. Elle regarda les superbes photos que Bill Hatfield avait prises de Teddy et de Mercuès à La Tourrello, celles que *Mode* n'avait pas publiées. Ils se parlaient, déjà en transe, déjà éperdument amoureux. Puis, sur la page suivante, elle vit Mercuès, Kate et Nadine à La Tourrello, deux ans auparavant. Il y avait également une photo de Maggy entourée de ses mannequins qui avait paru dans *Life* trois ans plus tôt. Enfin, une reproduction du plus célèbre tableau de la série *La Rouquine* – Maggy étalée sur ces foutus coussins verts – occupait une double page. Elle n'avait pas besoin de lire la légende pour savoir ce qu'elle disait.

Elle lut rapidement l'article en retenant sa respiration. Jusqu'à maintenant, il n'y avait aucune allusion à l'existence de Fauve. Maggy elle-même n'avait appris la naissance de l'enfant que trois semaines plus tard. Teddy avait attendu d'être à Saint-Tropez pour la lui annoncer. Elle avait été si choquée et furieuse qu'elle n'avait même pas répondu. Et maintenant, c'était trop tard, songea-t-elle, accablée.

Dans la seconde partie du paragraphe, on parlait de Fauve Lunel, la fille adultérine de Mercuès. Les journalistes avaient dû faire leur enquête à la mairie d'Avignon. Fauve, fruit d'amours adultères, était condamnée à l'obscurité par la loi française. Jamais Mercuès ne pourrait la reconnaître.

En fouillant un peu plus, les reporters auraient pu retrouver la trace d'une autre naissance adulté-

312

rine, celle de Theodora Lunel. Mais le célèbre *Paris-Match* n'avait pas été à ce point efficace.

Maggy referma le magazine sans terminer l'article. Que lui importait tout cela, maintenant? Plus jamais elle ne reverrait sa jolie petite fille rêveuse et intrépide. Ce qu'elle avait craint pour elle n'était rien à côté de cette affreuse réalité.

Le bébé s'éveilla soudain. Ses yeux d'un gris délicat s'ouvrirent et elle regarda Maggy, puis émit un petit bruit qui indiquait clairement qu'elle avait faim. Comme Maggy fouillait dans son sac à la recherche du biberon, elle se souvint de cette formule qu'affectionnent les Français : jamais deux sans trois. Magali Lunel, Theodora Lunel et maintenant Fauve Lunel.

Le bébé se mit à crier si fort que tous les passagers se tournèrent vers Maggy. A quoi s'attendent-ils, songea-t-elle, agacée, à ce que je lui donne du lait froid? Ecoute-moi, petite bâtarde, chuchota-t-elle à l'oreille de Fauve, tais-toi, ça vient, ça vient. L'enfant s'arrêta de crier. Ainsi, tu te calmes quand je te parle, hein? C'est un signe d'intelligence. Peut-être la troisième bâtarde de la famille aura-t-elle plus de chance que les deux autres. Elle fit signe au steward de s'approcher et lui demanda de réchauffer le biberon. Puis, aussi doucement qu'elle put, elle entonna une berceuse dont elle avait oublié la moitié des paroles. D'où sortait-elle cette chanson? Elle ne se souvenait même pas l'avoir chantée à Teddy. Cela devait venir de sa grand-mère, sa tendre grand-mère, Cécile Lunel.

21

« COMMENT peux-tu t'attendre qu'un enfant qui ne marche pas encore joue avec un panda qui est le double d'elle? demanda Maggy à Darcy

— Je n'ai pas pu résister. Je passais devant F.A.O. Schwartz et j'ai vu ça dans la vitrine. C'était le plus grand de la boutique. J'ai vérifié.

— En tout cas, il a l'air de lui plaire. Depuis que je lui ai mis dans son parc, je ne l'entends plus. Nous aurons peut-être une demi-heure de paix. »

Une année avait passé depuis que Maggy était rentrée de Paris, Fauve dans ses bras. Elle et Darcy étaient assis dans le grand salon de son nouvel appartement de la 5e Avenue.

Maggy avait décidé d'élever cette enfant ouvertement. Elle ne la cacherait pas comme Teddy, ne l'enverrait pas dans une école peu cotée comme Elm School. Au contraire, elle *établirait* sa petite-fille dès le berceau. Tout le monde connaissait son histoire. Parfait! Fauve était la fille de Mercuès? Tant mieux. Etre la fille d'un artiste aussi célèbre et la petite-fille de Maggy Lunel, c'étaient deux atouts sérieux dans la vie. Fauve deviendrait un personnage et, d'ailleurs, elle manifestait déjà une forte personnalité.

Elle n'avait peur de rien. A quatorze mois, elle

314

piquait des colères terribles parce qu'elle tombait chaque fois qu'elle essayait de marcher. Elle détestait son parc, s'accrochait aux barreaux comme un petit gorille en colère et poussait des hurlements.

Quand on la posait par terre, elle rampait à toute allure, tirait les fils des lampes et renversait vases et cendriers en riant aux éclats. Lorsqu'un objet la heurtait dans sa chute, elle ne pleurait que très brièvement. La vie était trop intéressante pour perdre son temps à brailler.

Fauve avait une nouvelle nurse. Elles partaient les unes après les autres, vaincues par son énergie. Elles aimaient l'enfant, expliquaient-elles à Maggy, en fait elles l'adoraient, mais elles étaient épuisées. Maggy compatissait et en engageait une autre.

Là encore, elle essayait de ne pas commettre les mêmes erreurs qu'avec Teddy. Elle passait beaucoup de temps auprès de Fauve et avait même réorganisé l'agence afin d'être plus libre, n'hésitant pas à engager trois collaborateurs extrêmement efficaces pour superviser le travail. L'agence était prospère et marchait même mieux que jamais.

Tous les samedis, jour de congé de la nurse, Maggy et Darcy emmenaient Fauve se promener. Comme le 21 fronçait les sourcils à la vue des bébés (même lorsqu'ils avaient un rapport avec Darcy, leur plus vieux client depuis la Prohibition), ils se dirigèrent vers la Russian Tea Room dans la 57e Rue. Là ils pourraient prendre un verre dans l'un de ces petits compartiments en cuir et Fauve boirait une orange pressée. Elle connaissait tous les serveurs et criait leurs noms d'une voix impérieuse « Katya! Rosa! Gregor! » Mais c'est surtout Sidney Kaye, le propriétaire, qu'elle aimait. Il lui racontait de drôles d'histoires avec son accent yiddish et elle l'écoutait gravement, assise dans sa poussette, ses grands yeux gris largement ouverts, riant quand il avait terminé son histoire, comme si, d'une mystérieuse façon, elle l'avait comprise.

« Ai-je l'air d'une grand-mère ? » demanda soudain Maggy à Darcy tandis qu'ils goûtaient tous deux ce rare moment de paix.

Maggy avait maintenant quarante-six ans. Un jour, vers quarante ans, elle avait cessé de faire plus jeune que son âge. Elle avait découvert dans la glace une « femme d'un certain âge », comme disent galamment les Français, expression qui fait froid dans le dos.

Pendant les six années suivantes, le changement avait été progressif mais évident pour un œil aussi critique que celui de Maggy. Elle ne serait jamais une de ces femmes qui ne voient que ce qu'il y a de bien dans leur visage, évitant de regarder ces zones fragiles où l'âge se trahit. Maggy savait bien qu'une fois par mois, elle devait faire colorer en roux ses cheveux gris aux racines. Sa bouche restait belle et sensuelle, mais comment ne pas voir ces petites rides verticales au-dessus de sa lèvre supérieure ? Et le contour de son visage n'était plus aussi net qu'avant. Oui, elle était devenue une femme mûre et une bonne nuit de sommeil, des vacances, ou même la chirurgie esthétique ne lui rendraient pas ce qu'elle avait perdu à jamais, la fraîcheur de la jeunesse. C'est inévitable, songea-t-elle, pourquoi s'en affliger ?

Son caractère aussi avait changé. Dans le travail, elle n'avait jamais été facile, mais elle était maintenant impatiente, tendue en permanence. Ses nouveaux assistants savaient qu'ils avaient intérêt à se montrer efficaces, bien qu'elle ne fût jamais injuste ni déraisonnable. La plupart des mannequins avaient peur d'elle. Maggy le savait. Parfois, ça l'agaçait mais, la plupart du temps, elle s'en amusait et considérait même que cela valait mieux ainsi. Au moins elle ne risquait pas un relâchement de la discipline.

« Tu trouves que je ressemble à une grand-mère ? répéta-t-elle.

– Tu ne ressembleras jamais à une grand-mère », répliqua Darcy qui ne la voyait pas changer.

Les yeux dorés de Maggy l'avaient envoûté à jamais. Pour lui, elle était toujours la fille ravissante dont il n'avait jamais pu faire sa femme mais qu'il avait aimée dès le premier soir, chez Lally Longbridge. Peut-être, en un sens, avait-elle ainsi mieux préservé son mystère. Elle ne lui confiait pas tout, bien qu'ils fussent extrêmement proches, mais Darcy respectait ses silences. Elle ne deviendrait jamais sa femme, bien sûr, mais elle était l'amour de sa vie, sa meilleure amie, et il avait appris à s'en contenter.

Il savait que leur longue liaison irritait beaucoup de gens. Si Maggy et Darcy s'aiment tant, s'ils sont si fidèles, pourquoi diable ne se marient-ils pas ? se demandaient-ils. Parce que nous ne sommes pas comme tout le monde, aurait répondu Darcy si on avait osé lui poser la question. Il n'était pas très sûr de ce que cela voulait dire, mais il était certain que Maggy lui appartenait autant qu'elle pouvait appartenir à un homme. Bien sûr, avant lui, il y avait eu Julien Mercuès. Il savait combien le peintre avait compté pour elle. Elle avait laissé une part essentielle d'elle-même dans cette liaison, quelque chose qui n'existait plus que sur les toiles ou peut-être encore dans sa mémoire, bien qu'il se refusât à le penser.

Maggy lui lança un regard de biais. Visiblement, il pensait ce qu'il venait de dire. Avec l'âge, sa distinction naturelle s'était accentuée. Son visage fin s'était creusé, ses cheveux grisonnaient nettement mais son regard perçant n'avait rien perdu de son acuité, bien au contraire, et son expression était plus autoritaire que jamais. D'un geste plein d'amour, elle tendit la main vers lui. Comme elle avait eu raison de ne jamais épouser cet homme!

Venise, Londres, Alexandrie, Oslo, Budapest – aucune de ces villes ne parvint à le guérir de sa souffrance. Il promena son chagrin à travers les Alpes suisses, la Toscane et même le Guatemala. Puis il essaya les îles : Ischia, les Cyclades, les Fidji. Un beau jour, Julien, lassé d'errer aini, décida de rentrer à Félice.

Il n'avait pas peint depuis trois ans mais il avait bu énormément. Parfois, il descendait dans un hôtel qu'il quittait une heure plus tard sans aucune raison. Ou alors, incapable de bouger, il s'attardait dans une ville dont il avait épuisé les charmes depuis longtemps. Mais, maintenant, il était trop fatigué pour faire autre chose que rentrer chez lui. C'est encore à Félice qu'il serait le mieux.

Lorsqu'il arriva à La Tourrello, il constata que le portail était fermé. Il fit le tour et se gara assez loin de la maison. C'était l'heure du déjeuner. Tout le personnel devait être réuni dans la cuisine et il voulait éviter des retrouvailles embarrassantes. Il longea le mur jusqu'à la petite porte de son atelier. Il avait la clef dans sa poche. C'était la seule chose qu'il avait songé à emporter ce fameux soir où, quatre ans plus tôt, il était parti rejoindre Teddy Lunel chez Hiely à Avignon.

Il ouvrit la porte et entra. Malgré quelques rais de lumière qui filtraient à travers les épais rideaux de toile, l'atelier était sombre. Mercuès tira sur les cordons et, en une seconde, la pièce fut inondée de lumière. On n'avait touché à rien depuis qu'il était parti. La toile vide devant laquelle il avait posé avec Teddy était toujours sur le chevalet. Sur la table encombrée, il aperçut sa palette recouverte de peinture séchée.

Lentement, Mercuès regarda autour de lui. Les toiles s'entassaient sur les murs, si nombreuses qu'elles se touchaient. Il les regarda une par une mais sans s'approcher. Elles prouvaient que Julien Mercuès avait vécu, qu'il s'était un jour soucié de peindre. Il vacilla légèrement, épuisé par la fatigue et l'émotion. Pendant ces trois dernières années, Mercuès s'était appliqué à tuer tout sentiment en lui pour éviter cette souffrance qu'il sentait prête à resurgir à chaque instant. Il se laissa tomber dans son vieux fauteuil en cuir et acajou. Fabriqué long-temps auparavant pour un planteur de tabac de la Martinique, il s'inclinait en arrière jusqu'à devenir aussi plat qu'un lit. Mercuès poussa un soupir de soulagement et s'endormit.

Deux heures plus tard, nageant dans la piscine, Kate remarqua que le soleil brillait sur la verrière de l'atelier. Le rideau était-il tombé ou bien quel-qu'un s'était-il introduit dans la pièce par la petite porte latérale? Elle sortit de l'eau, longea la piscine et s'approcha de l'atelier. A travers la fente d'un des épais volets de bois, elle aperçut une main pen-dante, immobile. Immédiatement, Kate se précipita vers la cuisine.

« Marthe, dites à la cuisinière de tuer un poulet pour le dîner. Envoyez le jardinier cueillir une seconde laitue, des tomates et du raisin. Préparez la chambre de monsieur, mettez des draps frais et des serviettes dans la salle de bain. Eh bien, qu'avez-vous à me regarder comme ça?

– Vous ne m'aviez pas dit que vous attendiez un invité, madame », dit-elle d'un air de reproche.

Elle détestait les invitations de dernière minute.

« Monsieur est rentré.

– Oh! Madame, est-ce possible!

– Ça n'a rien de surprenant », répondit Kate.

Elle se retourna pour que Marthe ne voie pas son sourire triomphant. « Je m'y attendais. »

Un soir de printemps, quatre ans plus tard, en 1961, Maggy s'habillait pour le dîner lorsque Fauve fit irruption dans sa chambre sans frapper. Elle se retourna pour gronder sa petite-fille mais n'en eut pas le courage : Fauve était trop attendrissante.

Elle avait presque huit ans. Comme toujours lorsqu'elle revenait du parc, elle était en loques, les genoux couronnés, les chaussures couvertes de poussière. Sa chemise déchirée sortait de sa jupe dont une poche ne tenait plus que par un fil. Au moins, elle n'a pas l'œil au beurre noir aujourd'hui, songea Maggy, et elle ne saigne pas du nez. Fauve – tous les garçons de sa classe s'en plaignaient – ne se battait pas comme une fille. Il n'y en avait pas un seul à qui elle n'eût flanqué une bonne raclée et, pourtant, ils ne pouvaient se résoudre à la laisser tranquille. Irrésistiblement attirés par elle, ils manifestaient leur fascination en lui jouant des tours pendables, par exemple tremper le bout de ses nattes dans un encrier.

Ses cheveux, carotte à la naissance, avaient foncé et contenaient toutes les nuances de roux possibles. C'était une chevelure si extraordinaire qu'on ne pouvait en détacher son regard. A cet instant, ses yeux gris cerclés de noir brillaient d'excitation.

« Qu'est-ce que tu as fabriqué? » demanda Maggy, inquiète.

Fauve avait le diable au corps et était plus inventive que dix enfants réunis.

Fauve mit sa main derrière son dos d'un air espiègle.

« J'ai une surprise pour toi, une énorme surprise, Magali », s'écria-t-elle, s'efforçant visiblement de résister à la tentation de dire tout de suite ce dont il s'agissait.

Maggy avait refusé de se faire appeler grand-mère, ou Mammy, ou Bonne-Maman. Maggy, c'était un peu familier, mais pourquoi pas Magali, tout simplement? C'est comme ça que l'avait toujours appelée sa propre grand-mère. Maggy tendit la main, mais Fauve recula.

« Ce n'est pas un animal, au moins? demanda Maggy, méfiante.

– Non, je te l'ai promis.

– C'est un végétal ou un minéral?

– C'est pas ça, cria Fauve, excitée comme une puce.

– Je donne ma langue au chat, alors.

– *C'est mon papa!* » s'écria Fauve en lui tendant une feuille de papier blanc. Sidérée, Maggy contempla un dessin représentant Fauve assise sur un banc de Central Park, le menton dans la main.

Comme elle regardait le dessin, muette de saisissement, Fauve se mit à parler si vite que Maggy eut du mal à suivre. « On jouait dans le parc et un vieux monsieur avec une barbe s'est approché. Il a dit bonjour à Mme Bailey et à Mme Summer – elles étaient toutes surprises – et puis il est venu vers moi et il m'a demandé si j'étais Fauve Lunel. J'ai dit oui, alors il m'a demandé si je savais qui était mon père. J'ai dit que j'étais la fille de Mercuès, bien sûr, tout le monde sait ça... Alors il m'a dit qu'il était mon père, Julien Mercuès! Au début, je ne l'ai pas cru parce que sur la photo que j'ai, il a l'air beaucoup plus jeune et il n'a pas de barbe, mais après, j'ai *su* que c'était lui. Alors je lui ai donné un gros baiser, Magali, le plus gros que j'ai pu et il m'a dit que j'étais exactement comme il pensait. Il m'a embrassé les mains, alors Mme Bailey et Mme Summer sont arrivées et lui ont parlé mais il ne voulait pas leur répondre. Il m'a demandé de m'asseoir sur un banc et il a fait mon portrait. Il dessine très vite, tu sais, encore plus vite que moi. Il t'a écrit une lettre et il m'a fait promettre de te la donner. *Mon papa*, Magali, tu te rends compte? Je voulais qu'il revienne avec moi à la maison mais il a dit qu'il ne pouvait pas, pas encore... Tiens, voilà sa lettre. »

Elle fouilla dans sa poche et en sortit une feuille de papier pliée.

« Fauve, va te laver la figure et les mains. Et mets quelque chose de propre, dit doucement Maggy.

– Lis d'abord la lettre.

– Obéis, chérie, et reviens dans dix minutes. »

Ainsi, c'est arrivé, songea Maggy en dépliant la feuille. Depuis huit ans, elle s'y attendait. Au début, elle pensait que malgré ses promesses, il viendrait. Puis, comme Fauve grandissait, elle s'était presque persuadée du contraire. Peut-être cet homme qui n'obéissait qu'à ses propres lois avait-il décidé de ne pas s'encombrer de cette fille illégitime. Mais, à présent, elle n'éprouvait aucune surprise.

Chère Maggy,
J'ai pensé que je pouvais la voir juste une fois et partir. Il fallait que je vienne à New York et je n'ai pu

résister. Je dois te parler. Je te téléphonerai demain à ton bureau, ou chez toi si l'agence est fermée. Pardonne-moi mais je sais que tu comprendras.

JULIEN.

Lui pardonner? Elle ne pourrait jamais lui pardonner, mais elle le comprenait, bien sûr *et il le savait bien.*

Julien Mercuès crut qu'il devait à ses arguments la permission d'emmener Fauve à La Tourrello pour l'été. Il ne comprit jamais qu'il aurait pu s'épargner cet entretien avec Maggy.

Pendant les années qui avaient suivi la mort de Teddy, Maggy s'était torturée à la pensée que, si sa fille avait eu un père, le cours des choses aurait été différent. Mercuès était tellement plus âgé que Teddy! C'était son père qu'elle recherchait en lui. Si Maggy lui avait parlé de Perry Kilkullen, peut-être Teddy aurait-elle eu l'impression d'avoir un père. Et si Teddy avait connu les liens qui avaient uni sa mère à Mercuès, si elle avait appris la façon dont il l'avait traitée, ne l'aurait-elle pas haï dès l'enfance? Bref, en lui racontant tout cela, elle aurait peut-être évité cette tragédie. Cette idée la hantait souvent.

Tous les jours, elle passait des heures avec Fauve et, bien avant que l'enfant pût comprendre la signification de ses paroles, elle lui expliqua qu'elle était la plus aimée des petites filles illégitimes, à l'instar de ces parents qui, adoptant des enfants, s'empressent de le leur dire pour qu'ils s'habituent à cette idée dès leur plus jeune âge. Lorsque Fauve fut assez grande pour comprendre, Maggy lui raconta sa propre histoire, puis celle de Teddy et de Julien. A quatre ans, Fauve avait donc entendu parler de Maggy et de Perry Kilkullen.

« Pourquoi mon papa ne vient jamais me voir? » demandait Fauve, et c'était la seule question à laquelle Maggy ne pouvait répondre de façon satisfaisante. « Il est marié... Il vit loin, très loin d'ici, il travaille beaucoup et il ne voyage jamais... » Elle se rendait compte de l'insuffisance de ses explications. Elle avait même envisagé un moment d'écrire à Mercuès pour lui rappeler l'existence de sa fille mais elle hésitait à le faire. Fauve était une enfant heureuse et voir son père n'aurait pas forcément un effet bénéfique sur son équilibre. Mais, maintenant que Julien était venu de lui-même voir sa fille, elle jugeait préférable de la lui laisser pour l'été, bien que cette idée ne lui plût guère. La pensée de Kate la mettait mal à l'aise.

« Maggy, je t'assure que Kate est parfaitement d'accord, avait dit Julien avec impatience. Elle veut ce que je veux. Elle m'a toujours accepté comme j'étais. Une petite fille de huit ans ne constitue pas une menace pour elle. Ecoute, Maggy, j'ai soixante et un ans, elle en a près de soixante. Ça fait trente-quatre ans que nous sommes mariés. Tu ne t'imagines pas qu'elle va être jalouse d'une enfant tout de même?

— Kate serait jalouse d'un canari!

— Maggy, tu es injuste envers elle.

— Je ne peux que l'être. Si elle avait accepté de divorcer, tu aurais pu épouser Teddy...

— Nous serions probablement partis de la même façon sur ce bateau, Maggy. C'était son destin.

— Ça me surprend de t'entendre parler de destin.

— C'est la seule explication que je puisse supporter.

— Il ne t'arrive jamais de te réveiller la nuit et de

te demander si tu n'es pas responsable de toute cette tragédie ?

– J'ai un terrible sentiment de culpabilité, mais qu'est-ce que ça change ?

– Rien. »

Maggy se tut. Même pour deux mois, laisser Fauve à Julien était dangereux. Laisser n'importe qui à Julien était dangereux. Mais avait-elle le choix ? Non. Il était maintenant indispensable que Fauve voie son père.

22

Un jour de juin 1969, à la gare de Lyon, Julien Mercuès et sa fille Fauve, âgée de seize ans, montèrent dans le train de Marseille. Chaque année, au mois de juin, depuis huit ans, Mercuès quittait Félice pour aller chercher sa fille qui arrivait de New York. Tous deux passaient la nuit à Paris et prenaient le lendemain le train pour la Provence. Fauve adorait Félice et ses environs. Lorsqu'elle montait dans le *Mistral*, une joyeuse excitation s'emparait d'elle à l'idée qu'elle allait bientôt sentir ce vent délicieux, le *Mistrau* ou le *vent terrau*, comme l'appellent les Provençaux. Pour Fauve, c'était l'esprit même de cette terre.

Les wagons de première classe du *Mistral* sont divisés en compartiments comportant deux rangées de trois sièges. Fauve s'installa contre la fenêtre et garda le fauteuil d'un vert pisseux qui lui faisait face pour son père qui était parti retenir des places au wagon-restaurant.

« Fauve, tu veux boire quelque chose avant le déjeuner? » demanda Mercuès, interrompant sa rêverie.

Elle se leva et le suivit jusqu'au wagon-restaurant où les serveurs en veste blanche s'activaient déjà. Ce verre avant le déjeuner était une tradition qui datait de leur premier voyage. Fauve avait bu deux jus d'ananas, puis un troisième parce que les bouteilles étaient toutes petites.

« Un sherry, s'il vous plaît, commanda Fauve.

– Tu bois de l'alcool, maintenant? demanda Mercuès, posant sa main sur la sienne.

– En certaines occasions, oui. »

Elle se mit à rire, heureuse de sentir sa grande main tiède sur la sienne. Elle savait que tout ce qui la concernait lui importait plus que tout au monde.

« Un sherry pour ma fille, dit-il et un pastis pour moi. »

Mercuès la dévisageait, cherchant comme toujours avec un douloureux mélange d'espoir et de peur, des traces de la beauté de Teddy. Mais, au fur et à mesure que Fauve grandissait, elle acquérait une beauté bien à elle. Elle n'avait en commun avec sa mère que sa haute taille et l'étonnante couleur de ses cheveux. Elle a une beauté... intelligente, songea-t-il, cherchant le mot qui qualifiait le mieux le ravissant visage de cette fille qu'il adorait.

Mercuès ne fixait jamais longtemps son regard sur les yeux ou la bouche de Fauve. C'est l'ensemble qu'il regardait, l'ensemble changeant comme un jour de printemps. Aucune de ses humeurs ne persistait très longtemps mais chaque moment était un enchantement. Non, il n'avait jamais réussi à capter cela sur sa toile.

Tout en buvant son sherry à petites gorgées, Fauve était consciente du regard de son père sur elle. Tous les ans, il observait longuement les changements opérés en elle. Elle se soumettait avec résignation à cette inspection à laquelle elle était d'ailleurs habituée car Maggy en faisait autant.

« Tu t'es mis du rimmel, constata Mercuès.

– Je pensais que tu ne le verrais pas.

– J'imagine que ça va avec le sherry?

– Exactement. Magali dit qu'à seize ans on peut se maquiller à condition de savoir le faire. C'est elle qui m'a appris. Tu aimes ça?

– Pas outre mesure, mais comme tu es, par ailleurs, plutôt agréable à regarder, pourquoi me plaindrais-je? Et puis, tu sais, j'en ai vu d'autres. J'ai survécu à quatre ans de minijupes, à la mode des petites bottes en plastique blanc et à la coupe de cheveux géométrique, à la Vidal Sassoon, c'est ça?

– Cher petit papa, si philosophe, si patient...

– Tu t'es toujours moqué de moi, même quand tu étais petite. Tu sais que tu es la seule personne qui ose le faire?

– C'est vrai? Et maman, elle ne te trouvait pas comique parfois?

– Non, non... Enfin, peut-être que si, mais elle n'avait pas ton culot, Fauve! Personne n'a ton culot.

– *Chutzpa*, papa, c'est le mot qu'emploie Magali. Et je ne suis pas sûre que ce soit un compliment dans sa bouche. Ça veut dire audace en hébreu.

– Remarque, c'est plutôt une qualité, l'audace. On n'obtient rien en ce monde sans un minimum d'audace.

– Oui, mais ça implique de l'aplomb, voire un certain toupet. Magali aimerait que je me conduise comme une jeune fille bien élevée et pas comme un garçon manqué. Remarque, je m'améliore à cet égard. Cette année, je ne me suis pas battue une seule fois et je suis allée à des tas de soirées mortelles où j'ai fait la conversation à des débiles mentaux...

– Personne ne t'intéressait? interrompit Mercuès. Pas un seul garçon?

– Tu sais bien que je te l'aurais écrit. Non, papa, ta fille trouve les hommes bien décevants!

– C'est normal à seize ans. Quand tu seras grande, tu changeras d'avis.

– A seize ans, on est censée être grande, papa. » Mais Mercuès secoua la tête. A seize ans, on était une enfant. Un bébé. Il avait soixante-neuf ans et ses seize ans étaient si loin qu'il ne pouvait même pas se souvenir de ce qu'il ressentait à l'époque. Il semblait avoir également oublié que, lorsqu'il avait tenu Maggy dans ses bras pour la première fois, elle n'avait qu'un an de plus que Fauve.

Il était jaloux de Maggy et y pensait le moins souvent possible. Il voulait sa fille pour lui tout seul. Cependant, Maggy existait et Fauve l'adorait. C'était étrange de penser que ses propres petits-enfants seraient les arrière-petits-enfants de Maggy. Feraient-ils la distinction entre les générations?

Cependant, il se gardait bien de critiquer Maggy parce que cela rendait Fauve furieuse. L'année dernière, elle avait découvert un poème en provençal de Frédéric Mistral – une chanson, en fait, dont la mélodie était napolitaine. Il ne lui dit jamais combien ça l'agaçait de l'entendre chanter :

> *Mai, o Magali*
> *Douco Magali*
> *Gaio Magali*
> *Es tu que m'as fa trefouli.*

« C'est joli, papa, tu ne trouves pas? Je suis sûre que Magali sera ravie de l'entendre – Magali, douce Magali, joyeuse Magali, c'est toi qui me fais trembler de joie.

– Ça devrait lui plaire, répondit-il prudemment.

– Tu n'abuses pas des compliments. D'accord, je chante faux mais au moins j'apprends le provençal.

– Ce n'est pas très utile dans la vie.

– En Provence, si. C'est beaucoup plus utile que n'importe quelle langue. Je suis décidée à m'en servir pour convaincre le vieux M. Hugonne et M. Piano de me laisser organiser un concours de pétanque féminin. »

Le wagon-restaurant du *Mistral* sert de la cuisine d'excellente qualité. Fauve et Mercuès commandèrent de la lotte, du lapin chasseur avec des pommes de terre nouvelles et une bombe glacée, le dessert préféré de Fauve.

« Que peins-tu en ce moment? » demanda-t-elle.

Les années passant, Mercuès travaillait moins, devenait de plus en plus difficile à l'égard de ses propres œuvres et brûlait beaucoup de toiles.

« C'est sans intérêt. Et toi, tu peins toujours?

– Oui, mais je n'ai pas l'impression de progresser. Le jour où tu sens que tu as vraiment appris quelque chose vient-il jamais?

– Il n'est jamais venu pour moi, en tout cas. Chaque toile présente une nouvelle difficulté. Le matin, il faut se réveiller en se demandant ce qu'on va découvrir, ce qu'on saura le soir qu'on ignorait encore le matin même... mais je t'ai dit ça cent fois, ma Fauve.

– Je persiste à penser que je devrais être meilleure », marmonna-t-elle.

Sa peinture était le seul domaine de sa vie qui la déconcertait.

Lorsqu'elle était petite, elle n'avait aucune inhibition. Elle pouvait dessiner ou peindre n'importe quoi mais, maintenant, la conscience d'être la fille de Mercuès la bloquait, l'empêchait de s'exprimer. Mettre ses pas dans les siens était vraiment difficile. Parfois, elle aurait souhaité n'avoir aucun talent artistique, sa vie aurait été plus simple.

Tout en mangeant son poisson, Fauve songeait à ce premier été passé à La Tourrello. Après quelques jours de réflexion, Mercuès l'avait laissée pénétrer dans son atelier à condition qu'elle se tînt tranquille pendant qu'il travaillait. Il lui avait donné des crayons, du papier, puis, comme mû par une soudaine inspiration, de vieux tubes de peinture à demi vides, quelques pinceaux et une toile.

Au début, elle s'était contentée de l'observer, mais il, s'interrompait constamment de peindre pour arpenter la pièce. Elle avait rapidement perdu tout intérêt pour son étrange conduite et avait commencé à presser ses tubes.

Chez elle, à New York, elle se servait de pastels et de quelques tubes d'aquarelle avec lesquels elle avait essayé pendant des années de copier les illustrations de son livre préféré, mais personne n'aurait songé à la laisser manipuler de la peinture à l'huile.

L'odeur des tubes était enivrante. Elle se souvenait encore de l'instant où elle avait pressé un peu de peinture sur le bout de son doigt et l'avait sentie. Puis, imitant Mercuès, elle avait vidé tous ses tubes en demi-cercle sur la palette qu'il lui avait donnée. Pour la première fois de sa vie, elle était confrontée à une toile vierge. Elle aurait voulu demander des conseils à son père mais elle n'osait pas l'interrompre. Il n'y avait dans la pièce aucun livre dont elle aurait pu reproduire les images, pas de fleurs dans un vase ni de fruits dans une coupe. Et les grands tableaux étaient bien trop confus et compliqués pour qu'elle pût envisager de les copier. Fauve trempa son pinceau dans la tache de couleur la plus foncée, un bleu riche et profond, et commença à dessiner le principal objet de l'atelier, le chevalet de son père.

Fronçant ses sourcils roux, elle se concentra sur son travail, librement et hardiment, nullement ébranlée par les problèmes de perspective dont elle ignorait tout. Elle était si absorbée par son travail que Mercuès l'oublia pendant une heure mais, lorsqu'il s'approcha d'elle pour regarder ce qu'elle faisait, il eut un choc. *Elle a une vision d'artiste*, se dit-il. Il ne fit aucun commentaire, mais le lendemain il lui donna à peindre un bouquet d'herbes folles dans un vase et, le surlendemain, une pomme.

« Le *regard*, Fauve, le *regard*! Sers-toi de tes yeux, mon petit chat. Il faut apprendre à voir... Regarde cette pomme. Elle te paraît ronde, n'est-ce pas? Mais, si tu l'observes avec attention, tu t'aperçois qu'au sommet, elle est plus haute à gauche qu'à droite. Et pourquoi ne roule-t-elle pas comme une balle, cette pomme? Parce que là, elle est presque plate, tu vois? Et cette petite cicatrice sur sa peau, tu l'as remarquée? Peux-tu me dire où elle commence et où elle finit? Et de quelle couleur est-elle, Fauve? blanche? Le regard! Tu vois qu'il y a beaucoup de jaune dans le rouge de cette pomme... Regarde comme, soudain, le jaune devient brillant à cet endroit. Maintenant, *vois*-tu où, sur ta palette, tu as placé ces couleurs, le rouge et le jaune? Toutes les couleurs de la pomme sont sur ta palette, Fauve, il suffit de te servir de tes yeux. »

Puis, comme il avait eu envie de le faire le

premier jour – aucun d'eux n'oublierait ce moment – il avait pris la petite main de Fauve dans sa grande patte et avait guidé le pinceau. Elle le tenait fermement, mais sans raideur et au bout d'un moment, elle avait compris comment il fallait procéder.

C'est ce que tu dois sentir, lui disait la main de son père. L'été où Fauve eut huit ans et où son père lui apprit à peindre, Mercuès recommença à fréquenter le café de Félice. Après une absence de vingt ans, il se mit à y emmener Fauve tous les soirs avant le dîner, simplement pour pouvoir commander un jus de fruits « pour ma fille, Fauve ». Les hommes du village qui n'avaient pour ainsi dire pas vu Mercuès depuis la guerre acceptèrent, non sans une certaine réticence, les tournées qu'il leur offrit avec cordialité. Mais, rapidement, ils furent conquis par cette petite fille si vivante, si curieuse et si amicale.

Mercuès n'avait jamais emmené Nadine à Félice. L'eût-il souhaité que Kate s'y serait opposée. De toute façon, il n'en avait guère eu l'occasion. Lorsqu'il était revenu de sa longue errance, en 1956, il avait découvert sans aucun regret que, depuis l'âge de huit ans, Nadine était pensionnaire en Angleterre.

En dépit des quatre années que Nadine avait passées à l'école du village, Kate ne voulait pas élever sa fille à la campagne. Elle devait faire partie de ce monde si passionnant dans lequel elle-même avait vécu avant de rencontrer Mercuès.

Très jeune, Nadine avait considéré Félice comme un petit village sans intérêt et d'une autre époque. Il existait quelque part, au fond de sa mémoire, comme un tableau naïf, un charmant Bruegel qui mettait en valeur les qualités de Mlle Nadine Mercuès. Quant à La Tourrello, c'était une résidence peu conventionnelle, choisie par son excentrique de père.

En grandissant, Nadine avait découvert que La Tourrello pouvait lui servir car le mas était aussi célèbre qu'un château et ses amis pétris de respect lorsqu'elle en parlait. Il devint pour elle un endroit à montrer et à fuir au plus vite, au profit de lieux plus excitants où elle passait l'été, chez l'une ou l'autre de ses amies.

Nadine, l'exquise Nadine avec ses yeux vert pâle, ses cheveux blonds et son éternel sourire dû à la forme de sa lèvre supérieure, était cordialement détestée à Félice.

Lorsque Mercuès amena Fauve pour la première fois au café, personne ne se soucia de ce que penserait Mademoiselle Nadine de l'arrivée de cette demi-sœur surgie de nulle part, ou plutôt d'un scandale encore présent dans toutes les mémoires.

Quant à la réaction de Kate, elle plongeait tout le monde dans l'indifférence. Naturellement, la présence de Fauve à La Tourrello avait suscité de nombreux commentaires. La vie des Mercuès passionnait les gens du village depuis des années. Kate Mercuès qui, dédaignant les boutiques de Félice, faisait ses courses à Apt ou à Avignon, s'était attiré de solides inimitiés. C'est à peine si elle daignait faire son plein d'essence à la pompe du village. Bref, on la trouvait « fière ».

La distance que Kate et Julien Mercuès avaient mise entre eux et les gens du village après la guerre n'avait pas arrangé les choses. Là-dessus, Marthe Brunel s'en mêla. Elle ne put résister à l'envie de

334

donner certains détails sur la vie à La Tourrello à ses cousins qui tenaient une épicerie à Félice. Bientôt, chaque ménagère sut combien de bouteilles de champagne, de kilos de foie gras et de saumon fumé consommaient les invités de Kate, ainsi que le nombre d'extras qu'elle engageait à chaque réception.

Rien ne pouvait les surprendre, se disaient-ils entre eux, d'une femme qui avait fait installer cinq salles de bain dès qu'elle avait acheté La Tourrello, à une époque où beaucoup de riches fermiers n'avaient pas encore l'eau courante chez eux.

Et ils n'auraient pas pensé différemment s'ils avaient su qu'en 1960, à la Parke-Bernet à New York, un Mercuès du début s'était vendu cinq cent mille dollars. Ils ne l'auraient probablement pas cru, pas plus qu'ils ne crurent réellement ce que leur raconta le maçon qui restaurait le pigeonnier :

« Mais oui, j'vous le jure. Les murs sont recouverts de tissu jusqu'au plafond. Y en a des mètres et des mètres. C'est du tissu lavande imprimé avec des fleurs blanches. Paraît que ça vient de chez Demary à Tarascon. » Il s'arrêta un instant pour mesurer l'effet de ses paroles. « Et vous verriez le lit! Un truc à baldaquin recouvert du même tissu, avec une têtière incurvée. Un vrai lit de princesse! Au sol, c'est des tommettes, bien sûr, mais Marthe Brunel m'a dit que le tapis blanc venait d'Espagne. Y a aussi une cage avec des oiseaux. J'les ai vus. Et vous savez, cette salle de bain que Mercuès a fait installer à toute allure par le plombier? Eh bien, les murs, y sont aussi en tissu. »

C'est ce dernier détail qui rendait les ménagères sceptiques. Aucune femme, même aussi cinglée que cette Kate Mercuès, n'aurait songé à faire recouvrir de tissu les murs d'une salle de bain.

Ils n'avaient pas tort. Ce n'était pas Kate mais Mercuès qui avait eu l'idée d'installer le pigeonnier parce qu'il savait qu'une chambre aussi romantique ne pourrait que plaire à une petite fille. Et c'est lui qui avait décidé de tendre les murs de toile provençale pour éviter que le mistral ne s'engouffre à travers les pierres disjointes et ne refroidisse la pièce.

Lorsque Fauve était arrivée à La Tourrello ce premier été, elle était tombée immédiatement amoureuse de sa chambre, mais elle y avait passé des heures sombres à se demander pourquoi Kate et Nadine la détestaient à ce point.

Etait-ce parce que son père lui apprenait à peindre que Nadine lui manifestait une pareille hostilité ? Ou bien sa demi-sœur l'aurait-elle haïe en toutes circonstances ?

Quant à Kate, elle la regardait avec une animosité que seule Fauve percevait, Kate étant bien trop intelligente pour la laisser paraître. Elle savait que son mari ne le lui aurait jamais pardonné. Elle s'efforçait de traiter Fauve avec douceur et générosité, mais celle-ci n'était pas dupe de ses sentiments réels. Qu'elle lui proposât de reprendre de la confiture ou parlât d'acheter une bicyclette à Fauve, la petite fille sentait en elle une malveillance profonde.

Finalement, la fierté de Fauve reprit le dessus. Si Kate et Nadine la détestaient, elle les ignorerait tout bonnement. Félice regorgeait d'enfants de son âge, elle se débrouillerait pour les connaître et pour jouer avec eux.

Elle ne soupçonna jamais la méfiance dont elle fut tout d'abord l'objet. Lorsque les enfants voyaient cette grande Américaine à la crinière rousse descendre à bicyclette du « château », comme ils disaient, ils se poussaient du coude. En outre, tous avaient entendu parler de sa chambre extravagante. Et puis, Fauve leur parlait avec un accent du Nord et en faisant les fautes de grammaire d'un enfant de cinq ans. Elle ne comprenait pas qu'il fallait serrer la main de tout le monde et voulait jouer au babyfoot avec les garçons. Enfin, elle avait un nom si bizarre qu'elle n'avait même pas de fête.

Ils enviaient la façon dont son père la promenait dans Félice, comme un bébé faisant ses premiers pas alors qu'elle était aussi vieille qu'eux. Et ils étaient jaloux de sa belle bicyclette neuve et de ses jolis vêtements. De quel droit essayait-elle d'entrer dans leur petite bande ?

Mais aucun d'eux ne put résister longtemps à la gentillesse de Fauve, à son ardeur à les aimer. Elle leur proposa de les aider à cueillir de l'herbe pour les lapins et s'offrit à garder leurs petits frères et sœurs pendant qu'ils jouaient. Elle leur apprit à lancer une balle de base-ball et les invita tous à un somptueux goûter chez elle. Ensuite elle les emmena dans sa chambre où ils s'assirent, avec un respect mêlé d'étonnement, sur le grand lit à baldaquin. Elle leur parla de son école à New York où, en comparaison des petits Français, les enfants ne travaillaient presque pas. Pendant l'hiver, elle écrivit à chacun d'eux si bien que, lorsqu'elle revint, l'été suivant, ils eurent l'impression de retrouver une vieille camarade.

Deux filles en particulier devinrent les meilleures amies de Fauve : la jolie Sophie Borel que Fauve appela Pomme à cause de ses joues rouges et Louise Gordin surnommée Epinette parce que son visage d'ange contrastait de façon étonnante avec son caractère plutôt vif. Pomme, tordante, ne savait quoi inventer comme bêtises, et était au courant de tout ce qui se passait dans le village car son père était postier. Quant à l'ardente Epinette, elle avait pris immédiatement Fauve sous son aile protectrice et l'avait défendue contre les autres filles que l'intrusion de cette étrangère dans leur petite communauté chauvine agaçait.

Elle regarda par la fenêtre avec impatience. Ils n'avaient pas encore dépassé Lyon et ils avaient presque fini de déjeuner.

« Quoi de neuf au village? demanda-t-elle à son père.

– Rien, si ce n'est qu'on est envahi par une bande de décorateurs parisiens qui rachètent toutes les vieilles maisons de la vallée. Ils les retapent avec un goût détestable, les peignent en vert, en jaune citron et même en mauve – ce qui est vraiment contraire à toutes les traditions de ce pays – et ils les revendent à des étrangers ou à des pauvres cons de Parisiens dix fois ce qu'elles ont coûté. C'est un véritable fléau.

– Ils en ont racheté à Félice? s'inquiéta Fauve.

– Non, jusqu'à présent, Félice a été épargné, mais ils ont sévi à Gordes et à Roussillon. Ces villages n'ont plus aucune atmosphère. On dirait un décor de théâtre. Les étrangers y débarquent par cars entiers, boivent du Coca-Cola, achètent des cartes postales et repartent. Ils "font" tous les villages. Un jour pour voir le Luberon. C'est révoltant! »

Fauve regardait fulminer son père avec amusement. Il avait plus que jamais l'air d'un conquérant. Au fur et à mesure qu'elle grandissait, son père lui semblait moins vieux, mais le fait qu'il eût rasé sa barbe y était peut-être pour quelque chose. Son grand nez était plus proéminent que jamais, sa bouche toujours sévère et son port de tête aussi altier qu'autrefois. Il lui semblait plus grand, plus fort, plus droit que tous les hommes qu'elle connaissait. Il est prodigieux, se dit-elle – c'était son mot favori depuis quelque temps – j'ai un père prodigieux.

23

« Tu es perverse... dépravée... débauchée... corrompue, tu es *malade*, Fauve, voilà ce que tu es.
– C'est le Moyen Age, ici, répliqua Fauve, morte de rire. Tu vis dans un autre siècle, ma pauvre fille. »
En mettant son disque des Three Dog Night chantant *Easy to Be Hard*, elle se doutait qu'elle allait déchaîner un concert de protestations. L'année précédente, elle avait réussi à leur faire aimer Johnny Cash et Engelbert Humperdinck, mais ce qu'elles préféraient à tout, c'étaient les Bee Gees.
A partir de quatorze ans, Fauve avait été autorisée à aller au bal avec un groupe de filles dûment chaperonné par l'un des pères. Mais maintenant, à seize ans, elles avaient toutes le droit d'aller danser avec un garçon.
Après le départ de Pomme et d'Epinette, Fauve, songeuse, rangea ses disques. Depuis l'été dernier, ses amies avaient changé.
Aujourd'hui, elles n'avaient parlé que de ce bal à Uzès qui devait avoir lieu le samedi suivant et auquel elles avaient toutes les deux été invitées par un garçon. Fauve pouvait venir, l'avaient-elles assurée. Elles s'y rendraient dans la voiture du père d'un des garçons. Mais Fauve n'en avait pas envie.

L'année précédente, elle avait ri et bavardé dans le « coin des filles » avec une bande d'amies. Quand aucun garçon ne se présentait, elles dansaient entre elles. Mais, cette année, c'était hors de question, elle était trop vieille. A en croire Pomme, la plupart des filles de Félice arriveraient avec leur cavalier.

Morose, Fauve songea aux bals de Provence. Dans la salle des fêtes les filles et les garçons, chaque groupe dans son coin, s'observaient à la dérobée. Ils ne se parleraient pas, même s'ils étaient venus ensemble. Les premiers à occuper la piste étaient toujours des couples qui se moquaient de ce qu'on pouvait penser d'eux : le jovial épicier avec sa fille de cinq ans. Une fillette de neuf ans qui étreignait solidement son petit frère de six. Parfois un couple de jeunes mariés qui voulaient épater les voisins. Et ils appelaient ça un bal!

Pourquoi s'astreindre à cette corvée? Parce qu'elle avait choisi de faire partie du village, se dit-elle, et que si elle boudait ce bal, ses amies se vexeraient.

Oh! Si je pouvais encore être à l'été dernier, songea Fauve avec nostalgie, si seulement ce problème de former des couples ne se posait pas encore! Pomme et Epinette qui, l'année dernière encore, ne songeaient qu'à échapper à la surveillance de leur mère, étaient au comble de l'excitation à l'idée de se rendre à ce bal.

D'ici deux ans, elles seraient probablement fiancées ou même mariées et deviendraient de jeunes mères fières de leur bébé. Elles auraient perdu leur liberté à jamais et, chose pire encore, ne la regretteraient probablement pas. En un sens, elles sont déjà parties, songea Fauve, attristée. Cette amitié qu'elles croyaient devoir durer toujours serait sans doute aussi éphémère que leur adolescence.

A New York, Fauve faisait partie d'un groupe d'écoliers qui avaient fréquenté la même école de danse. En bande, ils se rendaient à des concerts de rock ou à des soirées. Elles savaient que les autres qui fumaient et avaient déjà des expériences sexuelles les considéraient comme des attardés mentaux, mais aucun de ses amis n'avait encore envie de se lancer dans la vie compliquée des adultes.

Si seulement le temps pouvait s'arrêter! Si les choses ne changeaient pas constamment!

Stupéfaite de se sentir proche des larmes, elle poussa un grand soupir sans comprendre qu'elle venait de ressentir son premier sentiment d'adulte : la douloureuse conscience de la fuite du temps.

Plongée dans ses pensées, Fauve entendit soudain la voix de Kate dans la cour. Elle a exactement la même voix que Nadine, songea-t-elle. Dieu merci, Nadine, mariée à Philippe Dalmas et vivant à Paris, ne faisait plus que de courtes visites à La Tourrello.

Nadine avait-elle éprouvé la nostalgie de son adolescence lorsqu'elle avait eu seize ans? Fauve en doutait. Si Nadine avait daigné mettre les pieds à un bal de village, ç'aurait été pour s'asseoir dans un coin, se moquer ouvertement des gens et les tourner ensuite en ridicule auprès de ses amis.

En pensant à sa demi-sœur, Fauve serra les poings et, l'air décidé, descendit de son lit. La fin de son adolescence ne devait pas lui faire oublier un problème capital : qu'allait-elle se mettre sur le dos?

Cinq jours plus tard, Fauve se rendit à la salle des fêtes d'Uzès. Comme d'habitude, les filles bavardaient et riaient entre elles, mais Fauve n'écoutait pas leur conversation. Elle regardait avec inquiétude deux garçons se diriger d'un air décidé vers elle. L'un d'eux, Lucien Gromet, avait mauvaise haleine et l'autre, Henri Savati, vous marchait sur les pieds en dansant. Fauve cherchait frénétiquement un moyen de leur échapper quand soudain, surgi de nulle part, un troisième garçon s'interposa entre Fauve et eux. « Mille excuses, mes chers amis, mais ce soir, cette jeune fille m'a promis toutes ses danses. » Lucien et Henri le regardaient, bouche bée. Lorsqu'ils invitaient une fille à danser, ils se contentaient de marmonner en désignant la piste d'un geste du menton, puis se retournaient sans même regarder si elle les suivait.

« Ah! Roland, s'écria Fauve, je commençais à me demander ce qui t'était arrivé. Je pensais que tu t'étais arrêté pour nourrir les rossignols.

– Non, ce soir, c'étaient les paons – la femelle est en chaleur et elle se bat avec le mâle. Tu veux valser?

– Ce serait délicieux mais l'orchestre ne nous suivrait pas.

– Eh bien, attendons la prochaine, d'accord?

– Excellente idée, Roland.

– Je m'appelle Eric, mais si, pour une raison quelconque, tu préfères m'appeler Roland, ne te gêne pas.

– Et moi, Fauve. »

D'habitude, lorsque les garçons du voisinage entendaient son nom pour la première fois, ils faisaient toujours des remarques idiotes. Elle attendit mais il ne dit rien. Il l'observait ouvertement, l'air fasciné. Elle pensa qu'elle n'avait jamais vu un homme – car c'était bien un homme et non un gamin – qui eût l'air aussi bien dans sa peau. Eric avait un bon mètre quatre-vingts et quelque chose de frappant dans le visage que Fauve n'arrivait pas à identifier. Ce n'était pas seulement sa beauté, bien qu'il fût exceptionnellement séduisant avec des traits forts et réguliers, une peau bronzée, des cheveux épais et bruns et une expression généreuse et pleine d'humour.

« Pourquoi me regardes-tu fixement? demanda-t-il en souriant.

– Mais c'est toi qui me regardes, répliqua-t-elle, indignée.

– Tu veux danser?

– Oui, je veux bien. »

L'orchestre venait juste d'attaquer une valse, *La Vie en rose*. Eric prit Fauve dans ses bras. Fauve, habituée à l'attitude plutôt guindée des garçons de la région, se retrouva serrée contre sa poitrine et guidée fermement. Ils valsaient avec une telle grâce que le chef d'orchestre qui les observait fit signe à ses musiciens d'enchaîner avec *Le Beau Danube bleu*. Lorsque le morceau fut terminé, ils s'arrêtèrent soudain, tous deux surpris de se retrouver entourés de danseurs qui les regardaient avec curiosité, comme si Ginger Rogers et Fred Astaire venaient de se matérialiser sur la piste.

« C'était formidable, dirent-ils en même temps.

– Viens, allons boire quelque chose. Je viens de découvrir trois choses importantes à ton sujet et je veux t'impressionner par ma perspicacité », déclara Eric en l'entraînant vers le café situé tout à côté de la salle des fêtes.

C'est là que se rassemblaient tous les chaperons.

Fauve et Eric s'assirent à une table et commandèrent des Coca.

« Premièrement, tu es étrangère. Deuxièmement, tu es une artiste et, troisièmement, tu sens délicieusement bon.

– Mais je ne mets jamais de parfum, protesta Fauve.

– C'est ce que je voulais dire. »

Avec désespoir, elle se sentit rougir. Elle avait hérité cette déplorable disposition de sa mère.

« Comment sais-tu que je suis étrangère? demanda-t-elle à la hâte, se mettant à prendre l'accent du Midi.

– Non, c'est trop tard. Moi aussi, je peux parler avec l'accent du Midi, tu sais. Tu valses comme une étrangère – c'est-à-dire divinement bien. »

Fauve devint écarlate.

« Et comment sais-tu que je suis une artiste? demanda-t-elle avec nervosité.

– Parce que seule une artiste peut avoir choisi les couleurs que tu portes. Déjà, le ton de ta robe est extraordinaire avec tes cheveux, mais avoir ajouté ces collants orange et ces chaussures, c'est génial.

– Je m'intéresse à l'art », répondit-elle évasivement.

Elle ne racontait jamais qu'elle peignait. Seuls Melvin Allenberg et quelques amis intimes étaient au courant.

« Tu t'y intéresses... c'est tout?

– Oh! Je vais voir des tas d'expositions et je fréquente pas mal les musées. New York est la capitale de l'art, après tout.

– En tout cas, c'est ce que pensent les New-Yorkais », répliqua Eric, sur la défensive.

Aucun Français ne voulait admettre qu'après la

guerre, le marché de l'art s'était déplacé aux Etats-Unis.

« Mais tu sais bien que c'est vrai, voyons! Rien qu'en se baladant dans les galeries de Madison Avenue un samedi après-midi, on voit plus d'art moderne que dans tout Paris. Melvin et moi, on fait ça au moins deux ou trois fois par mois, répondit Fauve.

— Melvin? C'est un expert ou quoi? railla Eric, agacé.

— Melvin est brillant. C'est incroyable le nombre de choses qu'il sait... et c'est un amour.

— Et ce parangon est beau, bien entendu?

— Pas exactement, mais c'est incroyable le nombre de filles qui tombent amoureuses de lui. Elles sont bluffées par son talent et son intelligence. Et sa gentillesse, aussi.

— J'ai l'impression que toi aussi, tu en es amoureuse, conclut-il d'un air sombre.

— Amoureuse? »

Fauve éclata de rire.

Eric posa bruyamment son verre de Coca sur la table.

« Je retourne à la salle des fêtes.

— Eric!

— Quoi?

— Melvin est un vieux monsieur. Il a au moins quarante-trois ans. C'est comme un oncle pour moi... Il était amoureux de maman quand elle avait mon âge.

— Quel âge as-tu? demanda-t-il, se rasseyant avec un soupir de soulagement.

— Seize ans, répondit Fauve.

— Et moi, vingt. »

Ils se sourirent et Fauve comprit soudain ce qui l'avait frappé dans le visage d'Eric : il inspirait, dès le premier regard, une confiance totale. C'était curieux, en un sens, de ne retenir de ce séduisant visage que cette particularité.

« Outre que tu connais tout sur l'art – remercions ce bon vieux Melvin – j'imagine que tu sais tout de l'architecture ? demanda-t-il.

– Non, rien, je suis nulle en architecture.

– Tant mieux. Je suis architecte... enfin, je vais bientôt l'être. Je suis aux Beaux-Arts.

– Pourquoi es-tu si content que je ne connaisse rien à l'architecture ?

– Je veux avoir quelque chose à t'apprendre.

– Vas-y... Commence.

– Non, pas maintenant, demain ou après-demain, la semaine prochaine. Nous avons tout l'été pour ça. Tu n'es pas très romantique.

– Je ne sais pas... comment reconnais-tu quelqu'un de romantique ? demanda Fauve d'un ton sérieux.

– Je te l'apprendrai en même temps que l'architecture. Viens, Fauve, retournons danser et puis je te raccompagnerai chez toi... à moins que tu sois venue avec quelqu'un ? On ne sait jamais qui est avec qui dans ces bals, dit-il, incertain.

– Je suis venue avec des amis mais tu peux me ramener à la maison.

– Où habites-tu ?

– Près de Félice.

– Ce n'est pas la porte à côté, répondit-il, satisfait.

– Ça fait environ soixante kilomètres, concéda-t-elle avec l'air de s'excuser.

– Tant mieux. Ecoute, Fauve, cesse de rougir à tout bout de champ. Je vais t'entraîner comme un chien. Un compliment toutes les dix minutes pendant deux heures... Peut-être cesseras-tu de rougir...

quoique j'aime bien ça, en fait. Ça ajoute une nuance de rose intéressante à tes autres roses. »

En Provence, les bals finissent rarement avant deux heures du matin, mais Fauve insista pour rentrer peu après minuit car elle savait que son père attendait toujours son retour pour se coucher.

A la sortie d'Avignon, Eric accéléra. Il lui proposa et rejeta une douzaine de projets pour le lendemain. Il tenait à ce que Fauve eût un premier contact intéressant avec l'architecture. Il y avait dans la région les ruines d'une cité phénicienne construite six siècles avant Jésus-Christ et bien d'autres merveilles. Par quoi commencer?

Fauve l'écoutait distraitement maintenant qu'ils approchaient de Félice. Son père l'avait vue partir avec un groupe d'amis et elle rentrait seule avec un inconnu. Quelle allait être sa réaction? Mais, après tout, il devrait être content que je n'aie pas fait tapisserie, se dit-elle tout en indiquant la route de La Tourrello à Eric.

Le portail de la maison était grand ouvert et il y avait de la lumière dans le salon.

« Gare-toi dans la cour, dit Fauve. Je crois qu'il vaudrait mieux que tu fasses la connaissance de mon père. »

Lorsqu'ils entrèrent dans le salon, Mercuès se leva et s'avança vers eux, l'air surpris. Seulement surpris, pensa Fauve, soulagée, pas irrité.

« C'est mon père », dit-elle sans oser regarder Eric.

Elle aurait dû lui dire qu'elle était la fille de Mercuès, mais bizarrement, elle n'avait pas trouvé le moment propice. Et maintenant, elle avait peur qu'il s'imagine qu'elle avait voulu l'impressionner.

« Papa, je te présente Eric », dit-elle d'une petite voix.

Mercuès lui tendit la main avec un sourire.

« Julien Mercuès... Vous, les jeunes, vous avez la manie de présenter vos amis par leur prénom. Eric quoi, jeune homme?

– Bonsoir, monsieur. » Pourquoi Eric avait-il soudain une expression si étrange? Etait-il furieux contre elle? « Mon nom de famille est Avigdor, continua Eric. Je suis le fils d'Adrien Avigdor. »

« Vous ne pouvez pas empêcher Fauve de sortir avec ce jeune homme, décréta calmement Kate. A son âge et à notre époque, c'est impossible, Julien. Pensez-y, quelle raison lui donneriez-vous? Elle vous posera des questions auxquelles vous n'avez justement pas envie de répondre. Si j'étais vous, je laisserais courir... Il y a une chance pour que cette histoire ne dure pas, tandis que, si vous vous en mêlez...

– Vous n'avez pas vu sa tête, Kate, ni entendu sa voix.

– A-t-il dit quelque chose de déplaisant?

– Non, il a été parfaitement correct, mais il y avait *quelque chose* dans le ton de sa voix... Je sais que je ne me trompe pas.

– Julien, tout ce qu'il sait, probablement, c'est que son père vous a lancé. Naturellement, Avigdor doit vous en vouloir de ne pas avoir renouvelé votre contrat, comment pourrait-il réagir autrement? Il a dû parler à sa famille de l'ingratitude de Julien Mercuès à son égard. Vous savez comment sont ces gens-là. Ils parlent constamment affaires. Vous perdre a sans doute été l'événement majeur de la vie d'Avigdor. Après vous avoir trouvé, bien entendu.

– Je ne veux pas que Fauve soit en relation avec Avigdor.

– C'est encore une enfant. Elle est trop jeune pour que ses amours durent bien longtemps. Que voulez-vous qu'il arrive? Après tout, un artiste a le droit de changer de marchand. Fauve a dit que le garçon avait vingt ans, n'est-ce pas? Eh bien, vous n'avez pas vu Avigdor depuis le début de la guerre. Je crois qu'il est venu ici pour la dernière fois en 1938, peut-être même en 1937, je ne m'en souviens plus très bien. Il y a plus de trente ans! Soyez raisonnable! Dès qu'il s'agit de Fauve, vous perdez tout sang-froid. Vous n'avez jamais fait autant d'histoires quand Nadine a commencé à sortir avec des garçons, et Dieu sait qu'on en a vu défiler quelques-uns! »

Il n'y avait aucune raison, Kate s'en était rendu compte depuis longtemps, pour que Julien sût que Marthe Brunel lui avait raconté la visite d'Avigdor pendant la guerre, fait qui avait été confirmé par Avigdor lui-même, lorsqu'elle l'avait revu, après la Libération. Kate avait rangé un certain nombre de choses concernant son mari dans un coin de sa mémoire. Il deviendrait peut-être utile de les en extraire un jour ou l'autre, on ne sait jamais. C'était une sorte de capital qu'elle avait là et elle était prête à parier qu'il n'était pas dénué de valeur.

En attendant, elle observait avec plaisir l'expression anxieuse de Julien. Elle avait si peu d'armes et il en avait tant. Etrange. Elle avait longtemps cru que Fauve était un danger pour elle, une menace pour Nadine. Mais, tout au contraire, Fauve était l'arme de Kate.

Tôt ou tard, Julien paierait pour toutes les souffrances qu'il lui avait infligées. Elle y veillerait. La vie ne pouvait pas, ne devait pas, la traiter aussi injustement. Comme c'était intéressant que Fauve eût fait la connaissance du jeune Avigdor!

« Il ressemble à son père? demanda-t-elle d'un ton léger.

– Non... je n'ai pas fait très attention. Il est beaucoup mieux que lui, plus grand. En fait, je n'aurais jamais imaginé qu'il puisse être son fils.

– Que voulez-vous dire par là? Qu'il n'a pas le type juif?

– Mais non, quelle idée! répondit-il avec impatience. Pourquoi voudriez-vous qu'il ait le type juif? Avigdor ne l'avait pas du tout.

– Seigneur, Julien, vous êtes d'une nervosité! Dans quinze jours, Fauve en aura assez de visiter des ruines avec son étudiant et on passera au suivant, dont vous vous inquiéterez tout autant. Ainsi il est mieux que son père, hein? Remarquez, il n'a pas de mal. Avigdor était plutôt laid.

– Il n'a rien à voir avec son père. Il est très bien physiquement. Beaucoup trop bien.

– Essayez de dormir, Julien, dit doucement Kate. Vous voyez des fantômes. »

24

« QELLE idée, Eric, d'avoir commencé par le palais des Papes! s'exclama Beth, avec une indignation amusée. C'est gigantesque, inhospitalier et plein de touristes. Je n'y mets jamais les pieds. Pas étonnant que vous soyez épuisée, mademoiselle Lunel.

– J'ai trouvé ça beau... pendant une heure et, après, nous avions passé le point de non-retour », répondit Fauve, remuant ses orteils douloureux.

Ils déjeunaient dans le jardin du Prieuré et elle était contente qu'il y eût un parasol au-dessus de la table car le soleil était brûlant.

La mère d'Eric semblait avoir une forte personnalité. Elle était grande, sculpturale, avec de beaux yeux noirs et des cheveux épais qui commençaient à peine à grisonner. Elle semblait avoir vingt ans de moins que le père d'Eric. Adrien Avigdor n'avait jamais paru jeune, même quand il l'était. Aujourd'hui, il était chauve, plus trapu qu'autrefois, ridé et tout aussi insignifiant physiquement. Mais il avait gardé son expression bienveillante, son visage ouvert d'homme simple.

En 1945, il avait épousé la ravissante Beth Levi qui avait combattu à ses côtés pendant trois ans. Leurs fils, Eric, avait hérité de la beauté de sa mère et du visage ouvert de son père. Les Avigdor s'entendaient à merveille et la galerie d'Adrien, rue du Faubourg-Saint-Honoré, était l'une des plus célèbres de France.

Des années auparavant, il avait décidé d'acheter une maison en Provence, mais à Villeneuve-lès-Avignon, et non dans l'un de ces sinistres villages du Luberon qui lui rappelaient de mauvais souvenirs.

Eric amoureux de la fille de Mercuès, ça c'est vraiment le comble, se dit Avigdor.

Comment aurait-il pu empêcher Beth de l'inviter à déjeuner? Eric parlait d'elle avec un tel enthousiasme! Qui plus est, sa femme ne savait rien des raisons de sa brouille avec le peintre. Elle croyait que les deux hommes avaient un beau jour cessé de s'entendre et s'étaient séparés. L'année dernière, Eric lui avait demandé pourquoi il avait rompu avec Mercuès et Adrien avait résisté à l'envie de raconter toute l'histoire à son fils. « Appelons cela de l'incompatibilité d'humeur », avait-il dit, laconique. Mais Eric était convaincu que c'était plus grave que ça.

Bien qu'Avigdor détestât l'idée que son fils s'intéressait à la fille de Mercuès, il était décidé à être d'une parfaite courtoisie avec elle. De toute façon, quel homme résistait longtemps au charme de Fauve?

« Ainsi, mademoiselle, vous vivez aux Etats-Unis? lui demanda-t-il avec son expression bienveillante.

– Oh! Je vous en prie, appelez-moi Fauve – j'habite New York mais je passe toutes mes vacances chez mon père.

– Ah! oui, naturellement... Le contraste doit être très plaisant...

– Je suis ravie de faire votre connaissance, monsieur, déclara Fauve. Ma grand-mère m'a parlé de vous.

– Vraiment? Maggy ne m'a pas oublié, alors, conclut Avigdor avec satisfaction.

– Bien sûr que non. Magali m'a toujours raconté tout ce qui la concernait. Je connais tout son passé. Elle pense qu'il est important que les enfants en sachent le plus possible sur leurs parents et leurs grands-parents – surtout quand ils sont illégitimes. »

Fauve avait dit cela délibérément. Elle détestait que sa naissance fût un sujet tabou et elle voulait que les parents d'Eric aient un comportement naturel à cet égard.

« Parlez-moi de la jeunesse de mon père, continua-t-elle. En fait, je ne le connais que depuis huit ans et il n'est pas très porté sur les souvenirs. C'est vous qui avez organisé sa première exposition, non? Donc, vous le connaissez depuis... plus de quarante ans! Comment était-il? »

Une ardente curiosité faisait briller ses yeux.

Comment était Mercuès quand il était jeune? Avigdor chercha rapidement un souvenir agréable. Il trouvait difficile de dire à cette fille aimante que son père était un fieffé égoïste, plein d'arrogance et au caractère de cochon. Et sans doute responsable de la mort de plus d'un juif.

« Voyons... Comment le décrire? Il était très impressionnant. On le remarquait immédiatement dans une pièce. » Il s'arrêta un moment, chercha l'inspiration et reprit : « Je n'oublierai jamais notre première rencontre. Kate Browning – je veux dire votre belle-mère – m'a emmené dans le petit atelier de votre père, à Montparnasse, où il vivait avec votre grand-mère. Je revois encore Maggy sortant pieds nus de la cuisine où elle avait été nous chercher du vin et des verres. Elle était très belle, vous savez, et guère plus vieille que vous l'êtes,

Fauve. Elle devait avoir dix-huit ans et elle était si amoureuse, si dévouée...

– Dévouée? répéta Fauve d'une petite voix.

– Oui, extraordinairement dévouée. J'avais beaucoup d'admiration pour elle. Elle posait pour faire bouillir la marmite à cette époque, mais naturellement quand une femme est vraiment amoureuse, elle est prête à tous les sacrifices, n'est-ce pas? C'était un couple remarquable. Tous deux étaient très grands, avec des cheveux roux... Ils étaient la légende du quartier : Julien Mercuès et Maggy, *La Rouquine*. Ils sont restés ensemble un bout de temps et puis il a rencontré Kate... »

Les soles arrivèrent et on parla d'autre chose, mais Fauve n'entendait rien.

Son père et sa *grand-mère*! Ils s'étaient aimés? Ils avaient vécu ensemble? Mais c'étaient son père et sa mère qui s'étaient aimés, qui avaient vécu ensemble. Une vague de trouble et de confusion la balaya, la paralysa littéralement. Elle sentit soudain Eric poser une main inquiète sur la sienne et elle prit machinalement sa fourchette.

Avec ces quelques mots gentils et nostalgiques, Adrien Avigdor avait bouleversé sa vie. C'était comme si on avait changé le dessin d'un kaléidoscope familier. Les formes en étaient détruites, perdues à jamais. Pourquoi m'avoir caché ça, Magali? Je savais que tu avais posé pour mon père, c'est tout. Quelle sorte d'homme est-il? Que s'est-il réellement passé entre vous? Comment puis-je encore te faire confiance, croire ce que tu m'as raconté?

« Votre sole est bonne, Fauve? » demanda gentiment Beth Avigdor.

Elle avait été tentée de donner un coup de pied à son mari pour qu'il s'arrête de parler, mais après tout, c'était la faute de Fauve. Ne leur avait-elle pas dit que sa grand-mère lui racontait tout, absolument tout? Les parents disent-ils jamais toute la vérité à leurs enfants? Ce serait bien la première fois! Fauve, en tout cas, semblait terriblement perturbée.

« Fauve, votre poisson est bon? répéta-t-elle.

— Il est excellent, merci.

— Fauve, plus d'architecture pendant vingt-quatre heures, je te le promets, dit Eric, l'air contrit. Même plus jamais si tu veux. Qu'as-tu envie de faire cet après-midi?

— J'aimerais bien aller au pont du Gard, répondit Fauve avec un sourire résolu.

— Mais tu es folle... Tu as l'air vannée.

— Je suis en pleine forme, et je meurs d'envie de comprendre les Romains. »

Lorsqu'elle alla se coucher ce soir-là, Fauve avait surmonté les révélations d'Adrien Avigdor. Elle ne se sentait plus trahie par sa grand-mère. En y repensant, une fois le choc de la surprise passé, elle trouvait même assez normal que sa grand-mère eût laissé sous silence cet épisode de sa vie. C'était tout de même difficile à avouer à une adolescente. Au fond, c'est assez romantique cet amour à travers deux générations, songea-t-elle en s'endormant. Elle ne poserait aucune question à son père sur M. Avigdor. Elle interrogerait Magali à son retour. Personne ne l'avait trahie... Elle pouvait leur faire confiance... Tout était comme avant... Il y avait juste ce mystère... au fond, sans importance... C'était si loin, tout ça...

« Fauve, dépêche-toi de finir ton petit déjeuner, dit Mercuès. C'est l'heure de ta leçon de peinture.

– J'ai promis à Eric de passer la journée avec lui, déclara Fauve. Il m'emmène voir les arènes d'Arles.

– J'espère que tu plaisantes! Je me suis arrangé pour te consacrer toutes mes matinées.

– Non, je suis sérieuse.

– Mais, Fauve, tu as toute la vie pour voir les arènes d'Arles! Il me semble qu'il y a des priorités à respecter. Avec ton talent, tu ne peux pas perdre ton temps à faire du tourisme, voyons! Ce n'est pas possible. L'été n'est pas bien long et tu as encore tellement de choses à apprendre!

– Je sais, papa, mais j'ai promis.

– Julien, soyez raisonnable, intervint Kate. Pourquoi Fauve s'enfermerait-elle toute la matinée dans un atelier avec vous alors qu'elle a rendez-vous avec un charmant jeune homme? Moi, je sais qu'à son âge, j'aurais préféré flirter que peindre...

– Ne vous mêlez pas de ça, Kate. Allez, viens, Fauve. Lorsque le garçon arrivera, Kate, faites-le patienter. S'il s'intéresse à toi, Fauve, il t'attendra.

– Non, papa.

– Comment non? Que veux-tu dire?

– Je ne vais pas peindre avec toi cet été – pas du tout. Je ne peux plus.

– Mais de quoi parles-tu? » Mercuès était trop surpris pour se mettre en colère. « Tu ne peux pas? Que veux-tu dire? Que tu n'es plus capable de peindre? Combien de fois t'ai-je répété que tu avais un talent incontestable? A quoi rime tout ça?

– J'y ai pensé tout l'hiver, dit Fauve, après un moment d'hésitation. L'été dernier, quand j'ai commencé mon travail expérimental, tu m'as dit que j'avais été contaminée par la vulgarité et la nullité des expositions de New York. Je me suis donc remise à peindre des paysages et des natures mortes. Mais je ne peux plus continuer à peindre comme Mercuès. Je ne serai jamais Mercuès et n'espère pas que je serai un jour capable de peindre comme toi. Je me suis promis d'avoir le courage de te le dire cet été... Voilà, c'est pour ça que je ne veux plus travailler avec toi.

— Fauve, dit Mercuès, luttant pour garder son calme, le monde de l'art à New York est un cône de décharge, un tas d'immondices. Une machine à faire du fric et rien d'autre. Je comprends que tu ne puisses pas éviter totalement la contagion, mais tu ne vas tout de même pas prendre au sérieux cette bande de guignols et d'exhibitionnistes qui font de l'" art " avec des tubes fluorescents, des dessins humoristiques ou tout ce qu'ils peuvent pêcher dans les poubelles! Seigneur, Fauve, si tu veux peindre en t'amusant, étudie Marcel Duchamp, c'est tout de même autre chose et, dans ce genre, il avait au moins le mérite d'être un précurseur.

— Tu ne comprends pas ce que je veux dire. Le pop, l'op, ou le minimal ne m'intéressent pas. Je ne veux pas faire ce que font les autres, mais je ne peux pas non plus faire ce que tu fais. Donc, je préfère ne pas peindre du tout.

— Tu ne peux pas arrêter, Fauve. Tu es peintre, tu n'as pas le choix.

— Bien sûr que si, papa. »

Mercuès pinça les lèvres. Il regarda Fauve mais quelque chose dans son visage le fit réfléchir un instant, puis céder. « Très bien, si tu préfères visiter ces arènes romaines ce matin, vas-y et amuse-toi bien. Nous reparlerons de ça plus tard. Après tout, ce n'est pas si urgent. »

La sonnette retentit dans la cuisine. « C'est Eric! s'écria Fauve en bondissant de sa chaise. Je rentrerai pour le dîner, si je suis en retard, je vous appellerai. » Elle embrassa Mercuès sur la joue. « A tout à l'heure. »

« Je dois dire que je suis effarée, Julien, déclara Kate de sa voix calme. Je ne pensais pas qu'elle rejetterait ainsi vos conseils. Ne se rend-elle pas compte de la chance qu'elle a d'apprendre à peindre avec vous?

– Ne soyez pas ridicule, Kate. Quelle chance? C'est ma fille. Le problème, c'est qu'elle vit dans un monde où tout sens des valeurs a disparu depuis longtemps. Elle subit de mauvaises influences, dont celle de ce photographe, Falk, par exemple, qui la traîne dans toutes ces nouvelles galeries plus minables les unes que les autres.

– Mais, Julien, la peinture a peut-être tout simplement cessé de l'intéresser. Pourquoi voulez-vous que Fauve soit différente des autres filles de son âge? Elles montent à cheval, elles patinent ou elles dansent, et puis, un beau jour, elles rencontrent un garçon et elles perdent immédiatement tout intérêt pour leurs précédentes activités – sportives ou autres. C'est un phénomène connu. »

Kate se leva, sa liste de courses à la main, et parut réfléchir une seconde. « Après tout, combien de femmes bons peintres y a-t-il? Je vous ai toujours entendu dire que toute leur énergie passait dans la procréation. Et combien d'enfants de parents célèbres suivent-ils les traces de leurs parents? Connaissez-vous un seul exemple de femme peintre qui soit la fille d'un artiste connu? » Elle posa sa main sur l'épaule de Mercuès. « N'en soyez pas trop affecté,

Julien... C'était inévitable... Le jeune Avigdor n'est qu'un catalyseur, un séduisant catalyseur. Ses parents ont été charmants avec Fauve hier, ils semblent même impatients de l'accueillir au sein de la famille.

– Ne soyez pas absurde, Kate, s'emporta Mercuès, furieux. Il ne s'agissait que d'un déjeuner. »

Kate prit l'air philosophe. « C'est classique, avec les enfants, dit-elle, regardant Mercuès avec attention. On passe sa vie à les choyer, à se faire du souci pour eux et, quand ils deviennent vraiment intéressants, ils filent avec le premier ou la première venue. Voyez Nadine, elle ne met presque plus les pieds ici. Depuis qu'elle a épousé Philippe, elle passe toutes ses vacances en Sardaigne ou à Marrakech avec ses amis. Est-ce que je m'en plains? Non, je trouve ça normal. Vous l'acceptez de Nadine, eh bien, la même chose est en train de se produire avec Fauve, mon cher, c'est tout. » Elle haussa les épaules d'un air résigné.

« J'ai du mal à croire que vous avez été un jour une femme intelligente, Kate, s'exclama Mercuès, exaspéré. Fauve et Nadine n'ont rien de commun. Fauve est douée... extraordinairement douée. Elle est née pour peindre. Elle passe simplement par une phase de rébellion. Demain ou après-demain, elle se remettra à travailler. »

Il se leva et quitta la pièce sans rien ajouter.

Kate se rassit à la table du petit déjeuner et écouta la rumeur de la campagne. En songeant à la fureur que Julien s'était efforcé de cacher à Fauve, elle esquissa un sourire. Ah! Julien, se dit-elle, ne comprenez-vous pas que ce n'est qu'un début? Vous la perdrez inévitablement. Le processus est déjà engagé.

« Pourquoi Cavaillon? demanda Eric en conduisant. Je croyais que nous avions décidé de passer la journée à Arles? Sur le plan architectural, Cavaillon n'a aucun intérêt.

– Nous irons à Arles demain. Mais il y a à Cavaillon quelque chose qui m'intéresse. De toute façon, tu m'as dit qu'aujourd'hui, nous ferions ce que je voudrais. N'ai-je pas été voir le vieil aqueduc et écouté sagement tes explications?

– Ça ne t'intéressait pas?

– Si, beaucoup au contraire. Les aqueducs romains ne ressemblent à aucun autre, répondit Fauve avec un rien de provocation dans la voix.

– Toi, je crois que tu as besoin d'être embrassée, déclara Eric d'un air sévère.

– Mais pas du tout, s'écria Fauve, alarmée.

– Oh! si. Bien sûr que si. » Eric bifurqua vers un chemin de terre et coupa le moteur. Il attira Fauve vers lui mais n'essaya pas de relever son menton enfoui contre son cou. Il embrassa tendrement sa tête soyeuse et, peu à peu, elle se détendit. Ils restèrent ainsi un moment l'un contre l'autre, écoutant leur respiration, jusqu'au moment où Fauve dit d'une petite voix : « Si tu veux m'embrasser, tu peux.

– Et toi, tu n'en as pas envie? demanda Eric que tant d'ingénuité fit sourire.

– Qu'en penses-tu? » Elle leva la tête et effleura la joue du garçon avec son doigt. Avec un gémissement, il prit ses lèvres et son cœur bondit de joie en la sentant répondre avec ardeur à son baiser. « Oh! murmura-t-elle, c'est bon! » Elle lui mit les bras autour du cou et ils s'embrassèrent longtemps, si longtemps qu'ils en perdirent la notion du temps et du lieu où ils se trouvaient. Fauve sentait battre son cœur pour la première fois. Elle avait l'impression qu'elle attendait qu'Eric l'embrasse depuis toujours.

Fauve et Eric étaient assis à la terrasse de la brasserie dans laquelle ils avaient déjeuné. Ils se tenaient par la main et regardaient la place assoupie devant eux.

« Ça m'est vraiment égal qu'il n'y ait rien à voir à Cavaillon, déclara enfin Eric, mais je me demande ce que nous faisons ici.

– Nous attendons le guide.

– Le guide ? Il n'y a rien ici qui mérite un guide. Il n'y a que nous et le serveur. Même les boutiques sont fermées jusqu'à quatre heures.

– Attends », dit Fauve d'un ton supérieur.

Soudain, elle se leva d'un bond et, traversant la place, elle se dirigea vers une maison banale à deux étages, devant laquelle un jeune homme venait de s'arrêter. Aussitôt, de toutes les rues adjacentes, de leur voiture et des maisons avoisinantes, surgit une foule de gens. Lorsqu'ils atteignirent l'escalier, ils formaient déjà un groupe d'au moins vingt-cinq personnes qui, toutes, remarqua Eric étonné, semblaient savoir où elles allaient. Il essayait de suivre Fauve, ce qui n'était pas facile car tout le monde montait l'escalier en même temps. En haut des marches, sur le perron, deux belles portes arrondies en bois encastrées dans une voûte en pierre.

« Qu'est-ce... » commença Eric, mais Fauve, d'un geste, lui intima l'ordre de se taire.

La foule entoura le guide et attendit en silence. Le jeune homme ouvrit grand les portes d'un air solennel.

« Bienvenue à la synagogue de Cavaillon, dit-il.

– Je n'en crois pas mes yeux, murmura Eric à l'oreille de Fauve.

– J'étais sûre que tu serais surpris, répondit Fauve, ravie de son étonnement. J'ai découvert cette synagogue en lisant le guide Michelin de la Provence, l'hiver dernier. Elle figurait sur la liste des " curiosités " de Cavaillon avec la vieille cathédrale et le musée d'archéologie. J'ai eu envie de la visiter.

– Et maintenant, que sommes-nous censés faire ? demanda Eric à voix basse.

– Entrer. Tu n'en as pas envie ?

– Mais si, bien sûr... Pourquoi pas ?

– Tu me surprends... Enfin, Eric, tu es juif oui ou non ?

– Naturellement – mes parents le sont, donc je le suis, mais quel rapport ? Ils ne sont pratiquants ni l'un ni l'autre. Je n'ai jamais mis les pieds à la synagogue... Ah ! si, une fois... Je suis allé au mariage d'un de mes cousins quand j'étais petit, mais je m'en souviens à peine. Pour moi, être juif, ça n'a aucun rapport avec la synagogue. Remarque, je n'ai rien contre les gens qui y vont. Mais toi, en quoi cela peut-il t'intéresser ? C'est par simple curiosité ?

– Hier, ton père parlait de ma grand-mère, Magali, tu te souviens ? Elle est juive et elle est née en France. Sa fille, c'est-à-dire ma mère, était moitié juive, moitié catholique. Mon père étant catholique, je n'ai en fait qu'un quart de sang juif, mais ce quart me fascine. C'est la seule partie de mon histoire que je connaisse vraiment, tu comprends ? Mon père ne sait rien de ses grands-parents, pas même s'ils étaient provençaux, malgré leur nom. Tout ce que je sais de ma famille du côté de ma mère, c'est que mon grand-père était américain et s'appelait Kilkullen et qu'il est de tradition pour les Irlandais de s'offrir pour au moins deux dollars de whisky le jour de la Saint-Patrick. Voilà pourquoi j'ai envie de visiter cette synagogue. »

Eric prit les billets et acheta le petit livre d'André Dumoulin, le conservateur des musées et des monuments de Cavaillon. Il contenait l'historique de la communauté juive de Cavaillon, des photographies et des descriptions de la synagogue.

Fauve et Eric quittèrent le groupe des touristes qui écoutaient attentivement le guide et entrèrent dans la synagogue. Aucun d'eux ne savait à quoi s'attendre et, après avoir franchi le seuil, ils s'arrêtèrent, stupéfaits. Ils se trouvaient dans une salle vide mais néanmoins gracieuse, qui ressemblait à un petit salon d'un palais abandonné construit dans le style et à l'époque de Versailles. L'actuelle synagogue datait de 1774 mais elle avait été bâtie sur le site d'une ancienne synagogue construite en 1499. L'architecte et les ouvriers de Cavaillon qui y avaient travaillé étaient visiblement imprégnés du style délicat en vigueur sous Louis XV.

Le passé semblait proche, comme s'il avait été derrière un rideau de lumière. Comme dans tous les lieux saints désertés, là où l'âme humaine a un jour déversé ses émotions les plus profondes, il émanait de la synagogue une calme spiritualité qui incitait le visiteur à se taire.

Comme le groupe commençait à pénétrer dans la partie principale de la grande salle, Fauve et Eric se hâtèrent de redescendre et entrèrent dans le petit musée que la cité de Cavaillon et les Beaux-Arts avaient installé au rez-de-chaussée de la synagogue, dans une ancienne boulangerie juive.

Là, de nouveau seuls, ils se retrouvèrent dans une grande pièce au plafond bas et au sol en pierre. Des photographies et des documents sous verre en occupaient le centre et toutes sortes d'objets du culte – dont les portes du tabernacle de l'ancienne synagogue – étaient exposés dans des vitrines éclairées. Ces portes étaient de style Renaissance, ornées d'un bas-relief décoré de vases contenant des branches de fruits et des fleurs, et des tables de la Loi que Moïse avait rapportées du mont Sinaï. Essayant de déchirer le voile du temps, Fauve contemplait ces portes qui avaient été neuves cinq cents ans auparavant. Eric l'entraîna vers une autre vitrine.

« Regarde! s'exclama-t-il, tout excité. Une lampe romaine du Ier siècle avant Jésus-Christ. Tu vois les deux menorah à la base? D'après le bouquin, c'est l'une des représentations de menorah les plus anciennes qu'on ait trouvées en France. Cette lampe a cent ans de plus que le pont du Gard! »

N'obtenant aucune réponse, il se tourna vers Fauve. Elle regardait attentivement une photographie datant de 1913 : un vieux gentilhomme avec une moustache blanche, vêtu d'un costume noir avec gilet et coiffé d'un chapeau noir au bord retourné, typiquement provençal. Il se tenait à une extrémité de la grille qui entourait les portes du tabernacle de la synagogue, face à une femme imposante et digne en longue robe noire serrée à la taille, ses cheveux gris recouverts d'une voilette.

« Eric, viens voir! Ils disent que c'étaient les deux derniers représentants de la communauté juive de Cavaillon.

– Ils ont de l'allure, commenta-t-il, étonné de cette émotion.

– Leurs noms! M. et Mme Achille Astruc – Astruc, c'est le nom de mon arrière-grand-père! Oh! Eric, je ne t'ai pas parlé de lui – David Astruc était le père de Magali. Ces gens sont probablement des parents. Ils devaient être déjà vieux lorsque Magali est née...

C'étaient peut-être des cousins ou bien un grand-oncle et une grand-tante, je ne sais pas... » dit Fauve, les larmes aux yeux.

Derrière elle, Eric lui passa les bras autour de la taille, la tint serrée contre lui, et tous deux contemplèrent longuement la vieille photo.

Quelques minutes plus tard, d'autres touristes entrèrent dans le musée.

« Je crois que nous avons vu tout ce qu'il y avait à voir », chuchota Eric.

Hochant la tête, Fauve jeta un dernier regard à la photo et le suivit dehors.

« J'ai envie d'un Coca, pas toi? demanda-t-il.

– Si... Quelque chose de froid et de sucré », répondit Fauve.

Ils revinrent à la brasserie et se laissèrent tomber sur leurs chaises avec cet épuisement heureux des touristes qui reviennent d'un voyage dans le temps.

Eric feuilleta le guide.

« Je me demande combien de juifs vivaient à Cavaillon – voyons... »

Fauve lui prit le livre des mains. « Il y a surtout des noms français. Ils prenaient les noms des villes dont ils étaient originaires... Carcassonne, Cavaillon, bien sûr, Digne, Monteux... ce sont tous des noms de lieux... Lunel!

– Lunel? répéta-t-il.

– Lunel! Mais alors, il doit y avoir dans la région une ville ou un village qui porte ce nom. Je n'y avais jamais pensé. Il faudrait regarder sur une carte. Peut-être, ce village existe-t-il encore. Oh! Eric, quand pouvons-nous commencer nos recherches? »

Galvanisée, sa fatigue oubliée, elle semblait prête à s'y mettre sur-le-champ. Son impatience fit sourire Eric.

« Il figure certainement sur une carte, Fauve. Les lieux ne disparaissent pas comme ça. Je te le trouverai, mais pas aujourd'hui. »

Il lui reprit le guide et regarda la page qu'elle venait de lire.

« Il y a d'autres noms d'origine hébraïque comme Cohen et Jehuda, et quelques noms latins; comme ton Astruc, chérie. Astrum signifie étoile. Les autres sont des étrangers. Ils sont venus de Lisbonne, de Lublin... Un Polonais...

– Qu'y a-t-il? dit Fauve, surprise par sa brusque interruption.

– Saleté de *temps*! Il emporte tout avec lui », murmura-t-il.

Les Astruc et les Lunel avaient été des membres de la communauté juive de Cavaillon. Ils avaient assisté aux offices religieux dans cette synagogue qu'ils venaient de visiter. Si on avait conservé des documents, il aurait pu retrouver la trace de la famille de Fauve, peut-être avant la construction du pont du Gard... mais il n'y avait plus rien. Pourquoi tout, jusqu'à la trace des êtres, se perdait-il ainsi?

« Ah! ne te tracasse pas, dit Fauve, comprenant son émotion. Mais c'est terrible de ne pas savoir... C'est si frustrant...

– Je sais, c'est exactement ce que je ressens.

– Mais imagine, continua Fauve, les yeux brillants, imagine simplement les Lunel, les Astruc, les Lubin et les Carcassonne se rendant à la synagogue ensemble, se connaissant... leurs familles vivant ici depuis des centaines d'années. Peut-être l'un d'entre eux était-il ce fameux rabbin du XIe siècle – je peux presque les voir, pas toi? »

367

Eric demeura silencieux, les yeux fixés sur son ravissant visage animé. Soudain, le passé avait cessé de l'intéresser. Il était totalement, merveilleusement dans le présent.

« Il m'est impossible de voir quelqu'un d'autre que toi.

– Quel manque d'imagination!

– C'est parce que je t'aime.

– Quoi?

– Je suis amoureux de toi. Et toi, tu m'aimes? Tu m'aimes, ma chérie?

– Je ne sais pas... Je n'ai jamais été amoureuse avant, murmura-t-elle.

– Regarde-moi », ordonna-t-il.

Elle leva lentement les yeux vers lui et ce qu'il y lut faillit le faire crier de joie.

« Mais je ne *voulais* pas tomber amoureuse, protesta-t-elle.

– C'est trop tard, maintenant », répondit-il d'une voix triomphante.

25

Le vaste atelier de Mercuès à La Tourrello avait été
son seul refuge pendant quarante ans. En ouvrant la
porte, il respira l'odeur complexe des tubes de
peinture, mêlée à celle des toiles préparées, du pin
séché qui servait à faire les châssis et des chiffons
remplis de peinture qui traînaient un peu partout.
Sur ses murs, il voyait tout ce qui avait compté un
jour pour lui. Dans cet atelier, il avait fait appel à
toutes ses ressources. Coup de pinceau par coup de
pinceau, il avait distillé sa vie elle-même et la
libération de toute cette énergie avait laissé une
empreinte dans l'air même de la pièce. Les toiles
qu'il avait vendues peu à peu semblaient être
encore là, aussi présentes que celles qu'il avait
gardées pour lui. Dans ce lieu, il n'avait jamais
ressenti le poids de la solitude.

Mais alors, comment définir ce sentiment qui le
faisait rester immobile, parfois pendant une heure,
le regard perdu devant sa toile inachevée? D'où
venaient cette agitation, cette irritation, cette sensation de malheur?

Il avait besoin d'elle.

Jamais il n'aurait cru qu'elle pût le délaisser ainsi.
Il n'avait remarqué aucun changement en elle,
quand il l'avait retrouvée, au début des vacances.

Une nouvelle maturité, oui, certes, et une trace d'insatisfaction à l'égard de son propre travail, mais quel véritable artiste est jamais satisfait? Non, ça n'avait rien à voir non plus avec sa désapprobation pour les incursions de Fauve dans l'abstrait. Elle savait bien qu'en insistant elle aurait pu remplacer son pinceau par un balai et peindre des cibles de tir à l'arc, des jeux de patience, des pâtés de sable ou un moulage au plâtre. Tout cela n'était qu'une excuse commode. La vraie raison de sa désertion, c'était Eric Avigdor. Fauve avait cessé d'être sa fille le jour où elle avait rencontré ce garçon.

C'était si simple, si évident que Mercuès s'en voulait de ne pas l'avoir compris plus tôt. Kate avait raison, entièrement raison. Si elle n'avait rien dit, peut-être Mercuès aurait-il senti le danger avant, mais quand Fauve était en cause, il ne tenait aucun compte des opinions de Kate.

Où Fauve était-elle passée tous ces jours derniers? A Arles, avait-elle dit, à Cavaillon, à Nîmes, à Orange, à Carpentras, à Tarascon, à Saint-Rémy et à Aix-en-Provence. Comme c'était banal, indigne d'elle, ce tourisme forcené! De quoi avait-elle parlé ces quelques soirs où elle lui avait fait l'honneur de dîner avec lui? D'architecture, de prétendues merveilles architecturales – dont Mercuès pensait qu'aucune n'était aussi intéressante à observer qu'un cerisier en fleur – et de ses découvertes sur les juifs de Provence.

Pensait-elle vraiment qu'il était fasciné par tout cela? Il n'avait rien contre les juifs, simplement ils ne l'intéressaient pas plus que les hindous ou les mahométans. Pourquoi se passionnait-elle pour un passé qui n'avait rien à voir avec elle et si peu de rapport avec le monde moderne?

Hier soir, exaspéré, il avait fini par lui demander

pourquoi, puisque, apparemment, elle passait par une phase religieuse et qu'elle était plus catholique que juive, elle ne visitait pas les cathédrales.

« Elles sont trop accessibles, avait-elle répondu, visiblement contente d'elle. Il y en a partout, dans toutes les villes. Elles ont beau être anciennes, elles sont, à mes yeux, dépourvues de mystère. »

Mercuès posa sa palette et renonça à travailler. Il marcha de long en large dans l'atelier, en proie à une panique grandissante. On était presque à la mi-juillet. Encore six semaines et Fauve repartirait. Elle lui échapperait de plus en plus. Lorsqu'elle reviendrait, l'année prochaine, elle aurait dix-sept ans – elle ne serait plus une enfant – et lui en aurait soixante-dix. Soixante-dix ans! Bah! C'était un chiffre comme un autre. Il avait plus d'énergie, plus de curiosité qu'à cinquante ans.

C'était la conduite de son adolescente de fille qui le tourmentait, et non le poids des ans. Elle s'amourachait du premier venu, devenait frivole, insouciante et pleine de foucades. Elle avait sans doute besoin d'être ramenée sur terre.

Tous les ans, Fauve posait pour lui. Mais, cette année, il n'avait pas encore pu commencer son portrait. Elle ne lui avait pas consacré suffisamment de temps. Toutes leurs habitudes – les leçons de peinture, les heures de pose, les petits tours au café de Félice, tout avait été bouleversé par l'arrivée de cet individu dans la vie de Fauve.

Mercuès ôta la toile de son chevalet et la posa sans précaution contre le mur. D'un pas aussi fringant que celui d'un jeune homme qui se rend à un rendez-vous galant, il se dirigea vers le coin où étaient empilées ses toiles vierges et prit la plus grande qu'il put trouver. Oui! Un portrait en pied, une ode, un hymne à Fauve Lunel en minijupe – elle aimerait cela.

Cherchant des ouvrages susceptibles de les aider dans leur quête historique, Fauve et Eric entrèrent dans une librairie qui vendait des livres d'occasion.

« Fauve, qu'est-ce qui ne va pas?

– C'est mon père qui me tracasse.

– Pourquoi? Ecoute, je sais qu'il ne m'aime pas. Personne ne peut contester à Julien Mercuès une certaine franchise. Je sens qu'il tolère à peine que je vienne te chercher, mais tant qu'il ne me ferme pas la porte au nez...

– Il ne s'agit pas de toi. »

Fauve s'assit sur une marche de l'escalier qui menait au premier étage et entoura ses longues jambes avec ses bras. Elle portait une tunique en batiste, sans manches, qui se laçait devant comme les corsets des actrices dans les vieux westerns. C'était la grande mode, cette année. Ses cheveux, bronze dans la lumière diluée de l'escalier, retombaient en vagues épaisses et souples sur ses seins. Si elle avait été vêtue d'une jupe et non d'un blue-jean, elle aurait ressemblé à une jeune fille de l'époque victorienne s'apprêtant à se mettre au lit. Elle est si belle, se dit Eric, qu'elle inspirerait le poète le plus insipide.

« Tous les étés, il fait mon portrait, continua Fauve. Il veut que je commence à poser pour lui demain. Je ne peux pas dire non, Eric, ça le peinerait. Il était déjà très triste que je refuse de travailler ma peinture avec lui, comme tous les ans. Il ne m'en a plus reparlé mais je suis sûre qu'il ne pense qu'à ça. Oh! Seigneur...

– Je trouve qu'il est remarquable que tu aies l'énergie de continuer à lui résister, déclara Eric.

– Il le faut. Je dois me préserver. Papa n'en a pas conscience, mais il *veut* que je l'imite. C'est évident. Ça se sent dans tout ce qu'il me montre ou me dit. Bien sûr, il le nierait si on le lui disait, mais il est persuadé qu'il n'y a pas d'autre façon de peindre que la sienne... Il ne trouve jamais bien ce que font les autres peintres. Les seuls qu'il admire sont morts. Mais sa vision lui est propre, tu comprends? Il ne peut pas me la transmettre.

– Mais alors, pourquoi toutes ces années de leçons?

– Oh! Elles n'ont pas été perdues. J'ai acquis une très bonne technique, inutile d'être modeste, mais je ne suis pas la seule. Ce qu'il faut maintenant, c'est que j'arrive à exprimer ma propre vision des choses et ce sera impossible si je continue à travailler avec mon père.

– Mais pourquoi as-tu attendu si longtemps pour prendre cette décision?

– Parce que, l'année dernière encore, j'étais contente de peindre des " petits " Mercuès. A New York, mes professeurs n'osent pas critiquer ce que je fais parce qu'ils savent qui je suis. Ils éprouvent une telle vénération pour mon père que je ne peux pas leur tirer un mot sincère. En outre, je peins à sa manière, bien entendu. J'ai mis un certain temps à m'en rendre compte. Je suis stupide par moments.

– Pas stupide, chérie, simplement jeune.

– Papa fait beaucoup trop mon éloge, dit-elle, pensive. Je ne sais pas si j'aurai vraiment du talent un jour, mais je sais très bien que je ne deviendrai jamais une grande artiste, contrairement à ce qu'il s'imagine. Peut-être, me manifeste-t-il une pareille confiance pour m'encourager, mais ça me fait exactement l'effet contraire parce que je suis lucide quand il s'agit de mon travail. Parfois, je me demande même s'il vaut qu'on s'y intéresse. Remarque, si je n'avais aucun talent, il me le dirait. La vérité doit être entre les deux. Je peux peindre et faire du sous-Mercuès et ça, jamais. Si je veux avoir une chance de trouver ma voie, il faut que je cesse de travailler avec lui.

– Pourquoi ne lui expliques-tu pas tout ça?

– J'ai essayé mais il refuse de comprendre. En tout cas, il faut que je pose pour lui, je ne peux pas faire autrement. »

Eric s'assit à ses pieds.

« Et moi, là-dedans, qu'est-ce que je deviens?

– Je ne travaillerai que le matin. J'ai refusé de poser l'après-midi. Il m'a fait remarquer qu'il ne nous restait que six semaines, mais j'ai été très ferme. Je me sens tiraillée entre vous deux, Eric. J'ai l'impression de vous être infidèle à tous les deux.

– C'est ridicule, chérie; tu fais ce que tu peux et ce n'est pas facile. Cesse de te tourmenter, ma Fauve. C'est vrai que je t'ai pris tout ton temps, tu sais. Comment ton père ne m'en voudrait-il pas? Nous aurons les après-midi et les soirées. Ecoute, je voulais te donner ça plus tard, mais comme tu n'as pas le moral... »

Il sortit un vieux livre relié de son havresac et le tendit à Fauve.

« Ce n'est qu'hier que maman m'a donné ce bouquin. Elle s'est finalement souvenue qu'il était dans la bibliothèque. Il a été publié en 1934. Il appartenait à ma grand-mère. Apparemment, à la maison, personne ne s'est donné le mal de le lire.

– *Histoire des Juifs d'Avignon et du Comtat Venaissin*, d'Armand Mossé, lut Fauve, tout excitée. Formidable! Je parie que je vais découvrir des tas de choses là-dedans. Tu l'as commencé?

– Non, je pensais que nous le lirions ensemble, mais nous n'aurons pas le temps. Prends-le et lis-le quand tu auras un moment. En posant, peut-être.

– Avec mon père, c'est impossible. J'ose à peine bouger un œil ou avaler ma salive. » Elle pressa le livre contre sa poitrine. « J'en prendrai soin, je te le promets. »

Vêtue de la minirobe rose shocking qu'elle portait le jour où elle avait fait la connaissance d'Eric, Fauve prit la pose. En s'habillant ainsi, elle avait l'impression d'être plus proche de lui, de maintenir un contact.

Maintenant qu'elle s'était résignée à ces heures de pose quotidiennes, elle en était presque venue à les apprécier. Elles lui donnaient le temps de penser à Eric. Ils avaient passé toutes leurs journées ensemble depuis le début des vacances et, quand elle rentrait le soir, heureuse et fatiguée, elle ne gardait que le souvenir de ses baisers. Ce bonheur bouleversait sa vie, rendait son passé lointain et inexistant.

Pour Fauve, la vision de la petite cicatrice triangulaire sous l'œil droit d'Eric – souvenir d'une chute qu'il avait faite à cinq ans – était plus réelle que le bruit des pas de Mercuès dans l'atelier.

Elle sentait encore sa bouche tiède sur la sienne. Il prétendait qu'elle avait les lèvres les plus merveilleuses du monde. Elle répondait qu'elle ne pouvait pas faire de comparaison, les baisers qu'elle avait reçus avant de le connaître ne lui ayant laissé aucun souvenir. Elle sourit en repensant à la façon dont il s'était figé. Il lui avait demandé combien de garçons elle avait embrassés avant lui. Quelques-uns, avait-elle répondu d'un air mystérieux, sachant que rien ne pouvait l'inquiéter davantage. Elle aimait le rendre jaloux car elle soupçonnait qu'il avait une tout autre expérience qu'elle en ce domaine.

La veille, ils avaient dîné dans un petit restaurant italien à Villeneuve-lès-Avignon, puis ils s'étaient promenés dans le jardin du Prieuré, non pas dans la roseraie bordée de santoline et de jarres de géranium-lierre, mais dans la partie plus sauvage du jardin, là où poussaient les fleurs des champs dont on faisait de gros bouquets pour les clients de l'hôtel.

Ils avaient erré un moment, tendrement enlacés, puis s'étaient appuyés contre un vieux poirier, au fond du jardin.

Fauve et Eric étaient cachés par les branches et, de toute façon, le jardin semblait désert. Elle s'était frottée lascivement contre lui. Elle n'en pouvait plus, elle voulait faire l'amour. Il l'avait repoussée, d'abord avec douceur, puis fermement.

C'était impossible, lui avait-il dit. S'ils s'engageaient dans cette voie, ils ne pourraient plus s'arrêter et elle était trop jeune, ce serait une erreur... Fauve comprenait ses raisons, mais elle avait tellement envie de lui!

« Fauve, cesse de faire des grimaces! Si tu ne peux pas rester tranquille, arrêtons-nous un moment. »

Elle rejeta ses cheveux en arrière et fit la moue.

« Je ne fais pas de grimaces, je réfléchis. Tu veux peindre une poupée inexpressive ou une femme qui réfléchit?

– Bon, tu n'as pas tort, mais cet air pensif me paraît un peu prématuré à seize ans. Faisons une pause, d'accord? »

Elle s'étira longuement puis, s'asseyant sur le fauteuil du planteur, elle s'absorba dans la lecture du vieux livre que lui avait donné Eric.

Mercuès regarda sa fille. Que n'aurait-il donné pour retrouver sa Fauve insouciante de l'année dernière! Mais qu'avait-il à offrir à une fille de seize ans?

« On s'y remet? demanda-t-il au bout de cinq minutes.

– Si tu veux... Mais, papa, ça t'ennuierait si on s'arrêtait une demi-heure avant, aujourd'hui? Les parents d'Eric sont à Aix pour le festival et ils nous ont invités à déjeuner au Vendôme – il faut une heure et demie pour y aller et je ne veux pas être en retard. »

Que pouvait-il dire?

« Bien sûr, chérie, vas-y. On peut s'arrêter maintenant, si tu préfères.

– Merci, papa, tu es un amour. »

Elle lui donna un baiser rapide et bondit hors de l'atelier sans même songer à dissimuler son soulagement.

Malgré tout, elle n'a pas oublié son sacré bouquin, remarqua-t-il avec amertume.

Nadine venait d'arriver de Paris. Laissant son mari régler les détails d'une nouvelle affaire, elle avait décidé de venir passer quelques jours à La Tourrello. Mercuès détestait l'homme qu'elle avait épousé et Nadine, fortement encouragée par Kate, évitait de lui en rappeler l'existence plus qu'il n'était nécessaire.

Lorsque Fauve était venue pour la première fois à La Tourrello, Nadine n'avait que quinze ans et demi et, cependant, elle paraissait déjà à Fauve le comble de la sophistication. Cette impression s'était confirmée au fil des années. Aujourd'hui, à vingt-trois ans, Nadine n'avait plus aucun naturel. Ses cheveux blonds, coupés au carré, formaient deux arcs brillants à la hauteur de son menton et ses yeux pâles étaient soulignés d'un trait de crayon vert foncé d'une précision égyptienne. D'une élégance raffinée, elle était vêtue d'un pantalon blanc et d'une blouse en soie noire nouée à la taille. Une magnifique paire de boucles d'oreilles en onyx et diamants ornait ses lobes.

Depuis des années, ce n'était plus à Mercuès et à son œuvre que se consacrait Kate, mais à sa fille. Les sept années pendant lesquelles Mercuès avait déserté La Tourrello avaient considérablement développé sa fibre maternelle. Son seul souci était maintenant le bonheur de sa fille.

Depuis le mariage de Nadine, Kate éprouvait une fureur impuissante à l'égard de Mercuès qui empêchait sa fille de vivre comme l'une des plus riches héritières de France. Un jour, Nadine hériterait de tout ce que possédait Julien, de ses toiles, de La Tourrello et de leur argent. Toute cette immense fortune serait à elle mais, en attendant, Nadine avait été obligée de prendre un job pour maintenir un certain train de vie auquel elle et son mari étaient habitués.

Deux ans plus tôt, elle avait épousé Philippe Dalmas, un « homme d'affaires », disait la presse qui n'apportait aucune précision quant à ses activités. En fait, on parlait de lui dans les journaux à la page des potins bien avant sa rencontre avec Nadine, car il avait eu quelques liaisons avec des femmes connues. Philippe Dalmas passait, à Paris, pour un homme « difficile » parce qu'à trente-neuf ans il n'était toujours pas marié.

Sa profession consistait à mettre en rapport des gens qui cherchaient de l'argent avec ceux qui en avaient à placer. Mais le montant de ses commissions, qui lui permettait de bien vivre lorsqu'il était célibataire, était maintenant nettement insuffisant.

Philippe Dalmas, la coqueluche de toutes les maîtresses de maison, était spirituel et séduisant. Elles rêvaient toutes de l'inviter chez elles.

Lorsque Nadine rencontra cet homme sensuel, entièrement tourné vers les plaisirs et dont la réputation de célibataire endurci était bien établie, elle n'eut plus qu'une idée : l'épouser. Philippe, qui voyait son quarantième anniversaire approcher, jugea qu'il était temps de mettre un terme à son célibat. Nadine, avec sa beauté parfaite, ses vingt-deux ans et ses espérances, eut raison du manque d'enthousiasme qu'il avait, jusqu'à présent, manifesté pour le mariage.

Nadine Mercuès et Philippe Dalmas étaient aussi superficiels et conventionnels l'un que l'autre mais ils formaient un couple décoratif.

Une fois que toutes les maîtresses de maison parisiennes se furent résignées à la perte de leur célibataire préféré, elles se battirent pour inviter les Dalmas à dîner.

Bien que ce mariage eût secrètement déçu Kate qui visait plus haut pour sa fille, elle l'avait bien accepté. Nadine était très amoureuse, et c'était la seule chose qui comptait. Mais Mercuès, qui n'avait passé qu'une demi-heure avec Philippe, avait décrété que c'était un crétin. En conséquence, avait-il déclaré, il ne lui donnerait pas de dot. Il avait néanmoins offert au couple un appartement très convenable avenue Montaigne. Kate l'avait persuadé que c'était vraiment le minimum.

Mais pas question de verser une rente à Nadine, avait-il précisé à Kate. Et celle-ci ne pouvait guère leur faire de somptueux cadeaux. Mercuès, qui l'avait toujours laissée gérer ses finances, avait soudain insisté pour traiter lui-même avec les marchands et ses banquiers.

Kate ne pouvait donc plus subtiliser de sommes importantes. Le seul argent qu'elle pouvait encore dépenser à sa guise, c'était celui qui servait à l'entretien de La Tourrello. Elle faisait fonction de régisseur, songeait-elle avec fureur. Mais Nadine prit cette décision avec philosophie. Son père avait soixante-dix ans. Cette situation ne durerait pas très longtemps et, en attendant, cela l'amusait de prétendre qu'elle était obligée de travailler pour gagner sa vie, d'autant plus que tout le monde savait qu'elle serait un jour très riche.

Nadine travaillait avec Jean-François Albin, le seul couturier français qui pût prétendre à la notoriété d'Yves Saint Laurent.

Son job n'était pas très défini. Pour tout le monde, le travail de Nadine consistait à être la meilleure amie de Jean-François Albin.

Elle était le seul être humain sur terre dont il ne pouvait se passer. Elle servait de tampon entre ce monde rempli d'ennemis et de brutes insensibles et lui. Il était sûr que, seule, Nadine ne lui mentirait jamais et ne chercherait pas, comme tant d'autres, à tirer un quelconque avantage de leur association.

Pour Albin, Nadine Dalmas était l'incarnation idéale de la femme, celle pour laquelle il créait des robes. Elle le réconfortait, l'inspirait et le rafraîchissait. Et, en temps de crise, elle lui devenait indispensable. Henri Gros, l'homme d'affaires qui s'était

380

associé avec Albin pour créer la maison de couture, était tout à fait d'accord pour donner à Nadine un salaire confortable en échange de son dévouement, bien qu'au fond il se rendît compte que son rôle dans la maison était inexistant. Cette fragile machine à créer qu'était Jean-François Albin devait être, à tout prix, alimentée, réconfortée et comprise afin de pouvoir continuer à sortir ses deux collections par an.

Ce soir-là, à table, Nadine parla de son travail à ses parents.

« Tu comprends, papa, Jean-François a craqué, expliqua-t-elle de son ton suffisant. Pourtant, la nouvelle collection est terminée, il ne manque pas un bouton. Mercredi dernier, il m'a appelée en pleine nuit, désespéré. Je me suis précipitée à l'atelier où je l'ai trouvé armé d'une paire de ciseaux, prêt à lacérer tous ses modèles. Je l'ai poussé dehors en douceur, comme un somnambule, et je l'ai emmené dans une clinique de Saint-Cloud. On va le faire dormir jusqu'à lundi. Quand je rentrerai, ce sera un autre homme.

– Cela lui arrive souvent ? demanda Kate.

– Non, mais ces derniers mois, il n'a eu que des ennuis, expliqua Nadine. Cinq de ses mannequins – des Noires – l'ont quitté pour aller travailler chez Givenchy et cette maison de Sardaigne dont je t'ai parlé le rend littéralement fou. Son décorateur n'en fait qu'à sa tête et il passe son temps à s'engueuler avec lui. Dieu merci, je m'occupe maintenant d'un tas de choses si bien qu'il a l'esprit plus libre pour se consacrer à son art, mais cette année a été très dure pour lui. En fait, le problème, c'est qu'il est trop célèbre. Rien ne rend les gens aussi vulnérables que ce culte dont ils sont l'objet. Il faut qu'il prenne des risques, qu'il change...

– Qu'il change quoi? demanda Mercuès, repoussant son assiette.

– La longueur, papa. Jean-François sent qu'il est temps d'imposer la longueur maximale – la mini est morte. Mais les femmes seront-elles assez osées pour le suivre? Peuvent-elles se hausser à son niveau? Il a une telle horreur des acheteurs et de la presse – je ne sais pas s'il aura le courage de leur faire face après la présentation de sa collection.

– Dis-moi, quel âge a-t-il, ton Jean-François? demanda Mercuès en fronçant les sourcils.

– Personne n'en sait rien, pas même moi... Il doit avoir une quarantaine d'années.

– Ton couturier se conduit comme un marmot. Et, quand on vit dans un monde aussi puéril, on ne tarde pas à le devenir soi-même, affirma Mercuès d'un air méprisant.

– Si nous parlions d'autre chose que de Jean-François? » suggéra précipitamment Kate. Elle connaissait trop bien les opinions de Mercuès sur la haute couture pour le laisser s'engager dans cette voie. Nadine ne supportant pas qu'on critique son cher Jean-François, la discussion ne pouvait que mal tourner. « Nadine, demande à Fauve de te raconter son été. Ça a été une révélation. »

Nadine regarda sa mère et comprit le message. Elles n'avaient jamais eu besoin de mots pour communiquer. Haussant légèrement les épaules, elle se tourna ostensiblement vers Fauve.

« Tu es bien silencieuse, ce soir! En effet, j'ai entendu parler d'une idylle avec un jeune architecte. Ainsi la petite Fauve a enfin daigné abaisser son regard sur les hommes? Quelle impression te font tes premières amours?

– Je trouve les hommes extrêmement utiles, merci. Comment ai-je pu passer tant d'étés ici sans aucun autre moyen de transport que ma bicyclette? Ce garçon m'a trimbalée partout en voiture. J'ai mieux vu la région en six semaines qu'en huit ans.

– Tu essaies de nous faire croire que tu éprouves pour lui un intérêt purement... touristique?

– Crois ce que tu veux, mais j'étudie l'histoire des juifs de Provence.

– Seigneur, en voilà une idée! Je croyais qu'ils étaient tous à Paris.

– C'est ce que croient la plupart des gens », répondit Fauve, tout excitée à l'idée de parler des découvertes qu'elle avait faites dans le livre d'Armand Mossé – découvertes qui plongeaient son père et Kate dans l'indifférence.

Mais, bien qu'elle comprît que Kate lui avait tendu cette perche pour éviter une dispute, elle la saisit.

Elle cita des noms, des dates et des statistiques. Elle avait l'impression que les papes Alexandre VI et Jules II qui avaient accordé leur confiance à des physiciens juifs étaient ses amis personnels. De même, elle haïssait Jules III qui avait ordonné la destruction du Talmud.

Elle était trop prise par son sujet pour remarquer l'expression légèrement dédaigneuse de Kate et de Nadine. Indignée, elle évoquait le sort des juifs qui avaient dû se soumettre pendant la Révolution et porter l'étoile jaune lors de la dernière guerre. Elle fit un long monologue sur les lois cruelles, restrictives et arbitraires qu'imposaient les autorités aux juifs à cette époque. Elle ne se rendait pas compte que tout le monde se taisait autour d'elle.

« Ça suffit! explosa soudain Mercuès. Quand tu

es rentrée de Cavaillon, tu m'as décrit cette synagogue d'une façon qui m'a convaincu que les juifs de
la région devaient être prospères et bien traités. Et,
maintenant, tu nous dépeins leur vie comme une
vallée de larmes. Ça devient une manie, chez toi!

– C'était du pur romantisme, papa, une illusion,
répliqua Fauve, indifférente à la mauvaise humeur
de son père. Cet édifice n'a même pas deux cents
ans. Il correspond simplement à une des rares
périodes où on a laissé les juifs vivre à leur guise.
Mais même à cette époque, il y avait ce sinistre
ghetto tout autour qu'on a détruit par la suite. Les
gens croient sincèrement que la Provence a été le
" paradis des juifs ", rien n'est plus faux. Bien sûr, ils
étaient mieux là que dans certaines régions où on
les brûlait vifs. Disons que la Provence était la
meilleure des prisons pour des gens qui n'avaient
commis aucun crime.

– Prison? répéta Kate, tu ne crois pas que tu
exagères un peu? » Elle regardait avec attention
l'expression de Mercuès pendant que sa fille le
défiait. Elle était la seule à comprendre combien il
détestait l'intérêt de Fauve pour les juifs et elle
jubilait. « Et à supposer que ce soit vrai, reprit-elle,
en quoi sommes-nous responsables? Nous n'avons
jamais été cruels envers les juifs, nous ne les avons
jamais traités comme des criminels. Vraiment,
Fauve, pour un peu, tu nous accuserais de les avoir
fourrés dans des camps de concentration! »

26

Assise devant sa coiffeuse, Kate ôtait son collier de perles lorsque Mercuès parut sur le seuil, l'air morose, peu désireux d'entrer et de s'asseoir, mais incapable d'aller se coucher.

« Pourquoi avez-vous l'air si contrarié, Julien ? demanda-t-elle avec douceur. Je vous accorde que Fauve est agaçante avec son nouveau dada, et qu'elle nous a gâché le dîner, mais ce n'est tout de même pas bien grave. Tous les adolescents passent par des phases difficiles à cet âge.

— Vous l'avez délibérément encouragée.

— Mais non, voyons, c'est absurde ! En ce moment, on ne peut pas adresser la parole à Fauve sans qu'elle reparte dans ses obsessions. En lui disant bonjour le matin, on risque de s'attirer une conférence d'une heure sur le mur des Lamentations. On ne peut pas l'arrêter. A chaque repas, elle recommence. Mais que voulez-vous y faire ?

— Rien, bien sûr. On ne peut pas empêcher Fauve de parler de ce qui l'intéresse, répondit-il d'un air sombre. C'est ce petit connard d'Avigdor qui est responsable de cette lubie.

— Vous êtes injuste. Bien sûr, ce garçon n'arrange rien, mais ce n'est pas à lui que nous devons cet engouement, c'est à Maggy Lunel.

– A Maggy? Pourquoi donc?

– Les jésuites disent toujours que si on leur confie un enfant pendant ses sept premières années, ils le forment pour la vie. Vous avez laissé Fauve à sa grand-mère et elle a imposé sa propre identité à la petite. Après tout, que cela vous plaise ou non, Fauve a du sang juif. Il ne faut pas sous-estimer sa présence, Julien. Chaque enfant a besoin de racines, recherche son identité... Enfin, c'est ce qu'ils prétendent en tout cas.

– C'est ma fille – et c'est un peintre. N'est-ce pas suffisant comme identité, bonté divine? Que peut-on espérer de plus à seize ans? Ça m'exaspère de voir qu'au lieu de profiter de ses vacances, elle perd son temps à enquêter sur des gens et des traditions qui lui sont étrangers. Elle est grisée depuis qu'elle a vu le nom des Lunel et des Astruc dans son foutu bouquin. Elle s'imagine que c'est sa famille, alors que rien ne le prouve. Elle s'est persuadée qu'il existait un lien de parenté entre eux.

– Peut-être que savoir simplement qu'elle est votre fille illégitime ne la satisfait pas. » Kate rangea ses bracelets dans sa boîte à bijoux et commença à brosser ses cheveux. « Allez vous coucher, Julien, ça me rend nerveuse de vous voir là, debout. »

Mercuès regagna son atelier plongé dans la pénombre. Il se dirigea droit vers son chevalet sur lequel était posé le portrait inachevé de Fauve. Perdu dans ses pensées, il contempla longuement la toile uniformément grise dans la demi-obscurité. Il repensait aux paroles de Kate : « Les enfants recherchent leur identité. » Elle avait raison, bien sûr. Jamais il n'avait pu donner son nom à Fauve. D'après la loi française, il ne pouvait pas la reconnaître, elle ne pouvait s'appeler Fauve Mercuès. Dans ces conditions, comment ne se serait-elle pas sentie une Lunel, l'une d'entre eux ? Tout au long de l'été, elle lui avait glissé entre les doigts comme une anguille. Elle l'évitait chaque jour davantage. Et il savait que, cette année, son portrait ne valait rien. Comment aurait-il pu la peindre ? Elle était complètement absente.

Avec mépris, Mercuès tourna le dos à sa toile – pourquoi se donnerait-il le mal de finir cette croûte ? – et arpenta son atelier. Comment faire entendre raison à une fille de seize ans ? Si seulement elle était française, si elle avait été élevée à Félice, sous son regard ! Si seulement elle ne lui échappait pas tous les ans !

Agité, malheureux, il se tourna vers la seule chose susceptible de l'apaiser : son travail. Il ouvrit la porte fermée à clef de la chambre forte, alluma la lumière et erra parmi les toiles. Il les contemplait d'un œil neuf, comme s'il n'avait pas passé des semaines, parfois des mois à les peindre. Au bout d'un long moment, il tendit la main et toucha la texture rugueuse des toiles comme s'il s'était agi d'êtres sensibles. Elles étaient vivantes. Il était aussi sûr de cela que de sa propre existence. Et elles lui survivraient. Cette pièce n'était pas remplie de tableaux terminés mais de créatures qui respiraient et parlaient. C'était ça, son identité à lui. Là, dans cette chambre forte, se trouvait tout ce qu'il y aurait jamais à dire sur Julien Mercuès.

Il y avait un endroit de la pièce où il n'allait jamais. C'est là qu'étaient entreposées les toiles représentant Teddy enceinte, et celles de Teddy et de Fauve, dans les deux premiers mois de la vie de sa fille. A cette époque, il avait travaillé plus rapidement qu'il ne l'avait jamais fait auparavant ou par la suite. Après la mort de Teddy, il avait laissé ces portraits dans son appartement d'Avignon, sous la bonne garde du couple de domestiques. Après son retour à La Tourrello, Mercuès avait fait récupérer les toiles qu'on avait rangées parmi les autres. Il avait soigneusement évité de les regarder.

Il s'approcha lentement d'un chevalet et le tira vers lui. C'était le dernier portrait de Teddy à Saint-Tropez. Elle était assise sur une balancelle recouverte d'un tissu rayé bleu et blanc, dans un jardin. Fauve était dans ses bras et elle penchait la tête comme pour observer l'enfant.

Même dans ses rêves les plus torturants, elle n'avait jamais été aussi belle. Le portrait respirait l'amour et la joie. Très vite, il repoussa le chevalet hors de sa vue et sortit de la pièce en donnant un tour de clef à la porte. Il passa par-derrière et suivit le chemin qui longeait le mur du mas. Une fois dans les bois, il s'assit sur le sol et, s'appuyant contre un arbre, il respira profondément, comme s'il venait d'échapper à un grand danger. Pourquoi avait-il fait cela? Pour risquer de rouvrir sa blessure?

D'instinct, pour ne pas souffrir, Mercuès s'efforça de rejeter la vision de Teddy qui s'était imposée à lui de façon douloureuse. C'est à ce petit bout de chou qu'il voulait penser, à Fauve bébé. Déjà, sur cette toile, on devinait qu'elle avait une sacrée vitalité! Il la revit le jour de sa naissance, enveloppée dans la couverture rose, juste sortie des entrailles de sa mère mais déjà si distincte qu'il lui avait tout de suite trouvé son nom. La colère qu'il avait ressentie tout l'été à son égard s'évanouit brusquement. Il songea au visage qu'elle avait eu ce soir, à table : il reflétait toutes ses émotions. Elle ne pouvait pas plus refréner sa nature ardente et

388

idéaliste qu'elle n'était capable d'être hypocrite ou simplement diplomate.

A cet instant, son amour pour Fauve était si intense qu'il lui permettait de se couler dans sa peau, de la comprendre parfaitement. Il prit lentement conscience des questions qu'elle devait se poser. Qui suis-je? Où vais-je? Qui étaient mes ancêtres? Y a-t-il un lien entre ces gens et moi?

Bien sûr, elle cherchait une réponse à ces questions car elle était, comme Teddy, une romantique. Pas étonnant que Fauve fût troublée, qu'elle eût enfourché ce dada de ses ancêtres juifs. Pendant un court moment, il songea à ce qu'aurait été la vie de Fauve si Teddy avait vécu, si elle avait eu un père et une mère pour veiller sur elle. Il repoussa cette vision inutilement torturante mais, pour la première fois de sa vie, il comprit qu'il n'avait pas été le seul à souffrir de la perte de Teddy. Et il n'avait jamais montré ce portrait de Teddy et de Fauve à personne. *Pas même à Fauve.*

Julien Mercuès n'avait encore jamais songé à faire un testament. Mais quand ses parents étaient morts, il avait dû s'occuper des détails de l'héritage. Sa mère avait eu la fâcheuse idée de laisser un tiers de ses maigres biens à une vieille amie qui venait souvent tirer l'aiguille en sa compagnie. Cette femme n'avait aucun lien de parenté avec elle. Lorsque Mercuès avait interrogé l'avocat sur la légalité d'une telle décision, il s'était entendu répondre que toute personne a le droit de disposer d'un tiers de sa fortune comme bon lui semble. Légalement, Fauve était une étrangère pour lui. Elle ne jouissait d'aucun statut légal. En tant qu'enfant adultérine, elle ne pouvait rien obtenir, mais en tant qu'étrangère, elle avait droit à un tiers de ses biens.

Ainsi, Fauve serait à jamais liée à lui. Quel livre d'histoire poussiéreux tiendrait devant ce lien puissant que représentaient les plus belles œuvres de sa vie? Quelle bagatelle architecturale, quel livre, quels noms de gens morts depuis longtemps lui feraient davantage sentir son identité que ce trésor pour lequel il avait vécu et qu'il lui léguait de son vivant?

Il se leva, et enleva quelques brindilles accrochées à son pantalon. En regagnant le mas, Julien Mercuès, à la lumière des étoiles, semblait aussi jeune et aussi impatient que le jour où il s'était approché pour la première fois du portail de la vaste ferme provençale qui allait décider du cours de son destin.

« Kate, je voudrais que vous fassiez préparer deux chambres d'amis », demanda Mercuès à sa femme le lendemain matin.

Assise au bord de la piscine, Kate leva la tête. « Vous avez invité des gens? » s'enquit-elle, surprise. D'habitude, c'était toujours elle qui se chargeait des invitations.

« Oui, deux hommes. Ils prendront leurs repas avec nous puisqu'il n'y a aucun restaurant dans les environs. Ils resteront sans doute huit ou dix jours.

— Mais de quoi parlez-vous, Julien? Qui sont ces hommes?

— J'ai décidé de faire mon testament. Les toiles doivent être évaluées. Ce matin, j'ai appelé Etienne Delage pour lui demander conseil. En tant que marchand, il connaît toutes les ficelles. Il m'a dit qu'avant de rédiger mon testament il me fallait faire estimer toutes mes œuvres. Autrement, c'est le gouvernement qui s'en chargera après ma mort et, naturellement, il les surestimera de façon que mes héritiers paient un maximum d'impôts. Mais si c'est fait de mon vivant, j'ai le droit d'avoir mon propre expert, accompagné, bien entendu, de celui du gouvernement. Ce sont les deux hommes qui doivent venir. En général, ils coupent la poire en deux pour le prix. Etienne m'a trouvé un expert qui estimera toutes les toiles au minimum – dans les limites du raisonnable, naturellement. C'est sa spécialité.

– Puis-je vous demander ce qui vous a soudain décidé à faire un testament?

– Je laisse à Fauve un tiers de mes biens, la part dont je peux disposer librement. » Il guetta des signes de détresse sur le visage de Kate mais elle portait de grosses lunettes de soleil et il ne remarqua rien. « La nuit dernière, je me suis souvenu que c'était possible et j'ai repensé à vos paroles : « Tous « les enfants recherchent leur identité. » J'espère que ça l'aidera à trouver la sienne. Bien sûr, Nadine et vous aurez les deux autres tiers. Je ne laisserai à Fauve que des toiles. Quel intérêt y aurait-il à lui léguer une part de la ferme ou de nos investissements dans la région puisqu'elle n'y vit pas? Cela signifie qu'il faut également évaluer La Tourrello et les autres placements pour que Fauve ne risque pas d'être lésée.

– Je vois, dit Kate d'une voix sans timbre.

– Tout cela va prendre du temps. Le testament ne sera certainement pas rédigé avant de longs mois. Etienne m'a affirmé que les tableaux, les meubles, l'argenterie et les bijoux peuvent être donnés individuellement. En d'autres termes, si une toile qui vaut tant va à Fauve, une autre du même montant ira à Nadine et une autre à vous, etc.

– Si je comprends bien, vous accompagnerez vos legs du nom et de la description du tableau?

– C'est ça. Mais je n'ai pas oublié que la série *La Rouquine* vous appartient, Kate, n'ayez pas peur. C'était un fameux placement que vous avez fait là.

– Oui, je ne peux pas me plaindre.

– J'ai l'intention de vous les racheter.

– Vraiment? Et pourquoi?

– Parce que je veux qu'ils aillent à Fauve. Après tout, ce sont des portraits de famille, en quelque sorte.

– Oui... en quelque sorte. Avez-vous une idée de ce qu'ils valent?

– Non, mais je suis prêt à payer le prix.

– Eh bien, c'est parfait. Nous verrons cela.

– Bon, je suis content d'avoir pris cette décision, dit Mercuès, soulagé. N'oubliez pas de faire préparer les chambres. Les experts seront là dans deux jours.

– Ne vous inquiétez pas, dit Kate. Avez-vous prévenu Fauve?

– Non, pas encore. Je lui en parlerai tout à l'heure, quand elle rentrera se changer. Elle va à je ne sais quelle réception ce soir. »

Il disparut dans son atelier, songeant à la tête que ferait Fauve demain, dans la chambre forte.

Pâle de rage, Kate resta parfaitement immobile. Ainsi ce n'était pas suffisant d'obliger Nadine à gagner sa vie, voilà maintenant qu'il voulait la dépouiller au profit de cette bâtarde!

La pensait-il assez stupide pour gober son histoire de partage honnête des toiles? Elle savait aussi bien que lui qu'entre deux tableaux de même valeur, il peut y avoir une énorme différence d'*im-*

portance dont seul l'artiste décide. Elle se doutait qu'il ne donnerait à Fauve que ses plus belles œuvres. Ses chefs-d'œuvre. Si Fauve recevait sa part exclusivement en tableaux, la moitié de la chambre forte lui appartiendrait. La vision de cette pièce remplie de toiles lui noua l'estomac.

Comment osait-il lui infliger cela? D'un artiste inconnu elle avait fait Julien Mercuès. Il lui *appartenait*. Il n'avait aucun droit sur terre, sinon ceux qu'elle lui accordait. Comment pouvait-il caqueter comme un vieil imbécile sur le « partage » de ses œuvres, alors que toutes ses toiles auraient dû lui revenir, à elle?

Il était sa créature. Que serait-il maintenant s'il ne l'avait pas épousée? *Rien!* Un vieil homme plein d'amertume, végétant dans un atelier crasseux de Montparnasse, se demandant pourquoi le monde n'était pas venu à lui. Il aurait manqué sa chance et un autre peintre aurait pris sa place. Et, cependant, il *osait* parler de léguer son œuvre à Fauve.

Cette œuvre, c'est à elle qu'il la devait, à personne d'autre. Non, c'était impossible, c'était hors de question! Paralysée par une fureur et une émotion plus grandes que celles qu'elle avait ressenties lorsqu'il l'avait quittée pour Teddy Lunel, Kate regardait fixement devant elle. Elle sentait la violence monter en elle, bouillonner, et soudain, elle sut ce qu'elle devait faire.

« Fauve, peux-tu venir une seconde dans ma chambre et fermer la porte? appela Kate, dès qu'elle l'entendit rentrer cet après-midi-là.

– Oui... mais je n'ai pas beaucoup de temps. Il faut que je me change. Eric revient me chercher à six heures.

– Ce ne sera pas long. Fauve, je ne crois pas que tu te rendes compte à quel point tu contraries ton père avec tes discours sur les juifs.

– Oui, je sais. J'ai parlé beaucoup trop longtemps, Kate. Je suis consciente d'avoir accaparé toute la conversation. Excuse-moi.

– Ce n'est pas le fait que tu aies parlé longtemps qui importe, mais plutôt le choix du sujet. Il n'a été question que de la souffrance des juifs.

– Oui, et alors?

– J'espérais bien n'avoir jamais à te dire cela mais je vois que tu es très concernée par ton héritage maternel – c'est normal et je trouve ça touchant – mais, vois-tu, quand on parle des juifs devant ton père, ses vieilles blessures se rouvrent.

– Tu fais allusion à ce qui s'est passé avec ma grand-mère? Je suis au courant de cette histoire, Kate, mais je ne vois pas pourquoi mes propos sur les juifs lui feraient particulièrement penser à elle. Maggy n'est pas la seule juive sur terre.

– Il ne s'agit pas d'elle. Je n'y pensais pas une seconde. Non, Fauve, c'est quelque chose de beaucoup plus difficile à expliquer pour moi.

– Où veux-tu en venir? demanda Fauve, stupéfaite de voir l'expression tourmentée de Kate, ordinairement si maîtresse d'elle-même.

– Tu n'as que seize ans et tu ne sais pas ce que c'est que la guerre. Mais nous, nous l'avons subie, avec son cortège d'horreurs...

– Oh! mon Dieu, dit Fauve, hier soir, quand tu parlais des camps de concentration, tu pensais à ce qui est arrivé aux juifs pendant la guerre, n'est-ce pas? Tu essayais de me mettre en garde. Je suis désolée, Kate, je n'ai pas compris sur le moment. Je ne pensais pas que ça le ferait souffrir... Je n'ai jamais su...

– Fauve, tu ne comprends pas. Je parle de l'occupation en France et de ce qui s'est passé ici. Quand je suis rentrée à Félice, après la guerre, Marthe Brunel qui n'avait pas quitté La Tourrello m'a raconté des choses que je ne pensais pas être amenée un jour à révéler à quiconque.

– Que veux-tu dire, Kate?

– Je vais te donner un exemple, ce sera plus simple. Pendant les dernières années de la guerre, les Allemands étaient partout, même à Félice. Ils envoyaient tous les hommes valides travailler en Allemagne. »

Kate s'interrompit et secoua tristement la tête.

« Et alors?

– Grâce à un officier allemand avec lequel il est devenu très ami, ton père a échappé au Travail obligatoire.

– Je ne te crois pas.

– C'est normal, Fauve. Même un détail aussi insignifiant est difficile à croire.

– Un détail insignifiant! »

Kate remarqua avec satisfaction que Fauve était blême. Et, pourtant, elle ne lui avait encore dit qu'une infime partie de la vérité. Comme elle avait été bien avisée de toujours rester en bons termes avec Marthe Brunel! C'était un véritable tyran mais elle ne pouvait s'empêcher de bavarder.

« Cet officier était un amateur d'art. Il a procuré des tubes de peinture à ton père pour qu'il puisse continuer à travailler, et il a subtilisé son dossier pour lui éviter le S.T.O. Certaines de ses meilleures œuvres datent de ces années-là et, pourtant, si les gens étaient au courant de tous ces détails, ils ne manqueraient pas de le traiter de collaborateur.

– Mais pourquoi me racontes-tu tout ça?

– Pour te faire comprendre ce que le génie de ton

père a exigé de lui. Quand il a parlé à l'Allemand de la bande de vauriens qui étaient venus voler ses précieux draps – il a peint sur des draps pendant toute la guerre parce qu'il n'avait plus de toiles – il ne pouvait pas savoir qu'ils faisaient partie du maquis. Ce fut un affreux malentendu que ton père ne s'est jamais pardonné. Vingt d'entre eux ont été pris et exécutés sur-le-champ. Il l'a su par l'officier qui est venu lui rendre ses draps.

– Je ne crois pas un mot de ce que tu racontes, s'emporta Fauve, folle de rage. C'est un mensonge méprisable! Et quel rapport avec ma conversation d'hier? Je parlais de la vie des juifs en Provence avant la Révolution, pas pendant la guerre. »

Kate poussa un soupir et enfouit un instant son visage dans ses mains. Maintenant! pensa-t-elle, *maintenant!*

« Ecoute, Fauve, dit-elle avec lassitude, comme si elle la suppliait de faire un effort de compréhension, ce n'était qu'un exemple de ces horribles tragédies qui surviennent en temps de guerre. C'était pour te faire comprendre la situation de ces juifs qui sont venus lui demander refuge pendant l'Occupation.

– Des juifs – quels juifs?

– Les juifs de Paris qui essayaient de passer en zone libre. Plusieurs sont venus le trouver – c'étaient de vieux amis, tu comprends –, ils comptaient sur lui pour les aider. C'est Marthe qui m'a dit tout ça... Fauve, c'est difficile à expliquer à quelqu'un de ta génération. Que sais-tu de la guerre? »

Kate se laissa tomber sur une chaise, le visage fermé.

« Pourquoi difficile à expliquer? » demanda Fauve d'une voix tendue.

Son cœur cognait dans sa poitrine comme si elle venait de courir un cent mètres. Kate prit sa respiration et se mit à parler d'une voix résolue, les yeux fixés sur le tapis.

« Ton père a ordonné à Marthe et à Jean de construire un mur pour cacher l'entrée de La Tourrello, afin qu'aucun réfugié, juif ou pas, ne puisse venir le déranger et interrompre son travail. Bien sûr, il a dû également fermer le portail, sinon la plupart, qui connaissaient bien la maison, seraient passés par les bois. Ton père savait que, s'il avait laissé un seul juif coucher ne serait-ce qu'une nuit chez lui, il aurait mis ses jours en danger.

– Mais il y avait tout de même bien des gens qui aidaient les juifs, qui entraient dans la Résistance, qui faisaient sauter des ponts! s'exclama Fauve.

– Très peu de gens, Fauve, très peu de gens. Et ceux-là avaient moins à perdre que ton père. Il lui fallait choisir entre peindre et risquer sa vie. Je crois qu'il a eu raison de faire ce choix et j'espère – je prie – pour que tu en sois convaincue. Il a estimé que son œuvre était plus importante que ces gens à qui il ne devait rien. Tu es assez grande, maintenant, pour comprendre ça.

– Grande, répéta Fauve, grande?

– Mais, Fauve, il fallait bien les faire partir! Personne ne leur demandait de venir et il en arrivait constamment. Ils auraient détruit la *paix de son esprit.* Pourquoi crois-tu qu'il lui ait fallu huit ans pour se décider à faire ta connaissance? Parce qu'il avait peur de perdre sa paix intérieure, son pouvoir de concentration. Ces juifs, même s'ils n'avaient jamais été pris, l'auraient empêché de peindre. En outre, La Tourrello a beau être un lieu isolé, on sait tout ce qui s'y passe, au village. Tôt ou tard, quelqu'un l'aurait dénoncé aux autorités. Voilà pourquoi, Fauve, il ne supporte pas ton nouvel intérêt pour les juifs. Cela lui rappelle tous les gens qui venaient sonner à sa porte et auxquels il n'ouvrait jamais.

– Menteuse!

– Demande à Adrien Avigdor si tu ne me crois pas.

– Quoi?

– Tu as très bien entendu. C'était le meilleur ami de ton père avant la guerre. Mais Julien lui a fermé sa porte. C'est Avigdor lui-même qui me l'a raconté à Paris en 1946. Quand tu as commencé à sortir avec Eric, j'ai eu peur qu'Avigdor ne t'en parle. Il n'a jamais digéré cette histoire et, quand je l'ai vu, il m'a tenu des propos très amers. Il semble qu'il connaisse tous les gens qui sont venus chercher refuge à La Tourrello. C'étaient presque tous des artistes. Son animosité m'a fait peur. On avait l'impression qu'il rendait ton père responsable de la guerre et de toutes les déportations. Bien sûr, un certain nombre de ces gens se sont fait prendre et sont morts dans des camps, mais ce qu'aurait fait ton père n'aurait probablement pas changé grand-chose.

– Pris... déportés... morts...

– Fauve, il fallait que je t'en parle. Promets-moi de ne plus jamais nous parler des juifs pendant les repas. »

Elle s'interrompit. Fauve était sortie de la chambre en courant. Non, pensa-t-elle, non, elle n'avait rien oublié d'important.

Quand Fauve poussa la porte de l'atelier, Mercuès, à son chevalet, travaillait au portrait de sa fille. Depuis qu'il avait pris la décision de lui léguer un tiers de son héritage, il avait retrouvé toute son énergie.

« Ah! Dieu merci, te voilà! J'ai beaucoup de choses à te dire. »

Il posa son pinceau et s'approcha d'elle pour l'embrasser. Elle se figea et leva une main pour l'en empêcher.

« Papa, c'est vrai que tu as refusé d'ouvrir ta porte aux juifs pendant la guerre? C'est vrai que tu les laissais sonner sans répondre? »

Mercuès semblait cloué sur place. « C'est Avigdor! explosa-t-il soudain. Bon Dieu, qu'est-ce qu'il t'a dit?

– Ainsi, c'est vrai! » s'écria Fauve. En entendant le nom d'Avigdor, son dernier et fol espoir venait de mourir. « Penses-tu parfois à eux, à tous les juifs qui sont morts à cause de toi? »

Elle tourna les talons mais pas assez vite pour ne pas avoir entrevu la vérité sur son visage. Il tendit un bras vers elle, mais elle était déjà partie. *Et il n'osa pas courir derrière elle.* Il resta debout, tremblant au milieu de l'atelier vide, irrésolu, désespéré par l'horreur qu'il avait lue dans le regard de sa fille.

Arrivant avec trois quarts d'heure de retard, Eric trouva Fauve sur la route, devant La Tourrello. Deux valises étaient posées près d'elle et elle avait un imperméable sur le bras.

« Nous partons en voyage, chérie? demanda-t-il gaiement, prêt à lui passer tous ses caprices.

– Eric, il faut que tu m'emmènes à la gare.

– Sûrement pas! Si tu t'es chamaillée avec ta charmante sœur, je veux bien aller lui coller une paire de claques.

– Eric, non, ne plaisante pas. »

Fauve baissa la tête. Inquiet, il rejeta le rideau de cheveux qui lui dissimulait son visage. A son contact, elle eut un bref sanglot et il vit qu'elle avait dû pleurer longtemps car elle avait des traces de larmes sur les joues et les yeux tout rouges.

« Mon Dieu, que t'est-il arrivé? » demanda-t-il. Elle secoua la tête, monta dans la voiture et se pelotonna sur le siège. Il lança les deux valises à l'arrière et tenta de la prendre dans ses bras, mais elle le repoussa. « Sors-moi d'ici », dit-elle d'un ton qui lui fit immédiatement mettre le contact et démarrer. Ils roulèrent en direction d'Avignon. « Chérie, dit Eric au bout de cinq minutes, dis-moi ce que tu as. Je t'en supplie, mon amour, laisse-moi t'aider.

– Non, Eric, tu ne peux rien faire.

– Tu n'as plus confiance en moi? Rien ne peut être si grave, voyons!

– Je ne peux pas en parler. »

Elle avait cessé de pleurer mais il y avait une expression d'impuissance si désespérée sur son jeune visage qu'Eric, saisi, arrêta la voiture sur le bas-côté de la route.

« Ecoute, je n'irai pas plus loin si tu ne me dis pas ce qui se passe. Je n'ai jamais vu personne dans cet état. »

Elle ouvrit la portière et descendit. Au moment où elle s'apprêtait à sortir ses valises, il l'attrapa par le poignet et la força à rentrer dans la voiture.

« Mais que fais-tu? Tu es folle? Fauve!

– Si tu continues à me poser des questions, je fais du stop jusqu'à Avignon.

– Bon, tu as gagné. Mais pourquoi ne veux-tu pas me parler? Tu sais pourtant combien je t'aime! »

Sa tendresse, sa douceur, eurent raison du calme

apparent de Fauve. Elle se mit à sangloter éperdument. Eric faillit s'arrêter de nouveau. Autour de lui, le paysage semblait s'être désintégré.

« S'il te plaît, Eric, laisse-moi à la gare. J'attendrai le train toute seule.

– Je vais l'attendre avec toi.

– J'aimerais mieux pas.

– Tu ne peux pas m'en empêcher », répondit-il, en se garant.

Ils sortirent de la voiture et s'assirent sur un banc devant la gare. Eric essaya de lui prendre la main mais elle la retira immédiatement et croisa les bras d'un air farouche.

« Où vas-tu? demanda Eric.

– A New York.

– Tu as ton billet d'avion? » Elle hocha la tête. « Et ton billet de train?

– Je le prendrai dans le train.

– Je vais aller te le chercher maintenant.

– Non, ce n'est pas la peine.

– Fauve, il faut que tu me laisses faire quelque chose pour toi où je deviendrai fou. »

Elle haussa les épaules et il alla acheter son billet, des sandwichs, de l'eau minérale pour le voyage et tous les magazines qu'il put trouver, bien qu'il fût certain qu'elle ne lirait rien et resterait ainsi, figée et le regard perdu, jusqu'à Paris. On lui avait fait quelque chose de terrible et son intuition, aiguisée par l'amour, lui disait que jamais plus il ne retrouverait la fille joyeuse qu'il avait déposée quelques heures auparavant à La Tourrello.

« Merci, dit Fauve d'une petite voix, lorsqu'il revint près d'elle. Je suis désolée, Eric.

– Si je t'écris, tu me répondras?

– Oui, bien sûr.

– Fauve, je voudrais que tu t'arrêtes de temps en

temps et que tu te souviennes que je t'aime et que je t'aimerai toujours. Si tu avais quelques années de plus, je ne te laisserais jamais repartir, tu le sais, non ?

– Oui, Eric », répondit-elle d'un ton passif et lointain qui lui tordit le cœur.

Elle disait oui à tout pour se débarrasser de lui, pour qu'il la laisse monter dans ce train qu'il entendait au loin. Autour d'eux, les gens prenaient leurs affaires et se dirigeaient vers le quai.

Le train s'arrêta et Eric monta les valises de Fauve dans le porte-bagages. Il lui trouva un siège libre et elle s'y laissa lourdement tomber, aussi inerte qu'un animal mort. Pendant quelques secondes, il la regarda d'un air irrésolu puis il entendit le coup de sifflet annonçant le départ du train. Il la prit par les épaules et la mit debout.

« Nous ne sommes jamais allés à Lunel, dit-il d'une voix étranglée par l'émotion.

– Non. »

Pendant qu'il l'embrassait, le train s'ébranla lentement. « Je t'ai promis que nous irions et nous irons, déclara-t-il en la lâchant. Tu es mon seul amour, Fauve, n'oublie jamais ça. »

Il courut le long du couloir et sauta sur le quai. Immobile, le visage sillonné de larmes, il regarda le train s'éloigner en emportant son amour.

Un an plus tard, Kate Mercuès, assise à la table du petit déjeuner, attendait avec impatience que son mari quittât la maison. Depuis des mois, il partait tôt le matin pour ne revenir que le soir. Il ne lui disait jamais où il allait, mais elle le connaissait assez pour savoir qu'il devait fouiller la campagne à la recherche d'une nouvelle idée. Depuis que Fauve avait quitté La Tourrello, il ne travaillait plus, ne mettait plus les pieds dans son atelier. Il lui avait écrit six lettres qui lui avaient toutes été renvoyées. Fauve ne les avait même pas ouvertes. Quels mensonges avait-il bien pu inventer pour se disculper ? se demandait Kate. Lorsque Fauve s'était enfuie, il avait prétendu qu'il s'agissait d'une chose sans gravité, d'un stupide malentendu. Il lui avait reproché de passer trop de temps avec Eric Avigdor, d'être toujours fourrée avec les Avigdor, avait-il raconté à Kate.

Quelques semaines auparavant, il s'était finalement décidé à écrire à Maggy et, depuis, Kate attendait avec terreur la lettre qui révélerait le rôle qu'elle avait joué dans le départ de Fauve. La réponse de Maggy était arrivée hier, juste avant que Kate ne parte pour Apt. Mercuès l'avait enfouie dans sa poche sans l'ouvrir.

Hier soir, pendant tout le dîner qui avait été sinistre comme d'habitude, Mercuès avait semblé furieux et plein d'amertume. L'excellent repas, la table parfaitement dressée, le service impeccable, la délicieuse odeur de la nuit – rien n'avait eu raison de son humeur sombre. Qu'avait répondu Maggy ? Il fallait qu'elle le sût.

Dès que Kate entendit la voiture de Mercuès s'éloigner, elle monta au premier et s'enferma dans la chambre de Julien. La pièce était comme toujours bien rangée, impersonnelle car sa vie réelle était ailleurs. Sur la table de chevet, était posé le livre sur les juifs d'Avignon que Fauve avait laissé. Kate ne comprenait pas pourquoi il tenait tant à garder cet ouvrage près de son lit. Ce n'était pourtant pas le genre de Julien de se torturer. La lettre n'était pas non plus sur son bureau. D'une main preste, elle ouvrit tous les tiroirs et enfin, cachée sous la pile de courrier de ses admirateurs, elle trouva l'enveloppe qu'il avait enfouie dans sa poche la veille. Elle sortit la lettre et en lut rapidement le contenu.

« Julien,

« ·Non, je ne sais absolument pas pourquoi Fauve ne répond pas à tes lettres et refuse même de les lire. Toutes mes tentatives pour la faire parler de ce qui s'est passé l'été dernier sont restées vaines. Elle a été très triste et perturbée pendant des mois et chacune de tes lettres semble raviver une blessure secrète. Quand elle a vu que tu m'avais écrit, elle m'a dit de te répondre ce que je voulais et m'a demandé de te renvoyer dorénavant toutes tes lettres sans lui en parler.

« J'ignore ce qui s'est passé entre vous deux et je n'entends pas m'en mêler. Je ne sais pas ce que tu as pu faire à Fauve pour qu'elle soit dans cet état mais, de toute façon, c'est fait et il est trop tard pour essayer d'arranger les choses. Mon expérience avec toi a été telle que je ne suis pas encline à t'accorder le bénéfice du doute.

« Maggy. »

Kate lut deux fois la lettre, la remit dans le tiroir et se glissa hors de la chambre.

Elle ne risquait plus rien, maintenant. Elle savait que Fauve ne révélerait jamais à son père le rôle qu'avait joué Kate dans cette affaire. Les tableaux, la terre, les investissements et l'argent liquide iraient à Nadine. L'avenir de sa fille ne serait pas compromis.

Hier, elle avait vu le docteur Elbert à Apt. Elbert avait accouché Nadine et elle le préférait aux médecins d'Avignon. Comme elle saignait depuis quelques semaines – quinze ans après sa ménopause – elle avait jugé préférable de consulter un médecin, chose qu'elle n'avait pas faite depuis des années. Après une série d'analyses et de radios, il avait diagnostiqué un cancer de l'utérus. Comme elle insistait auprès du médecin pour savoir la vérité sur le stade de sa maladie, il lui avait expliqué que le cancer était trop avancé pour qu'on pût tenter l'opération. Les examens avaient révélé des métastases au foie. Elle lui avait alors demandé combien de temps il lui restait à vivre. Difficile à dire, avait-il répondu, un an... peut-être plus.

Assise au bord de la piscine, elle regarda autour d'elle. Tout était en ordre, magnifique, absolument intact. Pour la première fois depuis que Teddy Lunel avait passé le portail de La Tourrello, Kate se sentit certaine de tout posséder... pour un an, peut-être un peu plus.

27

En juin 1974, Maggy donna une fête pour le vingt et unième anniversaire de Fauve. Deux cents invités envahirent le premier étage du Russian Tea Room.

Derrière ses grosses lunettes, Falk, que ses amis intimes continuaient à appeler Melvin, observait la foule. Le niveau des décibels était à la limite du supportable, comme souvent à New York. Ici, songea-t-il, sont réunis les gens qui ont le pouvoir de décider à quoi ressemblera la femme demain. Il chercha Fauve du regard.

Ces cinq dernières années, il l'avait vue moins souvent qu'il ne l'aurait souhaité. Ils ne faisaient plus la tournée des galeries comme par le passé. A l'automne 1969, Fauve avait définitivement tourné le dos à l'art. Elle en avait rendu responsable cet événement artistique qu'avait été l'exposition organisée par Henry Geldzahler au Metropolitan Museum : « Peinture et Sculpture à New York : 1940-1970. » En sortant de là, Fauve, d'une voix où perçait une note d'hystérie, lui avait décrété qu'elle ne voulait plus voir ni peinture ni sculpture. Il ne l'avait pas prise au sérieux à l'époque. Son étrange résolution ne tiendrait probablement que jusqu'à la prochaine exposition. Comment Fauve, qui avait la passion de l'art, aurait-elle pu devenir indifférente aux expériences complexes faites dans ce domaine?

Cependant, le temps passant, il remarqua que son dégoût s'était mué en une sorte de tristesse, comme si l'art était mort et qu'elle portait son deuil. Elle prétendait que tous les grands artistes avaient déjà peint, que toutes les innovations avaient été faites, tous les grands thèmes usés, les possibilités graphiques découvertes, et que les nouveaux artistes ne faisaient que ramasser les miettes des maîtres du passé.

Falk en avait ri jusqu'au moment où il avait découvert que Fauve avait cessé de peindre. Elle ne peindrait plus jamais, lui avait-elle répondu lorsqu'il l'avait interrogée. Comment pouvait-elle continuer sans rien avoir à exprimer de nouveau? Bien que Falk eût reconnu l'influence de Mercuès sur son travail, il savait que Fauve avait un talent véritable et original qui luttait pour émerger. Il savait que c'était une question de temps, que, tôt ou tard, elle exprimerait sa propre vision des choses. Mais, au lieu de travailler dans ce sens, elle avait tout bonnement abandonné la peinture et peut-être à jamais.

Falk mordit dans un *pirojok* et savoura l'exquise pâte feuilletée tiède. Tout en mâchant, il se dit que c'était une perte véritable pour le monde de l'art.

Qui aurait pu imaginer que Fauve, à dix-sept ans, après avoir terminé ses années de collège, préférerait travailler avec Maggy plutôt qu'entrer à l'université? Et qui aurait pensé qu'elle serait aussi douée pour ce genre de travail? Pendant ces quatre dernières années, non seulement elle avait tout appris sur ce métier, mais elle avait suggéré plusieurs innovations qui avaient contribué à faire de l'agence Lunel la première de New York. Elle avait travaillé si dur, avec tant d'ambition et de détermination, qu'elle était maintenant directrice adjointe. Malgré son jeune âge, elle était aussi capable que Maggy.

Dick Avedon et Irving Penn rejoignaient Falk. C'étaient les seuls qui étaient restés au sommet aussi longtemps que lui, les seuls à qui on comparait toujours les nouveaux talents. En bavardant avec eux, il songea combien peu d'artistes pouvaient se targuer d'avoir une influence durable dans ce monde où le changement était la règle. Maggy Lunel, elle, régnait encore.

Elle était maintenant à cet âge où le mieux qu'on puisse dire d'une femme c'est qu'elle n'en a pas. Elle était étonnamment et triomphalement sans âge. Et elle le resterait pendant au moins vingt ans encore, jusqu'au jour où elle deviendrait, à son grand dam, une « légende vivante ».

En se disant bonjour, ce soir, ils avaient échangé un sourire empreint de tristesse. Chacun savait que l'autre pensait : *Si seulement Teddy était là!*

Falk chassa cette pensée comme il l'avait fait mille fois, à travers trois mariages avec des mannequins et la naissance de quatre enfants. Tous tenaient de leurs mères respectives et dépassaient leur père d'une bonne tête – rendons grâce aux grandes femmes, se dit-il. Il continua à chercher la seule personne qu'il avait vraiment envie de voir ce soir. Il adorait ses enfants, mais Fauve était entrée dans son cœur avant son premier mariage et, curieusement, il pensait toujours à elle comme à la fille qu'il aurait dû avoir avec Teddy Lunel. Mais où donc était Fauve?

Maggy se jeta un dernier coup d'œil dans la glace à trois faces avant de se rendre à la réception donnée pour l'anniversaire de Fauve. Ainsi, elle avait déjà une petite-fille de vingt et un ans? Eh bien, tant mieux!

Cependant, dans le cas de Fauve, ces vingt et un ans ne signifiaient pas l'entrée dans le monde des adultes. Non, ce phénomène était intervenu cinq ans auparavant et Maggy ne savait toujours pas ce qui l'avait provoqué. Lorsque Fauve était rentrée bien avant la date prévue, cet été-là, Maggy l'avait bombardée de questions mais Fauve avait refusé de répondre avec un entêtement dont Maggy était sûre de venir à bout. Les semaines passant, elle remarqua combien Fauve avait changé. Elle avait perdu ses illusions d'enfant et sa joie de vivre. Cette petite fille qu'elle adorait avait été, elle aussi, complètement transformée par Mercuès. Mais, au moins, elle était rentrée, elle.

Au bout d'un an, Maggy comprit qu'elle ne saurait jamais ce qui s'était passé. Fauve, si spontanée, si ouverte, avait appris à garder un secret. Pendant sa dernière année de collège, entre seize et dix-sept ans, elle avait semblé très déprimée. Dieu merci, tout ceci est fini, songea Maggy avec soulagement. Le mystère de son tourment n'avait jamais été éclairci. Fauve n'était plus retournée en France. Après la réponse de Maggy à la lettre de Mercuès, toute communication entre le père et la fille avait cessé, comme si ces huit étés qu'elle avait passés à Félice n'avaient jamais existé.

Fauve, si aimante et prompte à pardonner, s'était montrée implacable avec son père. Elle l'avait rejeté de sa vie. Pendant longtemps, Maggy s'était demandé avec une intense curiosité ce qui avait bien pu causer cette rupture. Tout était possible avec Mercuès.

Pendant quelques années, Fauve avait reçu de nombreuses lettres du fils d'Adrien Avigdor (incroyable comme le monde était petit!). Elle y avait répondu puis leur correspondance s'était espacée. Maggy ne savait pas trop s'ils continuaient à s'écrire mais, en tout cas, Fauve s'était sortie de cet état dépressif qui avait duré si longtemps.

Le temps... C'étaient le temps et le travail qui avaient guéri ses blessures. Lorsque Fauve lui avait annoncé son intention de travailler à l'agence, Maggy, remplie de désespoir, s'était dit qu'elle voulait devenir mannequin. Elle n'aurait pas pu l'empêcher. Fauve avait toutes les qualités pour régner sur son époque, comme l'avaient fait Teddy Lunel et Suzy Parker dans les années 50, et Jean Shrimpton dans les années 60. Mais, Dieu merci, Fauve avait tout autre chose en tête. Sa beauté ne l'intéressait pas plus que son talent de peintre. Elle répugnait à devenir la gardienne vigilante de son physique et ne voulait pas en faire une source de revenus. Elle était entrée à l'agence et y avait consacré toute son énergie.

Elle s'était mise au travail avec une efficacité et une assiduité qui avaient stupéfié Maggy. Pendant ces deux premières années, elle avait appris tout ce qui concernait l'agence et, peu à peu, Maggy prit l'habitude de laisser Fauve décider d'une foule de choses. Elle était vive, et plus efficace que ne l'aurait laissé supposer son extrême jeunesse.

Lorsque Maggy osa enfin prendre des vacances – les premières depuis longtemps – et que Darcy et elle revinrent de Londres où ils avaient passé quinze jours, elle trouva l'agence prospère et Fauve sereine. Un sentiment d'exaltation et de soulagement intense s'emparèrent de Maggy et, pour la première fois depuis bien des années – ces années où elle avait été obligée de subvenir aux besoins de sa fille et aux siens, elle prit le temps de vivre.

Un soir, ce printemps-là, Maggy et Darcy sortirent pour dîner. Au 21, le maître d'hôtel les accompagna à leur table, cette table à laquelle ils s'étaient assis le soir où ils avaient fait connaissance en 1931, à l'époque où le 21 était le speakeasy le plus en vogue de New York.

Depuis quarante-deux ans, Darcy occupait toujours la table sept, dans la partie bar de l'établissement, à gauche de la porte d'entrée. C'était la table la mieux placée de tout le bar, et de nombreux hommes d'affaires la convoitaient.

« Pourquoi dînons-nous toujours au bar? se plaignit Maggy. Nous n'avons jamais pris un seul repas dans la salle à manger. » Darcy eut l'air aussi effaré que s'il avait trouvé sa fameuse table occupée par une star du rock. « Il paraît que c'est très agréable là-haut, poursuivit-elle. Il y a moins de bruit et plus d'espace. Onassis, Mme Douglas MacArthur et Nelson Rockefeller dînent toujours au premier, alors que nous, nous sommes toujours coincés ici.

– Tu n'as jamais voulu dîner au premier étage, tu n'es même pas allée voir à quoi ça ressemblait, répliqua Darcy, stupéfait.

– Je commence à en avoir marre du bar », répondit Maggy. D'un doigt dédaigneux, elle désigna la nappe à carreaux rouges et blancs. « Là-haut, ils ont des nappes blanches et épaisses, amidonnées comme autrefois. En tout cas, c'est ce que prétend Lally. Et il y a des fleurs sur les tables.

– Mais, bonté divine, si tu es si malheureuse ici, pourquoi ne pas me l'avoir dit plus tôt? s'emporta-t-il. Allons au premier... Allez, viens.

– Mais non, c'est trop compliqué, restons ici maintenant que nous y sommes. C'était simplement une suggestion, dit Maggy. D'ailleurs, je ne suis pas malheureuse, je suis simplement nerveuse. » Elle but une gorgée de Bollinger brut 1947. Le maître d'hôtel leur avait apporté une bouteille de champagne dès qu'il les avait vus s'asseoir à la table où ils dînaient deux ou trois fois par semaine. « Je me demande quel goût a la tequila, dit-elle d'une voix morne. Tu ne commandes jamais autre chose que du champagne. Remarque, c'est bien assez bon pour moi... C'est ce que tu penses, apparemment.

– Mais, bon Dieu, qu'est-ce que tu as, ce soir?

– Je suis fatiguée, murmura-t-elle.

– Eh bien, rentrons alors », dit-il, inquiet. Maggy n'était fatiguée que lorsqu'elle était malade.

« Je suis fatiguée que tu me croies incapable de nouvelles expériences, fatiguée de cette vie routinière... de ton manque d'attention, Darcy. Notre liaison est une chose établie depuis si longtemps que tu ne te donnes plus aucun mal pour moi.

– Je n'ai jamais rien entendu d'aussi absurde et injuste, protesta-t-il, furieux.

– Comment peux-tu le nier? demanda-t-elle, retrouvant toute sa vivacité. Ça ne m'étonne pas, d'ailleurs, venant de la part d'un être aussi peu romantique que toi. Parfois, j'ai l'impression de dîner avec mon vieil oncle ou mon grand-père.

– Mais qu'est-ce que c'est que cette scène ridicule? explosa-t-il.

– Ne crie pas. Depuis combien de temps ne m'as-tu pas demandé en mariage? s'écria-t-elle, le visage empourpré par l'indignation.

– Depuis combien de temps? Depuis le jour où j'ai décidé de cesser de me conduire comme un imbécile!

– Tu n'as pas répondu à ma question, observa-t-elle.

– Quinze ans... Non, je crois que je t'ai proposé de m'épouser à la Saint-Valentin, il y a une douzaine d'années. Oui, je m'en souviens, maintenant... Tu étais particulièrement ravissante ce soir-là et je n'ai pas pu m'empêcher, pauvre crétin que je suis, d'essayer une dernière fois... Remarque, je savais que je n'avais aucune chance.

– Voilà pourquoi tu me demandais régulièrement en mariage! Tu savais que tu ne risquais rien. Je l'ai toujours pensé... J'ai toujours su que tu étais comme les autres. Je vois clair en toi. J'en ai assez de cette comédie, tu comprends?

– Espèce de garce... d'ingrate...

– C'est une proposition? demanda-t-elle, l'œil étincelant de colère.

– Sûrement pas!

– Voilà, j'en étais sûre! Quand tu es acculé, tu te défiles. Parfait, Darcy. Je te donne une minute pour prendre ta décision.

– C'est une proposition?

– Faut-il que tu manques de sensibilité pour oser me demander ça!

– Maître d'hôtel! appela Darcy. Nous allons dîner au premier étage. Préparez-nous deux tequila. Madame et moi devons prendre d'importantes décisions et il y a vraiment trop de bruit dans ce bar. »

Et voilà, songea Maggy, c'est ainsi qu'ils s'étaient mariés deux ans auparavant. Et il était grand temps, avait commenté Lally. Elle était toujours devant sa glace, perdue dans ses pensées, lorsque Darcy entra, vêtu de son smoking, prêt à partir pour la soirée d'anniversaire de Fauve. En regardant leur double reflet dans le miroir, une bouffée de joie l'envahit. Comme elle avait eu raison d'épouser cet homme !

Darcy mangea une petite pomme de terre farcie au caviar et nappée de crème fraîche, songeant que Henry McIheeny, ce bon vivant, avait tort lorsqu'il prétendait que pour savourer le caviar il fallait être assis. Profitant d'un moment d'accalmie, il en prit une autre et la fourra dans sa bouche. En haut de l'escalier, Maggy et lui accueillaient leurs invités. Beaucoup de gens étaient déjà arrivés. Mais où donc était Fauve ?

Polly Mellen, de *Vogue*, était là avec toute son équipe, ainsi que Tony Mazzola, rédacteur en chef du *Harper's Bazaar* depuis des années, accompagné de ses proches collaborateurs. Il aperçut Tom Hogan, de Clairol, Estée Lauder avec toute sa famille, Gilbert Shawn, président de la Warshaw et, à sa stupéfaction, Eileen et Jerry Ford dont l'agence de mannequins concurrençait celle de Maggy depuis la fin des années 40.

Le fait que Maggy eût invité sa seule rivale sérieuse était la preuve que la femme qu'il aimait depuis si longtemps avait changé. Trois ans auparavant, c'eût été hors de question. La compétition entre les deux agences était de plus en plus serrée et c'était à qui paierait le mieux ses mannequins.

Les mannequins rapportaient à Maggy deux millions de dollars par an et les Ford n'étaient pas loin derrière. Les deux agences avaient, parmi quelques centaines de filles, une demi-douzaine de mannequins vedettes aussi rentables qu'un immeuble de bureaux.

Depuis près de vingt ans, Maggy Lunel et Eileen Ford se disputaient ces biens précieux et, comme aucune des deux femmes n'aimait perdre et que, bien sûr, chaque fois que l'une gagnait, l'autre perdait, cette trêve, même momentanée, avait de quoi surprendre.

« Nous sommes comme des pays producteurs de pétrole, lui avait expliqué un jour Maggy. Eileen et moi, Wilhelmina depuis sept ans et maintenant Zoli depuis 1970, dirigeons les seules entreprises de cette ville qui méritent d'être mentionnées. Nous ne pouvons pas fixer un prix ou créer un monopole à cause de ces stupides lois antitrust. Mais, vis-à-vis de nos filles, nous devons nous maintenir à un haut niveau afin qu'elles soient bien traitées par les agences de publicité et par les photographes – après tout, elles n'ont que quelques années pour faire leur pelote. Aussi, dans la mesure où nous les représentons, il vaut mieux que nous soyons tous en bons termes. » Maintenant, Darcy comprenait sa motivation : elle pensait à l'avenir de Fauve.

« Mais bonté divine, où est passée Fauve? dit une voix d'homme derrière lui.

– Je pensais qu'elle était peut-être avec vous », répondit Darcy en se tournant vers Ben Litchfield, son protégé qu'il avait vu passer de la vente d'espaces publicitaires au service de publicité de *Woman's Journal,* le magazine féminin qui avait le plus gros tirage de tout le pays, puis au poste de rédacteur en chef, alors qu'il n'avait pas encore trente ans.

« Non, dit-il, je ne l'ai pas vue depuis lundi. »

Benjamin Franklin Litchfield était le plus fervent admirateur de Fauve et celui qui, manifestement, avait le plus de succès auprès d'elle. C'est en tout cas ce que pensaient Maggy et Darcy qui en étaient réduits aux suppositions, Fauve ne leur faisant jamais de confidences sur sa vie privée. Darcy suivait avec intérêt l'évolution des rapports entre les deux jeunes gens car c'est lui qui les avait présentés un an auparavant.

Fauve et Ben devraient faire connaissance, décida-t-il un dimanche où il cherchait à les joindre tous les deux. Il avait fini par les trouver dans leurs bureaux respectifs où au moins, pendant le week-end, on ne les dérangeait pas. Il leur avait proposé de déjeuner avec Maggy et lui. Depuis lors, Darcy espérait qu'ils passeraient bientôt leurs dimanches matin au lit plutôt qu'au bureau. C'était plus humain, meilleur pour la circulation et le teint.

Maggy aussi aimait bien le jeune Litchfield. Par bien des côtés, il lui rappelait Darcy lorsqu'elle l'avait rencontré pour la première fois. Il avait cette même intensité qui dissimule souvent le sens de l'absurde, sa curiosité et sa générosité, mais physiquement il ne ressemblait en rien au Darcy grand et d'une distinction presque ascétique qui l'avait tant attirée.

Le séduisant Ben Litchfield avait toujours l'air négligé et pourtant, le matin, lorsqu'il quittait son appartement, il était toujours impeccable : chemise propre, costume classique bien repassé, chaussures luisantes. Mais à l'heure du déjeuner, il ne ressemblait plus à rien. Il avait tant de fois fourragé dans sa tignasse blonde qu'on avait l'impression qu'il sortait du lit. En général, son nœud de cravate se trouvait à la hauteur du troisième bouton de sa chemise, ses poches étaient déformées par tout ce qu'il y fourrait – papiers, crayons, etc. – et il avait perdu les trois paires de lunettes cerclées d'écaille qui lui étaient indispensables pour étudier la mise en page ou lire des manuscrits.

Mais, quand Ben Litchfield enlevait ses lunettes,

ses immenses yeux bleus de myope étaient aussi étonnés et heureux que ceux d'un bébé qui découvre un éléphant pour la première fois. Dans la vie, il accueillait toutes choses avec ce même regard à la fois serein et surpris qui faisait dire à ses collaborateurs qu'il était aussi innocent qu'un flic de la brigade des mœurs de Detroit. Il avait le sourire tranquille d'un homme qui fait ce qu'il préfère et le fait mieux que quiconque. Jusqu'à ce qu'il rencontre Fauve, il n'avait jamais cherché à se lier sérieusement avec aucune fille. Il était trop occupé à faire son chemin dans la vie pour cela.

« Pas depuis lundi? s'étonna Darcy. Je croyais que vous étiez constamment fourrés ensemble, tous les deux?

— Je sais, grommela Litchfield. Ecoutez, Darcy, vous m'avez appris tout ce que je sais, comme vous ne manquez jamais de me le rappeler, surtout en public. Comment décide-t-on une fille à vous épouser?

— Il faut de la patience, mon garçon, beaucoup de patience.

— Meci beaucoup. C'est vraiment un conseil utile!

— Venez, Ben, allons prendre un blini et nous parlerons de tout ça sérieusement. Je pourrai peut-être vous donner de bons conseils. Au fond, je ne pense pas que la patience soit une très bonne tactique. »

Il jeta un dernier coup d'œil vers le hall et aperçut enfin Fauve, éclatante, vêtue d'une robe brodée de sequins argentés coupée court comme un jupon, les joues toutes roses, l'œil brillant d'excitation.

« Magali, Magali, s'écria-t-elle en se précipitant vers l'escalier, je suis désolée d'être si en retard! »

Fauve n'était pas seule. Elle remorquait une créature d'un mètre soixante-quinze qui ressemblait plus à un épouvantail qu'à un mannequin. La fille (tout au moins Darcy le supposa-t-il) était vêtue d'un imperméable et chaussée d'espadrilles. Ses cheveux, très blonds, étaient coupés presque en brosse et elle arborait une expression désorientée en suivant Fauve.

« Magali, regarde ce que je t'amène! Elle arrive de l'Arkansas. Elle est fantastique, non? »

Maggy inspecta la fille. Le *look* des mannequins vedettes en ce moment était sophistiqué : silhouette sculpturale, cheveux longs et bouclés. La fille était osseuse, avec des dents légèrement en avant, des taches de rousseur et des sourcils en accent circonflexe. Mais elle était pleine de promesses. Ainsi, le look allait changer! On pouvait faire confiance à Fauve.

« C'est pour ça que tu es en retard?

– Ouais. J'étais au bureau et je m'apprêtais à partir quand elle est entrée. Ses amis – ceux avec qui elle est arrivée – l'avaient défiée de monter. Il a fallu que je téléphone aux parents pour leur expliquer que je gardais leur fille mais que je n'étais pas un marchand d'esclaves. Et puis il a fallu que je lui trouve un studio. Tout ça m'a pris pas mal de temps.

– Comment vous appelez-vous? demanda Maggy à la fille.

– Ida Clegg.

– Hum... Eh bien, bienvenue à l'agence Lunel, Ida. Vous buvez de la vodka?

– Je veux bien, madame, tout ça m'a donné soif », répondit la fille avec l'accent traînant du Sud.

Maggy se tourna vers Fauve et l'embrassa en

418

murmurant : « Pourquoi n'as-tu pas attendu demain pour t'occuper de ça?

– Parce qu'elle avait également l'adresse d'Eileen sur un bout de papier, chuchota Fauve à son tour.

– Mais pourquoi ne me l'as-tu pas dit immédiatement, bonté divine? J'étais inquiète.

– Parce que... regarde derrière toi. »

Maggy se retourna et vit Eileen Ford derrière elle.

« Bon anniversaire, Fauve, dit Eileen avec un sourire chaleureux.

– Merci, Eileen.

– Vous devez être très fière, Maggy.

– Oui, c'est vrai, je suis très fière.

– Et qui est cette jeune personne?

– Une fille que nous venons juste de découvrir – Arkansas. »

Eileen jeta à Ida Clegg un coup d'œil perçant qui voyait tout, savait tout, comprenait tout.

« Arkansas? fit-elle. Arkansas quoi?

– Juste Arkansas, répondit Fauve.

– Je vois. C'est très patriotique. Eh bien, Arkansas, bienvenue à New York. » Eileen s'éloigna, l'air contrarié.

« Qui est cette gentille dame? demanda Arkansas.

– Euh... c'était..., commença Maggy.

– Une amie, dit vivement Fauve, simplement une amie. »

28

Fauve Lunel se précipita dans le vieil ascenseur de l'immeuble de Carnegie Hall. Elle était en retard à sa réunion du vendredi avec Casey d'Augustino, mais Benjamin Franklin Litchfield s'était montré très insistant la nuit dernière et elle avait eu du mal à se réveiller ce matin. Elle traversa à la hâte la salle de réception dont les murs étaient ornés de six couvertures de magazines où figuraient d'anciens mannequins de Lunel.

L'agence, se développant chaque année davantage, occupait de plus en plus d'espace dans le bel immeuble ancien. Cependant, le personnel était encore à l'étroit.

Le bureau de Maggy était grand et confortable mais Fauve et Casey partageaient deux petits bureaux voisins d'une des trois pièces où officiaient les bookers. Ils étaient, comme d'habitude, pendus au téléphone, remarqua distraitement Fauve en s'asseyant à son bureau et en appuyant sur le bouton de la ligne intérieure pour convoquer Casey.

Casey d'Augustino ne travaillait à l'agence que depuis un an, mais Fauve et elle formaient déjà une équipe solide. Casey – de son vrai nom, qu'elle détestait, Anna-Maria – était diplômée de Hunter, le

420

collège d'enseignement secondaire new-yorkais qui n'accepte que les élèves les plus brillants. Casey était née dans une famille nombreuse originaire de Palerme et établie à Brooklyn depuis deux générations. C'était la meilleure amie de Fauve. Elle s'assit en face d'elle et poussa un gémissement en tapotant avec précaution ses courtes boucles, comme si elle cherchait une bosse ou des bleus.

« Que t'arrive-t-il? demanda Fauve en riant.

– J'ai une de ces gueules de bois! Toute l'agence a mal aux cheveux ce matin. C'est d'avoir porté tous ces toasts.

– Moi je me sens bien, répondit Fauve, étonnée.

– Naturellement, tu ne t'es pas porté de toasts à toi-même! Pas la peine de prendre l'air vertueux. Tu verras quand on fêtera mon anniversaire... Tu auras une superbe gueule de bois. Bon, commençons. Day O'Daniel m'a appelée ce matin. Elle est prête à travailler pour nous à condition d'avoir son propre booker.

– C'est exclu! Il faut lui ôter cette idée de la tête.

– Elle a été catégorique. Elle ne viendra qu'à cette condition. »

Day O'Daniel était l'un des six mannequins vedettes d'une autre agence. Pour des raisons que personne ne parvenait vraiment à s'expliquer, elle était disposée à travailler pour Lunel. Fauve et Casey rêvaient d'engager cette ravissante brune qu'on commençait à voir partout sur les magazines. Cependant, la politique de Lunel, établie par Maggy, consistait à ne jamais permettre aux mannequins d'avoir leur propre booker.

« Day prétend qu'elle ne se sentira bien qu'avec son propre booker, quelqu'un qui la connaîtra, qui la protégera ou en tout cas lui en donnera l'impression. Je cite ses paroles.

– Peut-être devrait-elle rentrer chez sa maman, suggéra Fauve, agacée. C'est une idée tellement naïve de s'imaginer qu'on ne peut réussir dans ce métier qu'avec son propre booker. Elle devrait comprendre que, si je lui attribue un booker particulier, les autres ne s'occuperont plus d'elle, l'oublieront complètement. Et quand son booker partira déjeuner? Et s'il tombe malade et manque une semaine? Day ne sera pas plus protégée que les autres. C'est vraiment une façon aberrante d'envisager sa carrière, j'espère que tu le lui as dit.

– Non, je t'ai laissé ce soin. Tu fais ça si bien!

– Très drôle! Je vois que tu te sens mieux. Je crois que je vais tout simplement laisser Magali régler ce problème. Si quelqu'un a une chance de convaincre Day de l'absurdité de cette exigence, c'est bien elle.

– Oui, mais le problème c'est que Maggy est partie pour tout le week-end et que Day O'Daniel veut la réponse tout de suite. Elle m'a laissé son numéro de téléphone pour que tu l'appelles ce soir. »

Fauve se souvint qu'on était jeudi et que, du jeudi soir au lundi après-midi, Maggy était à la campagne. Darcy et elle avaient acheté une maison à la lisière de Bedford Village. Fauve avait encore du mal à croire que Maggy lui laissait maintenant la responsabilité de l'agence pendant deux jours entiers. Mais Darcy avait habitué ses collaborateurs à ne compter sur lui que trois jours par semaine. Et depuis, ils étaient beaucoup plus efficaces, prétendait-il. Darcy avait toujours maintenu qu'il ne faut pas consacrer au travail plus de temps qu'il n'est nécessaire et, lorsque Maggy et lui s'étaient mariés, il avait décidé de réaliser son rêve et de passer de longs week-ends à la campagne.

« Bon, continuons, suggéra Fauve. Quoi d'autre ? »

Ce n'est pas possible, il doit y avoir une erreur, se dit Nadine Mercuès Dalmas en étudiant la facture du fleuriste Arena. Comment avait-elle pu dépenser douze mille francs de fleurs en quelques mois ? Arena était le plus grand fleuriste de Paris et le plus cher, mais, aux yeux de Nadine, c'était manquer d'intelligence que d'envoyer à une maîtresse de maison des fleurs d'une autre boutique car, quel que soit leur prix ailleurs, elles ne faisaient jamais le même effet. Envoyer des fleurs, les fleurs qu'il fallait et de chez le bon fleuriste était l'un des talents que Nadine avait développé au cours de ses six années de mariage avec Philippe Dalmas.

On les appelait le couple le plus envié de Paris, songea Nadine, assise à son bureau, dans son salon moderne, confrontée à une pile de factures qu'elle se décidait enfin à régler. La plupart dataient de trois ou quatre mois et venaient de gens qui se fichaient pas mal qu'elle fût la fille du comte de Paris ou celle de Julien Mercuès qui lui laisserait une jolie fortune après sa mort. Mais son père – que le diable l'emporte – semblait parti pour vivre centenaire.

Nadine étudia attentivement la facture d'Arena. Des orchidées plantées dans des cache-pots en porcelaine pour la princesse Edouard de Lobko-wicz. Comment pouvaient-elles coûter si cher alors qu'elle avait fourni les cache-pots ? Elle avait été fière de ce cadeau. C'est elle qui, la première, avait eu l'idée d'acheter ces ravissants cache-pots au

Grenier de la Marquise, fascinante boutique de cadeaux, rue de Sévigné, et de les faire remplir de fleurs par Arena. Bien sûr, l'opération revenait cher, mais comment quelqu'un doté d'un peu de goût, aurait-il pu n'envoyer qu'un simple bouquet à une dame qui était née princesse Françoise de Bourbon-Parme? Une dame qui avait invité Nadine et Philippe avec le duc et la duchesse d'Uzès, et le duc et la duchesse de Torlonia. Les douze convives avaient été servis par quatre maîtres d'hôtel dans de la porcelaine de Meissen et, devant chaque invité, on avait posé un menu en haut duquel était gravée la couronne du Saint-Empire romain.

Elle n'envoyait pas de fleurs aux Lobkowicz chaque fois qu'elle dînait chez eux, mais quand elle le faisait, il fallait qu'elles soient extraordinaires.

Des étrangers auraient pu penser, à en juger par le nombre important de couturiers, d'écrivains et de décorateurs qui fréquentaient certains salons, qu'on invitait maintenant n'importe qui dans la haute société. Nadine savait qu'il n'en était rien.

Chaque invitation, quelle que fût l'importance de la réception, était pesée, mesurée, mûrement réfléchie. Nadine imaginait une maîtresse de maison penchée sur son cas : vais-je inviter les Dalmas? Sont-ils toujours dans le coup? Lui n'a aucun statut particulier, pas de nom, il n'a rien accompli et n'a même plus l'agrément d'être célibataire. Mais elle est plus proche de Jean-François Albin que quiconque... Sa dernière collection était une merveille et ils sont tous deux très décoratifs... Oui, je vais tout de même les inviter. Après tout, c'est quand même la fille de Mercuès.

Que font les gens qui ne sortent pas dans le monde? se demandait Nadine. Comment pouvaient-ils supporter leur morne existence? Ne se rendaient-ils pas compte qu'ils n'étaient rien, qu'ils ne comptaient pas, qu'ils habitaient un désert aussi dépourvu de signification que l'espace? Quand elle regardait ces femmes commander des robes superbes chez Albin, elle se disait toujours : à quoi bon? Ces robes ne seront portées *nulle part*. Les dîners auxquels elles étaient conviées étaient dérisoires et leurs soirées dans des restaurants ne pouvaient qu'engendrer le mépris. Leur unique rôle dans l'existence était d'enrichir Albin. Si elle n'avait pas éprouvé un tel sentiment de supériorité à leur égard, elle aurait pu les trouver pathétiques, mais elle les détestait trop.

Nadine se pencha sur la facture de Lenôtre, le célèbre traiteur parisien. Comme Philippe et elle n'avaient pas de personnel, à part une femme de ménage, les factures de Lenôtre étaient de loin les plus lourdes à payer. Tous les trois mois, les Dalmas donnaient un cocktail astucieusement organisé le soir d'une première ou d'un grand bal, si bien que les gens étaient contents de picorer de merveilleux hors-d'œuvre, sachant qu'ils souperaient tard dans la soirée. En rédigeant le chèque, elle se dit que rien ne serait aussi stupide que de s'adresser à un traiteur de second ordre. Et il valait mieux donner un cocktail signé Lenôtre plutôt qu'un dîner de moindre qualité. Cependant, elle revit soudain avec une furieuse bouffée d'envie la réception que venait de donner la duchesse de La Rochefoucauld pour son anniversaire. Jeanne-Marie avait prié cent quarante personnes à un dîner assis et en avait convié deux cents autres à les rejoindre ensuite pour le bal. La seule façon dont on pouvait voir que la maîtresse de maison était américaine résidait dans le choix piquant du menu : un jambon de Virginie et de la salade de pommes de terre. Ah! Ça, c'était la classe! Oser servir ce genre de plat au roi Umberto d'Italie et au prince Charles de Luxembourg! Jeanne-Marie se rendait-elle compte de sa chance?

Nadine sortit de sa rêverie, se souvenant que, dans le choix de ses invités, elle était beaucoup plus sélective que la duchesse qui recevait à tour de bras des gens dont Nadine, elle, n'aurait pas voulu chez elle. Non, le salon de Nadine Dalmas était connu pour n'être fréquenté que par des personnes de toute première qualité.

Fréquemment, Philippe et elle acceptaient des invitations de gens légèrement inférieurs à eux socialement pour avoir le plaisir de ne pas rendre l'invitation. Ils étaient toujours si ridiculement vexés! Mais qu'espéraient-ils? Que Nadine allait transformer ses coktails en fourre-tout et qu'ils allaient pouvoir se glisser parmi ses amis riches et titrés? Sans aucun doute, la formule était bonne. Quatre cocktails par an, en invitant exclusivement le gratin, donnaient à une maîtresse de maison plus de prestige que des douzaines de dîners somptueux mais moins discriminatoires. Et c'était également moins onéreux.

Qui aurait pu penser qu'ils n'étaient pas riches? Le meilleur fleuriste, le meilleur traiteur, le meilleur club après le Jockey – la famille de Philippe, bien qu'excellente, ne lui permettait pas d'appartenir au Jockey. Il y avait là des factures provenant du polo de Bagatelle et du golf de Saint-Cloud. Philippe était déjà membre de ces deux clubs lorsqu'il était célibataire. Laisser tomber son inscription maintenant eût été inconcevable. La facture de la location de ses poneys pour ces deux derniers mois – pendant lesquels il avait joué dans l'équipe de l'Aga Khan – s'élevait à quatre mille francs, remarqua-t-elle, mais ce sport revenait tout de même moins cher que le jeu. Pendant l'hiver, le polo était rempli de joueurs de gin-rummy et Philippe y perdait des sommes importantes.

Nadine remplit ses chèques aussi vite que possible pour en terminer avec cette besogne assommante et, tout en écrivant, médita sur toutes les choses dont ils profitaient sans rien débourser. Ces factures, bien qu'élevées, ne représentaient qu'une faible partie de leur train de vie. La volumineuse garde-robe de Nadine, constamment renouvelée, était offerte par la maison Jean-François Albin. L'appartement ne leur coûtait presque rien, ils voyageaient dans les jets privés de leurs amis et séjournaient l'hiver dans leurs chalets, en Haute-Savoie ou à Saint-Moritz. Ils faisaient du bateau sur leurs yachts et passaient des semaines dans leurs somptueuses villas de Saint-Jean-Cap-Ferrat, Porto-Cervo ou Bavaria. Nadine déjeunait au Relais Plaza ou chez Maxim's sur notes de frais et, bien sûr, pendant la saison, ils dînaient tous les soirs dehors.

Nadine dépensait peu d'argent liquide et seulement là où le contraire eût été remarqué. Chez Edouard et Frédéric, le grand coiffeur parisien, elle distribuait de généreux pourboires. S'il en avait été autrement, le personnel aurait jasé. Une princesse ou la femme d'un armateur pouvaient se permettre d'être pingres, mais pas la simple Mme Dalmas.

La simple Mme Dalmas. Nadine quitta son bureau et erra dans le salon. Pourquoi, songea-t-elle pour la centième fois, avait-elle fait la folie d'épouser un homme pauvre? Pourquoi sa mère ne l'en avait-elle pas empêchée? Comment avait-on pu la laisser commettre cette erreur? Et un pauvre doublé d'un crétin, en plus, d'un incapable qui, depuis sept ans, n'avait mené à bien que quelques-unes de ses nébuleuses affaires.

Si incroyable que cela lui parût maintenant, elle avait dû en être amoureuse. Autrement, comment expliquer la façon dont elle avait dépensé l'héritage de sa mère? Kate, morte d'un cancer quatre ans auparavant, lui avait légué beaucoup plus d'argent qu'elle le lui avait laissé espérer. Apparemment, elle avait très bien vendu certains tableaux qui lui appartenaient. Quoi qu'il en fût, l'argent s'était volatilisé en peu de temps. Nadine avait cédé au souhait stupide de Philippe : acheter une propriété à la campagne. La moitié de son héritage était passée dans l'acquisition d'un château en Normandie. Et il refusait obstinément de s'en séparer, bien qu'ils n'eussent, en aucun cas, les moyens de le restaurer convenablement ni de l'entretenir. Depuis des années, il rêvait d'avoir une maison à lui, avait-il insisté, et de toute façon, ils auraient bientôt tout l'argent nécessaire.

Son amour pour Philippe. Il avait dû exister, sinon pourquoi lui aurait-elle permis d'investir le reste de cet héritage de façon si désastreuse? Il s'était associé avec un ami pour racheter une boîte de nuit qui devait concurrencer Castel. Jean Castel refoulait des centaines de clients chaque soir, donc, une autre boîte serait la bienvenue.

Philippe et son nouvel associé connaissaient tous les riches noctambules de Paris. Ceux qui s'ennuyaient tant que même leur célébrité les laissait indifférents. Tous les soirs, à onze heures, ils cherchaient désespérément à retarder le moment où ils se retrouveraient seuls en face d'eux-mêmes. Mais ce que Philippe et son associé n'avaient pas compris, c'est que ces gens-là n'allaient jamais ailleurs que chez leur cher Castel, rue Princesse.

Au bout d'un an, après avoir perdu beaucoup d'argent, Philippe avait fini par retirer ses billes.

Oui, elle avait dû l'aimer ou alors, comment expliquer ce criminel manque de jugement de sa part? Après cette déplorable histoire de boîte de nuit, Philippe était devenu maussade et irritable, comme s'il lui en voulait de ne pas être capable de lui fournir d'autres fonds. Son unique qualité, le charme, avait totalement disparu. Il s'était laissé aller comme une grosse femme qui quitte enfin un corset trop serré. Mais, au téléphone ou dans les réceptions mondaines, il faisait un effort et l'ancien Philippe, le charmeur, réapparaissait. Dans ces moments-là, elle l'observait avec la froideur d'un entomologiste, remarquant comment les gens réagissaient à sa présence, à sa façon de poser des questions irrésistibles, d'écouter ses interlocuteurs avec une attention flatteuse et de ne parler de lui qu'avec humour et modestie. Tous ses trucs lui étaient familiers jusqu'à la nausée. Même sa séduction lui répugnait. Il lui était à ce point indifférent qu'elle ne se préoccupait même pas de ses liaisons. Dieu merci, il avait assez de goût pour ne recruter ses maîtresses que dans la bonne société. Au moins, on pouvait les inviter à dîner. C'était le seul domaine où il manifestait un peu d'intelligence.

Nadine emporta les enveloppes qui contenaient ses chèques dans sa chambre. Elle les ferait poster lundi matin par la secrétaire d'Albin. Autant économiser les timbres.

Depuis des années, Nadine avait conscience de détester Jean-François Albin. Elle ignorait à quel moment ce sentiment s'était insinué en elle, à quel moment elle avait enfin compris qu'elle n'était que la nurse mondaine d'un petit garçon faible, égocentrique à l'excès et souvent cruel qui n'avait qu'un seul don dans la vie, don que le monde entier considérait avec un respect abusif. Sa meilleure amie, sa muse!

Quelle farce! Une farce à laquelle tous deux se prêtaient encore. Nadine parce qu'elle ne pouvait pas plus se permettre de payer ses robes que de perdre le prestige que lui conférait leur association. Albin parce qu'une fois la lune de miel terminée, il avait compris qu'il lui serait désormais difficile de se passer des services de Nadine. C'est elle qui, maintenant, était chargée d'emmener ses deux afghans neurasthéniques chez le vétérinaire, d'engager et de renvoyer ses domestiques, d'écrire ses cartes de remerciement, de déjeuner avec les clientes riches mais assommantes, de le débarrasser de ses amants lorsqu'ils commençaient à s'incruster, d'acheter son hachisch, etc. Elle s'occupait de lui vingt-quatre heures par jour.

Ce soir, Nadine allait être obligée d'insister et de le cajoler pour qu'il accepte de se rendre à sa propre soirée d'anniversaire qu'elle préparait depuis des semaines. Trop de homards, avait-il gémi, et trop de duchesses. Pourquoi n'avait-elle pas organisé quelque chose de plus amusant, un pique-nique, ou une choucroute avec un jarret de porc et un brave beaujolais villages en tonneau? Pourquoi était-elle si conventionnelle, si bourgeoise? Nadine s'était contentée de rire en lui faisant observer que le vin rouge le rendait malade, mais elle était hors d'elle. Il était vraiment intolérable, elle haïssait jusqu'au son de sa voix. Mais, malheureusement, son job chez Albin était leur seule source de revenus fixes bien que son salaire ne couvrît pas grand-chose, pas même la note du fleuriste qu'elle venait de recevoir.

Depuis le fiasco de la boîte de nuit, ils vivaient presque entièrement sur l'argent qu'elle empruntait à Etienne Delage, le marchand de son père. Elle détestait dépendre ainsi de lui mais, sachant qu'il serait intégralement remboursé à la mort de Mercuès, il lui en prêtait autant qu'elle voulait.

Nadine se jeta sur son lit et songea, une fois de plus, à la mort de son père. Il n'allait plus tarder à mourir. Elle hériterait. La Tourrello devait valoir... beaucoup, beaucoup d'argent. Elle ne pouvait imaginer combien. Bien sûr, elle ne vendrait pas tout immédiatement de peur que les cours de la Bourse ne baissent, mais elle pourrait se débarrasser de plusieurs millions d'actions immédiatement, de quoi régler toutes ses factures en retard et respirer un peu. Elle quitterait Albin au moment où il était le plus vulnérable, juste avant sa collection. Elle jetterait Philippe dehors d'une manière si humiliante qu'il ne l'avouerait jamais à personne. Elle achèterait un grand hôtel particulier rive gauche, peut-être rue de Lille, et le ferait décorer par Didier Aaron avec un raffinement classique qui ne devrait rien, absolument rien à la mode. Et elle commencerait à vivre. Nadine Mercuès, la riche héritière, prendrait enfin la place qui lui revenait de droit dans le cercle doré de la haute société.

Mais jusqu'à ce jour béni, il lui fallait attendre. Bonté divine, combien d'années ce vieil homme était-il destiné à vivre ?

29

FAUVE s'étira. Oh! Que c'est bon, songea-t-elle encore à moitié endormie. Aussi bon que de manger, d'écouter de la musique ou d'embrasser l'homme qu'on aime. Elle bâilla. Bâiller était aussi voluptueux que s'étirer.

Elle roula au milieu du lit et, de la main, chercha Ben, mais il n'était plus là. Elle ouvrit les yeux et regarda la pièce sombre et peu familière. C'était la première fois qu'elle se réveillait dans l'appartement de Ben. Faisait-il encore nuit? Où avait-il bien pu aller? Elle attendit un moment, faillit se rendormir, puis, comme il n'apparaissait toujours pas, elle se glissa hors du lit et ouvrit les rideaux.

Le pâle soleil de mars la fit cligner des yeux. De petits nuages flottaient très haut dans le ciel au-dessus de la ville et un air froid s'insinuait sous la fenêtre. Elle se recoucha et considéra la situation. Si elle l'appelait, il se précipiterait vers elle, mais n'était-il pas préférable de se mettre quelque chose sur le dos et d'aller se brosser les dents? Elle opta pour cette dernière solution et, ne voyant ses vêtements nulle part, elle enroula le couvre-lit autour d'elle.

Dans la salle de bain, elle trouva un mot appuyé contre la glace.

Chérie, je descends acheter de quoi prendre le petit déjeuner. Je suis là dans cinq minutes. Je t'aime.

BEN.

Quelle bonne idée, se dit-elle en cherchant des yeux une brosse à dents. Un somptueux petit déjeuner, voluptueux et érotique, c'était la seule façon de commencer la journée un dimanche matin à New York. Et, plus important, cela prouvait qu'il ne s'attendait pas à ce qu'elle fût ici ce matin, autrement il aurait rempli son réfrigérateur la veille. C'était un bon point. Enfin, un homme qui ne se croyait pas irrésistible. Il n'y avait qu'une brosse à dents, molle et mouillée, dont elle se servit faute de mieux. Elle prit une douche rapide, s'essuya avec une serviette légèrement humide et enfila un peignoir propre mais un peu râpé qui était pendu à une patère contre la porte.

Elle se dirigea vers le living-room et comprit immédiatement que personne ne préparait quoi que ce soit d'exquis dans la cuisine. La pièce n'était pas simplement vide, mais impersonnelle et glaciale. Visiblement arrangée par un décorateur.

Deux journaux, le *New York Times* et le *Sunday News* qu'il avait achetés dans un kiosque de Madison Avenue juste avant de rentrer, traînaient en désordre sur la table basse. Elle les prit, jeta un coup d'œil aux titres puis les reposa. Elle était d'humeur trop joyeuse pour lire le journal ce matin. Elle ressentait une certaine langueur, comme si son corps était encore ému d'avoir été si bien utilisé. Quelles *bonnes* nouvelles apprendrait-elle dans le *Times*, de toute façon? Certainement rien qui vaut la peine d'être imprimé, pensa-t-elle, en essayant de s'installer confortablement sur le canapé en Dunlopillo.

Curieux le goût qu'avaient les célibataires pour ce genre de canapé. Devrait-elle aller préparer du thé dans la cuisine? Non, mieux valait attendre le retour de Ben. Après la nuit dernière, une tasse de thé serait une façon bien banale de commencer ce merveilleux dimanche qui serait, hélas, bref, car il savait qu'elle devait partir pour Rome en fin d'après-midi avec les cinq mannequins que Valentino avait sélectionnés pour la présentation de sa collection de printemps. Après Rome, elles se rendraient à Milan puis à Paris. Elle resterait absente deux semaines.

Benjamin Franklin Litchfield, où êtes-vous? C'était la première fois qu'elle passait la nuit entière avec Ben, ou avec n'importe qui d'autre, d'ailleurs, songea-t-elle, considérant la courte liste de ses amants. Elle savait que la chasteté était démodée, mais elle n'avait eu que deux amants en dehors de Ben.

Quand elle avait le temps d'y penser – ce qui était rare – Fauve supposait que la façon dont elle avait vécu était plutôt étrange pour ces années 70 si libérées. Bien qu'elle travaillât beaucoup à l'agence et eût acquis depuis longtemps son indépendance financière, elle avait continué à vivre avec Maggy et n'avait pris un appartement que deux ans auparavant. Elle était littéralement traquée par les hommes mais, pendant les trois ans qui avaient suivi ses dernières vacances en Provence, Fauve avait été trop hantée par le souvenir d'Eric Avigdor pour songer à qui que ce fût d'autre.

Il était arrivé un moment où les lettres n'avaient

434

plus suffi à alimenter cet amour. Eric avait dû faire deux ans de service militaire après les Beaux-Arts, et n'avait jamais pu se rendre aux Etats-Unis. Elle-même n'avait pris que de courtes vacances, et toujours à des périodes où lui n'était pas libre.

Au bout d'un moment, Fauve s'était rendu compte que tous deux avaient fait preuve d'irréalisme en espérant se revoir. Les années passant, le souvenir de ces brèves semaines en compagnie d'Eric s'était estompé. Cependant, certains moments étaient encore si clairs et si vivants dans sa mémoire qu'elle supportait à peine d'y repenser. Mais le tissu conjonctif qui les reliait avait disparu, rongé par le temps. Elle ne parvenait pas à se souvenir d'un jour entier passé avec Eric, mais seulement de fragments, d'instants.

N'avaient-ils pas été à la hauteur de leurs sentiments? se demandait-elle avec tristesse, ou bien s'étaient-ils trompés? Elle était sûre qu'il ressentait la même chose.

Fauve s'était jetée à corps perdu dans le travail et, en fait, elle avait trouvé de plus en plus difficile d'écrire à Eric. Comment pouvait-il s'intéresser à ce monde de la mode qui lui était si étranger? Le fait que Laurence Hutton eût accepté de poser pour Avedon, vêtue d'un soutien-gorge en dentelle noire, d'un bikini de la même couleur et d'un chapeau rigolo pouvait-il l'amuser?

Les détails qui emplissaient ses jours et qui avaient des répercussions sur sa vie privée et professionnelle lui paraissaient si triviaux et dénués d'importance quand elle en parlait dans ses lettres qu'elle en déchirait cinq avant d'en envoyer une.

Si Maggy ne s'était pas soudain mariée de façon si surprenante, Fauve aurait continué à cohabiter avec elle et elle les aurait rejoints, Darcy et elle, pour dîner plusieurs fois par semaine, comme elle en avait l'habitude. Elle avait été si heureuse avec Magali qu'elle n'avait aucune envie de la quitter, mais elle considérait qu'il fallait qu'elle les laisse tranquilles tous les deux. Magali avait protesté avec la dernière énergie : C'était ridicule de les traiter comme des jeunes mariés, mais Fauve sentait qu'il était temps pour elle de partir.

Elle avait trouvé un petit duplex douillet dans l'un de ces vieux immeubles étroits en pierre brune tout près de la 3e Avenue, et là, juste avant d'avoir vingt ans, elle avait eu une première liaison, puis une seconde. Aucune des deux n'avait été réellement satisfaisante. Quelque chose, un élément essentiel avait manqué et, si elle devait absolument lui donner un nom, le seul qui lui venait à l'esprit était romantisme.

Etait-elle absurdement nostalgique, recherchait-elle quelque chose qui n'arrivait qu'une fois dans la vie ? L'expérience physique avait été bonne dans les deux cas. Les deux hommes étaient intelligents et amusants, mais il leur manquait une dimension, un sens de la poésie qu'elle avait connu un jour sur les routes de Provence.

Fauve n'avait jamais laissé aucun de ses deux amants passer la nuit entière avec elle. Elle ne pouvait envisager de se *réveiller* près d'eux le matin. En un sens, il fallait plus d'intimité pour se réveiller auprès d'un homme que pour faire l'amour.

La veille au soir, en s'endormant, elle avait pensé que se réveiller auprès de Ben Litchfield serait peut-être une révélation. Une touche de roman-

tisme était dans l'air, ne demandait qu'à se développer. Il avait essayé de parler mariage mais elle l'en
avait empêché : le moment lui paraissait mal
choisi.

Maintenant, songea Fauve en massant ses pieds
glacés, elle n'avait plus qu'une idée en tête : manger.
Au diable le romantisme! Ce qu'elle voulait,
c'étaient des saucisses de campagne – les petites,
épicées, toutes brunes et croustillantes, des panca-
kes dégoulinant de sirop d'érable... Ben rapporte-
rait-il tout cela? Ou des gauffres avec du beurre
fondu et de la confiture de fraises... Peut-être avait-il
été chercher des brioches et des croissants, et de
fines tranches de jambon de Virginie, ou encore un
gâteau Pepperidge Farm qu'ils feraient chauffer au
four, avec un glaçage et des raisins. Oh! Dieu,
qu'elle avait faim!

Fauve croisa les jambes sous elle dans la position
du lotus pour avoir plus chaud.

Elle avait beaucoup entendu parler de Ben Litchfield avant de sortir avec lui. Toutes les rédactrices
de mode en étaient folles. Elle l'avait observé avec
attention, persuadée qu'il s'imaginait que toutes les
femmes étaient prêtes à lui tomber dans les bras.
Mais non, elle n'avait pas vu trace de ce contente-
ment de soi chez lui. Il avait un esprit rapide et
curieux, assez compliqué, il la comprenait quand
elle parlait boutique et l'excusait lorsqu'elle était en
retard. Elle aimait son énergie, son esprit caustique
et comprenait ses préoccupations car, grâce à
Darcy, le journalisme n'avait plus de secrets pour
elle. Ben lui avait fait une cour intense pendant de
longues semaines avant qu'elle se décide enfin à
coucher avec lui, quelques mois plus tôt. C'est un
amant très... réconfortant, pensa Fauve, cherchant

le mot qui convenait. Elle se sentait bien avec lui, en sécurité.

Son estomac gargouilla et elle songea de nouveau à parcourir le journal pour passer le temps. Quand Ben avait-il lu le *Times* et *News*? se demanda-t-elle. Elle se souvint obscurément de s'être réveillée au milieu de la nuit et avoir vu de la lumière dans la salle de bain. Aurait-il eu une insomnie?

La clef de Ben Litchfield racla la serrure et il entra si chargé de paquets que Fauve se précipita pour l'aider.

« Deux paquets de Kellogg, du lait, des œufs... C'est tout? demanda-t-elle, déçue.

– Je ne savais pas si tu préférais les corn flakes ou les rice krispies, dit-il, alors j'ai pris les deux. Il y a du pain et du beurre dans la cuisine. »

Il l'embrassa sur le nez, au-dessus d'une pile impressionnante de journaux.

« Tu es parti des heures!

– Je croyais que tu dormirais tard. J'ai dû descendre jusque chez Hotaling, à Times Square, et en plus le *Philadelphia Inquirer* était en retard ce matin. Alors, naturellement, j'ai attendu », dit-il, posant sur la table basse le *Boston Globe*, le *Pittsburgh Press*, le *Washington Post*, le *Cleveland Plain Dealer*, le *Los Angeles Times*, *Newsday*, le *Houston Chronicle*, l'*Atlanta Journal-Constitution* et le *San Francisco Examiner Chronicle*. « Mais, d'autre part, j'ai eu de la chance – regarde, j'ai dégoté un *Miami Herald*! En général il est introuvable le dimanche... Ça compense le fait que je n'ai pas trouvé le *Chicago Trib*. Celui-là on ne peut jamais l'avoir avant lundi. Donne-moi encore un baiser.

– Tu as acheté du bacon?

– J'y ai pensé mais je n'ai qu'une poêle et elle est trop petite pour faire cuire le tout ensemble.

– Tu n'as jamais pensé à faire cuire ton bacon en premier et à faire frire ensuite les œufs dans la graisse? demanda-t-elle, inspirée par son énorme appétit.

– Mon petit poussin intelligent, tu vois, il me faut une femme. Nous essaierons cela un autre jour », dit-il d'un air absent tout en parcourant rapidement ses journaux.

Il sépara quelques pages du reste et les posa sur la table basse.

« Que cherches-tu? demanda-t-elle. Il s'est passé quelque chose d'important?

– Hmmm... Non rien de spécial... Il faut que je jette un coup d'œil sur le magazine du dimanche et sur la rubrique féminine. "Vu pour vous", ou "Pour vous, mesdames"... J'oublie toujours comment ça s'appelle...

– Il *faut* que tu les lises?

– Tu serais surprise de voir le nombre d'idées nouvelles que contiennent toutes ces feuilles de chou le dimanche. C'est plein d'enseignement, murmura-t-il, parcourant fébrilement le *Cleveland Plain Dealer*. Ah! bon dieu, ce con ne m'a pas donné le bon. Il n'y a pas de rubrique féminine là-dedans. On ne peut pas faire confiance à ces types... Ce n'est pas la faute du marchand de journaux, c'est celle des mecs qui les expédient par avion le samedi. Oh! merde!

– *Ben!*

– Oui, chérie? »

Il leva les yeux.

« Retournons au lit.

– *Maintenant?*

– Oui, tout de suite, dit-elle, lui mettant les bras autour du cou et ôtant ses lunettes.

– Avant le petit déjeuner?

– C'est meilleur quand on a l'estomac vide.

– Bon. » Il lança un coup d'œil plein de regret à ses journaux. « Eh bien...

– Tu préfères peut-être lire tes journaux pendant que je préparerai le petit déjeuner et retourner au lit ensuite?

– ·Quelle merveilleuse idée! Oh! chérie, je t'adore.

– Ben, où sont passés mes vêtements?

– Pourquoi, tu n'es pas bien comme ça?

– Le peignoir est trop grand et je suis pieds nus.

– J'ai tout pendu dans mon placard pendant que tu dormais. Je déteste me réveiller dans une chambre en désordre.

– Merci », lui dit-elle, tandis qu'il se penchait avec avidité sur la rubrique féminine du *Los Angeles Times*.

Cinq minutes plus tard, elle se glissa hors de l'appartement si tranquillement que Ben Litchfield ne s'en aperçut que lorsqu'il fut trop tard. Sur la glace de sa salle de bain, il trouva un message écrit au rouge à lèvres : « Je suis partie déjeuner. »

Rome.

Suivie de ses cinq filles qui, parmi ces Romains trapus, ressemblaient à un troupeau de gazelles, Fauve se dirigea vers une table libre qu'elle avait miraculeusement repérée à la terrasse de la *pasticceria* Rosati.

« Asseyez-vous vite », ordonna-t-elle, sachant par expérience le mal qu'on avait à trouver une table chez Rosati. Parmi elles, seule Fauve connaissait Rome. Elle leur avait accordé une journée de congé pour se remettre du voyage et visiter la ville et elle avait décidé de les emmener prendre un verre chez Rosati, piazza del Popolo.

Rien ne surprend les Romains, rien ne les impressionne. Ils se tiennent à l'écart des touristes, ils sont réservés, presque taciturnes avec eux. Depuis l'Antiquité, ils partagent leur ville avec des pèlerins du monde entier. Pour les Romains, tout étranger est un simple provincial. Ils ne voient ni n'entendent le flot incessant des visiteurs qui les entourent. Il n'y a qu'une exception qui fera tourner la tête à un Romain.

« Tous ces gens ont l'air bien aimable », fit remarquer Arkansas.

Fauve jeta un coup d'œil aux visages fascinés qui l'entouraient. Ils ne se donnaient même pas la peine de dissimuler leur intérêt. Jamais, dans l'histoire de la mode, il n'y avait eu un pareil engouement pour les Américaines grandes et maigres avec leurs cheveux superbes et leur peau éclatante. Le vieux monde semblait incapable de produire quoi que ce soit qui ressemblât à ces superbes créatures rieuses et sexy qui faisaient des ravages en Europe.

C'étaient désormais les cover-girls américaines qui présentaient les collections des couturiers. Pourtant, ceux-ci créaient leurs modèles sur d'autres et les Européennes savaient beaucoup mieux défiler sur un podium que les Américaines habituées surtout à poser pour les photographes. Mais maintenant la haute couture faisait penser à un caniche pomponné traînant derrière lui un train entier de produits fabriqués en série et vendus sous la griffe de chaque couturier. Bien sûr, on faisait encore des robes à la main à Paris, à Rome ou à Londres, mais les quelques riches clientes qui les achetaient étaient traitées de « dinosaures » parce

441

qu'elles faisaient partie d'une race en voie de disparition.

Cependant les défilés de mode n'avaient jamais été aussi spectaculaires que maintenant. Les mannequins des plus grandes agences de New York y participaient. Elles coûtaient une fortune, mais faisaient vendre les modèles de l'Indiana à Oslo, de Tokyo à Hambourg.

Cet engouement pour les mannequins américains était si répandu en Europe que pour Maggy, Wilhelmina et Eileen Ford, envoyer leurs filles pendant trois mois à Paris ou à Rome faisait partie de la routine. Là, ces filles inconnues étaient immédiatement bookées avec les meilleurs photographes, amateurs de visages américains tout frais. Elles apprenaient à porter des vêtements qui étaient plus chers et plus sophistiqués que tout ce qu'on pouvait voir aux Etats-Unis. Des coiffeurs de haute volée et des maquilleurs talentueux leur fabriquaient un look, après bien des essais. Elles n'avaient plus qu'à constituer leur book en découpant les douzaines de photos d'elles dans le *Bazaar* italien ou le *Vogue* français. Lorsque ces reines de beauté éclatantes, exotiques et policées rentraient à New York, elles étaient plus sûrement lancées que si elles avaient travaillé trois ans aux Etats-Unis.

Quand elles revenaient.

Maggy et Fauve savaient qu'elles prenaient un risque en envoyant leurs mannequins en Europe. Pourtant, elles habitaient toutes chez des particuliers et étaient bookées par des agences locales qui restaient en contact étroit avec Lunel. Mais malgré tout, elles étaient jeunes, loin de chez elles, et les choses pouvaient mal tourner. Tous les deux ou trois mois, l'agence Lunel envoyait quelqu'un en Europe pour s'assurer que tout se passait bien.

442

Cette année, Fauve était censée profiter de ce voyage pour faire la tournée de tous les mannequins Lunel travaillant actuellement en Europe.

« Qu'est-ce que je t'ai dit à propos des Romains ? demanda-t-elle patiemment à Arkansas qui échangeait des sourires avec ses voisins.

– De ne jamais leur faire confiance, répondit celle-ci gaiement.

– Et à qui crois-tu sourire ainsi ?

– Je ne sais pas... Ce sont peut-être des étrangers comme nous. Ils n'ont pas épinglé leur fiche d'état civil sur leur veste, Fauve. Tu sais pourquoi tu es si méfiante ? Parce que tu es une citadine. Mais en fait, ils ont l'air très sympathique.

– Et tu as décidé de l'être aussi. Oh ! Bonté divine, vous allez me faire subir ça pendant deux semaines ? Non, ne réponds pas. A mon avis, ce n'est qu'un début.

– Mais, Fauve », protesta Angel qui arrivait tout droit de sa Caroline du Sud, l'Etat qui, mystérieusement, fournissait plus de mannequins que tous les autres « ma mère prétend que c'est leur sport national de pincer les fesses. La coutume du pays, quoi ! Elle m'a dit qu'il ne fallait surtout pas monter sur ses grands chevaux ou ils vous prenaient pour une paysanne.

– C'est en général comme ça que les pickpockets opèrent. Pendant qu'un type te pince les fesses, son compère te pique ton portefeuille. Voilà ce qui se passe, en réalité. Explique à ta mère que les temps ont changé, répliqua Fauve d'un ton sec.

– Nous n'allons pas passer deux semaines sans mettre le nez dehors, protesta Ivy Columbo avec son accent bostonien. Il faut tout de même qu'on bouffe, en tout cas le soir. »

La brillante Ivy avait été admise à Radcliffe et à

Lunel la même semaine. Radcliffe n'avait eu aucune chance.

« Ecoutez, dit Fauve, à Milan les hommes sont différents, ils pensent davantage à leurs affaires, ils sont un peu moins dangereux. Quand nous y serons, vous pourrez sortir pour dîner si vous en avez encore la force après une journée de travail, ce dont je doute. Mais tant que vous serez à Rome, je ne vous lâcherai pas. »

Fauve regarda le cercle des visages boudeurs. Un serveur s'approcha avec une bouteille de vin.

« Les messieurs de la table voisine désirent offrir un verre de vin à ces dames », dit-il.

Fauve fit un geste du bras comme pour les chasser. « Remerciez ces messieurs, mais dites-leur que notre religion nous interdit de boire du vin que nous n'avons pas payé nous-mêmes.

– Oh! La peste, murmura Arkansas.

– Espèce de rabat-joie, chuchota Angel.

– On pourrait tout de même être un peu plus aimables », protesta Ivy. Même Bambi Un et Bambi Deux, qui n'avaient rien dit jusque-là, regardèrent Fauve d'un air de reproche.

« Ecoutez, les filles, dit Fauve d'un air sévère, c'est le premier matin du premier jour de ce voyage et vous me pompez déjà l'air. Si je laisse quiconque nous offrir un verre, nous sommes fichues. Nous n'aurons plus la paix une seconde. Est-ce que je me fais bien comprendre? Pas un mot, pas un regard, pas un sourire », conclut-elle, affectant le plus grand sérieux car elle entendait être à la hauteur de son rôle de chaperon.

Elle avait la responsabilité de tout le groupe et elle ne voulait pas qu'elles aient le moindre doute sur son autorité. Fauve était tellement absorbée par ce qu'elle disait qu'elle ne remarqua pas l'homme qui venait de se lever brusquement et se frayait un chemin vers elles.

Il resta un instant derrière elle, la regarda d'un air incrédule, puis se pencha et posa un baiser sur sa tête. Fauve resta quelques secondes bouche bée, puis bondit sur ses pieds.

« Comment osez-vous!... » s'écria-t-elle d'une voix sifflante au moment où Eric Avigdor la prenait dans ses bras.

Les filles applaudirent à tout rompre mais Fauve ne les entendit pas.

30

« Je l'ai chronométrée, déclara tranquillement Ivy. Ça fait cinq bonnes minutes qu'elle ne nous a pas lancé un coup d'œil soupçonneux. »

Elle était assise avec ses quatre compagnes à une table du Da Bolognese, un restaurant animé voisin de chez Rosati. Elles mangeaient à une table, Fauve et Eric à une autre. Fauve les voyait mais ne pouvait les entendre.

« Je n'y vois rien sans mes lunettes, gémit Angel. Arkansas, aurais-tu la bonté de me dire si le chevalier servant de Fauve est aussi séduisant que je le crois?

— C'est toujours à moi que tu t'adresses dans ces cas-là, grogna Arkansas. Ça me rend nerveuse à la fin. Demande à Bambi Un ou à Bambi Deux.

— C'est plus facile avec toi. Je te distingue toujours des autres parce que tu es la plus grande, expliqua Angel. Je trouve que Fauve charrie. Pourquoi aurait-elle le droit, elle, de déjeuner avec une personne du sexe masculin sous le fallacieux prétexte que c'est un vieil ami français et non l'un de ces sinistres Romains? Moi, je considère qu'elle abuse de son autorité.

— Si tu n'étais pas complètement miro, tu verrais que c'est bien un vieil ami, objecta Bambi Deux. Il a une façon de la regarder! On voit bien que c'est plus qu'une relation, si tu veux mon avis. » Elle poussa un soupir plein d'envie.

« De grâce, arrête, protesta Angel, agacée.

— Ne vous disputez pas, mes chéries, s'écria Ivy. Elle nous a oubliées. Ne vous laissez pas aller, ne vous retournez pas, ne faites pas les gourdes. Qui a le guide?

— C'est moi, répondit Bambi Un, penchant en avant son cou gracieux.

— Eh bien, ouvre-le et lis-nous ce qu'il y a dedans.

— Mais je mange, objecta Bambi Un. Et ne m'appelez plus Bambi Un. Je viens de décider de changer de nom. Ma pauvre mère croyait faire preuve d'originalité mais je connais au moins cinq Bambi dans le métier, quatre Dawn, sept Kelly, une douzaine de Kim et dix-sept Lisa. Désormais, vous m'appellerez... Harold.

— Harold, trésor, ouvre le guide. Tu mangeras plus tard. Nous lirons toutes à tour de rôle, promit Ivy. Même Angel mettra ses lunettes quand ce sera à elle, n'est-ce pas, Angel?

— Da Bolognese, commença Harold d'une voix geignarde est le lieu de rencontre favori des jeunes actrices et des peintres et sculpteurs du sexe féminin. Pourtant, je n'ai rencontré jusqu'à présent que le maître d'hôtel et le serveur — pas la moindre artiste... Non que ça m'intéresserait, d'ailleurs...

— Epargne-nous tes commentaires et continue à lire, Harold, ordonna Ivy. Fauve vient juste de lancer un coup d'œil dans notre direction. »

« Elles nous épient, déclara Fauve en se redressant.

– Mais non, voyons... Elles sont fascinées par le guide comme tout bon touriste qui se respecte. Elles ont l'air sérieuses et charmantes », dit Eric.

Après les premières minutes d'excitation pendant lesquelles Fauve et lui avaient été trop bouleversés pour faire autre chose que bredouiller, Eric s'était retrouvé inexplicablement paralysé par la timidité. Fauve était devenue une femme, une femme accomplie, pleine de sagesse et d'expérience, qui gagnait sa vie. Qu'était-il arrivé à sa Fauve? Elle semblait si... femme d'affaires avec son blazer en cachemire noir, sa jupe de flanelle, ses talons plats et sa chemise en soie blanche. Seul son fichu écossais, bien qu'il fût dans des tons gris et rouille, lui rappelait la façon délicieuse dont elle s'habillait autrefois. Sa beauté éclatante était rehaussée par ces vêtements stricts. Sa tête ressemblait à une fleur étonnante posée sur une tige parfaite. Elle paraissait tellement plus adulte que les autres. Pas étonnant qu'elle n'ait pas répondu à sa dernière lettre. C'était à une autre personne qu'il avait écrit.

« Que fais-tu à Rome? demanda calmement Fauve.

– Je travaille chez un architecte d'Avignon. Je suis à Rome pour assister à une série de conférences sur l'habitat. Elles ne commencent que dans quelques jours mais je suis venu plus tôt. Un architecte devrait visiter Rome au moins une fois par an, quelles que soient ses théories esthétiques. Tu n'es pas d'accord?

– Si, si, bien sûr. Il y a tant de... ruines.

– Il n'y a pas que ça. De nombreuses maisons datant de diverses époques sont encore en excellent état », répondit-il avec sérieux.

Il a oublié nos ruines, songea Fauve, misérable.

Pas étonnant qu'il n'ait jamais répondu à ma dernière lettre. Mais à quoi s'attendait-elle? Elle avait écrit à un jeune homme de vingt ans, enthousiaste et impulsif, amoureux des aqueducs en ruine et de Fauve Lunel, et elle retrouvait un adulte, un homme. Elle regarda avec tendresse les épis que formaient ses cheveux. Autrefois, elle essayait toujours de les aplatir. Il avait toujours sa lèvre inférieure gonflée avec la petite entaille au milieu, mais il parlait avec une réserve qui mettait une certaine distance entre eux.

« Quel hasard extraordinaire de se retrouver ici! dit-elle.

– C'est le genre de chose qui arrive à Rome.

– C'est bien connu que tous les chemins y mènent », railla Fauve, songeant que leur conversation était absurde. Et que voulait-il dire par le « genre de choses »? Leur rencontre semblait n'avoir aucune signification particulière pour lui.

« Fauve... », commença Eric, mais il fut immédiatement interrompu par une voix. Ivy se pencha vers eux.

« Fauve, excuse-moi de vous déranger mais, comme nous n'avons que l'après-midi pour visiter la ville, nous avons pensé que le mieux serait de prendre un de ces cars avec le toit en verre. » Ivy avait coincé le Fielding sous son bras.

« Vous avez raison, dit très vite Eric. Il y a aussi un *Rome by night*, mais ce soir vous serez peut-être fatiguées.

– Oh! non, nous sommes bien trop excitées pour dormir. Bon, dès que tu auras fini, Fauve, nous partirons. Nous n'avons pas faim.

– Eh bien... », hésita Fauve.

Elle ne pouvait laisser tomber Eric ainsi, même si ce n'était plus son Eric. Oh! Quelles emmerdeuses!

Pourquoi ne terminaient-elles pas tranquillement leur repas? Il n'y avait pas le feu, tout de même!

« Si le car ne te tente pas, on peut faire les boutiques via Condotti, Gucci, etc. Bon, que décides-tu? On lira le guide en t'attendant.

– Il ne faut pas manquer le Vatican », observa Eric. Ivy et lui échangèrent soudain un regard plein de compréhension.

« Merveilleuse idée! Fauve, tu es d'accord pour aller au Vatican?

– Eh bien...

– Oh! Ecoute, Fauve, décide-toi. Nous perdons de précieuses minutes. Nous mourons toutes d'envie de filer.

– Bonté divine, Ivy, allez-y. Je vous retrouverai à l'hôtel. Je connais le Vatican par cœur. »

Ivy s'éloigna, ravie.

« Allons-y, mes chéries, murmura-t-elle en rejoignant ses compagnes. Dépêchons-nous avant qu'elle change d'avis. Et pas de débandade, s'il vous plaît. De la tenue, de la dignité. Arkansas, cesse de renifler. Harold, arrête de regarder fixement ce type... »

« On fait trois pas? demanda Eric en sortant du restaurant.

– Où veux-tu aller? demanda Fauve.

– Nulle part en particulier. Au hasard...

– La piazza del Popolo est ma place préférée, déclara-t-elle. Je me sens un peu coupable d'avoir abandonné toute mon équipe mais, franchement, les bras m'en tombaient de retourner au Vatican. Je me suis déjà tapé la visite complète et, en arrivant à la chapelle Sixtine, j'étais morte de fatigue. Je ne savais plus ce que je voyais tellement j'étais épuisée.

– Tu te souviens du palais des Papes à Avignon? demanda Eric. Je savais bien que tu n'irais pas au Vatican. Je ne risquais rien. Tu ne pensais tout de même pas que j'allais te laisser partir?

– Je... je ne savais pas trop ce que tu comptais faire.

– J'ai beaucoup de choses à te demander. Premièrement, es-tu jamais retournée à Félice?

– Non.

– Et tu ne veux toujours pas me dire pourquoi?

– Non, répondit-elle avec brusquerie. Comment vont tes parents?

– Très bien. Ils sont florissants. Mon père a pris sa retraite. Il vit à Villeneuve. Inutile de te dire qu'il est ravi que je me sois installé à Avignon. Et ta grand-mère? Elle est heureuse?

– Oui, très. Darcy et elle ont acheté une maison de campagne et elle s'active dans son jardin. Elle adore sa nouvelle vie. Elle ne vient plus à l'agence que trois fois par semaine. Elle me fait confiance, si bien qu'elle profite enfin de la vie. Et Dieu sait qu'elle l'a mérité », ajouta-t-elle, songeuse.

Ils descendaient l'étroite via Margutta bordée d'innombrables galeries de tableaux lorsque, soudain, Eric entraîna Fauve vers un vieil immeuble mal tenu. Ouvrant le porche en bois, ils pénétrèrent dans une cour spacieuse. Derrière la cour, on apercevait la verdoyante colline Pincio dont la pente raide, couverte d'une végétation touffue, descend jusqu'au cœur de Rome.

« C'est étonnant, non? » demanda-t-il, guettant sa réaction.

Elle se tourna vers lui. Il avait sur le visage cette

expression ouverte et franche qui l'avait tant frappée à la salle des fêtes d'Uzès. Et soudain, toutes ces années qui les avaient séparés disparurent comme par enchantement. Elle le regarda dans les yeux.

« Pourquoi n'as-tu pas répondu à ma dernière lettre ? demanda-t-elle.

– Mais je l'ai fait ? C'est toi qui as arrêté de m'écrire.

– Non, ce n'est pas possible.

– Je *sais* que c'est moi qui t'ai écrit en dernier.

– Et moi, je suis sûre que c'est moi.

– Nous ne pouvons pas avoir raison tous les deux, dit Eric.

– J'ai pensé... j'ai pensé que tu menais une vie si différente de la mienne que ce que je te racontais dans mes lettres ne pouvait pas t'intéresser, dit Fauve.

– Et moi, je me suis dit que mes lettres étaient ternes comparées à ta vie. Je ne pouvais te parler que des Beaux-Arts et de l'armée. J'adorais tes lettres. Je les ai toutes gardées. Elles sont chez moi, dans mon bureau.

– J'ai cru que tu étais tombé amoureux d'une autre fille et que tu n'osais pas m'en parler, dit Fauve d'une voix étranglée par l'émotion.

– Et moi j'imaginais tous les hommes de New York à tes trousses.

– Ils l'étaient. En fait, ils le sont toujours. La moitié d'entre eux en tout cas.

– Je pensais que tu avais une liaison, que tu étais amoureuse.

– Je ne l'étais pas.

– Pas même un peu ?

– Qu'est-ce que ça veut dire ? On l'est ou on ne l'est pas. Un peu n'a aucun sens. Mais toi... en six ans ?

– Oh! J'ai essayé tous les trucs traditionnels contre les cœurs brisés. Le travail jusqu'à l'abrutissement, l'alcool, les femmes. Rien n'y a fait.

– Quel cœur brisé?

– Le mien. Je n'ai jamais pu t'oublier et tu n'es jamais revenue. C'est ce qu'on appelle briser un cœur.

– Oh! Mon amour... » Fauve se pressa contre lui et se balança doucement. Autour d'elle, le monde formait un cercle enchanté. « Ton hôtel est loin?

– Cinq minutes si...

– Mais il y a une telle circulation!

– ... si nous marchons. Trois minutes si nous courons. »

C'était un grand lit avec un matelas en creux au milieu. Elle avait l'impression d'être dans un igloo bien tiède. Ils étaient si étroitement enlacés qu'elle ne savait plus où s'arrêtait son corps et où commençait celui d'Eric. Il lui était arrivé tant de choses en quelques heures qu'elle en était tout étourdie, comme soûle. Les détails se mélangeaient dans sa tête. Son émotion lorsqu'ils s'étaient retrouvés nus l'un contre l'autre... ses lèvres sur ses seins... sa propre tendresse, sentiment tout nouveau pour elle, et puis le moment où cette tendresse s'était transformée en un désir exigeant, le jaillissement brusque de la passion – le passé et le présent enfin mêlés. Les paupières d'Eric bougèrent contre les lèvres de Fauve.

« Je ne dors pas, murmura-t-il. J'ai juste fermé les yeux quelques instants.

– Jamais, jamais dans ma vie, je n'ai réussi à ce point à être où je voulais être, dit Fauve.

– Tu veux dire à Rome? chuchota-t-il dans son cou.

– Dans ce lit. Le monde, pour moi, c'est ce lit. Je ne veux pas le quitter.

– Tu n'as pas besoin de le quitter, mon amour. Je te garde. Je t'apporterai des choses merveilleuses à boire et à manger et, de temps en temps, je changerai les draps, mais le moins souvent possible parce que j'aime l'odeur de notre amour. Je ne te laisserai plus repartir. J'aurais dû te forcer à m'épouser à seize ans.

– Tu es vraiment un rêveur, soupira-t-elle.

– Mais non, pourquoi? J'aurais pu transformer le rêve en réalité. » Eric glissa hors de son étreinte et se souleva sur un coude pour la regarder. « Tu n'imagines pas le nombre de fois où j'ai tourné et retourné la scène de nos adieux dans ma tête. Au lieu de t'emmener à la gare, j'aurais dû te conduire tout droit chez mes parents. J'aurais pris soin de toi et guéri ton terrible chagrin. Ensuite, nous aurions pu nous marier. Songe à toutes ces années gâchées! Mais j'étais trop jeune pour savoir quoi faire. Comme un gamin, comme un idiot, je t'ai laissée partir. Je ne me le suis jamais pardonné.

– Mais Eric! » Fauve se redressa et s'assit en riant. « Nous étions des enfants! Les enfants ne se marient pas, voyons! Tu n'as tout de même pas pensé sérieusement que nous aurions pu nous marier? »

Il la regarda sans répondre.

« Jamais je ne me serais mariée à cet âge-là, poursuivit-elle. Je ne savais rien, je n'avais aucune expérience. J'étais incapable de gagner ma vie, de diriger une affaire. Je n'aime pas les femmes-enfants. Tu... tu plaisantes, n'est-ce pas? » insista-t-elle, vaguement inquiète.

En silence, il dessina le contour de ses pommettes qui formaient deux petites pommes quand elle riait.

« Bien sûr, je plaisantais, dit-il enfin. Les soldats ont parfois de drôles de rêves au milieu de la nuit et celui-ci était parmi les moins sinistres. Nous avions tous les deux trop de bon sens pour nous lancer là-dedans.

— Parfois, je souhaiterais n'avoir aucun bon sens, soupira-t-elle. C'est terrible d'être réaliste à ce point. As-tu lu les livres de tous ces crétins qui prétendent qu'on devrait vivre chaque jour comme si c'était le dernier? Je trouve que c'est une bande de sadiques qui encouragent le mécontentement universel.

— Je me demande à quoi ressemblerait le monde si chacun vivait réellement chaque jour comme s'il ne devait pas y avoir de lendemain, dit rêveusement Eric.

— Moi, en tout cas, je sais ce que je ferais si c'était mon dernier jour.

— Quoi?

— Je vais te montrer », fit-elle en se laissant glisser dans le creux du matelas. Elle emprisonna ses larges épaules entre ses bras minces et posa ses lèvres contre sa poitrine. « Je vais te montrer sans rien omettre... »

Dehors, le jour déclinait lentement mais ni Fauve ni Eric n'en étaient conscients. Ce ne fut qu'en voyant une lampe s'allumer dans une chambre en face que Fauve se redressa brusquement. « Seigneur, quelle heure peut-il être? »

Eric prit sa montre sur la table de chevet. « Six heures moins dix.

455

– Mon Dieu! » D'un bond, elle sortit du lit et se précipita dans la salle de bain. Elle alluma la lumière et se regarda dans la glace. Elle était rose et échevelée. « Au premier coup d'œil, elles sauront où et comment j'ai passé l'après-midi, gémit-elle. Il faut que je prenne une douche, que je me remaquille, que je me recoiffe... Et malgré tout, je suis certaine qu'elles devineront. Eric, à quelle heure ferme le Vatican? Tu le sais?

– Attends une minute, mon amour, il n'y a pas lieu de s'affoler. Réfléchissons...

– Je n'ai pas le temps de réfléchir. Il faut simplement que je regagne le Grand Hôtel le plus vite possible en espérant les y trouver. Et, si elles n'y sont pas, que ferai-je? »

Nue comme un ver, elle s'agitait dans la salle de bain. Elle fit couler les robinets de la douche, chercha frénétiquement son peigne dans son sac et se lava le visage à grande eau.

« Chérie, cesse de t'énerver comme ça. Tu as froid, tu as la chair de poule. »

Il l'enveloppa dans le couvre-lit et, sans tenir compte de ses protestations et de ses coups de pied dans le vide, il la souleva dans ses bras et la jeta sur le lit.

« Maintenant, calme-toi et laisse-moi téléphoner. C'est au Grand Hôtel que vous êtes descendues? »

Il décrocha l'appareil et parla en italien à la standardiste.

« Mais que vais-je leur dire? Raccroche, Eric. Il faut que j'y réfléchisse. »

Elle essaya de lui arracher le combiné des mains mais d'un bras il la maintint sur le lit.

« *La signora Columbo, per favore*, dit-il.

– Non, pas Ivy! C'est la plus maligne de toutes. Demande... demande Bambi Deux. »

Eric ignora sa remarque. « Allô, Miss Columbo? Eric Avigdor à l'appareil. Alors, comment avez-vous trouvé le Vatican? Impressionnant, n'est-ce pas? Fauve? Elle se repose sur un banc... Elle m'a demandé de vous appeler pour vérifier que tout s'était bien passé et que vous étiez rentrées au bercail. Non, elle va bien mais elle est épuisée. Nous arrivons des Catacombes – oui, à San Callisto. C'est au diable, via Appia Antica et, une fois qu'on y est, pas question d'échapper au guide. On risquerait de se perdre. Donc, je ne sais pas trop à quelle heure nous rentrerons. Assez tard, j'imagine. Mais Fauve est inquiète à l'idée de vous abandonner. Ah! bon. Vous allez dîner à l'hôtel et vous coucher de bonne heure? Vous avez raison, c'est ce qu'il y a de plus intelligent à faire. Vous êtes crevée? Eh bien, accrochez la pancarte " Prière de ne pas déranger " sur votre porte et faites un gros dodo. Je dirai à Fauve de ne pas s'inquiéter.

– Qu'elles n'oublient pas de se faire réveiller demain matin, lui souffla Fauve.

– N'oubliez pas de demander qu'on vous réveille demain matin. Non, ne vous fiez pas aux réveils de voyage, ils ne marchent jamais. Merci de votre compréhension. A bientôt, Miss Columbo.

– Les Catacombes! s'exclama Fauve. Je suis sûre qu'elle ne t'a pas cru.

– J'ai pourtant eu l'impression d'être convaincant.

– Oh! ça pour l'être, tu l'étais. Je ne savais pas que tu mentais si bien, mais qui aurait l'idée de visiter les Catacombes par un merveilleux après-midi de printemps?

– Tu sais, on est tout aussi enfermé au Vatican. »

Le lendemain matin, assise dans le hall du Grand Hôtel, Fauve parcourait le *Daily American* lorsqu'elle vit ses mannequins sortir de l'ascenseur. Elles étaient à l'heure et – elle fut soulagée de le constater – fraîches comme des roses. Elle les accompagna chez Valentino où elles devaient passer la journée à faire des essayages.

Bien que mars fût souvent frais et pluvieux à Rome, il faisait un temps merveilleux. Déjà les terrasses de café s'animaient et l'odeur des *espressi* se mêlait à celle des arbres en fleurs.

Elle acheta plusieurs bottes de petits œillets rouge sombre au parfum merveilleux. Son cœur débordait d'amour et de tendresse. Elle avait l'impression d'être un ballon rose lâché dans le ciel bleu. Pourquoi avait-elle acheté toutes ces fleurs? se demanda-t-elle une seconde avant de se rappeler qu'elle allait de ce pas rendre visite aux trois mannequins de Lunel qui avaient été envoyées à Rome six semaines auparavant. Elle les trouva d'excellente humeur et leur donna à chacune une botte d'œillets et un baiser hâtif avant de filer rejoindre Eric.

Ce soir, elle irait chercher Ivy et les autres chez Valentino mais, jusque-là, son temps appartiendrait à Eric. Un temps hors du temps, hors de la vie réelle, un temps qu'il fallait vivre minute par minute, sans penser à l'avenir, sans se poser de questions. On était mercredi matin et elle ne partait à Florence que jeudi soir.

Ils déjeunèrent dans un petit restaurant près du Forum. Eric couvait Fauve des yeux. Avec son poncho en coton bleu et son sac pendu à l'épaule, elle ressemble à une écolière, songea-t-il, plein d'amour. Après le déjeuner, ils allèrent au Forum et prirent des billets dans une petite guitoune. C'était tout ce qu'il fallait pour voyager dans le temps – un simple billet.

« La dernière fois que je suis venue à Rome, j'ai visité le Forum juste après le Vatican – le lendemain, en fait – et je m'étais promis d'y retourner. Ça ne t'ennuie pas trop? J'ai peur qu'il n'y ait pas grand-chose d'intéressant pour un architecte.

– Des colonnes brisées, quelques arcades et des statues sans tête, dit Eric en regardant autour de lui. Un amas de fragments empilés au hasard, les débris des siècles tombés les uns sur les autres et le tout recouvert de lierre et de vigne – en tout cas, ça doit faire le bonheur des archéologues. » Il se mit à rire. « Qu'est-ce qui t'attire ici?

– C'est le seul endroit de Rome où on sent vraiment que la ville est très ancienne. Partout ailleurs, les monuments ont été tellement restaurés qu'on perd la notion du passé. »

Fauve et Eric montèrent sous les cyprès jusqu'à la crête de la colline du Palatin. Ils atteignirent le sommet et grimpèrent les quelques marches qui menaient à un jardinet de buis, modeste vestige de ce qui avait été autrefois les superbes jardins suspendus du Farnese.

« C'est ravissant! s'exclama Fauve. Tu sens cette odeur délicieuse? Qu'est-ce que c'est, Eric?

– Les buis, peut-être... ou bien les siècles, répondit-il, contemplant le Forum étalé à ses pieds.

– Je me sens plus vivante ici que n'importe où à Rome, déclara Fauve, songeuse. Même les fantômes y sont amicaux. »

Ils s'assirent sur un banc de pierre et demeurèrent un moment silencieux, imprégnés d'un passé disparu mais toujours vivant.

Eric finit par rompre le silence.

« Parle-moi de ta peinture... Tu ne m'en as pas dit un mot.

— Je ne peins plus. J'ai arrêté l'été où je t'ai connu.

— Mais pourquoi? demanda-t-il, stupéfait. Tu adorais ça!

— Eric chéri, dit-elle d'une voix hésitante, ne me demande pas pourquoi. En fait, je n'en sais trop rien moi-même. Je ne peux pas réellement l'expliquer. Parle-moi de toi. Ces conférences, c'est quoi au juste?

— C'est très intéressant, Fauve. » Il se leva et se mit à arpenter l'allée de graviers. « Tu te souviens de ces immeubles hideux juste après la zone industrielle de Cortine, dans la banlieue d'Avignon?

— Comment aurais-je pu les oublier? Ils défiguraient le paysage.

— Et ils n'avaient aucune raison d'être. Au cours de ces conférences, on va discuter de la façon dont on peut humaniser les H.L.M., les rendre agréables pour le même prix. C'est une question d'imagination. Je ne vois pas pourquoi une H.L.M. devrait être obligatoirement moche et déprimante et beaucoup d'architectes sont du même avis que moi. Nous nous rencontrons pour échanger nos techniques et nos idées.

— Ce sont les seules constructions qui t'intéressent?

— Non, pas du tout, mais c'est ce qu'il y a de plus urgent sinon de plus amusant. Ma spécialité, c'est la restauration des vieux mas provençaux. Tu n'imagines pas le nombre de gens qui achètent une vieille ferme et veulent la transformer en chalet tyrolien ou en villa grecque. Je leur fais une maison confortable et moderne tout en lui gardant son caractère originel. Mais ce que je préfère à tout, c'est construire des maisons. Je ne copie jamais les vieux mas – ce serait facile mais ça ne m'intéresse pas. Par contre, dessiner une maison qui s'intègre dans le paysage, une maison moderne mais qui respecte l'environnement, ça c'est le rêve de tout architecte. Je voudrais te les montrer. Tu viendras voir mes maisons? C'est tout simple, tu n'as qu'à retarder ton départ pour New York. Après Paris... »

Fauve leva la main. « Pas de projets! Pour l'instant, la seule chose qui m'intéresse, c'est de savoir ce que nous allons faire des filles ce soir. Je ne veux pas voir plus loin dans l'avenir. Je ne peux ni les laisser livrées à elles-mêmes ni supporter l'idée d'être une minute sans toi.

– Veux-tu que j'amène d'autres architectes? suggéra Eric. Nous pourrions dîner tous ensemble.

– Des architectes? Des architectes romains?

– Tu sais, ces conférences ressemblent aux Jeux Olympiques. Tous les pays du monde y sont représentés. Beaucoup d'entre eux sont déjà à Rome. »

Ce soir-là, après un dîner destiné à rester dans les annales de l'histoire de Lunel, Fauve s'assura que toutes les filles avaient bien regagné leurs chambres avant de partir retrouver Eric à son hôtel. Le grand lit, dans lequel ils n'avaient passé qu'une nuit, les attendait. Eric comptait les heures qui lui restaient. Il était si conscient de la fuite du temps que la texture des draps et la petite lampe de chevet qui répandait une lumière douce lui semblaient déjà appartenir au passé.

« Nous n'avons plus que ce soir, soupira-t-il, prenant sa tête entre ses mains. Demain, je te verrai quelques heures au moment du défilé et puis tu t'envoleras pour Florence. Seigneur, pourquoi faut-il que tu partes déjà?

– Ne nous gâche pas notre nuit, l'implora Fauve. Ne me rends pas plus triste que je ne le suis déjà. Tu sais bien que les filles doivent se lever tôt vendredi matin. Les essayages vont durer tout le week-end – Versace, Armani. Je pensais que tu avais compris.

– Pour comprendre, j'ai compris. C'est clair comme de l'eau de roche. Mais ce que je ne saisis pas très bien, c'est pourquoi tu éludes toute conversation sérieuse avec moi depuis notre rencontre. Au début, je t'accorde que c'était un peu prématuré, mais maintenant...

– Laisse-moi éluder encore un peu... C'est si délicieux d'éluder, chuchota-t-elle en le couvrant de baisers.

– Réponds-moi, Fauve. Est-ce que tu m'aimes?

– Oui, je t'aime. Bien sûr que je t'aime.

– Eh bien, alors, il faut que nous parlions de l'avenir... »

Fauve se dégagea de son étreinte et alla à la fenêtre, silhouette blanche et nue se découpant sur le rectangle sombre de la vitre. Elle secoua la tête.

« Pas ce soir, Eric, je t'en prie, pas ce soir.

– Mais quand, alors? Tu ne vas tout de même pas partir sans... Ce n'est pas possible! Fauve, nous n'aurons pas de seconde chance.

– Ecoute, je n'ai pas envie de penser... de tirer des plans sur la comète, dit-elle lentement, sans le regarder. J'ai vécu tous ces jours dans une espèce de rêve. J'étais heureuse, légère comme une bulle de savon. Mais si nous commençons à parler, ma bulle va éclater. Je t'en *prie*, Eric! »

Il s'approcha d'elle, pressa son corps contre le sien et prit ses seins ronds dans ses mains.

462

« Tu frissonnes. Ne reste pas ici, il fait froid. Viens au lit, mon amour. Viens avec ta bulle.

– Demain, Eric, je te le promets.

– Entendu, demain. »

Eric jeta un coup d'œil impatient à sa montre. Il avait rendez-vous avec Fauve chez Rosati. Le défilé de Valentino devait avoir commencé maintenant. Fauve et lui disposeraient de deux bonnes heures pour faire des projets avant son départ pour Florence.

Il la vit s'approcher et bondit sur ses jambes. Elle vint vers lui, serrant frileusement son manteau autour d'elle. Un vent aigre balayait la place.

« Asseyons-nous à l'intérieur, proposa-t-il en l'embrassant. Dieu merci, tu es à l'heure.

– Quand les défilés commencent, rien, sauf peut-être une bombe dans le vestiaire, ne peut arrêter mes filles. Je me suis glissée dehors. Il faudra que je revienne féliciter Valentino et récupérer mes luronnes. Mais j'ai le temps.

– Tu veux un espresso? offrit-il.

– Je préférerais du thé. Tu crois qu'ils ont ça, ici?

– Sûrement. Avec tous les Anglais qui habitent Rome, je suis sûr qu'ils savent faire le thé. Fauve... je veux t'épouser.

– J'avais peur que tu me dises ça », murmura-t-elle.

Il la regarda, étonné. Comment cette fille pâle, vêtue de noir et blanc, pouvait-elle être la même que celle qui s'était donnée à lui avec tant d'ardeur la nuit précédente?

« Pourquoi peur?

– Parce que je ne peux pas.

– Pourquoi, ma chérie? Pour quelle raison deux personnes qui s'aiment autant que nous ne devraient-elles pas se marier? » demanda-t-il calmement. Il s'attendait à sa réaction, sinon pourquoi aurait-elle été si évasive, si réticente à parler de l'avenir? « Tu n'as plus seize ans, maintenant, Fauve. Nous n'avons plus aucune raison d'attendre.

– Je ne suis pas mûre pour le mariage. Comment peux-tu espérer que je prenne une décision aussi grave en deux jours? Ces deux jours ont été parfaits, mais rien n'est aussi parfait dans la vie réelle. Ça ne pourrait pas continuer comme ça. Ce n'était qu'un interlude, Eric. Mais ce n'est pas la seule raison, ajouta-t-elle d'une voix ferme. J'ai des devoirs envers Magali. Si je quittais l'agence, il faudrait qu'elle revienne y travailler cinq jours par semaine ou bien elle n'aurait plus qu'à fermer boutique. Elle vendrait probablement. Elle a consacré toute sa vie à cette affaire et moi j'ai passé cinq ans à apprendre ce métier. Elle compte sur moi et elle en a le droit. Oh! Bien sûr, elle ne me ferait aucun reproche mais, si je quittais New York, toute sa vie en serait transformée et ce serait injuste. Vendre l'agence la rendrait malade et, à son âge, il est inconcevable qu'elle y travaille à plein temps. Et moi, de toute façon, que ferais-je à Avignon?

– Attends une minute! Ça fait trois raisons. Reprends ton souffle. Bois ton thé. Tu veux du lait? Du citron? Bien sûr que notre mariage ne ressemblerait pas à ces deux jours à Rome! Rien ne ressemble à deux jours à Rome. Mais il n'en serait pas moins très heureux, et tu le sais. Deuxièmement, d'après ce que tu m'as toujours dit de Magali, elle est parfaitement capable de se débrouiller toute seule. Elle serait furieuse si elle savait que tu te sacrifies pour elle. Toute sa vie, elle n'a compté que sur elle et cela lui a parfaitement réussi. Troisièmement, Avignon. C'est un problème, je le reconnais, mais pas insoluble. Je pourrais entrer dans un cabinet d'architecte à Paris et toi tu pourrais y trouver un job ou bien monter une agence de mannequins si c'est ce que tu souhaites. Vivre à Avignon n'est pas essentiel pour moi.

– Arrête, Eric, tu es tellement rationnel. On dirait que tu m'annonces les horaires d'un train.

– Tes raisons sont toutes mauvaises, et tu le sais.

– La vraie raison c'est que je suis terrifiée à l'idée de prendre une décision aussi grave, lança-t-elle. Ça me *paralyse*. C'est trop pour moi. Mon sang se fige dans mes veines rien que d'y penser. En fait, je suis quelqu'un de lent. J'abandonne chaque étape de ma vie avec une extrême lenteur et, ce faisant, je regarde constamment en arrière. J'ai besoin de vieilles habitudes, de sécurité, de choses familières autour de moi. L'idée de passer le reste de ma vie avec toi ou avec quiconque me pétrifie littéralement. Je te connais mal, je veux dire, je connais mal l'homme que tu es devenu. Je me connais à peine mieux, d'ailleurs. Je n'ai pas eu beaucoup de temps à me consacrer et je ne suis pas mûre pour ce rôle d'épouse. Je ne veux pas faire de projets d'avenir. Toi, tu as vingt-six ans, c'est différent. Tu as eu le temps de faire des expériences. Mais moi, je n'ai pas envie de me précipiter dans le mariage.

– Ce sont déjà de meilleures raisons. » Il prit ses mains dans les siennes. « Si je comprends bien, cette décision te semble prématurée. Eh bien, vivons ensemble. Pas d'attache, simplement un interlude, si c'est tout ce que tu souhaites. Ne rentre pas à New York. Viens passer le printemps à Avignon avec moi. »

Troublée, Fauve regarda fixement son thé. Je ne peux pas lui faire comprendre... Comment lui dire que je me méfie de tous les hommes? J'ai fait confiance à mon père et ça ne m'a pas réussi. Un interlude, seulement un interlude, dit-il. Au début c'est toujours un interlude, c'est après que ça tourne mal. C'était juste un interlude pour Magali autrefois à Paris, et pour ma mère aussi c'était un interlude. *Le printemps* à Avignon? Non, c'est dangereux, c'est trop dangereux. Dès qu'on fait confiance aux gens, on est en danger. Il ne faut pas dépendre des autres, remettre sa vie entre les mains d'autrui. A New York, mon existence a un sens. J'y ai ma place, un bureau et je suis entourée de gens qui ont besoin de moi. Je m'y sens en sécurité. En sécurité.

« Non, conclut-elle enfin. Non, je ne peux pas. Il faut que je rentre à New York. Peut-être aux prochaines vacances. Peut-être que...

— Ne te fatigue pas, lança Eric en se levant. Je n'ai pas compris à quel point tu haïssais cette idée. Tu m'as dit que tu m'aimais, mais c'est faux. Tu ne m'aimes pas suffisamment. Je suis désolé, c'est ma faute. »

Il mit de l'argent sur la table et s'éloigna à la hâte.

« Je savais qu'il ne comprendrait pas », murmura Fauve.

31

Ayant l'habitude d'être flatté par de jolies femmes, Falk en faisait peu de cas. Cependant, lorsque Fauve l'invita à dîner en tête-à-tête dans son appartement, son amour-propre en fut délicieusement chatouillé.

« Tu sais, ne t'attends pas à un festin, l'avertit-elle. Je suis une médiocre cuisinière.

– Qui dit ça?

– Moi, et pour cause. Je ne fais jamais la cuisine pour personne.

– Je suis prêt à prendre le risque. »

C'était une douce soirée de septembre. Fauve n'avait pas fait de feu dans la cheminée, mais elle avait allumé tout un lot de petites bougies blanches pour que l'âtre ne parût pas vide et sombre. Devant les hautes fenêtres, la table faisait face à un superbe acanthe.

Sur le bureau de Fauve trônaient les trois seules photographies de la pièce dans des cadres anciens : Maggy et Darcy devant leur maison, Maggy entourée de ses dix mannequins les plus célèbres et un agrandissement d'une des nombreuses photos de Teddy que Falk avait prises en 1947. Teddy Lunel à vingt ans.

Incapable de contempler cette photo plus d'une

seconde, il détourna son regard. Son œil fut attiré par un objet extraordinaire, un gigantesque panda naturalisé qui avait vraisemblablement connu des jours meilleurs, assis sur un rocking-chair dans un coin. Effaré, il regarda autour de lui pour voir s'il n'y avait pas d'autres spécimens du même genre dans la pièce. Une flotte de figures de proue de navire, une armée de petites statues, une collection de boîtes à musique, une forêt de bougies éteintes et, sur chaque table, un amas de vases de toutes les tailles, chacun contenant une unique fleur, ou bien quelques herbes folles – oui, tout ça, mais Dieu merci, pas d'autre animal empaillé.

« Cette pièce est charmante, dit-il à Fauve qui lui tendait un verre.

– En fait, je ne m'en suis pas beaucoup occupée, mais petit à petit elle prend tournure.

– C'est très intime... J'aime bien cette profusion d'objets hétéroclites.

– C'est le moins qu'on puisse dire. Il y a un fouillis... Oh! Mon poulet! Excuse-moi une minute. »

Elle enfila un tablier de cuisine sur sa robe jaune safran et revint dans le salon.

« Ça cuit, c'est tout ce qu'on peut en dire pour le moment.

– Quel genre de poulet nous fais-tu? demanda-t-il, intéressé.

– C'est une recette hongroise au paprika. Moi, mon truc, c'est d'ajouter plein de crème fraîche. J'ai remarqué que ça améliorait considérablement les plats, déclara-t-elle en mettant le couvert.

– Maggy trouve que tu travailles trop, dit Falk. Elle prétend que tu te laisses phagocyter par ton boulot.

– Ça lui va bien! Tu sais ce qu'elle a fait le

week-end dernier? Elle a commandé cinq mille bulbes de jonquilles. Cinq mille! Elle va les planter elle-même sur les petites collines qui sont derrière chez elle, et, au printemps prochain, elles formeront un véritable tapis, comme elle dit. Et puis elle a l'intention de faire un jardin dans les bois. Voilà une personne qui s'apprête à creuser environ cinq mille trous et qui a le culot de dire que je travaille trop? Tu sais, c'est drôle, mais j'ai l'impression que Maggy s'intéresse davantage à son jardin qu'à l'agence maintenant.

– Qu'est-ce qui te fait dire ça?

– Eh bien, par exemple, le jeudi, elle devient de plus en plus nerveuse au fur et à mesure que l'après-midi s'avance. On dirait qu'elle n'a plus qu'une idée : filer à la campagne. Bien entendu, pour rien au monde elle ne l'avouerait. Mais elle cherche la petite bête, elle casse les pieds des bookers, elle vérifie tous les emplois du temps du vendredi et du lundi, elle se fait du souci pour des mannequins qui travaillent très bien, bref, elle rend tout le monde fou. Elle terrifie les nouveaux bookers. Puis elle se trouve toujours des trucs à faire au dernier moment, des choses dont nous pourrions parfaitement nous occuper, Casey, Loulou ou moi, si bien que nous traînons au bureau jusqu'à je ne sais quelle heure. On a l'impression qu'elle se force à travailler tard parce qu'elle se sent coupable de passer une grande partie de son temps à la campagne. C'est vraiment absurde.

– Tu lui en as parlé? s'enquit Falk.

– Non, parce que j'aurais l'air de la critiquer. Je suppose qu'un jour, le jour où elle trouvera que passer trois jours par semaine à l'agence c'est encore trop, elle m'en parlera.

– Et toi, tu te sens d'attaque pour diriger l'agence toute seule ?

– Bien sûr. Voilà des années que je m'y prépare. Nous avons d'excellents collaborateurs dans tous les services, des gens sur qui on peut compter. Je sais que c'est une grosse affaire pour une fille de mon âge, mais je travaille à l'agence depuis cinq ans et je crois que je m'en sortirai très bien. Malgré tout... Lunel c'est quand même Maggy. Tous les futurs mannequins qui viennent à l'agence demandent Maggy Lunel, jamais Fauve Lunel. Les rédacteurs de mode ont confiance dans son jugement. Il faudra des années pour qu'ils m'accordent la même confiance. Bref, ce n'est pas la même chose. Mais je comprends qu'elle en ait assez. En fait... Oh! Mon poulet! »

Fauve revint de la cuisine, l'air soulagé.

« Je l'ai goûté et il a effectivement quelque chose de hongrois.

– Tu as déjà fait la cuisine pour Ben Litchfield ? demanda Falk.

– Je m'en garderais bien. Il n'a aucun goût. Il ne sait pas ce qu'il mange.

– Mais je croyais...

– Je sais ce que tu croyais. C'est ce que tout le monde croit. Bonté divine, Melvin, j'ai parfois l'impression que Manhattan n'est pas plus grand qu'un village. Tout le monde sait tout sur chacun. » Elle s'assit près de Falk et but la moitié de son verre de vin. « Je ne parle pas de toi, bien entendu.

– Je le sais. Où en es-tu avec Ben ?

– Il veut m'épouser.

– Ce n'est pas nouveau.

– Non, mais ce qui est nouveau, c'est que c'est devenu chez lui une véritable obsession. Je ne peux

470

pas le voir une fois sans qu'il m'en parle. Je suis soumise à une pression constante.

— C'est le cas de toutes les jolies filles, commenta Falk.

— Oui, de la plupart. C'est un type charmant. Il est bon, il est brillant, il réussit bien, il est sérieux, très séduisant, on peut parler avec lui, nous avons beaucoup de points communs, bref, il est bien sous tous rapports, comme on dit.

— Tu dis ça sur un ton!

— Les gens pensent certainement que Ben et moi sommes faits l'un pour l'autre, soupira-t-elle.

— Si tu me disais : il est fou, impossible, imprévisible, mais je ne peux pas m'en passer, je serais de leur avis.

— Peut-être... Mais même ça ne garantit rien.

— Rien ne garantit rien, Fauve. Le mariage est une loterie.

— Mais n'y a-t-il aucune façon d'être sûr, de contrôler la situation? demanda-t-elle d'un air désenchanté.

— Non, tout changement comporte des risques. Le propre d'un changement, c'est de vous emmener dans une région inconnue dont on ne sait rien. La seule chose dont on soit à peu près sûr dans la vie, c'est de vieillir.

— Je n'ai pas une passion pour les surprises, déclara Fauve avec une expression si triste que Falk en eut le cœur serré.

— Tu ne crois pas que ta bestiole est prête? demanda-t-il. A l'odeur, elle me semble cuite.

— Je vais voir. Mais comment voit-on qu'un poulet est prêt?

— Quand la cuisse se détache facilement. Mais tu peux également piquer une fourchette dedans et voir si le jus est clair ou pas. Pique la cuisse, pas l'aile.

– Comment sais-tu tout ça?

– Combien de fois me suis-je marié?

– Seulement trois fois.

– Eh bien, l'une de mes trois épouses devait être bonne cuisinière, mais je ne sais plus laquelle. »

Un plateau à la main, Fauve rayonnante émergea de la cuisine quelques minutes plus tard.

« Ça a très bon air, si l'air signifie quelque chose. »

Après le dîner, Fauve et Falk s'assirent devant la cheminée pour boire du cognac. Pensive, Fauve était silencieuse. Au bout d'un moment, elle leva les yeux vers lui.

« Parmi les gens qui m'entourent et qui me sont les plus chers aucun – que ce soit Magali, Darcy, Lally Longbridge qui est comme une tante pour moi, ou même toi, Melvin – ne me parle jamais de ma mère. Je me demande pourquoi.

– Mais je croyais... que Maggy t'en avait parlé. Il n'y a rien à cacher, répondit-il, embarrassé.

– Oh! Les grandes lignes de sa vie, je les connais, bien sûr. J'ai également vu des centaines de photos d'elle. Tu sais, à l'agence, nous avons la collection complète des magazines qui ont paru entre 1947 et 1952. Mais les photos n'apprennent rien.

– Que veux-tu savoir? demanda Falk d'un air hésitant.

– J'ai maintenant presque l'âge qu'elle avait quand elle est morte. Est-ce que je l'aurais aimée? Qu'aurait-elle pensé de Ben? Qu'est-ce qui lui importait vraiment dans la vie? Pourquoi ne t'a-t-elle pas épousé?

472

– Tu es au courant? demanda-t-il, si surpris qu'il posa brusquement son verre de cognac sur la table. Qui t'a raconté ça?

– Je l'ai deviné il y a longtemps. C'est peut-être la façon dont tu me regardes... Je sais que tu l'as aimée. Avez-vous été amants tous les deux? demanda-t-elle doucement.

– J'ai été... j'ai été le premier garçon à lui dire qu'elle était belle et à sortir avec elle. Et j'ai été son premier amant. Mais je n'ai pas été le premier homme à qui elle a brisé le cœur.

– Je suis désolée... Je suis désolée qu'elle t'ait fait souffrir, Melvin.

– Ce n'était pas sa faute. Elle n'a jamais pu tomber vraiment amoureuse de moi. Elle cherchait quelque chose d'autre... Enfin, autre chose.

– A-t-elle eu beaucoup d'amants? »

Falk hésita. Avait-il le droit de répondre? Et Fauve avait-elle le droit de poser cette question?

« Tu vois, c'est exactement ce que je veux dire. Si maman vivait encore je lui dirais : « Est-ce que tu as « eu beaucoup d'amants à mon âge? » Et elle me répondrait sûrement. Mais je ne peux pas poser ce genre de questions à Magali et toi, tu te fermes comme une huître. Que m'aurait-elle répondu?

– Je pense qu'elle t'aurait dit tout ce que tu as envie de savoir. Je ne suis pas certain qu'elle t'aurait donné des conseils avisés, parce que le bon sens n'était pas la qualité principale de Teddy, mais elle aurait été franche avec toi.

– Alors?

– Je t'ai dit qu'elle était à la recherche d'autre chose. Elle cherchait et, quand elle comprenait qu'elle s'était trompée, elle passait au suivant. Elle a donc eu un certain nombre d'amants... mais je ne sais pas combien. Un faible pourcentage des hommes qui en étaient fous.

– Et elle, elle y tenait?

– Au début, oui, jusqu'au moment où elle s'apercevait que ce n'était pas le grand amour. Et puis elle a rencontré ton père. Et là, apparemment, elle a trouvé ce qu'elle cherchait.

J'espère que tu ne m'en veux pas, Melvin, s'inquiéta Fauve. Je te piège avec un poulet au paprika et ensuite je te pose des questions auxquelles tu n'as visiblement pas envie de répondre.

– Non, pas du tout. Je crois que nous avons des torts envers toi. Nous aurions tous dû te parler davantage de ta mère, mais c'était si douloureux! Sa mort a transformé tous les êtres qui l'aimaient. Aucun de nous n'a plus jamais été le même après.

– Mais n'est-ce pas toujours le cas lorsqu'un être jeune meurt?

– Peut-être. Mais ta mère était... elle était...

– Différente? Spéciale? demanda Fauve d'une voix tremblante qui trahissait son besoin de savoir.

– Pour expliquer son charme, il faudrait être poète. Tu l'aurais adorée et elle aussi t'aurait aimée plus que tout au monde. C'est ce qu'il y a de plus triste dans tout cela. » Il se leva, s'approcha de Fauve pelotonnée dans un fauteuil et l'embrassa.

« La seule chose qui compte vraiment, c'est que ta mère a finalement vécu un grand bonheur jusqu'à la dernière minute.

– Veux-tu encore un peu de cognac, Melvin? demanda Fauve en se levant si brusquement qu'elle accrocha une grosse chemise posée sur la table basse qui tomba sur le sol.

Des papiers s'éparpillèrent sur la moquette. Fauve entreprit de les ramasser et Falk l'aida. Il les

474

empila, jeta un coup d'œil distrait et fronça les sourcils.

« Attends, attends... Mais ce sont des dessins?

– Ce n'est rien, répondit-elle. Juste quelques esquisses. Donne-les-moi. » Elle rangea les dessins qu'elle tenait à la main et essaya de reprendre ceux de Melvin.

« Tu es folle, tu vas les déchirer, s'écria-t-il en faisant un pas en arrière.

– Et quand bien même je les déchirerais?

– Fauve, tu dessines, tu travailles... Quand as-tu recommencé? Est-ce que tu es consciente de ton talent, espèce d'idiote?

– C'est simplement... que j'éprouve une espèce de besoin absurde de dessiner les choses. C'est une manie. Je t'en prie, Melvin, n'en fais pas tout un numéro. Tu sais ce que je pense de l'art. Ces esquisses ne valent rien. Tout le monde dessine plus ou moins.

– Bonté divine, Fauve, tu crois que je ne sais pas faire la différence entre un bon et un mauvais dessinateur? Ces dessins sont superbes? Est-ce que tu peins aussi? Fauve, dis-moi!

– Il n'y a rien à dire. D'accord, je dessine un peu – je l'admets – mais je ne peins pas... Je te dis la vérité. Si j'avais des tubes de peinture dans l'appartement, tu les sentirais. Allez, Melvin, cesse de me regarder comme ça, tu m'embarrasses. Et rends-moi mes esquisses. »

Il les lui tendit en haussant les épaules.

« Si tu as envie de me faire un cadeau pour mon anniversaire, donne-moi un de tes dessins. Tu n'as même pas besoin de l'encadrer. Tu as trouvé ton style, tu ne comprends pas ça? Et il n'a plus rien à voir avec celui de ton père ni de quiconque. Tu comprends ce que ça veut dire? Non? Peu importe, andouille! Je crois que je vais reprendre un peu de cognac. J'en ai besoin. »

La dévotion de Marthe Brunel à l'égard de Nadine n'avait jamais fléchi au cours de toutes ces années. A ses yeux, Nadine était toujours la ravissante petite fille qu'elle n'avait jamais pu avoir. Enfant, Nadine, qui avait compris que Marthe l'aimait aveuglément, en abusait. A la moindre égratignure (dont Kate aurait ri) elle courait se réfugier dans les jupes de la paysanne bourrue qui la consolait immédiatement. Lorsque Nadine partit en pension, elle oublia totalement la vieille servante mais, quand elle revint pour les vacances, elle retrouva avec plaisir sa Marthe toujours en adoration. Après la mort de Kate, elle téléphona régulièrement à Marthe pour avoir des nouvelles de La Tourrello, car Mercuès lui avait fait comprendre sans ménagement qu'il ne voulait pas la voir.

« Ta vie est une farce, ton mari un crétin, et je suis trop occupé pour être dérangé », lui avait-il dit brutalement lorsqu'elle avait émis l'idée qu'elle pourrait venir de temps en temps passer un week-end à Félice. Elle avait prudemment battu en retraite.

Combien de fois avait-elle entendu le morne et invariable rapport de Marthe, énoncé de sa vieille voix cassée : « Il est toujours le même, ma petite chérie. Il se lève, prend son petit déjeuner, s'enferme toute la journée dans son atelier, dîne et se couche. Non, il est en bonne santé, il ne me dit jamais rien, sauf de ne pas laisser entrer des inconnus, comme si je ne le savais pas! Ce qu'il fait toute la journée? Ma foi, je n'en sais rien. L'atelier est fermé à clef et je n'ai jamais été le genre à espionner. Depuis la mort de ta mère, nous vivons dans la solitude. Il ne s'occupe pas de la propriété, il a renvoyé les hommes, les outils rouillent, les vignes et les oliveraies sont la honte du voisinage, mais il s'en fiche. Si je n'étais pas là, il se laisserait probablement mourir de faim. Je ne reste qu'à cause de toi et en souvenir de ta pauvre mère. »

Vers la mi-septembre 1975, Marthe Brunel appela Nadine pour lui dire que son père toussait depuis des semaines. Il continuait à travailler toute la journée, refusant de changer quoi que ce soit à ses habitudes. Mais ce soir, il s'était mis au lit sans dîner.

« Il ne veut pas me laisser appeler le médecin, ma petite, mais je pense qu'il a une bronchite. Qu'est-ce que je dois faire ?

— Rien, Marthe. Je serai là demain. Tu sais ce qu'il pense des médecins. Inutile de le contrarier. »

Philippe Dalmas lui proposa sans enthousiasme de prendre l'avion jusqu'à Marseille et de la conduire ensuite à Félice, mais Nadine refusa. En passant le portail, elle eut un choc. La Tourrello avait l'air à l'abandon, un amas de pierre que toute vie avait déserté. Dans la cuisine, un sourire indulgent sur les lèvres, elle laissa Marthe la serrer dans ses bras.

« Tu es plus belle que jamais ! s'exclama Marthe.

— Pourquoi la maison est-elle fermée, Marthe ? Pourquoi les volets sont-ils clos et les fauteuils recouverts de housses ?

— Ce n'est pas ma faute, tu sais. La maison est lourde pour moi toute seule et mon arthrite me fait des misères. La piscine a été vidée, le jardin est rempli de mauvaises herbes. Je tâche de garder la maison propre mais Monsieur a renvoyé tous les domestiques après la mort de ta mère et j'ai quand même soixante-dix ans.

— Pauvre Marthe, je comprends, s'apitoya Nadine.

— Pendant longtemps, je lui ai proposé de faire du feu le soir dans la maison, mais il a toujours refusé. J'ai préparé ta chambre ce matin. Je te servirai à dîner dans la salle à manger ou dans la cuisine avec moi, comme tu voudras. Combien de temps resteras-tu?

— Jusqu'à ce qu'il aille mieux », répondit Nadine, et elle monta l'escalier.

« Je ne sais fichtre pas pourquoi cette gourde de Marthe t'a fait venir, glapit Mercuès en la voyant entrer dans sa chambre. Quand je l'ai su, il était trop tard, tu étais déjà partie.

— Elle s'inquiète à ton sujet.

— C'est une vieille mouche de coche! Elle est sénile! J'ai un mauvais rhume, voilà tout. Quelques jours au lit et il n'y paraîtra plus.

— Tu ne veux pas que je fasse venir le médecin?

— Ne sois pas ridicule! Je n'ai jamais vu le médecin de ma vie. Je n'ai besoin que de calme et de paix.

— Marthe pense que tu as une bronchite.

— Parce qu'elle est qualifiée pour établir un diagnostic, maintenant? railla-t-il. Elle ne sait pas de quoi elle parle. Laisse-moi tranquille.

— Peut-être as-tu trop travaillé, suggéra Nadine.

— Trop travaillé? Qu'est-ce que ça veut dire? Je travaille, un point c'est tout. Le travail est le travail. » Il fut pris d'une violente quinte de toux.

« Va-t'en, piailla-t-il quand il eut retrouvé un semblant de respiration. Tu vas attraper mon rhume. » Il but quelques gorgées d'eau.

« Je vais rester un peu avec toi, papa. Ne fais pas attention à moi. Je vais m'asseoir dans un coin. »

Mercuès ferma les yeux avec indifférence et s'assoupit peu de temps après. Il ronflait de temps en temps. Nadine ne pouvait s'empêcher de le dévisager. Comment Marthe pouvait-elle prétendre qu'il était en bonne santé? A force de vivre à ses côtés, elle ne le voyait sans doute plus. Il était si maigre qu'il semblait flotter dans sa veste de pyjama et du lit lui parvenaient des relents d'une sueur rance et fétide. Elle eut un frisson de dégoût.

Il était coriace et n'avait que soixante-quinze ans. Hier, il travaillait encore. Qui sait combien de temps il allait tenir le coup? Lorsqu'elle était petite, il lui paraissait l'homme le plus fort du monde. Les grands peintres, comme les grands chefs d'orchestre, vivaient souvent centenaires. En tout cas, il ne semblait pas se coire en danger.

« Bonté divine, Nadine, va-t'en! Je veux dormir », s'emporta soudain Mercuès sans ouvrir les yeux.

Elle sursauta et vola vers la cuisine.

« Marthe, je ne crois pas qu'il faille s'inquiéter. Il a encore trop mauvais caractère pour être vraiment malade.

— Je ne voulais pas assumer toute seule une pareille responsabilité, marmonna Marthe. J'ai préféré t'appeler.

— Tu as bien fait. De toute façon, je suis contente d'être venue, ne serai-ce que pour te voir. Tu sais que papa m'avait fermé sa porte. Je n'ai d'ailleurs jamais compris pourquoi mais enfin, après tout, il est chez lui. Autrement, j'aurais fait un saut ici de temps en temps.

— Si seulement ta mère vivait encore! soupira Marthe. Tu te souviens des réceptions? Les fleurs partout, les domestiques, la cuisine remplie de

479

bonnes choses ? Et tous ces gens célèbres ? Ta mère était la reine du pays.

– Tu as l'air fatiguée, ma pauvre Marthe, s'apitoya Nadine.

– Je n'étais pas tranquille cette nuit. J'ai passé mon temps à grimper l'escalier pour voir comment il allait. Je n'ai pas beaucoup dormi, mais ça n'a pas d'importance.

– Je crois que ce soir, on devrait se coucher de bonne heure toutes les deux. Ma chambre n'est pas loin de la sienne. Je laisserai nos deux portes ouvertes : si papa m'appelle, je l'entendrai. J'ai le sommeil léger. Il ne faut pas que tu montes constamment au premier avec ton arthrite. Demain, si son état s'aggrave, j'appellerai le médecin.

– Je suis contente que tu sois là, ma petite chérie. Tout ça est trop dur pour une vieille femme comme moi. »

Nadine ne parvenait pas à s'endormir. Elle s'imagina descendant à la cuisine, une bougie à la main, pour chercher la clef de l'atelier qui devait pendre avec les autres sur le tableau. Elle s'imagina se glissant à travers les pièces silencieuses de la maison, sortant et longeant la piscine jusqu'à la grande porte en bois de l'atelier. Elle se vit en train d'ouvrir cette porte, d'allumer la lumière et d'entrer dans la chambre forte où s'entassaient les plus belles œuvres du plus grand peintre français – des centaines de toiles qui avaient plus de valeur que n'importe quel bijou. Elle les compta dans sa tête, en estima approximativement la valeur – oui, il y en avait pour des centaines de millions, si le marchand de Mercuès était un type correct, et elle n'avait aucune raison d'en douter, une immense fortune l'attendait dans cet atelier. Un avenir brillant, se dit-elle. Elle achèterait des maisons, des objets merveilleux, elle donnerait de somptueuses réceptions. Le monde serait enfin aux pieds de la fille de Mercuès. Bientôt. Très bientôt. *Quand*?

Elle sortit du lit et se glissa dans la chambre de son père. La respiration de Mercuès était laborieuse. Il avait l'air de lutter frénétiquement pour produire ce bruit de soufflet de forge. Elle l'observa attentivement pendant un moment, assez loin du lit pour qu'il ne la voie pas en ouvrant les yeux. Puis elle regagna sa chambre et s'endormit. Le lendemain matin, elle s'habilla à la hâte et retourna auprès de son père. Il était réveillé et, d'un geste, lui montra le verre vide sur sa table de chevet. Le pot de chambre que Marthe avait placé près de son lit était à demi plein. Nadine le vida avec dégoût. Elle remplit le verre d'eau et l'approcha des lèvres de Mercuès.

« Comment te sens-tu ? demanda-t-elle.

— Comme hier », répondit-il d'une voix basse et rauque. Sans le toucher, Nadine comprit qu'il était brûlant de fièvre. Surmontant sa répugnance, elle lui lava le visage à l'eau tiède. « Je ne pense pas que tu souhaites que je te rase. Je n'ai jamais fait ça et j'aurais peur de te couper, dit-elle d'un ton léger. Veux-tu que je demande à Marthe de te préparer ton petit déjeuner ?

— Je n'ai pas faim. Redonne-moi de l'eau », souffla-t-il entre deux violentes quintes de toux.

Nadine descendit à la cuisine et y trouva Marthe inquiète.

« Il a passé une très bonne nuit, dit joyeusement Nadine. Je lui ai fait un brin de toilette à l'éponge et il se sent mieux. Il s'est rendormi. C'est ce qu'il a de mieux à faire. Il n'a pas faim. Il ne veut rien manger.

Mais je le comprends, parce que moi, quand j'ai un gros rhume, je ne peux même pas sentir l'odeur de la nourriture. Je ne prends que du liquide. Mon médecin dit toujours que c'est la seule chose à faire. Garder la chambre et boire beaucoup.

– Oh! Je me sens coupable de t'avoir laissée faire tout ça, soupira Marthe d'un air malheureux.

– Marthe, ma vieille Marthe, si je ne peux pas prendre soin de mon père... Ecoute, tu vas faire une bonne soupe au pistou et peut-être, plus tard, acceptera-t-il d'en prendre un peu.

– Tu ne penses pas qu'on devrait téléphoner au docteur d'Apt, celui qui a soigné ta mère?

– Non, papa serait fou de rage. Tu sais qu'il se vante toujours de n'être jamais malade. Je ne veux pas prendre la responsabilité d'amener un médecin dans cette maison, sauf, bien entendu, si je le jugeais absolument nécessaire. Cela le rendrait aussi furieux que de voir un prêtre entrer dans sa chambre. Il a simplement besoin qu'on le materne, Marthe, et tu fais ça mieux que personne. Prépare-moi un poulet rôti pour le déjeuner, je meurs de faim. Et une tarte à l'abricot. Et un plateau de fromages. J'adore les fromages de Félice avec du beurre de ferme.

– Alors, il faut que je descende au village. Il n'y a pas grand-chose dans la maison.

– Eh bien, vas-y, vas-y... Je reste ici, ne t'inquiète pas. »

Pendant toute cette chaude journée de septembre, Nadine demeura dans le couloir, tout près de la chambre du malade dont la porte était entrouverte. Elle écoutait avec avidité les violentes et constantes quintes de toux qui secouaient Mercuès. Parfois, il gémissait et appelait Marthe ou elle-même d'une voix presque inaudible. De temps à autre, il s'endormait, mais jamais longtemps. Au rez-de-chaussée, Marthe, soulagée et réconfortée par la présence de Nadine, préparait un bon déjeuner, et s'efforçait de rendre la maison accueillante.

« Ouvre les volets, Marthe, enlève ces housses hideuses, cueille quelques fleurs et prépare un feu, avait ordonné Nadine. Le soir, l'atmosphère de cette maison est vraiment trop déprimante. » Et Marthe s'était empressée d'obéir, heureuse de voir la maison revivre un peu.

Au milieu de la nuit, Nadine s'éveilla en sursaut, comme si quelqu'un avait crié son nom, mais elle eut beau tendre l'oreille, elle n'entendit rien. La maison était plongée dans le silence. Marthe, elle le savait, dormait dans sa chambre, derrière la cuisine. Et pourtant... quelque chose... Il se passait quelque chose. Elle enfila hâtivement sa robe de chambre et entra dans la chambre de Mercuès. Elle n'eut pas plus tôt franchi le seuil qu'elle comprit qu'il agonisait. La mort rôdait dans la pièce, elle la sentait. Enfin. *Enfin.*

A en juger par ces longs râles et ces gargouillis, ses poumons devaient être gorgés d'eau. Il se noyait, tout simplement. Malgré l'affreuse puanteur de la chambre, elle n'avait pas l'intention de la quitter, pas avant d'être sûre.

Elle ouvrit la fenêtre pour renouveler l'air et chasser les relents âcres qui émanaient du lit. Elle s'assit le plus près possible de la fenêtre, alluma un lampadaire juste au-dessus d'elle et se mit à inspecter ses ongles. Son vernis s'écaillait. Il lui faudrait trouver une manucure à Félice avant les obsèques.

Elle entendit un faible bruit, une sorte de plainte, de supplication étouffée. De l'eau? Comment pouvait-il désirer de l'eau alors qu'il se noyait? Impossible. Il luttait pour parler. Du charabia. Des paroles dénuées de sens. Elle n'écoutait pas.

Bientôt, plus aucun bruit ne lui parvint du lit. Le silence était total. Cependant, Nadine resta encore un long moment immobile sous la lampe. Elle attendit jusqu'au moment où elle fut certaine d'avoir gagné, puis quitta la pièce.

32

Il pleuvait encore. Il a plu toute la journée, songea Fauve en regardant par la fenêtre de l'appartement de Maggy dans lequel toutes deux s'étaient réfugiées après l'annonce de la mort de Julien Mercuès.

« Combien de temps crois-tu pouvoir éviter les journalistes? demanda doucement Darcy à Fauve. Il y a là des types du *New York Times*, du *Daily News*, de la presse de province, des photographes et deux équipes du journal télévisé. On ne les a pas laissés entrer dans l'immeuble, mais à mon avis ils vont s'incruster malgré le temps.

– Pourquoi ne me fichent-ils pas la paix? gémit Fauve.

– Parce que tu es la partie la plus croustillante de la biographie de Mercuès, chérie. Fauve Lunel, la fille de Mercuès. Sa mort est déjà un événement en soi mais si tu y ajoutes l'histoire de ta mère... Tu comprends pourquoi ils veulent te parler.

– Faut-il vraiment que je réponde à leurs questions?

– Je ne vois pas pourquoi Fauve se plierait à ça, Darcy, intervint Maggy. Crois-tu vraiment que ce soit nécessaire?

– Ce serait la façon la plus rapide de se débarrasser d'eux, répondit-il.

– Quel genre de questions vont-ils me poser? s'enquit Fauve, inquiète.

– Ils vont te demander si tu comptes te rendre aux obsèques... quand tu l'as vu pour la dernière fois... quelle est ta réaction, etc. Le genre de trucs qu'ils demandent toujours aux membres de la famille.

– Je ne m'attendais pas à cela, dit lentement Fauve.

– Moi si, fit Maggy. Je me souviens de la façon dont ils se sont comportés quand ta mère est morte. Il n'y a rien qu'ils ne demandent ou n'impriment. Darcy, pourrais-tu rédiger un genre de déclaration et la leur lire en prétextant que Fauve a trop de chagrin pour leur parler?

– On peut toujours essayer, admit-il d'un air dubitatif.

– Mais ne dis surtout pas que je vais à l'enterrement parce que je n'ai pas l'intention de m'y rendre », l'avertit Fauve.

Il y eut un long silence. Maggy et Darcy échangèrent un rapide coup d'œil.

« Je vais aller écrire ça dans la bibliothèque », déclara-t-il.

Maggy s'assit sur le canapé à côté de Fauve et lui prit la main. « Ecoute, Fauve, si tu ne vas pas aux obsèques, tu susciteras encore dix fois plus de curiosité. Quels que soient tes griefs à son égard, ton père était célèbre dans le monde entier – et pas seulement auprès des collectionneurs. En outre, Nadine Dalmas et toi êtes ses seuls enfants. Il faut que tu y ailles », dit Maggy calmement. Depuis le matin, elles évitaient d'aborder ce sujet, mais Maggy avait eu le temps d'y penser.

486

« Il ne s'agit pas de griefs, Maggy, murmura Fauve, c'est beaucoup plus grave que ça.

– Chérie, je ne te comprends pas... Les obsèques de Julien auront lieu dans trois jours. D'après la conférence de presse qu'a donnée Nadine, le Tout-Paris y sera. Tu ne peux pas t'y soustraire. Si tu veux, j'irai avec toi. Ça attirera encore plus l'attention sur nous, mais tant pis.

– Non, Magali, avec ou sans toi, je ne veux pas y aller. »

Maggy se rapprocha d'elle et mit un bras autour de ses épaules.

« N'en parlons plus. Simplement, je ne te comprends pas, conclut-elle.

– J'avais juré de ne jamais te dire ce qu'il avait fait, pourquoi je ne voulais plus le voir, mais je crois qu'il vaut mieux que je te le raconte maintenant. Tu comprendras mieux pourquoi je m'obstine à ne pas vouloir aller à son enterrement. Pour son travail, ce travail que je devrais respecter, Magali, il a sacrifié beaucoup de gens.

– Sacrifié? répéta Maggy, interloquée.

– Pendant la guerre, quand tout le monde se battait, il a choisi de peindre. Il n'était pas le seul à réagir ainsi, bien sûr, mais lui a collaboré avec des Allemands. Lorsqu'un groupe de résistants du maquis lui a volé ses draps dont il faisait des toiles, il les a dénoncés à un officier allemand, un ami. Ils ont tous été fusillés mais on lui a rapporté ses draps et, ainsi, son sacro-saint travail n'a pas été interrompu. Mais il y a autre chose, Magali. Pendant toute la guerre, il a fermé sa porte à ses amis juifs. Chaque fois qu'un réfugié sonnait chez lui pour y passer la nuit, il se voyait refouler par Marthe Brunel qui avait ordre de ne laisser entrer personne. C'étaient tous des juifs, des gens qui cherchaient à sauver leur peau, peut-être des gens que tu connaissais, Magali. Il n'a même pas laissé entrer Adrien Avigdor. Il aurait pu sauver tous ces juifs, mais ils l'auraient dérangé dans son travail. Pour lui, c'était inconcevable.

– Comment? Qui...? souffla Maggy.

– C'est Kate qui m'a raconté tout ça, mais il ne l'a pas nié.

– Tu veux dire qu'il l'a *admis*?

– Oui. Ça s'est passé le jour où je suis partie. Je ne voulais pas que tu le saches.

– Mais pourquoi, mon Dieu? pourquoi avais-tu si peur de me le dire? Tu n'étais qu'une enfant... Tu aurais dû m'en parler, protesta-t-elle.

– J'avais trop honte. Et plus tard, je n'avais plus de raison de t'en parler. C'était fini. Il savait qu'il ne me reverrait plus.

– Honte? Pourquoi honte?

– Parce que c'était mon père. Je comprenais ce qu'il valait en tant qu'être humain. Je ne peux avoir aucun respect pour lui, Magali, ni pour son œuvre. Quel travail est plus important que des vies humaines? »

Nadine n'était qu'à demi satisfaite et, pourtant, ces obsèques dans le vieux cimetière de Félice balayé par le vent avaient été très photogéniques. Le ministre de la Culture et ses proches collaborateurs y assistaient, ainsi que tous les villageois comme chaque fois qu'un représentant de la communauté mourait. Bien sûr, à part Philippe et quelques amis sans importance, personne n'avait pu venir. Tous les gens qu'elle aurait aimé voir étaient encore en vacances et se rendre dans ce trou perdu était vraiment trop compliqué pour eux. Si seulement le vieil homme avait eu le bon goût de mourir à Paris en octobre, les choses auraient été différentes. Cependant, la cérémonie avait été parfaite. Même dans un petit village, on pouvait faire confiance à l'Eglise catholique pour faire les choses avec une certaine pompe.

Sitôt le cercueil descendu dans la fosse, les photographes s'étaient dispersés. Nadine en avait ressenti un dépit mêlé de soulagement. Pour la première fois depuis l'annonce de la mort de Mercuès, elle avait enfin pu se détendre.

Mais ce qui l'irritait au plus haut point, c'était le comportement de l'huissier. Comment ce petit fonctionnaire osait-il l'empêcher d'ouvrir l'atelier? S'attendait-il qu'elle vole son propre bien? lui avait-elle demandé d'un air ironique tandis qu'il posait les scellés sur les deux portes. C'est la règle, avait-il grommelé sans impertinence, une simple formalité en attendant ces messieurs de Paris. Lorsqu'elle s'était plainte à Etienne Delage – son marchand désormais – il lui avait répondu qu'elle ne pouvait rien faire. L'Etat devait définir la part qui lui revenait avant qu'on touche à quoi que ce soit. Ainsi, après toutes ces années, il fallait qu'elle attende encore! Et c'était exaspérant, odieux, de voir l'Etat se servir au passage.

« Qu'y a-t-il? demanda Nadine à Marthe qui venait d'apparaître sur le seuil du salon.

– Maître Banette, un notaire d'Apt, vient d'arriver. Il veut te voir, il paraît que c'est urgent.

– Je n'ai jamais entendu parler de ce type. Dis-lui que je dors, débarrasse-toi de lui.

– J'ai essayé, ma petite, mais il insiste. Il prétend que c'est important.

– Bon... entendu », soupira Nadine.

Elle savait qu'on ne peut pas échapper à un

notaire. Elle avait déjà fait face à la mort, au fisc, la suite logique, c'était le notaire.

L'air important de ce petit homme rondouillard et rougeaud acheva d'exaspérer Nadine.

« Vous tombez bien mal, monsieur, dit-elle sèchement.

– Puis-je me permettre de vous présenter mes condoléances, madame ? Je suis sûr que vous comprendrez qu'il me fallait venir au plus vite chez vous.

– De quoi s'agit-il, maître... Banette... c'est cela ? Pourquoi vouliez-vous me voir ?

– Madame, seules des obligations professionnelles pouvaient me pousser à faire intrusion chez vous en ce pénible moment. Mais il faut que vous preniez connaissance du testament de M. Mercuès. L'original se trouve au Fichier central des dernières volontés, à Aix. Je vous en ai apporté la photocopie.

– Son testament ? sursauta Nadine. Il a fait un testament ? Je l'ignorais. »

Inquiète, elle se demanda si le vieil homme n'aurait pas, par hasard, laissé de l'argent à une œuvre de charité. Non, cela ne lui ressemblait pas. Sûrement pas.

« Il est venu me consulter il y a trois ans, madame, à propos de la loi du 3 janvier 1972, poursuivit maître Banette.

– Quelle loi ? 1972 ? Je n'ai aucun souvenir d'une loi ayant trait à la propriété. Mon avocat m'en aurait informée.

– Ça n'a rien à voir avec vos biens, madame, répondit maître Banette en secouant la tête. En 1972, le Parlement a voté une loi permettant, pour la première fois en France, de reconnaître légalement les enfants adultérins. M. Mercuès a reconnu Mlle Fauve Lunel. »

Nadine le regarda fixement.

« Et puis il y a son testament, continua-t-il. Un étrange document, en vérité. Au début, il voulait laisser tous ses biens à Mlle Lunel. Je lui ai expliqué que c'était impossible, qu'on ne pouvait pas déshériter un enfant au profit d'un autre. Je lui ai suggéré de partager ses biens entre ses deux enfants...

– Partager!

– Rassurez-vous, madame, c'est un partage qui vous reste favorable, grâce à l'article 760 de la loi sur les successions. Mlle Lunel n'a droit qu'à la moitié de ce dont elle aurait hérité si elle avait été une enfant légitime, c'est-à-dire seulement vingt-cinq pour cent des biens au lieu de cinquante. Vous, madame, hériterez de soixante-quinze pour cent de ce qui restera une fois les impôts payés. »

Il s'interrompit, s'attendant que Nadine fasse un commentaire, mais elle se tut.

« Le testament est rédigé d'une façon que je n'approuve pas, poursuivit-il. J'ai fait part de mes réticences à M. Mercuès, mais il n'en a tenu aucun compte.

– Fauve! siffla Nadine entre ses dents. Toujours Fauve!

– Précisément, madame. Il semblait avoir... une prédilection pour cette enfant.

– Qu'a-t-il dit? glapit Nadine. Lisez-moi ce testament, bonté divine!

– C'était mon intention », répondit-il en s'éclaircissant la voix.

« Moi, Julien Mercuès, désire laisser toutes mes œuvres à ma fille bien-aimée, Fauve Lunel. Cependant, puisque la loi me l'interdit, je souhaite lui donner la série de tableaux intitulée *La Rouquine* que j'ai rachetée à mon épouse, Katherine Browning Mercuès (ci-joint l'acte de vente). Je désire que ma fille Fauve hérite de toutes les toiles que j'ai faites d'elle et de sa mère, Theodora Lunel, qui était la seule femme que j'aie jamais aimée. Je lègue également à Fauve la série *Cavaillon* qu'elle m'a inspirée. A cause de Fauve, j'ai fini par apprendre les leçons les plus importantes de ma vie, mais trop tard, hélas! J'espère qu'un jour elle comprendra à quel point elle m'a influencée. Si ma fille chérie, Fauve, le souhaite, j'aimerais lui donner le domaine de La Tourrello avec toutes ses terres. Si elle n'en veut pas, qu'elle le vende.

« En aucun cas, La Tourrello et l'atelier dans lequel j'ai toujours travaillé ne devront devenir la propriété de Mme Dalmas. A ma connaissance, elle n'a jamais apprécié ni l'art ni la nature. Je souhaite également que ma fille Fauve porte mon nom, mais je comprendrai qu'elle ne le veuille pas.

« Vingt-cinq pour cent de mes biens iront donc à ma fille Fauve. Ce qui restera doit, d'après la loi, revenir à Mme Nadine Dalmas qui, j'en suis certain, s'empressera de le dilapider afin de pouvoir poursuivre cette vie creuse, vaine et stupide qu'elle a choisie. »

« Voilà, madame, c'est tout.

— Quel salaud! Quel horrible salaud! explosa Nadine, pâle de rage. Non! Jamais! Moi vivante, elle n'aura pas un sou. Il devait être fou! Je vais attaquer le testament.

— Il ne peut être question de folie, madame. Si j'avais douté de la raison de M. Mercuès, je n'aurais jamais accepté ce testament. Il est parfaitement valable.

– Qu'en savez-vous? Sortez! Je vais appeler mon avocat de Paris. Espèce de petit imbécile pompeux, provincial, crétin! Bien sûr qu'un testament aussi aberrant peut être attaqué! Sortez! »

Nadine se leva si brusquement et avec une telle expression de haine que l'homme saisit son chapeau et se précipita vers la porte.

Sans aucun doute, c'était la meilleure histoire qu'ils avaient eue à se mettre sous la dent depuis longtemps, commentaient les journalistes en apprenant les détails. « Inconduite notoire de la mère. » Code civil, acte 339. On n'en avait pas entendu parler depuis un bout de temps de celui-là! « Inconduite notoire » de Teddy Lunel, la plus grande cover-girl de tous les temps. Difficile à prouver, commentaient certains d'entre eux qui apparemment avaient l'air de savoir de quoi ils parlaient, mais c'était la seule façon d'attaquer cet étrange testament qu'avait laissé Julien Mercuès. Inattendue, cette nouvelle! Et eux qui étaient tous persuadés que l'histoire avait pris fin dans un cimetière du Luberon. Ça va durer des semaines! s'exclama un jeune reporter au comble de l'excitation. Des semaines? Tu veux dire des mois, oui, corrigea son voisin.

« Peu importe que Nadine Dalmas ne puisse rien prouver, déclara Darcy. Elle aura tout de même eu sa revanche, traîner le nom de Teddy dans la boue.

– Ainsi, vous pensez qu'elle va mettre au grand

jour toute la vie privée de ma mère ? demanda rageusement Fauve.

– J'en ai peur, répondit Darcy. Sinon, pourquoi aurait-elle rendu ce testament public ? Si elle n'avait pas décidé d'attaquer le testament, elle se serait bien gardé d'agir ainsi. Maintenant, tout le monde sait combien Mercuès la méprisait. »

Fauve arpentait le salon de Maggy en serrant les poings. Si Nadine s'était trouvée dans cette pièce, elle l'aurait tuée.

« Je vais partir pour Avignon demain. Je vais empêcher ça. Personne ne traitera ma mère de putain. Nadine *ne peut pas faire ça*. Je ne le lui permettrai pas.

– Fauve... Tout ça s'est passé avant ta naissance, objecta Maggy.

– Je vais faire mes bagages, déclara Fauve, ignorant sa remarque.

– N'y a-t-il personne que tu puisses appeler ? hasarda Maggy. Quelqu'un que tu aurais connu là-bas pendant tes vacances et qui pourrait t'aider ?

– Si, répondit lentement Fauve, s'arrêtant sur le seuil de la porte. Si, il y a quelqu'un. Comment n'y ai-je pas pensé plus tôt ? »

Eric Avigdor attendait à l'aéroport de Marseille. Il exprima sa sympathie à Fauve d'un air contraint car il se souvenait de la façon dont ils s'étaient quittés six mois auparavant.

« Papa était très content que tu l'appelles, dit-il en prenant l'autoroute du Sud en direction d'Avignon.

– Il a dû être étonné, j'ai simplement demandé son numéro aux renseignements internationaux et je l'ai eu quelques minutes plus tard. J'étais gênée parce qu'il était près de minuit. J'avais oublié le décalage horaire.

– Il ne se couche jamais de bonne heure.

– C'est ce qu'il m'a dit mais, à mon avis, c'était par pure politesse.

– Papa? Il a laissé tomber la politesse depuis qu'il est à la retraite.

– Il m'a trouvé un avocat? demanda-t-elle, anxieuse.

– Le meilleur d'Avignon. Il t'attend chez mes parents. Il s'appelle maître Jean Perrin. Papa et lui appartenaient au même réseau pendant la guerre.

– C'est vraiment gentil de la part de ton père.

– Il t'aime beaucoup, tu sais. »

Pour la première fois Eric esquissa un sourire et elle le lui rendit. Penser à Adrien Avigdor lui réchauffait le cœur.

Ils se turent, mais c'était moins pesant que les quelques mots polis qu'ils avaient échangés pendant que Fauve attendait ses valises. Une demi-heure plus tard, ils étaient à Villeneuve-lès-Avignon.

Fauve fut déçue par l'avocat. Elle avait espéré que Jean Perrin aurait à peu près le même âge qu'Adrien Avigdor, mais il était beaucoup plus jeune. Il était petit et mince et avait l'air d'un gamin. Cependant, en l'observant avec attention, on s'apercevait qu'il faisait partie de cette race d'hommes qui remarque et enregistre tout immédiatement.

Inchangé, Adrien Avigdor était vêtu d'une chemise ouverte et d'un pull-over. Maître Perrin, lui, portait un costume avec gilet.

Beth Avigdor embrassa Fauve avec affection.

« Vous devez être fatiguée, ma pauvre Fauve. Je

vous ai fait préparer la chambre d'amis. Voulez-vous vous étendre une heure avant le dîner?

– Non merci, madame. Je préférerais m'entretenir tout de suite avec maître Perrin. »

Fauve et l'avocat s'installèrent sur la terrasse de la maison qui dominait la ville. Au loin, on apercevait le palais des Papes.

« Maître Perrin, pouvez-vous m'aider?

– Je ne pense qu'à cela depuis qu'Adrien m'a appelé hier soir. En fait, mademoiselle, j'ai passé la journée à m'occuper de votre affaire.

– Déjà? Sans que nous en ayons parlé?

– Oh! Ce n'est pas bien compliqué. Il faut simplement trouver des gens prêts à témoigner de la moralité de votre mère. Et j'ai déjà un témoin.

– Un seul? s'étonna Fauve. Il ne fera pas le poids en face de l'accusation « inconduite notoire ». Ma mère avait vingt-quatre ans lorsqu'elle a rencontré mon père... Il est bien évident qu'elle avait vécu, ce n'était pas une nonne. Elle est terriblement *vulnérable*, vous comprenez? »

La confiance déjà relative qu'éprouvait Fauve à l'égard de Jean Perrin s'évanouit complètement. Comment cet homme, visiblement naïf et inexpérimenté, aurait-il pu imaginer que Teddy Lunel avait eu autant d'amants? « Un certain nombre d'amants », avait dit Melvin avec tact.

Combien d'hommes se vanteraient-ils? Combien résisteraient au plaisir de raconter leur liaison avec la plus belle fille du monde?

« L'âge de votre mère n'a rien à voir avec cette accusation.

– Comment cela? » fit-elle, stupéfaite. Décidément, il ne comprenait rien.

« J'imagine que vous n'avez consulté ni avocat ni notaire?

496

– Ma grand-mère a appelé le consul de France à New York et j'ai pris l'avion le lendemain.

– Les diplomates ne sont pas au courant de ces choses. Voyez-vous, mademoiselle, la loi française est très explicite sur ce point : l'accusation d'inconduite notoire ne peut concerner que la période pendant laquelle vos parents ont vécu ensemble, car c'est la paternité de Julien Mercuès qui est ici mise en doute. D'après ce que je sais, ils ne se sont jamais quittés un seul jour jusqu'à la mort de votre mère. Il suffit d'établir ce fait et c'est ce à quoi je vais m'employer. »

Fauve avait l'air si bouleversée que Jean Perrin, gêné, détourna son regard. Lorsqu'il l'entendit sangloter, il se leva doucement et rentra dans la maison.

« Que se passe-t-il ? demanda Beth Avigdor, inquiète. Je vais y aller.

– Non, laissez-la seule pendant un moment », conseilla l'avocat.

Mais Eric se précipita sur la terrasse. Pelotonnée dans une chaise longue, Fauve sanglotait éperdument. Il la mit debout, la tint serrée contre lui et la calma en la berçant comme une enfant. Enfin, elle leva vers lui son visage bouffi de larmes « Prête-moi ton mouchoir », hoqueta-t-elle. Il fouilla dans sa poche et ne trouva rien. « Essuie ton nez sur ma manche.

– Oh ! non. Je ne peux pas, gémit Fauve.

– Eh bien, je vais le faire pour toi. » En riant, il déboutonna une manchette. « Vas-y, *souffle*. »

Une demi-heure plus tard, le visage lavé et les cheveux brossés, Fauve, assise dans le salon avec les trois Avigdor, écoutait maître Perrin raconter sa journée.

« Je me suis soudain dit que même des gens qui se sont volontairement coupés du reste du monde mangent.

– Ils boivent du vin, corrigea Adrien Avigdor.

– Les deux, mon vieux, les deux. Et où mangent-ils? Au restaurant, bien sûr. Quand on est amoureux et qu'on n'a pas d'enfants, on ne se contente pas de dîner chez soi tous les soirs. Et où, à Avignon, le plus grand peintre français allait-il dîner? »

Il s'arrêta et attendit.

« Chez Hiely, cria Fauve.

– Comment le savez-vous, mademoiselle?

– Mon père m'y emmenait toujours lorsqu'il voulait fêter quelque chose », expliqua-t-elle. Puis elle s'interrompit, étonnée, et rougit. Il y avait si longtemps qu'elle n'avait pas prononcé les mots « mon père » qu'elle avait du mal à croire qu'ils venaient de jaillir si spontanément de ses lèvres.

« Bien sûr, chez Hiely... le seul restaurant deux étoiles d'Avignon. Ce n'était pas difficile à deviner. Aussi m'y suis-je rendu ce matin. J'ai demandé à parler à M. Hiely. En 1953, il apprenait son métier dans la cuisine de son père mais il entrebâillait souvent la porte pour admirer votre mère. Il s'en souvient très bien. J'ai demandé à voir son livre d'or parce que j'étais sûr qu'ils avaient demandé à Julien Mercuès de le signer. Et là, sur l'une des pages, j'ai trouvé sa signature. Plus qu'une signature. Un charmant croquis de Papa Hiely. Et, au-dessous, votre mère avait signé également.

– Mais ça... ça ne prouve rien, balbutia Fauve.

– Attendez... La famille Hiely a l'habitude d'envoyer des cartes de Noël à tous leurs bons clients, aussi prennent-ils leurs adresses. C'est sur leur carnet que j'ai retrouvé celle de vos parents à Avignon. J'y suis allé immédiatement sans même – et Adrien en sera tout étonné – déjeuner. La maison existe toujours et, chose étonnante, la concierge n'a pas changé. J'imagine que cette Mme Bette sera encore là en l'an 2000. Quoi qu'il en soit, elle s'est montrée très coopérante.

– C'est la concierge, votre témoin? l'interrompit Fauve.

– Non, ne prenez pas l'air si dubitatif, le témoin de moralité ne sera pas la concierge encore qu'elle puisse nous servir éventuellement si nous avons besoin de quelqu'un d'autre. Mme Bette m'a raconté que vos parents étaient amis avec le médecin qui habite toujours le rez-de-chaussée de la maison. Il y a donc à peine deux heures, j'ai fait la connaissance de ce médecin et de sa femme. Ils m'ont expliqué qu'ils connaissaient très bien vos parents. Les deux ménages dînaient souvent ensemble chez Hiely ou au Prieuré, et parfois même dans de petites auberges de campagne. Tous deux adoraient votre mère. Après sa mort, ils n'ont jamais revu votre père, mais ils ont compris pourquoi il avait disparu aussi soudainement. Ils m'ont parlé de la passion que vos parents éprouvaient l'un pour l'autre. Le professeur Daniel...

– Le professeur Daniel? Mais je le connais! s'exclama Beth.

– Je n'en suis pas surpris, Beth. Il est l'un des hommes les plus éminents d'Avignon, mademoiselle, expliqua Jean Perrin. Le professeur Daniel a été outré par cette odieuse accusation d' « inconduite notoire ». Il en a même été personnellement affecté. Bien entendu, sa femme et lui sont tout prêts à certifier que votre mère n'a jamais vu d'autre homme que votre père pendant toute l'époque où ils ont vécu à Avignon. L'attaque du testament s'arrêtera avant d'avoir commencé, termina Jean Perrin avec un sourire triomphant.

— Affecté? dit Fauve. Pourquoi en a-t-il été personnellement affecté? Simplement parce que c'était un ami de mes parents?

— Non, il y a une autre raison. C'est lui qui vous a mise au monde. »

33

« Madame Dalmas, quel plaisir de vous voir! »
Madame Violette, la première vendeuse de la maison Yves Saint Laurent, était trop bien élevée pour
trahir son étonnement, mais les autres vendeuses,
qui attendaient les clientes pour les placer avant la
présentation de la collection, lui lancèrent des
regards surpris. « Y a-t-il quelque chose qui vous
intéresse en particulier, madame?

— Il faut que je renouvelle entièrement ma garde-
robe, répondit Nadine d'un air indifférent. J'ai porté
de l'Albin trop longtemps.

— Vous êtes très élégante, madame, mais je reconnais qu'on a besoin de changer de temps en temps.
M. Saint Laurent sera désolé d'apprendre que vous
êtes venue pendant qu'il était en voyage. »

Nadine prit l'habituel crayon doré et le petit
calepin afin de noter le numéro des modèles qu'elle
voulait essayer. C'était étrange et excitant de se
trouver là, parmi les autres clientes. Lorsqu'elle
travaillait avec Jean-François Albin, elle voyait les
modèles se créer sous ses yeux, si bien que lorsqu'elle mettait un vêtement de côté pour elle, elle
avait l'impression de le porter déjà depuis des mois.
Saint Laurent était le plus grand couturier du
monde mais jamais elle ne l'aurait admis avant

aujourd'hui. Pour la première fois, elle était libérée de la tyrannie de cet enfant capricieux et insupportable qu'était Jean-François Albin. Elle se retrouvait dans cette situation dont elle avait longtemps rêvé : elle était très riche et il n'y avait pas dans ses placards une seule robe, un chemisier ou un sac qu'elle eût envie de garder. Après son entretien avec Jean-François hier, Nadine avait décidé de se débarrasser de tous ses vêtements. Non qu'il se fût montré désagréable, au contraire – en fait ils n'avaient échangé que quelques mots. Nadine était simplement entrée dans son bureau et lui avait déclaré sans ambages que, dorénavant, il devrait se passer de ses services.

« Ah! Je vois, avait-il répondu avec un visage inexpressif.

– Tu comprends bien que maintenant... » Elle avait haussé les épaules d'un geste plus éloquent que les mots qu'elle aurait pu prononcer et qui signifiait : maintenant, je peux t'envoyer au diable, toi et tes caprices, tu vas te débrouiller sans moi et ta petite vie ridicule va être chamboulée parce que je ne serai plus là pour te servir de domestique.

« Je comprends parfaitement, Nadine. J'essaierai de me débrouiller au mieux. Excuse-moi, mais la princesse Grace m'attend. Je lui ai promis d'assister à son essayage. Tu viendras à son dîner, ce soir? Non? C'est vrai que tu es encore en deuil! Bon, à bientôt, alors? »

Il l'avait embrassée sur la joue de la façon sèche dont il embrassait tout le monde et il était sorti de son bureau, l'air très affairé, en appelant son essayeuse préférée et en donnant des instructions à la secrétaire pour qu'elle fasse monter du café à la princesse Grace.

Il joue bien la comédie, avait songé Nadine qui

savait qu'elle venait de lui porter un coup sévère, un coup dont il aurait du mal à se remettre.

Cependant, sa décision d'aller chez Saint Laurent était motivée par un fait précis. Elle aurait juré qu'Albin avait une lueur amusée dans le regard. Etait-ce possible? Certainement pas, se dit-elle regardant avec mépris les femmes qui l'entouraient. Ce n'était pas le bon moment de l'année pour commander de nouvelles toilettes. Ces femmes devaient être des provinciales ou des étrangères tout excitées d'être là. Elle n'aimait pas se retrouver en si médiocre compagnie mais elle ne voulait plus porter les vêtements d'Albin. Qu'est-ce qui avait bien pu provoquer cette lueur d'amusement dans son regard?

Les premiers mannequins défilaient avec des tailleurs d'automne et d'hiver, des vêtements qui avaient déjà été montrés pendant l'été. En ce moment, se dit Nadine, toutes ses amies qui s'habillaient chez Saint Laurent portaient déjà leurs tailleurs d'automne.

Elle inscrivit quelques numéros sur son calepin en songeant avec déplaisir à la conversation qu'elle avait eue le matin même avec son avocat. Elle était revenue chez lui pour essayer de le persuader une dernière fois de faire une enquête plus poussée sur la vie de cette putain, la mère de Fauve. Lorsqu'il avait appris le témoignage du docteur Daniel à Avignon, l'avocat avait déclaré à Nadine qu'il ne lui était plus possible d'attaquer le testament de son père. Elle avait consulté d'autres avocats, mais tous étaient arrivés à la même conclusion : elle n'avait d'autre choix que d'accepter le testament. Rien n'empêcherait désormais Fauve de recevoir vingt-cinq pour cent de l'héritage. Elle devrait se contenter de soixante-quinze pour cent. Elle avait été trompée et volée!

Comme c'était typique de son avocat d'insister pour avoir le dernier mot, même en cas d'échec, pensa Nadine. C'était tout sauf un bon professionnel et elle le lui avait jeté au visage. Il avait répliqué qu'il lui avait, dès le début, déconseillé d'attaquer le testament. En se rappelant sa suffisance, une bouffée de fureur colora les joues de Nadine.

Maintenant, les mannequins exhibaient de superbes tailleurs pantalons d'une coupe parfaite, typiquement Saint Laurent. Jamais Albin n'avait vraiment réussi à en faire d'aussi jolis. C'était ce qu'elle préférait, se dit-elle, notant les numéros.

Elle en voulait mortellement à son avocat de ne pas l'avoir prévenue que le texte du testament de son père serait rendu public. Pourquoi ne lui avait-il pas dit que les journalistes s'abattraient sur Aix comme une nuée de sauterelles et se débrouilleraient pour se procurer le document original? Et cet imbécile n'avait pas prévu que le testament, traduit dans toutes les langues, figurerait dans de nombreux journaux étrangers (c'est en tout cas ce que prétendait Philippe).

Les opinions de Philippe lui importaient peu maintenant. Elle l'avait jeté dehors le jour où le texte du testament était sorti dans *Le Monde* et dans *Le Figaro*. Elle lui avait intimé l'ordre de faire ses bagages et de quitter la maison dans l'heure. Et, chose surprenante, il avait obéi sans protester.

Il avait dû s'y préparer, conclut Nadine, il devait bien se douter qu'avec une pareille fortune elle le larguerait. Depuis la mort de Mercuès, il devait s'y attendre. Dès qu'il s'agissait d'argent, Philippe manifestait une certaine intuition, il fallait le reconnaître.

504

Dorénavant, se dit-elle avec soulagement, il paierait ses factures lui-même. Elle n'aurait plus à supporter ses dettes et ses idées idiotes. Seule comptait pour elle l'opinion de ses amis. Et ceux-ci comprendraient que Mercuès, au moment où il avait rédigé ce testament, n'avait plus toute sa tête. Ainsi M. Philippe Dalmas considérait qu'elle s'était versé une pleine poubelle d'ordures sur la tête? C'était la réaction typique d'un homme amer, un homme à qui on avait donné son congé comme à un domestique. Comment expliquait-il alors que personne n'eût fait allusion à ce testament devant elle? Il prétendait que les gens étaient trop gênés pour en parler. Quelle idée absurde! Hier, elle était tombée sur Hélène et Peggy devant chez Hermès et aucune des deux n'avait parlé de cette déplorable affaire. Mais elles ne lui avaient pas non plus exprimé leurs condoléances. Elles s'étaient comportées comme si rien ne lui était arrivé, ce qui était un peu désinvolte.

Nadine prit son mouchoir et essuya son front sous sa frange. Il faisait vraiment trop chaud chez Yves Saint Laurent.

Tandis que son œil exercé inspectait tous les détails des robes, elle se demanda distraitement à quoi pouvait bien ressembler la série *Cavaillon*. Quelle farce de la déposséder de cette maison où elle n'aurait jamais fichu les pieds et d'une série de portraits de trois générations de traînées, comme si ces toiles pouvaient être plus importantes que le reste de son œuvre qui lui revenait à elle! Cavaillon? Un gros bourg. Un endroit où faire son marché, rien de plus.

Elle se rendit compte que son calepin était plein. Levant les yeux vers les vendeuses pour en demander un autre, elle s'aperçut qu'elles chuchotaient en la regardant avec la même lueur d'amusement qu'elle avait observée dans les yeux d'Albin, de Peggy et d'Hélène.

Nadine se leva et se précipita vers la sortie.

« Madame Dalmas, quelque chose ne va pas? Puis-je vous aider? chuchota Mme Violette en la rattrapant au moment où elle allait franchir la porte.

— Je n'ai rien vu qui me plaise.

— Rien? répéta Mme Violette, incrédule.

— Pas même un chemisier. C'est une collection bien décevante. Je crois qu'Albin m'a trop gâtée pendant toutes ces années. »

Fauve est aussi entêtée que l'était son père, se dit Adrien Avigdor tandis que tous deux discutaient dans la bibliothèque.

« J'ai toujours l'intention de rentrer directement à New York, répéta Fauve avec douceur parce qu'elle aimait beaucoup Adrien Avigdor.

— Bien sûr, mais pas tout de suite. Pas avant que l'atelier ne soit ouvert et que vous n'ayez vu les tableaux que votre père vous a légués.

— Je ne tiens pas à les voir, répliqua-t-elle vivement. J'ai demandé à maître Perrin de s'occuper de tout et il a accepté.

— J'ai une totale confiance en Jean, mais il y a des choses que vous ne pouvez pas lui demander. C'est à vous d'y faire face.

— On a besoin de moi à New York, insista Fauve, essayant un autre argument. Je ne peux pas abandonner mes filles, cher monsieur.

— Qu'est-ce que vous en faites de ces filles, vous les vendez? la taquina-t-il d'un air grave.

— C'est une agence de mannequins, pas un réseau

de traite des Blanches, répondit-elle en riant. Vous savez très bien ce que je fais.

– Je sais aussi qu'il y a des gens pour s'occuper de l'agence quand vous n'y êtes pas, ne serait-ce que ma vieille amie Maggy. Je serais surpris qu'elle soit devenue paresseuse avec les années. J'ai la ferme conviction qu'elle ne laissera pas toutes ces superbes créatures sécher sur pied. »

Fauve hésitait tout en l'observant. Il n'avait pourtant pas l'air particulièrement entêté. Elle ne parvenait pas à le convaincre qu'elle avait raison. Maintenant que la question du testament était réglée, maintenant que le souvenir de sa mère avait été préservé, pourquoi Adrien Avigdor mettait-il une telle obstination à essayer de lui faire retarder son départ ? Elle avait trop de reconnaissance envers lui pour se contenter d'ignorer son insistance mais, d'autre part, rien de ce qu'elle disait ne semblait l'ébranler.

« Je n'ai aucune autre décision à prendre, reprit-elle patiemment. Que ferais-je de La Tourrello ? Je n'ai que quelques semaines de vacances chaque année et je n'aurai pas envie de venir systématiquement en Provence. Et que se passe-t-il quand une maison reste inoccupée ? Elle se détériore. Il y a le feu, les tuyaux éclatent quand il gèle, le mistral déplace des tuiles si bien que la pluie tombe dans la maison et que sais-je encore ? Il faudrait que je la loue ou que j'engage un gardien à plein temps. C'est vraiment trop compliqué. J'ai décidé de la vendre.

– C'est votre droit. Votre père vous le suggère dans son testament.

– Eh bien, alors ? fit Fauve.

– Je persiste à dire que vous devez voir votre héritage – la série *Cavaillon*. C'est votre devoir.

– Cher monsieur, dit soudain Fauve avec fermeté,

nous pourrions continuer ainsi pendant des jours et des jours. Là n'est pas la question. Il se trouve que je sais... je sais comment mon père s'est conduit pendant la guerre.

– Ah!... »

Il s'efforça de ne pas lui montrer le choc que lui causait cette révélation.

« Je sais également que vous êtes au courant de tout, et pas seulement de ce qu'il vous a fait à vous – non, ne dites rien! Maintenant, persistez-vous à dire que j'ai le « devoir de voir mon héritage »?

– Absolument, s'obstinait-il.

– Mais pourquoi? Je ne comprends pas.

– Parce que, quoi qu'il ait fait, Julien Mercuès et votre mère se sont beaucoup aimés. Quant à vous, il vous adorait. C'est ce qui ressort le plus clairement dans son testament. La série *Cavaillon*, quelle qu'elle soit, a été peinte pour vous, Fauve, peinte à cause de vous. Vous ne pouvez pas vous en désintéresser.

– Vous lui avez pardonné, alors?

– Oui, je l'espère.

– Pourquoi? demanda-t-elle, se penchant en avant dans son désir de comprendre.

– Pourquoi? En partie à cause de son génie. Ce n'est pas une excuse, bien sûr, mais c'est une explication, tout au moins partielle. Quelque part dans le Livre de Job, il y a cette phrase que me citait parfois mon père : « Les grands hommes ne « sont pas toujours des sages. » Pas plus qu'ils ne sont forcément bons ou courageux. Mais il y a autre chose. Je lui ai pardonné parce que c'est un être humain, tout comme moi. Je suis *simplement un homme*, pas un juge.

– Vous avez peut-être raison, mais je refuse ce passé.

508

« – Une seule visite, Fauve, c'est tout ce que je vous demande, insista Avigdor. Après cela, vous ferez ce que vous voudrez. »

Quelques jours plus tard, au cours de la deuxième semaine d'octobre, les trois experts envoyés par le fisc purent enfin se réunir à La Tourrello. Le gouvernement avait attendu que les meilleurs d'entre eux fussent libres car le contenu de l'atelier de Mercuès était une source de revenus trop importante pour être estimé par un quelconque commissaire-priseur.

En se dirigeant vers Félice avec Eric et ses parents, Fauve se sentait de plus en plus nerveuse. Elle regrettait d'avoir accepté de revenir une deuxième fois dans cette maison qui comportait les deux pièces qu'elle avait aimées le plus au monde : l'atelier et sa chambre dans le pigeonnier.

L'horreur qu'elle avait ressentie à l'égard de son père, sa pitié impuissante pour les réfugiés sans abri, toutes ces émotions qui l'avaient bouleversée lorsqu'elle avait fui La Tourrello bien des années auparavant resurgissaient tandis qu'ils approchaient de Félice. Pas de souffrance, mais un sentiment de malaise intolérable.

Tous ses sens étaient douloureusement en alerte. La campagne était si brillante sous le soleil qu'elle était éblouie malgré ses lunettes teintées. Elle entendait les voix d'Eric et de ses parents, mais comme déformées, haut perchées et leurs gestes lui semblaient nerveux, une série de soubresauts dénués de sens. Elle luttait pour se raccrocher à la réalité mais en vain. Cette lente montée à travers le bois de chênes-lièges vers La Tourrello était comme un mauvais rêve.

Ils se garèrent à l'extérieur, sur la prairie de chardons et d'herbes folles devenues piquantes à force de sécher pendant l'été. Fauve sortit avec réticence de la voiture. L'odeur entêtante du chèvrefeuille lui causa un choc. C'était comme une bouffée d'enfance.

« Regardez, les voitures sont déjà là. Les experts doivent nous attendre à l'intérieur », dit Adrien Avigdor, essayant d'entraîner Fauve vers la maison.

Elle était immobile, tendue, l'air traqué. Lui-même était très ému de se retrouver là. Il n'y était jamais revenu après que Marthe l'eut chassé en 1942 et qu'il eut aperçu la silhouette de Mercuès derrière la fenêtre. Quel souvenir affreux!

« Allons-y », dit Eric, prenant la main de Fauve.

Il la remorqua à travers le portail puis la cour.

Un groupe de cinq hommes bavardaient devant la porte. Il était composé d'Etienne Delage, le marchand de Mercuès, désormais celui de Nadine Dalmas, de trois experts et du directeur des impôts d'Avignon. Ils se présentèrent tous avec solennité et échangèrent une poignée de main avec Fauve, Eric et ses parents.

« Il semble qu'il n'y ait personne dans la maison, déclara l'un des experts, un Parisien barbu, grand et élégant.

– J'ai la clef, répondit le marchand. On m'a informé que la vieille servante était partie. La maison est vide. Toutes les clefs étaient chez maître Banette, le notaire d'Apt. Il m'a demandé de les remettre à Mlle Lunel puisqu'il ne pouvait être présent aujourd'hui. »

Il prit le trousseau de clefs dans sa poche et le tendit à Fauve.

« S'il vous plaît, monsieur, voudriez-vous ouvrir vous-même la porte? » demanda-t-elle en reculant d'un pas.

Etienne Delage hocha la tête et se dirigea vers l'entrée. Fauve traîna derrière le groupe qu'il pilotait à travers le mas faiblement éclairé. Ils traversèrent des pièces dont un volet était parfois resté ouvert et entrèrent enfin dans l'aile où était situé l'atelier de Julien.

Le directeur des impôts d'Avignon ôta les scellés.

« Mademoiselle », suggéra-t-il à Fauve en lui montrant la porte.

Elle secoua la tête et ce fut de nouveau Delage qui se chargea d'ouvrir.

Tous s'effacèrent pour laisser passer Fauve. Elle entra, fit quelques pas dans l'atelier puis s'arrêta. Le choc qu'elle avait ressenti en humant le chèvrefeuille n'était rien en comparaison de celui qu'elle éprouva en sentant l'odeur familière de cette pièce où son père avait peint pendant cinquante ans. Le souvenir des heures qu'elle y avait passées s'imposa à elle et elle faillit fondre en larmes.

L'atelier n'était pas sombre en dépit des volets fermés. Mercuès avait laissé la lumière et personne n'avait songé à l'éteindre.

Fauve ferma les yeux un instant puis se ressaisit et regarda autour d'elle.

C'était donc cela son héritage? Cette symphonie bondissante de couleurs, ces énormes toiles qui respiraient la vie et la joie?

Il n'y avait dans l'atelier que ces immenses toiles, plus grandes que tout ce que Mercuès avait jamais peint. Le seul signe de sa présence était une robuste échelle dans un coin, sa table de travail et le vieux chevalet sur lequel était posée une toile vierge.

Stupéfaite, fascinée par les images complexes qui dansaient devant elle, Fauve regardait fixement les murs. Elle distingua des lions dressés sur leurs pattes postérieures, des agneaux faisant des cabrioles, des gazelles caracolant et des colombes qui traversaient le ciel, tout cela sur un fond de fleurs sauvages aussi brillantes que des joyaux et de pommiers dans des tons de vert céladon. Elle contempla la toile suivante avec ses lourdes gerbes d'orge et de blé empilées, ses grenades, ses dattes, ses olives et ses figues. Là, les couleurs suggéraient l'été. Des ors, des verts riches et profonds. Sur la toile voisine, il avait peint l'automne, la maturité. Toutes les nuances de l'améthyste vibraient dans la douce lumière des vendanges.

Les oiseaux chantent... La rose de Sharon... Les cèdres du Liban... Que signifiaient ces titres?

Puis, sur le mur du fond, elle vit le plus grand tableau de la pièce et fut immédiatement attirée par son magnétisme. La brillante profusion des autres images cessa d'exister pour elle. Elle s'approcha de la toile : Mercuès avait peint un candélabre à sept branches allumé, un menorah monumental qui se détachait sur un superbe fond rouge sombre. Fauve en resta sans voix. Son cœur cognait dans sa poitrine.

Derrière elle, Eric lut les mots que Julien avait peints en hautes lettres sous le menorah.

« *La lumière qui vit toujours. La synagogue de Cavaillon, 1974.* »

« Il... il est allé à Cavaillon! balbutia Fauve, incrédule.

— Oui, et voici l'explication de cette fameuse série *Cavaillon*, dit lentement Eric d'une voix pleine de respect.

— Mais les autres toiles?

– Il y a une inscription sur chacune d'elles »,
répondit-il.

Fauve continuait à fixer le grand candélabre.
Enfin, elle se tourna vers Eric et lui prit la main. Ils
contemplèrent ensemble une autre grande toile.

C'était une nature morte : deux bougies dans des
chandeliers, une miche de pain, un gobelet en
argent contenant du vin, le tout posé sur une nappe
blanche. C'étaient des choses simples, les dons du
Créateur à l'homme. Une paix, une joie grave émanaient du tableau et Fauve, qui commençait à
comprendre, hocha la tête.

« Sabbat », lut l'expert barbu, traduisant car le
mot n'était pas écrit en français mais en hébreu.
Dans la netteté et dans la fermeté des lettres
pourtant peu familières, Fauve reconnut la patte de
Mercuès.

Elle passait maintenant avec impatience d'une
toile à l'autre et elle se rendit compte que les trois
premières œuvres qu'elle avait vues – celles des
saisons – avaient été accrochées à part. Elle recula
afin de les voir ensemble.

Fascinée par la beauté de ces tableaux, par leur
profusion de couleurs, elle se demanda quelle était
la clef de cette richesse picturale, de ces rythmes
passionnés.

A sa droite, Adrien Avigdor lisait les inscriptions
en hébreu, langue qu'il avait étudiée quelques
années dans sa jeunesse.

« *Pessah*, dit-il de sa voix grave en regardant la
première toile.

– *Le Festin d'Exodus*, ajouta l'expert de Paris.
L'Anniversaire de la révélation au mont Sinaï – il a
utilisé les symboles du *Cantique des cantiques*.

– *Shavouot*, continua Avigdor, s'arrêtant devant la

toile suivante et, de nouveau, l'expert parisien donna l'explication.

– *La Fête de l'Eté* – on apporte les fruits et les récoltes au Temple.

– *Souccoth*, lut Avigdor sur la troisième.

– *La Fête de l'Automne*, dit le Parisien. Les tabernacles faits de branches et de roseaux dans lesquels tous dorment pendant une semaine à la belle étoile. »

Et soudain, Fauve comprit : Julien Mercuès avait remonté le temps. Il avait vécu dans le vieux Jérusalem. Armé d'un pinceau païen mais inspiré, il avait usé ses dernières forces à peindre la célébration des fêtes d'un peuple qui avait adoré – qui adorait toujours – un Dieu invisible.

Elle ferma les yeux et s'appuya sur le bras d'Eric.

« Ça ne va pas ? demanda-t-il inquiet.

– Sortons une minute. Je regarderai le reste plus tard. »

Comme ils se dirigeaient vers la porte, Adrien Avigdor s'approcha de Fauve, l'air interrogateur. Un seul regard au visage transfiguré de Fauve lui donna la réponse qu'il était venu chercher. Satisfait, il les laissa s'éloigner. Fauve venait de dépasser le chevalet de Mercuès lorsque son œil fut attiré par un petit morceau de papier fixé au bois à l'aide d'une punaise. Elle reconnut l'écriture familière de son père. Le papier était jauni, taché par la peinture, comme s'il avait été beaucoup touché.

« " Ecoute, ô Israël, le Seigneur est notre Dieu, Dieu est unique ", lut-elle à voix haute. C'est tout.

– N'est-ce pas suffisant ? »

34

« Ecoute, je renonce à te décrire ça au téléphone, conclut-elle. Pourquoi ne fais-tu pas un saut à Félice pour les voir, Magali?

— Je le ferai, chérie, mais pas tout de suite. Pour le moment, c'est impossible. C'est la folie totale ici, je ne peux pas laisser l'agence. Au fond, ce qui compte vraiment, c'est que ton père ait éprouvé le besoin de créer ces œuvres pour... se racheter, je dirais. C'est vraiment une rédemption et tu sais que c'est un mot que je n'emploie pas facilement. Je remercie Dieu de lui avoir donné le temps de l'achever.

— Il s'agit de bien autre chose que de temps, Magali. Tu comprendras quand tu les verras. Il a peint avec la dernière goutte de son sang.

— Ils sont tous aussi sidérés que toi?

— Oui et encore, à part les Avigdor, ils ne connaissaient pas l'attitude de papa vis-à-vis des juifs. Les experts étaient soufflés et, pourtant, ils ont l'habitude des chefs-d'œuvre. Le directeur des impôts d'Avignon était touchant. Il n'a visiblement aucune connaissance particulière en peinture mais il était si fasciné qu'on ne pouvait pas lui tirer une parole. Il n'est même pas allé voir ce qu'il y avait dans la chambre forte. Je voulais t'appeler immédiatement mais, pour une fois, j'ai pensé au décalage horaire. J'ai attendu que tu sois à ton bureau.

— J'y suis déjà depuis près d'une demi-heure et il est à peine neuf heures.

— Ma pauvre Magali... je suis désolée. Je ne peux pas quitter Félice maintenant. Un tas de gens vont venir voir ces toiles et, comme elles m'appartiennent, il faut que je reste un peu. Je suis vraiment navrée de te laisser tomber...

— Ne t'en fais pas, mon petit chat, tout va bien.

— Mais tes week-ends? s'inquiéta Fauve.

— Ne te préoccupe pas des mes week-ends. Je n'ai plus grand-chose à faire dans le jardin en ce moment et, après tout, je vais quand même à la campagne le samedi et le dimanche. Darcy comprendra... Il comprend toujours tout.

— Merci, Magali, et remercie Darcy pour moi. Je t'appellerai tous les trois ou quatre jours. Embrasse tout le monde pour moi, et en particulier Casey et Loulou et... je t'adore, Magali. Je suis tellement *contente*! »

Maggy raccrocha et s'adossa à son fauteuil. Elle se sentait aussi euphorique que Fauve. Ainsi, cet homme avait fini par mettre son talent au service de quelque chose de plus profond et de plus touchant que la seule beauté. Maggy comprit qu'elle n'était pas seulement heureuse pour sa petite-fille mais pour Julien Mercuès, cet homme qu'elle avait aimé et haï pendant tant d'années. Bien sûr, elle ne pourrait jamais lui pardonner complètement les souffrances qu'il lui avait infligées, pas même s'il avait illustré chaque ligne de l'Ancien Testament, mais au moins, maintenant, elle pouvait penser : « Repose en paix », et le penser vraiment. Elle demeura immobile et pensive pendant un long moment. Un coup d'œil à sa montre l'arracha à sa rêverie. Elle appuya sur le bouton de la ligne intérieure pour faire venir Casey et Loulou.

En sortant de chez Alexandre, son coiffeur, Nadine Dalmas, tout en se dirigeant vers le rond-point des Champs-Elysées pour prendre un taxi, songea avec amertume qu'elle n'avait pas reçu une invitation digne de ce nom depuis la mort de son père. Tous ses amis semblaient l'éviter. Un taxi vide passa devant elle, mais elle ne le vit pas. Elle regardait fixement le titre de *France-Soir* accroché au kiosque à journaux : « Fauve Lunel prendra-t-elle le nom de Mercuès, son père ? » Quelle importance ? Pourquoi traitait-on cette intruse, cette traînée comme si elle était la seule fille de Julien Mercuès ? C'est moi, avait envie de crier Nadine, *c'est moi qui suis la fille de Mercuès.*

Lorsqu'elle avait décidé de rester quelques semaines de plus en Provence, Fauve s'était installée au Prieuré, puis, l'hôtel ayant fermé début novembre, elle avait émigré à l'Europe à Avignon.

Un matin, vers la fin du mois de novembre, elle se rendit à Félice au volant d'une Peugeot louée. Il fallait absolument qu'elle prenne une décision au sujet de La Tourrello avant la fin de la journée. Après la découverte de la série *Cavaillon*, la maison avait été littéralement envahie. Elle avait dû jouer les maîtresses de maison auprès d'un grand nombre de gens, des journalistes, des critiques d'art et des conservateurs de musée. Dieu merci, c'était terminé. Hier, la dernière toile avait été soigneusement enveloppée et chargée dans le camion qui emportait la série à Amsterdam. Elle passerait ainsi d'un continent à l'autre, d'une grande ville à l'autre et serait exposée dans tous les musées qui la réclamaient. Si elle l'avait gardée à La Tourrello, trop peu de gens auraient pu la voir. Un jour, ces toiles merveilleuses lui reviendraient mais, pendant plusieurs années, la série *Cavaillon* appartiendrait au public.

Maintenant que l'atelier était vide, que la chambre forte ne contenait plus que les portraits que Fauve gardait pour elle, elle prendrait plus facilement une décision au sujet de la maison. Depuis son départ de New York, elle avait l'impression de vivre dans un tourbillon. Le soir, elle était si fatiguée qu'elle se couchait en ne pensant à rien d'autre qu'à ses rendez-vous du lendemain. Elle avait engagé une jeune veuve, Lucette Albion, qui venait tous les jours de Lacoste pour faire le ménage et servir à déjeuner à tous les visiteurs. Aujourd'hui le dernier avait quitté la maison et La Tourrello serait vide. C'était dimanche et Lucette assistait à un mariage à Bonnieux. Il faisait doux pour la saison. Les bordures de cyprès étaient bien vertes, les feuilles des oliviers tout argentées. La saison de la chasse avait commencé et on entendait des coups de feu claquer dans les collines. Dans la cour des fermes, des enfants jouaient et criaient. A l'entrée de nombreux mas, on vendait des fruits. Fauve acheta une poire et une pomme pour son déjeuner.

Elle avait pris un peu de poids ces derniers temps, songea-t-elle. Les gens dont elle avait fait la connaissance s'étaient montrés si hospitaliers qu'elle était invitée à dîner tous les soirs chez l'un ou chez l'autre des nombreux amis qu'elle s'était faits à Avignon, Apt ou Bonnieux. A Félice, elle déjeunait ou dînait avec Pomme et Epinette, toutes deux aussi caustiques et irrévérencieuses que jadis, en dépit de leur dignité nouvelle de femmes mariées. Et, bien sûr, elle voyait beaucoup Beth et Adrien Avigdor.

Eric n'était pas souvent là, pensa-t-elle avec amertume. Mais il construisait deux nouvelles maisons aux Baux et était très occupé.

Aussi occupé que moi, songea Fauve. En fait, ils ne faisaient pas exprès de s'éviter. Non, peut-être pas, mais n'aurait-il pas pu essayer de lui consacrer un peu plus de temps, malgré tout? Enfin, bonté divine, neuf mois auparavant, cet homme voulait qu'elle abandonne tout pour vivre avec lui! Et, maintenant, son père et sa mère lui témoignaient plus d'affection que lui. Qu'il aille au diable! se dit-elle. Qu'il traîne avec des maçons toute la journée si ça lui chante! Elle ouvrit la porte de La Tourrello avec le trousseau de clefs qui lui était maintenant familier.

Fauve erra dans la maison, s'assurant que Lucette avait bien vidé tous les cendriers et débarrassé la table des verres. La veille, en compagnie d'Adrien Avigdor, de Jean Perrin et de quelques messieurs du musée d'Amsterdam, elle avait fêté le départ de la série *Cavaillon*. Le salon était impeccable. N'habitant pas La Tourrello, elle n'avait pas pris la peine d'acheter des fleurs. Elle passa dans la cuisine où elle découvrit les restes du déjeuner de la veille, rangés avec soin dans le réfrigérateur. Du poulet froid, du pâté de foie, des fromages et une dernière bouteille de vin blanc presque pleine.

En disposant ces victuailles sur la table, elle décida de se mettre au régime dès le lendemain. En une semaine, elle aurait reperdu ses deux kilos en trop. Elle serait de retour à New York avant qu'on ne commence à décorer les vitrines pour Noël dans la 5e Avenue, de retour pour toutes les fêtes et pour la première neige de la saison. Non, se dit-elle, les vitrines étaient déjà certainement décorées. Elles l'étaient toujours avant Thanksgiving. Et la première neige était tombée, Magali le lui avait annoncé au téléphone. Maintenant, la neige devait déjà être sale. New York avec ses particules noirâtres qui tombaient d'un ciel uniformément gris, ses taxis en maraude, ses ruisseaux si larges le long des trottoirs qu'il fallait mettre un pied dedans pour pouvoir monter dans l'autobus surchauffé quand le chauffeur daignait s'arrêter. Et le hurlement constant des sirènes comme si toute la ville brûlait. Mais les soirées, la réception que donnait chaque année Lunel pour Noël, le concert Horowitz pour lequel Melvin avait pris des places (il le lui avait écrit), l'exposition Avedon, Bobby Short au café Carlyle... Quelle ville autre que New York offrait tout cela?

Fauve chercha les tomates que Lucette avait achetées la veille. Parfait, il y en avait assez pour faire une salade au poulet. Mais peut-être ne devrait-elle manger que les tomates. Elle ne tenait pas à rentrer à l'agence comme une tour et à essuyer les quolibets des mannequins. Dieu sait pourquoi, tout le monde avait le droit de grossir à l'agence, sauf Magali et Fauve qui devaient rester aussi minces que des cover-girls.

Fauve se mit à rêvasser à tout ce qu'offrait la Provence : la tapenade, le ciel étoilé, le café de Félice d'où on pouvait voir tout le village défiler, la couleur du ciel, la couleur des pierres, la lumière... En soupirant, elle rejeta une mèche de cheveux qui lui tombait sur l'œil et se mit à réfléchir au problème de La Tourrello.

Elle pouvait louer le mas ou bien le mettre en vente. Jean Perrin l'avait assurée qu'aucune des deux solutions ne poserait le moindre problème. Beaucoup de gens cherchaient à acquérir une maison dans le Midi et la luxueuse propriété de Julien Mercuès se vendrait très bien. Elle était aussi célèbre qu'extraordinaire avec ses bâtiments restaurés, sa piscine, son chauffage central et ses nombreuses salles de bain. Elle ferait mieux de la vendre, songea-t-elle soudain. Les abricotiers, les vignes, les champs d'asperges, les oliveraies – toutes les cultures de La Tourrello étaient dans un état déplorable. Jamais un locataire ne ferait l'effort nécessaire pour remettre la propriété en état.

Pensive, elle prit la pomme et la poire qu'elle avait achetées sur la route et erra dans la maison.

Que deviendrait l'atelier? se demanda Fauve qui venait d'arriver devant sa porte. Hier, elle avait été si occupée à régler les derniers détails du transport de la série *Cavaillon* avec les gens d'Amsterdam que c'était Jean Perrin qui avait fermé l'atelier à clef après que toutes les toiles eurent été emportées. Elle hésitait à entrer. Elle n'avait jamais vu l'atelier vide, sans tableaux. Avait-elle vraiment besoin d'entrer? Allait-elle oser entrer?

Ne sois pas absurde, se dit-elle et elle franchit le seuil d'un pas décidé. La pièce, qui lui avait toujours semblé immense, était d'une taille normale. C'était un vaste atelier, bien sûr, mais pas gigantesque. Fauve en conclut que cette impression était due à la nudité des murs. Le travail de son père donnait une tout autre dimension à la pièce. Quel que fût le sujet de la toile, l'œil allait au-delà. Maintenant, il ne restait que les murs, le haut plafond, les solives et la verrière. Et, bien sûr, la table et le chevalet.

Elle posa sa poire et sa pomme toujours intactes sur la table et, d'un geste machinal, elle se mit à ramasser les pinceaux qui traînaient partout sur le sol. Mercuès lui avait appris à les laver dans l'évier de la petite pièce attenante à l'atelier dans laquelle il rangeait son matériel. Comme n'importe quel bon artisan, son père était très soigneux avec ses propres pinceaux. Malgré le désordre qui régnait dans l'atelier, il commençait toujours sa journée avec des pinceaux propres.

Elle comprit que ce ne serait pas une tâche facile. Ils étaient raidis par une croûte de peinture séchée. Elle ferait mieux de les jeter. Cependant, elle se retrouva devant l'évier dans lequel était posée une bouteille de térébenthine.

Lentement, avec amour, elle entreprit de nettoyer les pinceaux de son père. Finalement, elle n'en garda qu'un, laissant les autres à tremper pour la nuit. Elle revint vers la table et resta debout, irrésolue et l'esprit vide devant la toile vierge. Elle s'attarda là sans penser à rien, sans savoir ce qu'elle allait faire, jusqu'au moment où elle se sentit glisser dans le passé. Elle revit la grande main de Julien Mercuès couvrir la sienne, la guider, comme il l'avait fait si souvent. Elle entendit sa voix.

« Le regard, Fauve, sers-toi de tes yeux. Il faut apprendre à voir. »

Et elle comprit soudain ce qu'elle allait faire. C'était un besoin longtemps né mais évident, un besoin impératif.

Il fallait qu'elle essaie. Elle était peintre. Elle avait toujours été peintre. Elle avait rejeté le peintre en elle, comme elle avait rejeté son père, mais maintenant... Maintenant, il fallait qu'elle essaie. Les murs avaient été abattus, les portes ouvertes.

Elle devrait recommencer tout à zéro. Enfin, pas tout à fait, mais presque. Elle avait certainement perdu sa technique, sa facilité. Mais elle avait tout de même appris le langage... Ce n'était pas si facile à oublier, d'autant plus qu'elle avait gardé cette habitude de dessiner à tout bout de champ.

Fauve se retrouva assise sur la table, les yeux fixés sur la toile vierge, le pinceau à la main, la pomme dans l'autre. La mangerait-elle ou la peindrait-elle? Elle éclata de rire et mordit dedans. Elle peindrait la poire.

35

MAGGY et Darcy devaient avoir fini leur petit déjeuner. Ils étaient certainement plongés dans les journaux du dimanche, se dit Fauve, calculant les six
heures de décalage horaire. Elle prit sa pomme,
quitta l'atelier et alla téléphoner dans la bibliothèque de La Tourrello.

Elle composa le numéro, puis raccrocha à la hâte
avant d'avoir obtenu une réponse. Cette décision
soudaine, ce changement brutal de direction n'al-
laient-ils pas affecter Maggy et Darcy si heureux de
leur nouvelle vie?

N'était-ce pas précisément ce genre d'égoïsme qui
avait toujours gouverné l'existence de son père? Il
faisait toujours ce qui lui plaisait sans se préoccuper des conséquences. Allait-elle maintenant,
comme lui, faire passer son travail avant tout? Son
besoin de peindre était-il aussi impérieux qu'avait
été le sien? Et n'était-ce pas justement ce qui l'avait
aveuglé?

Immobile, Fauve essaya d'imaginer sa vie à New
York si elle décidait de rentrer. Elle pourrait peindre pendant les week-ends et passer la semaine à
s'occuper des deux cents mannequins de Lunel et
du petit monde de la mode. Elle avait été élevée
dans ce but, après tout.

Non, pas vraiment, pas du tout même, maintenant qu'elle y réfléchissait. Lorsqu'elle avait obtenu son diplôme du collège, Magali ne lui avait jamais dit, ou même fait comprendre, qu'elle pourrait lui succéder un jour. C'est elle qui avait plongé là-dedans, comme si ce métier était le seul susceptible de régler ses problèmes. Fauve ne savait qu'une chose à propos de ce travail, c'est qu'on ne devrait pas le faire à moins qu'il ne vous *intéresse* vraiment. Lorsqu'on apprenait avec indifférence que c'était une fille de Wilhelmina et non une fille de Lunel qui avait posé pour la couverture de *Vogue*, il était temps d'en sortir.

En décrochant de nouveau son téléphone, elle se dit qu'elle était au moins sûre d'une chose : Maggy tenait avant tout à ce qu'elle soit franche, même si la vérité la rendait malheureuse.

Fauve demanda à Darcy de prendre le second appareil et elle leur raconta à tous les deux ce qui était arrivé le matin même. Elle fut aussi directe et claire qu'elle pouvait l'être. Il était inutile de tourner autour du pot et de prétendre qu'elle n'avait pas encore pris de décision.

« Eh bien, dit Maggy d'une voix qui semblait lointaine ou étouffée, je dois dire que je ne m'attendais pas à cela, Fauve.

– Ecoute, je comprends ce que ça représente pour toi, j'y ai beaucoup réfléchi, répondit Fauve. Je sais combien tu tiens à ce que nous soyons l'une ou l'autre à l'agence tous les jours. Tu vas être obligée de travailler à plein temps, ou bien de donner plus de responsabilités à Casey et à Loulou.

– Je commençais à me demander ce qui te retenait là-bas. Darcy, combien de fois t'ai-je dit que

Fauve ne tournait pas rond en ce moment, qu'elle avait changé? demanda Maggy comme si elle avait gagné un pari.

— Magali, tu ne comprends pas ce que je viens de te dire? Je ne veux pas diriger une agence de mannequins.

— Mais je comprends très bien. Tout le monde n'a pas cette vocation, répondit Maggy, une pointe de suffisance dans la voix.

— Alors, ça t'est égal? demanda Fauve, incrédule.

— Je ne veux pas me mêler de cette conversation sur les carrières, intervint Darcy. Mais, Maggy, il vaut mieux que je te dise franchement les choses : je suis absolument opposé à ce que tu fasses construire une serre dans la salle à manger.

— Bonté divine, Darcy, tu sais très bien que je comptais faire pousser des orchidées après le retour de Fauve, protesta Maggy, irritée.

— Il se trouve qu'elle ne revient pas, et tu as les ongles noirs du printemps à l'automne. Je n'ai pas épousé un ouvrier agricole... j'ai épousé Maggy Lunel. Je sais que ces quatre jours de week-end t'ennuient à périr. Tu es beaucoup plus en forme depuis que Fauve est partie pour la France. Pas de serre.

— Darcy! Il y a longtemps que tu as deviné... pour les week-ends? demanda Maggy.

— Un bout de temps...

— Est-ce une conversation privée? demanda Fauve. Je vous signale que le téléphone coûte cher. » Jean Perrin lui avait annoncé qu'elle hériterait d'au moins vingt-cinq millions de dollars mais Fauve n'arrivait toujours pas à le croire.

« Tu aurais dû nous appeler en P.C.V., répliqua

Maggy. Ecoute, Darcy, tu ne veux vraiment pas de cette serre?

– En aucun cas.

– Bon, eh bien, dans ce cas, j'irai à l'agence le vendredi.

– Et le lundi? demanda Darcy, inquiet.

– Je resterai à la campagne le lundi.

– Bon, entendu. Du vendredi soir au lundi soir, d'accord?

– D'accord. Le lundi, je laisserai Casey, Loulou et Ivy s'occuper de l'agence.

– Ivy? s'étonna Fauve.

– Ivy Columbo. Y a-t-il une autre Ivy? Etre mannequin ne l'intéresse plus. Elle prétend que c'est une carrière trop courte. Pour le moment, elle travaille comme bookeuse. Elle est débutante, bien sûr, mais tu la connais, elle pige au quart de tour. C'est un très bon élément. A mon avis, elle ira loin. Elle me rappelle moi au même âge. Tu sais qu'elle est fiancée? Elle est tombée amoureuse d'un bel Italien qu'elle a rencontré à la chapelle Sixtine à Rome en mars dernier. Mais, Fauve, bien entendu, si tu changes d'avis, tu retrouveras ton job à l'agence. Tu le sais bien.

– Merci, Magali », répondit Fauve distraitement.

Elle imaginait l'agence dirigée par ces trois-là. Loulou avait de l'ancienneté, Casey était intelligente, mais Ivy était remarquable.

« Où vas-tu habiter? damanda Maggy, revenant aux problèmes pratiques.

– A La Tourrello, bien sûr.

– Comment... Là-bas, toute seule? s'inquiéta Maggy. Quelle idée!

– Tu es vraiment incroyable! protesta Fauve. Quand je pense que tu vivais dans un bouge de Montparnasse avec Dieu sait qui, que tu dansais jusqu'à l'aube toutes les nuits, et qu'on t'a portée entièrement nue dans une coupe de fruits! Sans parler de l'opium!

— Je vois qu'Adrien Avigdor a évoqué ses souvenirs! Je n'ai jamais fumé l'opium, figure-toi. Non qu'on ne m'en ait pas proposé, mais ce n'était pas mon truc. De toute façon, à cette époque j'étais très jeune. Mais, à ton âge, je gagnais déjà très bien ma vie et je menais une existence respectable.

— Avec une fille illégitime et un amant? répliqua Fauve avec douceur.

— Je ne connaissais pas encore Darcy à cette époque, n'est-ce pas, chéri? Voyons, en quelle année Lally a-t-elle organisé sa chasse aux trésors? N'était-ce pas...

— Peu importe la date, l'interrompit Fauve. Quoi qu'il en soit, je ne serai pas seule. Je vais demander à Lucette de venir habiter ici avec ses enfants. Elle vit chez ses beaux-parents et elle a horreur de ça. Je suis sûre qu'elle sautera sur l'occasion. Et puis il y a tous les hommes qui travaillent aux champs. La Tourrello va revivre, ajouta-t-elle joyeusement.

— Dis donc, Fauve, intervint Darcy, j'ai rencontré Ben Litchfield au 21 jeudi dernier. Tu te rends compte que Pete Krindler lui a donné la table sept alors qu'il n'a que trente ans? Quoi qu'il en soit, il m'a demandé quand tu rentrais.

— Avec qui était-il? demanda Fauve machinalement.

— Une fille ravissante. Elle doit être mannequin.

— Ah! bon? Chez qui est-elle? demanda Fauve, intéressée.

— Chez Lunel, répondit Maggy, agacée. C'était Arkansas et Darcy le sait très bien.

— Arkansas! Pourquoi n'y ai-je pas pensé plus tôt? C'est génial! Ainsi, Bob reste dans la famille, si je puis dire. N'oublie pas de dire à Arkansas qu'il se conduit bizarrement le dimanche matin.

– Je me garderai bien de lui dire ça! rétorqua Maggy.

– Eh bien, elle le découvrira elle-même. Elle a déjà dû le faire, d'ailleurs. Embrasse-la pour moi. Ah! Dis donc, Maggy, je t'ai envoyé ce portrait que papa t'avait donné et que Kate s'était approprié. Tu sais, celui où tu es étendue sur des coussins verts. Tu t'en souviens?

– On aurait du mal à l'oublier, glissa Darcy. Où le mettrons-nous?

– Vous trouverez bien un endroit, répondit Fauve joyeusement. Je garde les six autres pour mes arrière-petits-enfants.

– Tes arrière-petits-enfants? Fauve... tu n'es pas... Tu n'as pas fait de..., bredouilla Maggy.

– Vraiment, Magali, comment pourrais-je l'être? Je ne suis pas mariée après tout, la taquina Fauve. Mais si j'étais enceinte, ce serait un cas de prédisposition génétique sans précédent. Darcy, tu te souviens de ce panda que tu m'as donné un jour?

– Bien sûr.

– Ecoute, me considérerais-tu comme puérile et idiote si je te demandais de me l'expédier? Il est assis sur un rocking-chair dans mon salon.

– Bien sûr que non. Tout le monde a besoin d'un panda. Tu veux autre chose pendant que j'y suis?

– En fait... cette maison est complètement vide. Peut-être pourrais-tu faire appel à un déménageur pour m'envoyer tout ça.

– T'envoyer quoi?

– Tout ce qu'il y a dans l'appartement. Oh! Je sais que ce n'est pas grand-chose mais ça me donnera du courage pour commencer à installer la maison.

– Pourquoi pas? Ce n'est pas bien compliqué.

– Merci, Darcy, tu es un amour. Je suis si contente que tu aies obligé Magali à t'épouser.

– C'est elle qui m'a obligé, en fait.

– Pas possible! s'exclama Fauve en riant. Comment s'y est-elle prise? Raconte-moi ça.

– Cette conversation a assez duré, trancha Maggy. Fauve chérie, tu as fait le bon choix, je crois. Je suis très heureuse pour toi, pour moi et pour Darcy, bien qu'il ne le mérite pas. Un homme qui ne tient pas ses promesses...

– Il faut que je vous laisse. On sonne à la porte, dit Fauve. Je vous rappellerai dans quelques jours. Je vous embrasse. »

Le cœur léger, elle alla ouvrir la porte et se trouva nez à nez avec Eric Avigdor, négligemment appuyé contre le chambranle, sa veste sur l'épaule.

« Ah! ah! Le maître d'œuvre. Entre.

– Je suis rentré des Baux hier soir et je t'ai cherchée ce matin. Comme tu n'étais pas à l'hôtel, j'ai pensé que tu serais peut-être ici... Je ne te dérange pas?

– Bien sûr que non. Je suis ravi de voir le fils de mes chers amis Avigdor.

– Tu... tu as une drôle de voix.

– Quel genre de voix? demanda-t-elle, l'œil étincelant et la mèche batailleuse.

– Je ne sais pas... J'ai du mal à identifier le ton, dit-il prudemment.

– Je prends ça comme un compliment. Où en sont tes maisons?

– Le gros œuvre est terminé. Elles seront prêtes à temps, et je vais bientôt pouvoir reprendre un rythme de vie plus normal. Fauve, je suis désolé de t'avoir si peu vue mais de toute façon tu semblais n'avoir guère de temps à me consacrer. Papa vient de m'annoncer que tu rentrais à New York la semaine prochaine.

– Le devoir m'appelle », répondit Fauve en lui lançant un regard inquisiteur. Voilà, pensa-t-elle, la façon dont maman devait traiter ses soupirants. A cet instant, elle se sentait totalement Lunel et qui aurait pu l'en blâmer?

« Je n'en doute pas, dit-il d'un air évasif.

– Tu veux déjeuner ici avec moi?

– Je ne veux pas t'obliger à préparer un repas. Si nous allions à l'Hostellerie de Bonnieux? On y mange très bien.

– Non, j'ai trop faim pour attendre et il y a des tas de restes à finir. »

Elle le précéda dans la cuisine où la table était déjà chargée des victuailles qu'elle avait sorties du réfrigérateur une heure auparavant. Pendant qu'Eric buvait un verre de vin blanc, Fauve mit le couvert et prépara une salade de tomates.

« Je ne t'ai jamais vue dans ce rôle de cuisinière, observa-t-il, songeur.

– Ma spécialité, c'est le poulet au paprika avec des tonnes de crème fraîche.

– Je ne t'imaginais pas en train de faire la cuisine.

– Tu ne m'imaginais peut-être pas du tout, murmura-t-elle en versant de l'huile d'olive dans sa sauce.

– Tu es injuste, dit-il.

– C'est vrai. Pardonne-moi. Viens, le déjeuner est prêt. »

Ils mangèrent en silence. La tête baissée, ses sourcils formant une ligne orange, Fauve s'efforçait de ne pas regarder les mains d'Éric et encore moins son visage. Surtout pas son visage.

« Tu sais, je n'aurais pas cru que tu serais le genre à oublier une promesse, déclara-t-elle soudain d'un air méditatif.

— De quoi parles-tu?

— Tu m'avais promis de m'emmener à Lunel, tu te souviens? J'ai toujours espéré que je trouverais des indices là-bas, quelque chose qui me donnerait des précisions sur mon identité. Tu m'as promis ça il y a des années. J'attends toujours, dit-elle calmement, prenant bien soin de ne laisser percer aucun reproche dans sa voix.

— Bon dieu, Fauve, tu ne crois pas que tu exagères un peu? Tu disparais sans un mot pendant des années, puis tu réapparais à Rome pour deux jours puis, six mois plus tard, tu refais surface mais pour un motif qui n'a rien à voir avec moi. Tu passes ton temps avec des avocats, des marchands de tableaux, des journalistes et des photographes, sans compter tous tes nouveaux amis, et tu t'apprêtes de nouveau à filer. Tu as un sacré culot de m'accuser de ne pas tenir mes promesses!

— Mais tu ne nies pas l'avoir promis, reprit-elle calmement avec un sourire innocent, comme si elle n'avait pas entendu sa protestation indignée.

— Mais non, bien sûr. Je peux le prouver d'ailleurs car j'ai les cartes dans ma voiture. Seigneur, tu me tues! Lunel est au sud de Nîmes et au nord de Montpellier – pas très loin de l'autoroute A9. Si on part maintenant, nous y serons dans une heure, en prenant le raccourci par Saint-Rémy et Tarascon... Ce n'est pas loin de la mer. En fait, c'est aux confins de la Provence et du Languedoc.

— Tu y es allé sans moi, l'accusa-t-elle.

– Non, bien sûr que non. Jamais je n'aurais fait ça.

– Alors, comment sais-tu où c'est? Eric, où est ma poire?

– Ta poire?... Je l'ai mangée, excuse-moi, j'aurais dû te demander si tu en voulais la moitié. Pourquoi fais-tu cette tête?

– Tu as mangé... Tu as mangé mon premier sujet, déclara Fauve, éclatant de rire.

– Ton premier sujet? Ce n'était qu'une poire. Je te le jure, Fauve, je ne suis jamais allé à Lunel, mais je voulais savoir exactement où c'était.

– Pourquoi? demanda-t-elle, encore secouée par le rire.

– Au cas où tu reviendrais et où tu voudrais y aller.

– Depuis combien de temps as-tu ces cartes dans ta voiture?

– Depuis ton départ... à seize ans. Lorsque j'ai changé de voiture, je les ai simplement transférées d'une boîte à gants dans l'autre.

– Bon, alors je te pardonne. C'est l'intention qui compte.

– C'était beaucoup plus qu'une intention.

– Que veux-tu dire? » Fauve appuya son menton dans ses mains et le regarda intensément. « C'est par sentimentalité? Par nostalgie? C'est un geste romantique qui te rappelle l'époque où tu étais amoureux de moi?

– Espèce de petite teigne!

– Oh! oh! Des insultes! »

Elle haussa les sourcils d'un air interrogateur, prenant bien soin de dissimuler sa jubilation.

« Ne recommence pas ce petit jeu avec moi. Tu t'es déjà bien amusée à Rome, tu te souviens? Tu m'as fait marcher... Tu m'as laissé croire que tu m'aimais et puis tu t'es échappée à la dernière minute. Exactement, comme maintenant. C'est du sadisme pur! Il n'y a pas de mot pour qualifier ton attitude. » Il se leva.

Fauve fit le tour de la table, transfigurée, sûre d'elle, aussi sûre de ce qu'elle voulait qu'elle l'avait été dans l'atelier le matin même.

Eric la regarda, le cœur battant. Son amour, l'amour de sa vie lui tendait les bras.

« Essaies-tu de me dire, à ta manière originale, que tu m'aimes encore? demanda Fauve en lui mettant les bras autour du cou. Es-tu en train de me demander en mariage? Parce que, je te préviens, cet après-midi, je suis d'humeur à accepter. Si tu me veux, c'est le moment de me prendre.

– J'ai toujours voulu de toi, c'est toi qui ne voulais pas de moi, murmura-t-il en regardant ses grands yeux gris malicieux. Mais... je ne veux pas profiter de ton humeur. Tu m'as déjà fait tellement souffrir. J'ai peur que tu changes d'avis demain.

– Eric, il ne s'agit pas d'un caprice. Je plaisantais. Je voulais simplement t'obliger à parler. Pendant toutes ces années, j'ai eu envie de t'épouser. Tu te souviens que tu rêvais de t'enfuir avec moi quand j'avais seize ans? Eh bien, moi aussi, j'en rêvais, mais je ne voulais pas le reconnaître parce que j'avais terriblement peur de m'engager à cette époque. Mes sentiments pour toi n'ont jamais varié mais j'avais peur de faire confiance à un homme. C'est passé maintenant. Il y a deux choses que je veux dans la vie et aucune des deux ne signifiera rien sans l'autre. Je veux être ta femme et essayer de peindre.

– Peindre? Comment est-ce arrivé? Quand – non, c'est sans importance. Tu me raconteras ça plus tard. C'est merveilleux. J'ai toujours su que tu te remettrais à la peinture.

– Eric, vivrais-tu ici, à La Tourrello?

– Cette maison nous attendait, tu ne le sais pas?

– Si... maintenant si. Je l'ai compris ce matin. »

Il effleura du doigt ses lèvres. Son cœur cognait dans sa poitrine.

« Tu veux aller à Lunel? Je tiens toujours mes promesses, dit-il gravement.

– Pas maintenant, pas aujourd'hui.

– Tu n'as plus envie d'y aller?

– Je ne suis pas pressée, répondit-elle, l'air pensif. Je n'en éprouve plus vraiment le besoin. Mais, Eric, prenons la voiture et allons en bas de la route. Ce n'est pas loin. Je veux acheter une autre poire. »

DU MÊME AUTEUR

PRINCESSE DAISY, Albin Michel, 1980.
SCRUPULES, Albin Michel, 1980.

Nouvelles éditions des «classiques»

La critique évolue, les connaissances s'accroissent. Le Livre de Poche Classique renouvelle, sous des couvertures prestigieuses, la présentation et l'étude des grands auteurs français et étrangers. Les préfaces sont rédigées par les plus grands écrivains ; l'appareil critique, les notes tiennent compte des plus récents travaux des spécialistes.

Texte intégral

Extrait du catalogue*

---

* *Disponible chez votre libraire.*

Le sigle ✒ *, placé au dos du
volume, indique une nouvelle
présentation.*

IMPRIMÉ EN FRANCE PAR BRODARD ET TAUPIN
58, rue Jean Bleuzen - Vanves - Usine de La Flèche.
LIBRAIRIE GÉNÉRALE FRANÇAISE - 14, rue de l'Ancienne-Comédie - Paris.
ISBN : 2 - 253 - 03594 - 7

◈ 30/6010/0